いちばんわかりやすい

相続・贈与の本

'24～'25年版

成美堂出版

2024年 法改正のポイント

1　不動産の相続登記が義務化された　2024年4月1日から

相続によって不動産を取得したら、３年以内に不動産相続登記をする義務が定められました。正当な理由がなくて相続登記をしなかった場合、10万円以下の過料が科されるので注意が必要です。

ただし、３年以内に遺産分割協議がまとまらない場合、2024年４月１日に施行された「相続人申告登記制度」を利用することもできます。これは、①相続が開始したこと、②自分が相続人であることを法務局の登記官に申告して、相続登記の簡易的な報告とするものです。相続人が複数いても、１人で全員分を代理申し出できます。

＜相続登記の申請期限＞

2024年４月１日以前の相続	2024年４月１日から３年以内
2024年４月１日以降の相続	不動産を相続したことを知った日から３年以内

＜相続登記の申請義務化に伴う必要な対応（2024年4月1日以降に相続開始した場合）＞

ケース①
不動産を相続したことを知っている（遺言なし）

相続した不動産の有無や、相続した不動産がどれだけあるか分からない場合、**所有不動産記録証明書**により把握することが可能
(2026年2月2日施行)

申請義務あり

ケース①－1
相続人の間で遺産分割がまとまっている
→ **必要な対応①**
遺産分割の結果に基づく相続登記
【権利移転の公示の効果あり】
※不動産の相続を知った日から3年以内

ケース①－2
当分の間、遺産分割を行う予定はない

ケース①－3
遺産分割がまとまりそうにない(争いがある)

→ **必要な対応②**
相続人申告登記
【権利移転の公示の効果なし】
(各相続人が単独で申出)
※不動産の相続を知った日から3年以内

＋ **必要な対応(追加)**
(相続人申告登記後に遺産分割がまとまった場合)
遺産分割の結果に基づく相続登記
【権利移転の公示の効果あり】
※遺産分割の日から3年以内

ケース②
遺言により不動産を取得したことを知っている
→ 申請義務あり
必要な対応③
遺言の内容に基づく所有権移転登記
【権利移転の公示の効果あり】
※遺言により不動産を取得したことを知った日から3年以内

※民法改正により、相続開始の時から10年を経過した後にする遺産の分割については、原則として、具体的相続分を考慮せず、法定相続分または指定相続分により行うこととされた。
(注) このフロー図は、不動産の相続に関する典型的なケースにおいて、通常想定される対応を示したものである。

2　暦年課税の「持ち戻し」が７年になる　2024年1月1日から

贈与税には年間110万円までの基礎控除額があるので１年間で110万円までは贈与税がかかりません（→P118）。ただし、贈与する人が死亡した場合、さかのぼって３年以内（持ち戻し期間）に法定相続人である子どもや孫が受け取った資産は「相続税」の対象とされています。

この持ち戻し期間が改正で７年に延長されました。2024年１月１日以降に受けた贈与（相続開始日2027年１月１日以後）から順次延長されます。経過措置として、延長された４年間に受けた贈与のうち総額100万円まで加算しなくてよいとされています。

＜暦年課税のしくみ＞

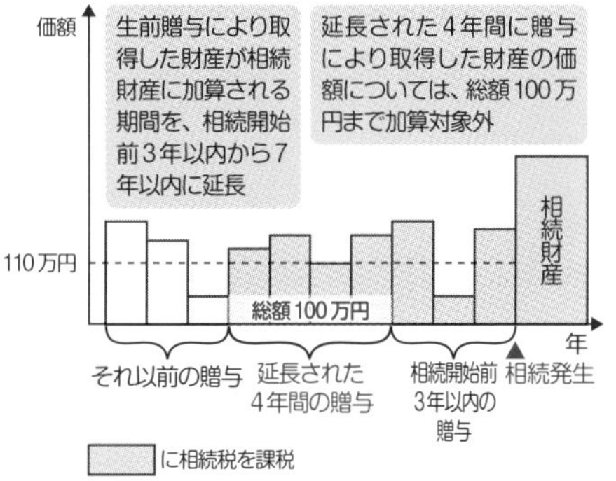

＜加算対象期間＞

贈与の時期		加算対象期間
～2023年12月31日		相続開始前３年間
2024年1月1日～	贈与者の相続開始日	
	2024年1月1日～2026年12月31日	相続開始前３年間
	2027年1月1日～2030年12月31日	2024年1月1日～相続開始日
	2031年1月1日～	相続開始前７年間

3　相続時精算課税制度の基礎控除110万円の創設　2024年1月1日から

相続時精算課税**（→P124）****に基礎控除110万円が創設されました。**相続時精算課税制度は18歳以上の子・孫などへの贈与は2500万円まで非課税にし、相続発生時に相続税の対象とするものです。その際、基礎控除額年110万円までは相続税の対象にしなくてよくなります。

また、110万円以下であれば贈与税の申告も必要ありません。

＜相続時精算課税のしくみ＞

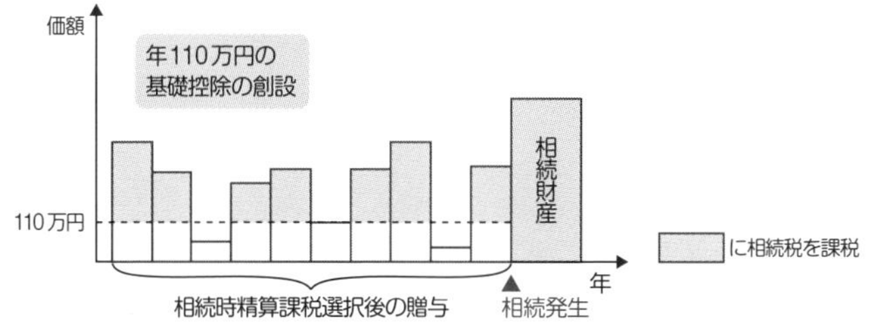

2024年現在も継続中の優遇措置について

1　住宅取得等資金贈与に係る非課税措置　2026年12月31日まで

子や孫が住宅を取得する予定がある場合、最大1000万円の住居取得等資金を贈与することで節税を図りながら財産の移転を実現することができる制度です。2023年12月31日に終了予定でしたが、3年間延長されました。

＜制度の内容と改正点＞

既存住宅用家屋の要件	・築年数要件を廃止 ・新耐震基準に適合している住宅用家屋 （登記簿上の建築日付が昭和57年1月1日以降の家屋は新耐震基準に適合しているとみなす）
受贈者の年齢	贈与を受けた年の1月1日において、18歳以上 （2022年3月31日以前の贈与については20歳以上）
贈与者	父母や祖父母など直系尊属
贈与税の非課税枠	省エネ等住宅*…1000万円　それ以外の住宅…500万円
期間	2026年12月31日まで
手続き	「非課税の特例の適用を受ける旨を記載した贈与税の申告書」「戸籍謄本」「新築や取得の契約書の写し」など一定の書類を添付して、納税地の所轄税務署に提出

＊住宅性能証明書など一定の書類を贈与税の申告書に添付することで、省エネ等基準に適合することを証明された住宅。
省エネ等基準とは、①断熱等性能等級5以上かつ一次エネルギー消費量等級6以上であること。2023年12月31日までに建築確認を受けた住宅または2024年6月30日までに建築された住宅については、断熱等性能等級4以上または一次エネルギー消費量等級4以上、②耐震等級（構造躯体の倒壊等防止）2以上もしくは免震建築物であること、または③高齢者等配慮対策等級（専用部分）3以上であること。

2　教育資金の一括贈与に係る贈与税の非課税措置　2026年3月31日まで

子や孫に対する教育資金の一括贈与について、①信託受益権（信託財産から生じる利益を受け取る権利）を取得した場合、②贈与で取得した金銭を銀行等に預入をした場合、③贈与で取得した金銭等を使って有価証券を購入した場合に、信託受益権または金銭等のうち1500万円までの金額に相当する部分の価額について非課税となる制度です。

この制度は2013年に創設されましたが、延長を繰り返しています。2023年の法改正では3年間の延長が決まり、2026年3月31日までになりました。

＜制度の内容＞

教育資金の範囲	・学校等に対して直接支払う入学金、授業料、学用品の購入費等 ・学校等以外に対して直接支払い、教育を受けるための費用（学習塾の費用、スポーツ・文化芸術に関する費用、通学定期券代、留学のための渡航費等）
受贈者	30歳未満・前年の合計所得金額1000万円以内
贈与者	両親、祖父母、曾祖父母
非課税限度額	受贈者1人につき1500万円 （学校等以外に支払う費用は500万円が上限）
期間	2026年３月31日まで
手続き	金融機関を通じて、申告書を提出し信託等を行う

改正：贈与者の相続財産の課税価格が５億円を超えると残額も課税対象となり、すべて一般贈与財産として贈与税の計算を行うことになりました。

3　結婚・子育て資金の一括贈与に係る贈与税の非課税措置　2025年3月31日まで

子や孫に対する結婚・子育て資金の一括贈与が非課税となる制度です。孫など子以外への相続となった場合は、管理残額に対応する相続税額が２割加算の対象となります。

この特例は2021年３月31日までの措置でしたが、その後2023年３月31日までに延長され、さらに2023年の法改正で2025年３月31日までになりました。

＜制度の内容と改正点＞

結婚・子育て資金の範囲	・結婚に際して支出する婚礼（結婚披露宴を含む）に要する費用 ・住居に要する費用および引っ越しに要する費用のうち一定の期間内に支払われるもの ・妊娠に要する費用 ・出産に要する費用 ・子の医療費および保育料等
受贈者	18歳以上50歳未満・前年の合計所得金額1000万円以内
贈与者	両親、祖父母、曾祖父母
非課税限度額	受贈者１人につき1000万円 （結婚に際して支出する費用については300万円が上限）
期間	2025年３月31日まで
手続き	金融機関を通じて、申告書を提出し信託等を行う

改正：受贈者が50歳に達した時の残額については一般贈与財産として贈与税の計算を行うことになりました。

はじめに

本書は2008年の出版から、多くの読者様に好評を頂きました。年度版として、法改正などに対応しながら、毎年、出版を重ねており、累計10万部以上のロングセラーとなっています。

「いちばんわかりやすい」としているように、相続に必要な基礎知識を「解説」し、私が相談を受けた実例を「ケーススタディ」としてご紹介していますし、最初に「この本の使い方」もご案内して、どなたにもわかりやすい実用書としてご活用頂けます。「さくいん」もあるので気になるワードを探すときに役立ちます。末尾には「相続の専門家ガイド」もご紹介しており、相談先として連絡先が記載されていますので、ご活用ください。

本書を読まれた方からは多くのご相談や感想を頂いています。「基本的なことが書いてありわかりやすかった」「事例が豊富でイメージがつきやすかった」など、どなたも「とてもわかりやすく参考になった」という感想を持って頂いているようです。「自分たちの場合はどうなる？」「どのようにすればいいか、アドバイスしてもらいたい」という方も多く、無料相談の機会を設けていますので、本書の中で解決できない場合はご連絡ください。

私は平成4年から相続実務に取り組んでおり、相続対策のご提案とサポートをしております。今までに1万5000人以上の方からご相談を受けてきました。実例をご紹介した著書や監修した本は80冊となり、累計74万部を超えました。私の著書のなかでも本書は、相続になる前の対策用としても、相続になってから手続き用としても、多くの方に読んで頂いている本となっています。

相続手続きは専門家に依頼するから、お任せでよいと思われるかもしれませんが、その内容を理解して相続人が決断をして進めないといけない場面があります。また、専門家選びでも結果が大きく変わることもあります。そうしたことからも、相続人として、相続の基本的な知識は不可欠です。

相続の基本的なことを知った上で、家族や専門家とコミュニケーションを取り、協力しながら進めていくことで、「感情面」にも「経済面」にも配慮した円満な相続になると言えるのです。

男性の平均寿命も80歳を優に超え、これからもますます長寿社会になることでしょう。100歳まで長生きするのが当たり前の時代となってきました。これから相続を迎える団塊世代の人たちをはじめとして、さらに相続が身近なテーマとなっていきます。どうせであれば相続を他人任せにせず、家族の絆を深める前向きなチャンスとして相続対策に取り組んで頂ければと思います。

本書がご家族の身近なテーマとして「相続」に取り組んで頂くためのきっかけとなり、参考書になればと願うところです。

2024年6月
株式会社夢相続　一般社団法人相続実務協会
相続実務士　　　　　　　　　　　　曽根　恵子

この本の使い方

▲解説ページ▼

用語解説
本文中に出てくる用語をやさしく説明しています。

やさしく明快な解説
相続に関する決まりごとや、相続税・贈与税のしくみなどを、かみ砕いてわかりやすく解説しています。

図解で理解力ＵＰ！
手続きの流れや税金の計算なども、事例を見てわかるように図解しています。

関連情報
本文に関連するくわしい情報を解説しています。

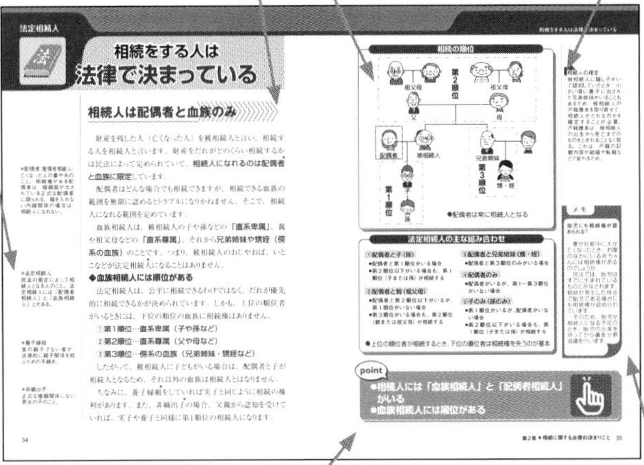

よくある事例を掲載
相談として寄せられることの多い事例をピックアップして紹介しています。

point でチェック
覚えておきたいこと、重要な決まりなどをまとめています。

プラスαの情報も
項目に関連した知って得する情報を解説しています。

▲ケーススタディ▼

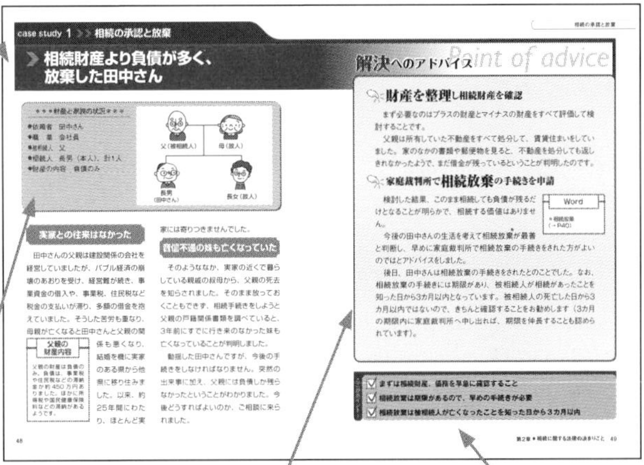

相続の状況が一目でわかる
財産と家族の状況を簡単に把握できるように紹介しています。

具体的なアドバイスを紹介
相続の課題を解決する具体的なアドバイスを解説しています。

ここがポイント！でおさらい
解決のポイントとなった点を簡潔にまとめています。

※本書に掲載した情報、データ、数字等に関しては特に断りのない限り、原則として2024年６月１日現在のものです。

● だれに相談したらよいのかわからない
● 何から始めるのかわからない
● 何が課題なのかがわからない

財産がなくてもだれでも相続を経験します。家族で争わないためにも、最低限の知識を身につけましょう。

確実に知っておきたい「相続の常識」 **1章**

● だれが相続するのか知りたい
● 財産の取得割合を知りたい
● 相続させたくない人がいる

相続をする人は法律で決められています。相続人によって取得する財産額も異なるので確認しましょう。

相続に関する法律の決まりごと **2章**

● 財産の総額を把握しておきたい
● 土地の評価方法を知りたい
● 金融資産の評価方法を知りたい

財産の内容によって評価も様々。評価方法を知れば、おおよその相続税額も導き出すことができます。

相続財産はこうして評価される **3章**

● 養子縁組を考えている
● アパートを建てると相続に有利？
● 生命保険には入っておくべき？

生前対策は、財産の整理から。メリット・デメリットを踏まえて適切な対策を取ることが大切です。

生前から始められる相続対策 **4章**

- 贈与税と相続税の違いを知りたい
- 子どもに贈与を考えている
- 贈与税の額を確認したい

贈与のしくみを知って有効な活用をすれば、相続対策の幅が大きく広がってきます。

贈与を効果的に使うための知識　5章

- 遺言は残しておくべき？
- 遺言書にはどんな種類がある？
- 遺言書はどうやって書く？

自分の意思を残すため、遺言書の準備が必須。遺言書の種類や書き方を確認しておきましょう。

遺言書を活用してトラブルを未然に防ぐ　6章

- 手続きの期限を知りたい
- 手続きの種類を知りたい
- 相続人に行方不明者がいる

必要な手続きには期限があります。亡くなってからの節税対策もあるので、チェックが必要です。

亡くなってから必要な相続の手続き　7章

- 納税の必要があるか知りたい
- 相続税額を知りたい
- 申告手続きについて知りたい

複雑と言われる相続税の計算と申告。よりよい形で相続を終えるためには、万全の態勢で臨むことです。

相続税の計算と申告方法　8章

目次

第1章 確実に知っておきたい「相続の常識」

第4章 生前から始められる相続対策

第5章 贈与を効果的に使うための知識

第6章 遺言書を活用してトラブルを未然に防ぐ

第7章 亡くなってから必要な相続の手続き

第8章 相続税の計算と申告方法

確実に知っておきたい
「相続の常識」

なぜ相続争いは起きてしまうのか。どんな対策が有効なのか……。
まずは基本的な相続の知識を身につけることからスタートしましょう。

第1章

財産がなくても、ほとんどの人が相続に関係する

争いは財産の多少に関係ない

相続の財産争いは、テレビドラマになるような財産がある家庭の話かと言えば、そればかりではありません。財産の多い少ないにかかわらず、誰もが直面する問題であり、争いになるケースが少なくないのです。

財産があり、何人かの相続人がいる場合は、現実の問題として争いが起こらないほうが不思議かもしれません。

身内に財産があるということは、相続になると自分のものにできるチャンスがくるということです。まして現代は経済的な先行きの見通しが立たない時代です。だれしも、当然の権利として財産を手にできる機会となるときには、自分の権利を主張しない手はありません。結果、争いは起こるべくして起こってしまうということなのでしょう。

◆相続人の本音が表面化している

家督相続*の制度がなくなった現在では、財産を家に残すという考え方が希薄になっていることは確かです。長男だからとか、家の跡継ぎだから、という慣例も崩れつつあります。

争いのもとを作ることは、亡くなった方の本意ではないはずです。相続が起きる前はそれぞれに仲良く、円満に過ごしてこられた現実があるからこそ、その姿に安心して、あとは家族でなんとかしてくれるはずということだったのでしょう。

もちろん財産をもらうことは相続人の権利ですから、それを主張するのは悪いことではありません。しかし、財産がほしいばかりに家族のつながりを失ってしまうのは残念なことです。

*家督相続
戸主の身分や、それに基づく一切の権利や義務を受け継ぐ相続の形式。現在の民法ではこの相続を採用していない。

*配偶者
婚姻の相手のこと。夫または妻。

*認知
婚姻外の子について、父または母が血縁上の親子関係の存在を認める観念の表示をしていること。

*地代
土地の利用者が所有者に対して支払うお金のこと。

*担保
借金や融資を受ける際に、その支払いを保証するための対象。不動産や株券が一般的。

*連帯保証人
借主と同じ立場で債務の責任を負う人のこと。保証人よりも責任が重い。

*遺産分割
遺産を分配すること。

こんな場合は相続に注意が必要

▸相続人の特定が必要◂

- ☑ 配偶者*はいない、あるいはすでに他界
- ☑ 独身で子どもがなく、親も兄弟姉妹もいない
- ☑ 先妻・先夫の子どもと後妻・後夫の子ども、認知*した子ども等がある
- ☑ 相続人の中に行方不明者や海外在住者がいる

▸財産の評価・特定が必要◂

- ☑ 自宅の他にも不動産がある
- ☑ 貸地があり、地代*をもらっている
- ☑ 担保*提供している不動産がある
- ☑ 借入金の連帯保証人*になっている

▸遺産分割*の話し合いが必要◂

- ☑ 財産を均等に分けることができない
- ☑ 不動産が1カ所だけ、または差があり、分けにくい
- ☑ 共有名義*になっている不動産があり、分けにくい
- ☑ 贈与した財産があるが全員には知らせていない

▸生前対策が必要◂

- ☑ 事業の後継者がいない
- ☑ 遺言書*を書いていない
- ☑ 認知症*、意識不明等で意思確認ができない
- ☑ 生前贈与*を考えている
- ☑ 内縁の夫・妻、法定相続人以外の人に遺産を渡したい

*共有名義
不動産を複数の人で共同所有するとき、共有者が負担した割合に応じて持分（共有持分）を登記すること。

*遺言書
相続に際して故人の意思を証明する書類のこと。

*認知症
後天的な脳の器質的障害により、正常に発達した知能が低下した状態。かつては痴呆と呼ばれていた。

*生前贈与
被相続人が生前に財産を分け与えること。（→ P116）

メモ

そもそも相続って何？

相続とは、被相続人（亡くなった人）の財産などの様々な権利・義務を、相続人である配偶者や子どもなどが引き継ぐことです。

たとえ相続税がかからなくても、ほとんどの人が相続を経験することになります。

ただ、人生のうちにせいぜい数回しか経験しないこと、税法だけでなく民法などの規定も関わってくる、といったことが相続を難しく感じさせる一因と言えるでしょう。

point

- ●相続は、すべての人が関わらないといけないこと
- ●問題が長引くほど当事者は疲弊してしまう

相続相談の上位は遺産分割に関すること

生前対策の相談が増えている

相続相談を受けている経験からも、相続に関する相談は年々増えるとともに複雑になっているのを実感しています。

2011 年あたりから相続税の改正が決まると、生前にできる節税対策の相談が増えてきました。

遺産分割の相談内容
遺産分割の相談には、「不動産の名義が変えられない」「預金が下ろせない」などといったものも含まれる。

次に多いのが**相続になって遺産分割でもめてしまった方の相談**であり、以前より、こうした現状が続いています。

亡くなったときに遺言書が残っていなかった場合、相続人の間で遺産分割について話し合いをすることになります。これがなかなか難題で、なかには長年にわたってその問題を抱え、すでに身内で話し合うことができないほどにこじれてしまっている場合もあります。身内だからこそ譲れないということもあるのでしょうか、親子や兄弟姉妹の間で裁判をしていることもめずらしくはありません。しかし、なんとか解決したいという思いはだれもが同じなのです。

◆財産をめぐって崩壊する家庭も少なくない

現在では従来の家督相続の名残も崩れつつあり、相続人は法定相続*のもと、皆同じ立場で権利を主張できる時代です。長引く不況の影響や拝金主義の影響もあるのか、財産に執着する傾向が否めません。**財産をもらうことが相続だと思っている人が増えたように思えるほど**です。

*法定相続
民法で定められた相続財産の分配のこと。
（→ P34）

それだけに遺言書や明確な対策がなく相続を迎えた場合、相続人は迷い、権利を主張するがために、争いにまで発展するのです。

「もめている理由・状況」と「もめている相手方との関係」

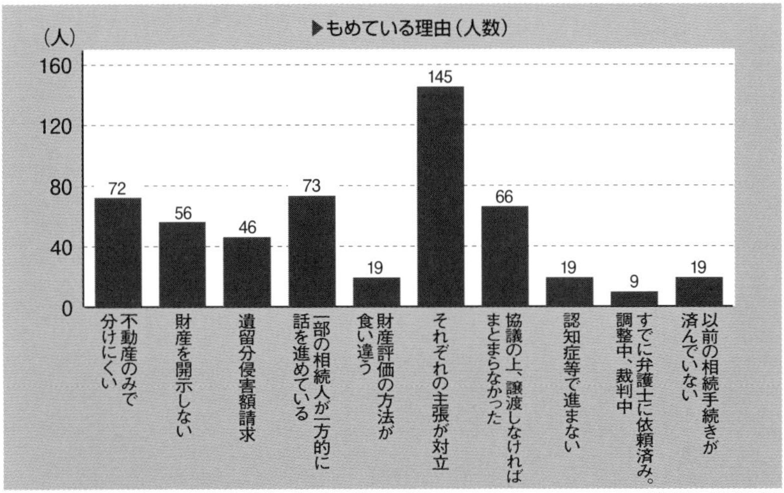

●主張の対立が最も多い

（2007～2021 年）

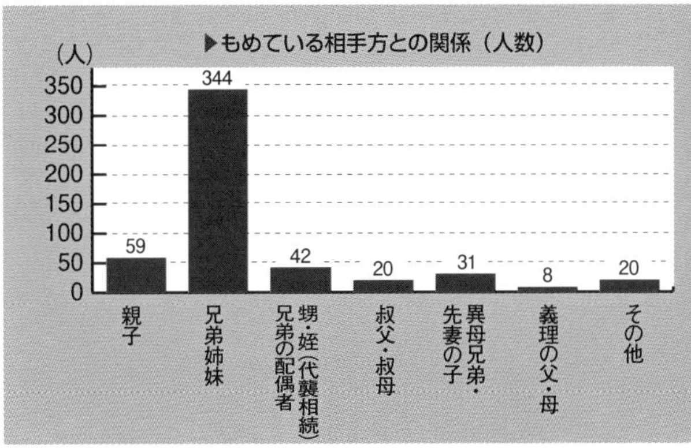

●最もももめやすいのは兄弟姉妹

（2007～2021 年）
資料：（株）夢相続

point

●遺産の分割は短時間では結論が出せない
●問題が解決できない場合、身内で裁判をするケースもある

トラブルの主な原因は不動産や家族のコミュニケーション

相続にしめる不動産の大きな意味

遺産分割がまとまらない要因の1つに、**不動産が分けにくいということがあります。** 例えば「相続人が複数いるのに不動産は1カ所」「自宅と賃貸物件があるが、1人の相続人が独占しようとする」「収益がない自宅と収益がある共同住宅の価値が違い、相続のバランスが取れない」など、互いの要求がぶつかるといつまでもまとまりません。

不動産は相続財産のなかでも大きな比重を占める財産ですが、それだけに家族にとってプラスになるような明確な将来像を持っておかないとトラブルのもとにもなりかねません。

「法定割合の共有*なら文句はないはず」と安易に共有にしてしまう人もいますが、将来、問題を引き起こすことにもなります。これは不動産を所有する方の大きな課題でもあります。

◆相続の価値がなくなった

また現実の相続では、**プラスの財産だけでなくマイナスの財産、つまり負債が残っているケースもあります。** その内容は、事業上の借入であったり、生活上の借金などと様々です。

相続人としても、今や自分の生活で精一杯という時代です。親や兄弟姉妹が自分の知らないところで借りたお金は、自分が使ったわけでもないので、いくら家族といえども借金の尻拭いをする余裕はありません。

そこで、自ずと「相続放棄*」という選択肢になるのでしょう。相続放棄を選択する人は年々増えており、今後も増加する傾向にあると思われます。

*共有
土地の所有権など、ある一定の権利を複数の人が持っている状態のこと。

*相続放棄
財産の相続を放棄すること。相続放棄をすると、はじめから相続人でなかったものとみなされる。通常は、相続する財産が債務超過の場合に行われるが、特定の相続人に相続させるために利用されることもある。
(→ P40)

相続破産もある
相続対策として土地を担保とした賃貸事業などを始めても、収益性が落ちると普段の生活を脅かすこともある。こうした状況で相続が起き、相続税の納税ができずに、土地が差し押さえられてしまう事例も増えている。

遺産分割でもめる主な原因

①家督相続は過去の話（法定割合が当たり前）

▶兄弟姉妹の順番は関係ないため、主導権者が決まらない
▶親との同居が減っている
……同居した者は寄与分*を主張

②家族関係は複雑、希薄になっている（相続人同士が他人）

▶離婚、再婚、未婚、非婚などの増加
……後妻と先妻の子等だけでなく、実の兄弟姉妹でも意思の疎通が図れない

③相続の考え方が変わってきた（もらえるものはもらいたい）

▶財産を分けたくない、独り占めしたい
▶内容をオープンにしない、生前贈与*を知られたくない
▶自宅は自分がもらいたい
▶収益のある不動産は自分がもらいたい

④亡くなった人の意思が見えない（遺言書がない）

▶財産を分ける基準がないので各自が自己主張をする

●分けにくい不動産や家族のコミュニケーション不足がトラブルを招く

*寄与分
相続人の特別な貢献に応じて上乗せされる相続財産のこと。
（→ P42）

*生前贈与
（→ P116）

メモ

土地が最も高い割合を占めている

国税庁が発表した相続税の申告実績（2022年分）によると、相続財産額の種類別構成比は以下のとおりとなっています。

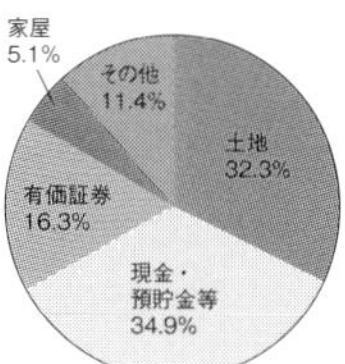

point

●不動産の分け方をめぐってトラブルが起こりやすい
●相続するのはプラスの財産ばかりではない

相続対策は財産の整理・分割、円満な家庭づくりが基本

相続は家族の絆が試されるとき

相続を乗り切る秘策があればいいのに、と財産を持つ人は誰しも思うことでしょう。相続の手続きでは財産をどう分けるかだけでもなかなかの難題です。さらに多額の相続税を払わなくてはならないとなると、本当に大変です。財産のなかに相続税*を払えるだけの現金があるならまだしも、ない場合には相続税を払う現金をどう捻出するかということがさらに難題です。

*相続税
相続時に課税される税金のこと。
（→ P216）

◎相続税の申告
（→ P228）

こうした難題が発生したときこそ**家族が結束して、課題を解決して、乗り越えていかなければならない**のです。

◆相続争いで失うものは財産だけではない

不動産や預貯金を残すことは、残された人にとってうれしいことですが、身内の争いを残さないことも精神的には大きな財産になるということです。多くの実例からは争わない相続が望ましいと思わざるを得ません。

目に見える財産にこだわるあまり、いつまでも身内で財産の分け方をめぐって争っていたのでは相続の価値がありません。長引いてもだれの得にもならないので、もめないという財産を選択するように提案をすることもあります。

相続税という経済的なダメージも大変ですが、親族間の遺産争いや感情的なしこりは金銭に換えがたいダメージとして残るものです。経済的な負担も残り、感情的なしこりも残った上に、頼りの親族が一致団結するどころか、もはや他人より悪い関係になってしまったとしたら……。相続によって失う物は財産だけではないのです。

相続を乗り切るための5つの方策

その1　相続人を確認する

相続人を確認し、家系図を作成する。相続人に不仲の状態や争いがないか、生活環境や健康状態なども確認しておく。

その2　財産を確認する

財産の内容を確認した上で相続税の予想額を計算する。財産について将来の課題になることは早めに解決しておく。

その3　納税や節税の対策をする（経済面）

相続税の予想額に基づき、必要な現金を用意しておく。不動産の活用などにより節税対策をしておくことも大切。

その4　分けられる財産にする

もめごとを防ぐため、分けられる財産にしておく。複数の不動産があるときには誰が相続するかを指定しておく。

その5　遺産分割を決めて遺言をつくる（感情面）

遺言書を作成し、自分の意思を明確にして残しておく。遺言書には具体的な遺産分割だけでなく、感謝や思いを書くこともできる。意思を残すことで、争いは回避でき家族に無形の財産を残すことができる。

●家族が結束することで相続のトラブルを防ぐ

point

●相続は家族の結束なくして解決できない
●財産だけでなく、人間関係も重視するべき

相続手続きに不慣れな税理士もいる

相続の専門家選びを慎重に

ほとんどの税理士*は、個人の確定申告や法人の決算を得意分野としており、毎年の申告が主な業務となっています。ところが、相続税の申告は不定期な上に、財産の評価や分割などが複雑で、書類も多く、慣れないと大変です。

*税理士
各種税金の申告・申請、税務書類の作成、税務相談、税に関する不服審査申立等を行う、税務に関する専門家のこと。

相続税を課税されるのは亡くなった方の8%程度で、ほとんどの人は相続税の申告も不要で、税理士に頼む必要はありません。このことから、**税理士であれば誰でも相続に関する業務ができるとは言えないことがわかります。**相続に慣れた税理士に依頼しないと的確なアドバイスがもらえないばかりか、経験不足でうまくいかないこともあるかもしれません。

◆相続には複数の専門家が協力して成果を出す

相続手続きが必要になった人は、できる限り自分たちの意思が生かせるような専門家を探し、納得できる専門家に依頼しようとします。会社の顧問税理士がいる場合であっても、相続は経験の多い専門家に依頼しようという人も増えてきました。

相続の手続きは多岐にわたり、場合によっては**複数の専門家が関わるケースもあります。**

相続実務には、弁護士、税理士、司法書士、土地家屋調査士、不動産鑑定士などの専門家の協力が不可欠となり、依頼主の状況に応じてチーム作りをして協働するようにします。

相続専門家に依頼するときの確認事項

遺産分割*、節税・評価、申告、納税などトータルでの知識がある → NO → 別の専門家を探すべき

↓ YES

相続税の申告に慣れている → NO → 別の専門家を探すべき

↓ YES

「相続税を抑えよう」という意識がある → NO → 別の専門家を探すべき

↓ YES

依頼

●相続に慣れた専門家に依頼する

税務署や国税局も活用する
相続に関しての質問は税務署や国税局の税務相談室（無料電話相談）などでも受け付けているので活用したい。
（→ P244）

＊遺産分割
（→ P182）

＊相続実務士
相続人の事情に合わせたストーリーを描き、その実現のために必要となる専門家をまとめて相続を成功へと導く人のこと。

相続コーディネートの形態

相続人 ⟷ 相続実務士*
相続対策専門士 ⟷ 専門家

弁護士、税理士、司法書士、不動産鑑定士、公認不動産コンサルティングマスター、土地家屋調査士 、など

●相続実務士を中心に、相続手続きの専門家チームを組む
●遺産分割、節税・評価、申告、納税において最良の案を提案する

メモ

土地に強い専門家は頼りになる

相続財産の構成比において、土地は約半分近くを占めています。効果的な相続対策をするためにも、専門家を選ぶにあたっては、以下のポイントも見逃せません。
①不動産の知識があること（節税につながる評価や納税案を出せること）
②不動産の実務ができること（活用、組替などの提案、実務ができ、ノウハウがあること）

point

●すべての税理士が相続手続きを得意とするとは限らない
●信頼できる専門家の選択が相続成功のカギ

case study 1 ≫ きょうだい崩壊

預金が引き出され、姉に不信感を持った田中さん

＊＊＊財産と家族の状況＊＊＊

- ●依頼者　田中さん
- ●職　業　主婦
- ●被相続人　母
- ●相続人　長女、次女（本人）、計2人
- ●財産の内容
  自宅、預貯金、生命保険

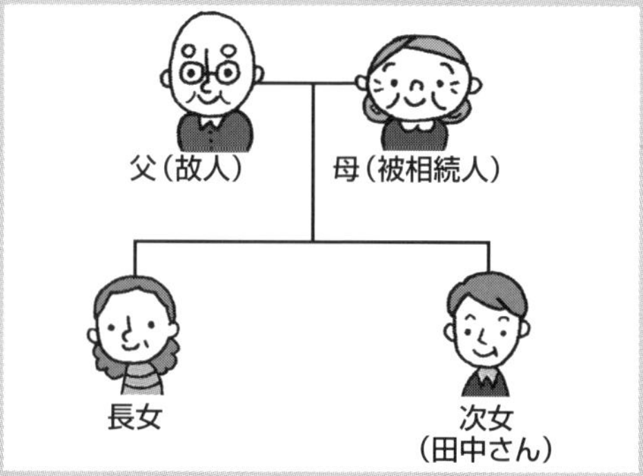

長女がすべて管理してきた

60代の田中さんは2人姉妹の妹で、他県に嫁ぎ、姉家族が両親と同居してきました。父親が亡くなったときは、母親が相続することで合意し、姉に印鑑を預けて手続きをしてもらいました。そのときは母が相続するので、詳細は何も聞くことはありませんでした。

昨年、母親が亡くなったため、今度も相続の手続きが必要になりました。ところが、姉から聞かされた母親の財産が思いのほか少ないため、どうもおかしいと思い始めました。

田中家の財産の状況

姉家族が住む実家は、生前に父親が土地を購入して建てました。

預金が少ないことで不信感

父親は会社を経営していましたので、普通の会社員よりは金銭的な余裕があると聞いていました。母は父親が遺した財産を相続していますので、相当な預貯金があってもおかしくないところ。ところが、姉に説明を求めても、「これが母親の財産のすべてだ」の一点張りです。姉の説明は、田中さんが到底納得できるものではありませんでした。

そこで、田中さんは銀行預金の取引明細を入手することにしました。田中さんが取り寄せた明細に目を通してみると、多額の現金が引き出されていることがわかりました。

解決へのアドバイス Point of advice

相続実務士が公平な判断で提案

銀行預金について姉に確認をしてみると、姉の夫の会社の運営資金として、母親だけでなく、父親からも借りていたことを認めました。けれども、具体的な金額は、田中さんがいくら聞いても姉は答えようとしません。そのやりとりが何度も続き、姉妹の仲は険悪になりました。

そのため、相続実務士が2人の言い分を聞いた上で、公平な判断をし、妥協点を提案しました。

姉が引き出した預金を考慮する

この場合、預金を引き出していた姉よりも、田中さんの方に預金を多く分割するのが妥当であり、姉の合意も得られました。結果的に、申告期限の当日に、遺産分割協議書*の調印にこぎ着けました。

調印は滞りなく済んだのですが、最後に、田中さんは「あなたが隠していたことは全部調べ上げた」と、姉を責める発言をしてしまったのです。

姉を責めてもいい結果にはならないから、今までのことは水に流して円満に手続きをするということで調印の日を迎えたのですが、結局は姉が「着物は返して」と言い、田中さんは「真珠のネックレスは私がもらう」と応戦する後味の悪い幕引きとなりました。

田中さんの心に芽生えた不信感は、いつまでもゾンビのようにつきまとい、決して忘れられない根深いものだったようです。

Word

＊遺産分割協議書
（→P184）

ここがポイント!

- ☑ **相続財産の内容や状況は、正直に全部を話して隠さないようにする**
- ☑ **過去のことは持ち出さず、必要以上に責めないような配慮も必要**
- ☑ **特別受益がある場合は、考慮した割合で分割案を決める**

case study 2 ≫ 専門家が関わった相続

頼んだ税理士では何も進まなかった藤田さん

＊＊＊財産と家族の状況＊＊＊

- ●依頼者　藤田さん
- ●職　業　会社員
- ●被相続人　父
- ●相続人　母、長男（本人）、次男、三男、長女、計5人
- ●財産の内容　自宅、アパート、駐車場、空き地、区分マンション、預金

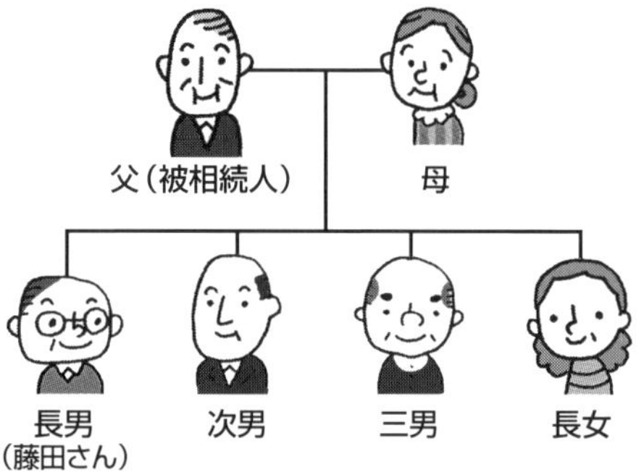

長年の税理士に依頼した

藤田さんの父親は長年、貸家業をしており、30 年以上も同じ税理士に確定申告をしてもらっていました。

その税理士とは母親も長年のつきあいがあるため、母親の意向で、何の疑問もなく、相続税の申告をお願いしたのでした。

家族の仲は円満で、いつでも集まって相談できる間柄です。父親は遺言を残しませんでしたので、母親の二次相続のことも考えた分割にしたいと考えています。ただ、父親が残した預金で納税できるか不安に思うため、納税の用意をしたいところです。

申告期限まで2カ月半

税理士からは、申告期限まであと2カ月半となっても、未だに詳細の説明がありません。二次相続も控えているのに分割のアドバイスもなく、藤田さんの不安は増すばかり。そんなときに相続セミナーに参加したことで、相続の専門家に相談してみたのです。

あらためて振り返ると、税理士が不動産の現地調査をした事実もなく、費用についても伝えられていなかったと言います。

顧問税理士の主張

顧問税理士には早いうちに依頼をしたのですが、確定申告の時期は忙しいと先延ばしにされ、申告期限が迫ったのです。

解決へのアドバイス Point of advice

相続の専門家に確認してもらう

税理士からもらった資料を相続の専門家に見てもらうと、とても節税できるレベルではないと言われました。税理士には何度となく催促をしても、結局、何も進んでいないことが判明したのでした。

税理士は、自分よりも相続に詳しい元国税局出身の税理士を応援につけるという話をしていましたが、専門家からは「元税務署長」の肩書きでも税務調査は乗り切れないと言われました。結局はその税理士には見切りをつけて断ることを決断しました。

税理士を替えて節税できた

税理士に断りを入れた時点で、すでに申告期限まであと1カ月。アドバイスをしてくれた相続の専門家に依頼すると、すぐに不動産の現地調査が行われ、不足書類も整えられ、節税や分割案の提案もありました。スピードとレベルの違いには驚くばかりでした。

家族全員に財産の評価についての説明もあり、提案された分割案に基づいて全員が納得しながらの遺産分割もでき、期日当日に申告できたのです。

財産はほとんどが土地で多数あり、普通なら、間に合わないようなタイミングでした。しかし、切り替えた専門家の方は、こうした相続の実務に特化しているので、数人がかりで担当し、期日に間に合わせ、節税も実現させつつ、手続きができたのです。

ここがポイント！

- ☑ **実績がある相続の専門家を選んで依頼をする**
- ☑ **スケジュールや費用などを明確に伝えてくれるところに依頼する**
- ☑ **不安なときは相続の専門家のセカンドオピニオンをつける**

一軒家からマンションへ!売却で生活資金を捻出して不安を解消する

夫が倒れて仕事ができなくなった

Ｋさん（60代・女性）の夫は開業医。都内でクリニックを経営していましたが、パーキンソン病を発症。治療をしながらクリニックを続けていましたが、昨年末、心筋梗塞で倒れて救急搬送されました。

一時は心肺停止でしたが、一命を取り止めることができ、一般病棟に入院中です。

仕事復帰は難しいとドクターの判断

クリニックのドクターはＫさんの夫ひとりです。主治医から右半身のマヒが残るという見立てがあり、仕事の復帰はむずかしいと診断されたため、クリニックは閉鎖し、リハビリに専念することにしました。

賃借しているフロアも解約して原状回復工事が必要です。入院中の夫に代わってＫさんが手続きをする中で、預金が多くないことに気づいたといいます。

原状回復にかなりの費用がかかるため、生命保険を解約して補填するしかないとＫさんは頭を抱えました。

共有名義の自宅を売却して節税

夫は、20年前に最寄駅から徒歩５分のところに4LDKの自宅を建てて住んでいました。ローンも返済し終わり、負担はありません。息子二人も結婚して家を離れているため、ここ10年は夫婦二人暮らしです。

婚姻20年を過ぎた時に、節税対策として夫から贈与を受けて共有名義になっていて、５分の３が夫名義、５分の２がＫさんです。夫とＫさんの２人で売却すると居住用財産の特例で3000万円控除が二人分使えますので、譲渡税はかかりません。

病室で司法書士が意思確認をして決済

Ｋさんの自宅は人気エリアですから、すぐに購入希望の会社がありました。建物の解体は不要という条件で契約を進めることができました。

２ヵ月後の決済時も、夫はまだ入院中でしたので、司法書士が病室まで出向いて本人の意思確認をしています。問題なく決済代金の受領ができ、相談を頂いてから、４ヵ月で売却を終えられました。

相続実務士より

執着するより、住み替えて快適に

Ｋさんは短期間で自宅が売却でき、住み替え先のマンションも見つかりました。夫は自分が建てた家に住みたいという気持ちがあったようですが、二人暮らしになったときから広すぎることが課題でした。さらに退院後はバリアフリーでないと生活できないことを痛感し、売却に同意されたのでした。

Ｋさんは以前から老後はマンションに住みたいと思っていたそうで、思いがけないきっかけでしたが、喜んでおられます。

終活・相続のヒント

- 広い一軒家に住み続けるより、現状に合わせた住まい方をしていく
- 老後はバリアフリーが望ましい
- 共有名義にしておくと特例も二人分使える
- 自宅の売却で老後資金の余裕を作る

第2章

相続に関する
法律の決まりごと

相続する人、相続する順位や割合は法律によって定められています。
これらの知識を身につけておくことが、相続対策を考える上で基本となります。

法定相続人

相続をする人は法律で決まっている

相続人は配偶者と血族のみ

財産を残した人（亡くなった人）を被相続人と言い、相続する人を相続人と言います。財産をだれがどのくらい相続するかは民法によって定められていて、**相続人になれるのは配偶者*と血族に限定**しています。

*配偶者（配偶者相続人）
亡くなった人の妻や夫のこと。相続権がある配偶者は、婚姻届が出されている正式な配偶者に限られる。籍を入れない内縁関係の場合は、相続人になれない。

配偶者はどんな場合でも相続できますが、相続できる血族の範囲を無限に認めるとトラブルになりかねません。そこで、相続人になれる範囲を定めています。

血族相続人は、被相続人の子や孫などの**「直系卑属」**、親や祖父母などの**「直系尊属」**、それから**兄弟姉妹や甥姪（傍系の血族）**のことです。つまり、被相続人のおじやおば、いとこなどが法定相続人*になることはありません。

*法定相続人
民法の規定によって相続人となる人のこと。法定相続人には「配偶者相続人」と「血族相続人」とがある。

◆血族相続人には順位がある

法定相続人は、公平に相続できるわけではなく、だれが優先的に相続できるかが決められています。しかも、上位の順位者がいるときには、下位の順位の血族に相続権はありません。

①第1順位…直系卑属（子や孫など）
②第2順位…直系尊属（父や母など）
③第3順位…傍系の血族（兄弟姉妹・甥姪など）

したがって、被相続人に子どもがいる場合は、配偶者と子が相続人となるため、それ以外の血族は相続人とはなりません。

ちなみに、養子縁組*をしていれば実子と同じように相続の権利があります。また、非嫡出子*の場合、父親から認知を受けていれば、実子や養子と同様に第1順位の相続人になります。

*養子縁組
実の親子でない者が、法律的に親子関係を結ぶための手続き。

*非嫡出子
正式な婚姻関係にない男女の子のこと。

相続の順位

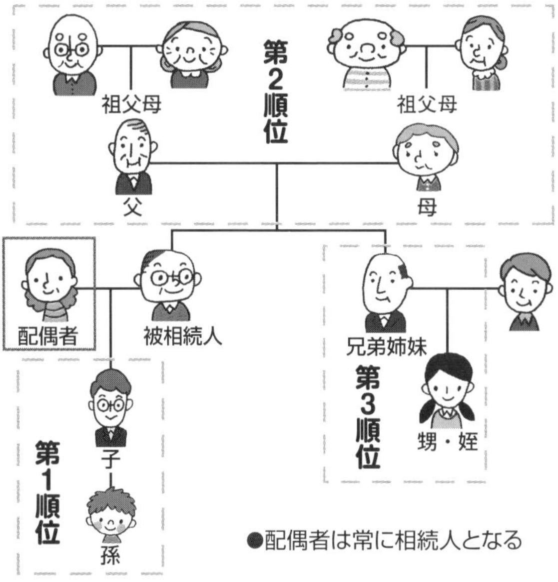

●配偶者は常に相続人となる

法定相続人の主な組み合わせ

①配偶者と子（孫）

- 配偶者と第１順位がいる場合
- 第２順位以下がいる場合も、第１順位（子または孫）が相続する

②配偶者と親（祖父母）

- 配偶者と第２順位以下がいるが、第１順位がいない場合
- 第３順位がいる場合も、第２順位（親または祖父母）が相続する

③配偶者と兄弟姉妹（甥・姪）

- 配偶者と第３順位のみがいる場合

④配偶者のみ

- 配偶者がいるが、第1～第３順位がいない場合

⑤子のみ（孫のみ）

- 第１順位がいるが、配偶者がいない場合
- 第２順位以下がいる場合も、第１順位（子または孫）が相続する

●上位の順位者が相続するとき、下位の順位者は相続権を失うのが基本

相続人の確定

被相続人に隠し子がいて認知していたとか、小さい頃に養子に出された兄弟姉妹がいることもあるため、被相続人の戸籍謄本を取り寄せて、相続人がだれなのかを確定することが必要。戸籍謄本は、被相続人の出生から死亡までのものをとぎれることなく取る。これは、戸籍の記載内容が結婚や転籍などで変わるため。

メモ

胎児にも相続権が認められる?

妻が妊娠中に夫が亡くなったとき、お腹のなかにいる赤ちゃんには相続権があるのでしょうか。

民法では、胎児はすでに生まれているものとみなされます。相続が発生した時点で胎児である場合にも相続権が認められています。

そのため、胎児が相続人になる予定のとき、胎児の出産を待ってから遺産分割協議を行います。

point

- **相続人には「血族相続人」と「配偶者相続人」がいる**
- **血族相続人には順位がある**

代襲相続

親より先に子が死亡していたら、孫が相続する

孫が第１順位の相続人になるとき

相続人となるべき人が被相続人の死亡前に亡くなっていたり、なんらかの理由で相続権を失っているときは、その人の**直系卑属（子、孫）**が相続人になります。これを**代襲相続**と言い、相続する人を**代襲者**、あるいは**代襲相続人**と呼びます。

代襲相続は本来相続人となるべきだった人の、いわば身代わり相続です。被相続人の子が先に死亡し、相続人となった孫は、子と同じで第1順位の血族相続人とみなされます。

例えば、子も孫も亡くなったがひ孫がいるというケースでは、そのひ孫が相続人となります。

◆兄弟姉妹に代襲相続が起こることもある

子が先に死亡したため孫が相続人になるというケースが典型的な代襲相続ですが、**兄弟姉妹について代襲相続が生じる**場合もあります。被相続人に子がなく、直系尊属（父母）もすでに死亡しているときは、兄弟姉妹が相続人になりますが、その兄弟姉妹もすでに死亡しているケースです。この場合は、死亡した兄弟姉妹に代わって、その子（甥、姪）が相続人になります。**兄弟姉妹の場合は、甥や姪の段階で代襲相続は打ち切り**となります。

なお、ほかにイレギュラーな相続例としては、相続人となる子どもが親に暴力をふるった場合など、一定の手続きによって相続権を剥奪できるほか（**相続人の廃除***）、相続が自分に有利になるように相続人を殺したり、無理やり遺言を書かせたような場合は自動的に相続権を失います（**相続欠格***）。

＊相続人の廃除
相続人になるはずの人が被相続人を虐待したりした場合、被相続人の意思によって法定相続人から相続権を奪うことが認められる。これが「相続人の廃除」で、次のような場合を指す。
①被相続人を虐待した者
②被相続人に重大な侮辱を加えた者
③その他著しい非行があった者
◎相続人の廃除のケース（→P50）

＊相続欠格の条件
①被相続人や相続人の先順位者または同順位者を殺したり、殺そうとして刑を受けた者
②被相続人が殺されたことを知りながら、それを告発・告訴しなかった者（ただし、是非の判断能力がない時、または殺害者が自分の配偶者もしくは直系血族の場合は例外）
③詐欺や強迫によって、被相続人が遺言をしたり、これを取り消したり変更したりすることを妨げた者
④詐欺や強迫によって被相続人に遺言をさせたり、取り消しや変更をさせた者
⑤被相続人の遺言を偽造、変造、破棄、隠匿した者

代襲相続の例

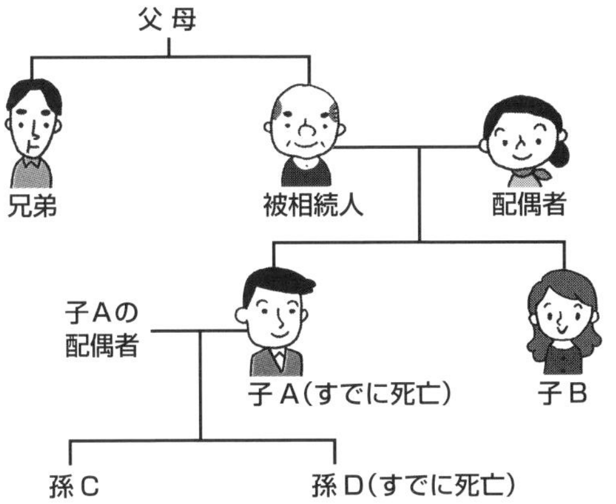

▶この場合、相続するのは配偶者、子Bおよび代襲相続人である孫Cの3人となる

▶第1順位の相続人が相続するため、被相続人の兄弟、父母には相続権がない

相続人になる人

被相続人に子どもがいる。
いないときには孫がいる。
→ YES → 配偶者と子ども
(孫を含む)

↓ NO

被相続人に親がいる。
いないときには祖父母がいる。
→ YES → 配偶者と父母
(あるいは祖父母)

↓ NO

被相続人に兄弟姉妹がいる。
いないときには甥や姪がいる。
→ YES → 配偶者と兄弟姉妹
(甥・姪を含む)

↓ NO

配偶者がいれば配偶者、いないときには相続人なし。(相続人がいない場合→P41)

point

●子どもが死亡している場合は孫が相続人となる

●法定相続人であっても、相続できないケースがある

配偶者が2分の1、子どもが2分の1を相続する

法定相続分は相続人ごとに異なる

民法で定められた相続分を**法定相続分**と言います。法定相続分は相続人によって異なってきます。具体的には、

①配偶者と子どもが相続する場合…配偶者と子どもが2分の1ずつ相続します。子どもが複数いるケースでは、2分の1を子どもの数に応じて均等に分けます。

②配偶者と直系尊属*が相続する場合…配偶者が3分の2、直系尊属が3分の1を相続します。直系尊属が複数いるケースでは、3分の1を均等に分けます。

③配偶者と被相続人の兄弟姉妹が相続する場合…配偶者が4分の3、兄弟姉妹が4分の1を相続します。兄弟姉妹が複数いるケースでは、4分の1を均等に分けます。

④配偶者のみ、血族相続人のみが相続する場合…配偶者しかいない場合は、**配偶者が全部**を相続します。配偶者が故人のケースでは①子ども、②直系尊属、③兄弟姉妹の順に相続します。同順位の相続人が複数いれば均等に分けます。

◆代襲相続があるときの法定相続分

なお、**代襲相続人*がいる場合は、本来相続人になるべきだった人の相続分をそのまま受け継ぎます**。例えば、すでに亡くなっている子に代わって2人の孫が代襲相続する場合、子の相続分が3分の1なら、孫2人の相続分も3分の1、つまり孫1人あたり6分の1ずつ相続する計算となるわけです。

なお、認知を受けた非嫡出子*の法定相続分は、嫡出子*の相続分と同等*、半血兄弟姉妹*は、全血兄弟姉妹の2分の1です。

*直系尊属
（→ P34）

*代襲相続人
（→ P36）

*非嫡出子
（→ P34）

*嫡出子
正式な婚姻関係にある夫婦間に生まれた子のこと。

*嫡出子の相続分と同等
2013年9月5日以後に開始した相続について適用される。

*半血兄弟姉妹
父もしくは母のみを同じくする兄弟姉妹。いわゆる異父・異母兄弟姉妹のこと。

法定相続分の割合

	配偶者がいる
第１順位（子・孫）	配偶者：2分の1 子：2分の1（子が3人の場合、各6分の1）
第２順位（父母）	配偶者：3分の2 父母：3分の1（父母とも健在の場合、各6分の1）
第３順位（兄弟姉妹）	配偶者：4分の3 兄弟姉妹：4分の1 （兄弟姉妹が3人の場合、各12分の1）
上記血族がいない場合	配偶者が全部相続する

	配偶者がいない
第１順位（子・孫）	子が全部相続する（子が3人の場合、各3分の1）
第２順位（父母）	父母が全部相続する （父のみの場合、父が全部相続する）
第３順位（兄弟姉妹）	兄弟姉妹が全部相続する （兄弟姉妹が3人の場合、各3分の1）
上記血族がいない場合	相続人なし

●相続人が１人しかいない場合は、
その相続人１人が全部の財産を相続する

認知の訴えができる期間
父の死後に認知の訴えができる期間は3年以内と定められている。認知があった場合、認知された子は、相続人に対して相続分に相当する金額の支払いを請求することができる。

メモ

内縁関係では相続人になれない

法律上の配偶者とは、婚姻届を出している場合に限られます。そのため、いわゆる内縁関係のカップルや愛人関係の間では相続が認められていません。

財産を相続させる場合には、遺言書を作成する必要があります。なお、内縁関係にある夫婦間に生まれた子どもは（非嫡出子）、認知されていれば相続人として認められます。

point

●配偶者の相続割合は常に高い
●相続人と相続分はケースによって様々である

多額の借金がある場合、相続を放棄できる

単純承認、限定承認、相続放棄

相続は、基本的に被相続人の財産の一切を受け継ぐことですから、仮に借金などのマイナスの財産があった場合、当然それも引き継いで返済しなければなりません。しかし、たとえ自分の親が作った借金であっても、相続人が負担するのはつらいものがあります。このようなケースも想定して、相続人には、財産を相続するにあたって**3つの選択肢、「単純承認」「限定承認」「相続放棄」**が用意されています。

◆財産を引き継がないという選択肢もある

①**単純承認…一切の財産を相続する**方法です。不動産や預金などのプラス財産も、ローンや借金などのマイナスの財産もすべて引き継ぐので、ローンや借金などの債務は、もともとは自分が作った債務ではないにしても返済しなければなりません。

②**限定承認…プラス財産の範囲内でマイナスの財産を引き継ぐ**という、条件付きで承認する方法です。つまり、相続で得た資産の範囲内で借金を返済するということなので、財産よりも負債の方が多かったという場合、相続人自身の財産から残った借金を支払う義務はありません。

③**相続放棄**…単純承認とはまったく逆で、プラスの財産もマイナスの財産もすべて放棄し、**財産の一切を相続しない**方法です。相続放棄をした場合、最初から相続人ではなかったとみなされるので、代襲相続*もできません。

財産は相続放棄をした人を除き、残る相続人で分けることになります。

限定承認を選択する場合
限定承認の場合は、相続人全員がそろって限定承認を選択しなければならない。家庭裁判所への届け出も、相続人全員で行わなければならない。

相続放棄に必要な費用と書類
（費用）
●申述人1人につき収入印紙800円
●連絡用の郵便切手

（書類）
●相続放棄の申述書1通
●申述人の戸籍謄本1通
●被相続人の除籍（戸籍）謄本、住民票の除票各1通

*代襲相続
（→ P36）

◎相続放棄のケース
（→ P48）

相続についての3つの選択肢

相続財産のうち、プラスの財産の方がマイナスの財産より多い

YES → 単純承認

NO → 相続放棄
(3カ月以内に家庭裁判所での手続きが必要)

どちらか不明 → 限定承認
(3カ月以内に相続人全員で家庭裁判所での手続きが必要)

届け出の期限

限定承認、相続放棄を選んだ場合、相続があったことを知った日から3カ月以内に、家庭裁判所へ届け出なければならない。この期間を家庭裁判所に申し出て伸長してもらうこともできるが、何もせずにこの3カ月を過ぎてしまうと単純承認として扱われる。

●相続には３つの選択肢がある

メモ

相続人がいないときにはどうするか

相続人がいない場合、相続人を捜し出す間、家庭裁判所により相続財産管理人が選任され、相続財産を管理することになります。

被相続人の債務の支払いなどを清算したあとで、まだ財産が残っていた場合、家庭裁判所が特別縁故者に対して財産の一部を与えることができます。それでも残った財産は、国庫に帰属します。

point

- **3つの選択肢から相続の方法を選択できる**
- **相続放棄した場合、最初から相続人でなかったものとされる**

親の面倒を見た人には 相続分が上乗せされる

寄与分制度のしくみ

相続人のなかには、被相続人の家業を手伝ってきた人や、被相続人が病気になったときに看病をしていた人がいます。このようなとき、他の相続人と同じく事務的に法定相続分*で決められたとしたら公平な分割とは言えないでしょう。

①被相続人の事業に関する労務の提供、②被相続人の事業に関する財産上の給付、③被相続人の療養看護などの方法により被相続人の財産の維持や増加に特別の貢献があった相続人には、法定相続分に上乗せして財産を取得できることが民法で定められています。これは**「寄与分制度」**と呼ばれ、貢献があった人を**寄与者**、上乗せされる財産を**寄与分**と言います。

寄与分制度では、財産の価格から寄与分を別枠として相続し、残りを配分することになります。つまり、**寄与者は寄与分にプラスして、分けられた相続分を受け取ることができる**というわけです。ただし、寄与者はあくまで特別な貢献をした者ですから、妻としての貢献や報酬をもらっていた場合などは対象外です。また、相続人でない人*の貢献については、相続人に特別寄与料を請求することができるようになりました。

◆寄与分には明確な基準がない

また、寄与者の貢献度については、それを決める明確な基準はありません。どのくらいの寄与分を認めるかは、**共同相続人*が話し合って決める**ことになります。話し合いがまとまらなかった場合には、寄与者が家庭裁判所*に調停*を申し立てることにより、裁判所が定めることになります。

＊法定相続分
（→ P38）

＊相続人でない人
例えば、息子の嫁など、6親等内の血族、その配偶者、3親等内の姻族。

＊共同相続人
共同相続をする相続人のこと。相続人が1人のケースの相続を単独相続と言い、2人以上いるケースを共同相続と言う。

＊家庭裁判所
家庭に関する事件の審判や調停、少年審判などを行う裁判所のこと。

＊調停
家庭裁判所が対立する双方の間に立って話し合いをすること。

こんなケースが寄与とされることがある

- ▶病気やケガのときに看病をした
- ▶事業を無償で手伝った
- ▶老後の介護をした
- ▶借金の肩代わりをした
- ▶財産を提供した

遺言書を活用する

寄与分は相続人同士で話し合って決めるため、トラブルに発展することもあります。そのため、遺言書を残すことで、寄与した人が取得する財産について明確にしておくとよいでしょう。

寄与分があるときの相続分の計算方法

※長男、長女、次女が相続し、長女に寄与分を認めるケース

①遺産総額から寄与分を控除する

遺産総額 8000 万円

- ▶寄与分を引いた残りの財産　6000 万円
- ▶長女の寄与分　2000 万円

②寄与分控除後の遺産を法定相続分で分ける

- ▶長男　6000 万円 ×1/3 = 2000 万円
- ▶長女　6000 万円 ×1/3 = 2000 万円
- ▶次女　6000 万円 ×1/3 = 2000 万円

③寄与者である長女の相続分に寄与分を加算する

- ▶長男　2000 万円
- ▶長女　2000 万円 + 2000 万円 = 4000 万円
- ▶次女　2000 万円

●寄与者は寄与分＋相続分の財産を相続する

point

●被相続人に対して特別の貢献があれば、相続分とは別に寄与分となる
●寄与分は相続人の協議によって決められる

生前贈与を受けていた場合は相続分が減らされる

特別受益は「相続の前渡し」

相続人のなかで遺贈*を受けたり、生前の資金援助を受けた者がいるとき、これを**特別受益**と言い、相続開始前10年以内のものに限り、**相続の前渡しを受けたものとして相続分から差し引いて計算**します。

例えば妻と子ども（長男と次男）を残して被相続人が死亡したとします。次男は、被相続人の生前にマイホームの購入資金や、生活資金の援助などを受けていました。一方、長男は次男のような援助を受けていません。このような場合、法定相続分*で分けるとなると、寄与分とは逆の意味で不公平が生じることになるため、特別受益の制度が設けられているというわけです。

◆特別受益があるときの計算方法

仮に相続人である兄弟のうち次男が1000万円の贈与*を受けていた場合、相続開始時の財産に1000万円を加えてから法定相続分を計算します。次男はその法定相続分から贈与を受けた1000万円を差し引いた額を相続することになります。

結果として、特別受益者が相続分と同じか、より多くの贈与や遺贈を受けていた場合は、相続する遺産はありません。ただし、相続分を超えてもらいすぎていても、**超過分を返す必要はありません**（遺留分侵害額請求*を受けるおそれはあります）。

なお、被相続人が次男に与えた1000万円を特別受益として扱わないように、遺言を残したとします。そのケースでは、被相続人の意思にしたがって1000万円を特別受益分とはせずに、兄弟が法定相続分によって相続することになります。

*遺贈
遺言により財産を他人に贈与すること。

特別受益者
被相続人から遺贈を受けたり生前に特別な財産的利益を受けた人のことを「特別受益者」と言う。

*法定相続分
（→P38）

*贈与
（→P116）

特別受益の算定
特別受益がどのくらいの額なのかは、寄与分制度と同様に明確な基準がない。生前贈与でもらいうけた財産（不動産に限らず金銭も）は、相続開始時の貨幣価値で評価し直すことになる。評価の方法や、どの財産が特別受益であるか、共同相続人が話し合ってまとまらなかった場合には、家庭裁判所に調停を申し立てることになる。

*遺留分侵害額請求
（→P152）

◎特別受益のケース
（→P54）

こんなケースが特別受益にあたる

- ▶結婚や養子縁組の際、持参金や支度金を出してもらった
- ▶家を建ててもらった、あるいは住宅取得資金を出してもらった
- ▶特定の子どもだけ留学の費用を出してもらった
- ▶独立開業に際して、資金を出してもらった
- ▶土地をもらった
- ▶遺贈を受けた

特別受益があるときの相続分の計算方法

※相続人は配偶者と長男、1000 万円の事業資金を受けた次男の３人

① 遺産総額に特別受益を加算する

- ●遺産総額　9000 万円
- ●次男の特別受益分　1000 万円

9000 万円+1000 万円 = 1 億円

② 加算後の遺産を法定相続分で分ける

- ●配偶者　1 億円 ×1/2 = 5000 万円
- ●長男　1 億円 ×1/4 = 2500 万円
- ●次男　1 億円 ×1/4 = 2500 万円

③ 特別受益分 1000 万円を次男の相続分から控除する

- ●配偶者　5000 万円
- ●長男　2500万円
- ●次男　2500万円－1000万円＝1500万円

●特別受益者は相続分から特別受益を差し引いた財産を相続する

point

●特別受益のある人は相続分が減らされる
●相続分を超過して前渡しを受けた場合は、返す必要はない

配偶者が亡くなった後も、自宅に住み続けられる

配偶者居住権が創設された

以前は、配偶者が相続開始時に被相続人の建物に無償で住んでいても、第三者に居住建物が遺贈*されたり、被相続人が遺言書で配偶者の居住に反対したときは、直ちに居住建物から退去しなければいけませんでした。

これは、配偶者にとって大きな負担となるため、配偶者が自宅にそのまま住み続けられるよう**「配偶者居住権」**と**「配偶者短期居住権」**が2020年4月1日に施行されました。

*遺贈
（→ P44）

配偶者短期居住権
遺産分割が終了するまでの間といった比較的短期間に限り、配偶者が自宅に居住できる権利のこと。

◆配偶者居住権と負担付所有権に分けて相続できる

相続開始時に配偶者が居住していた被相続人の自宅は、**「配偶者居住権」**と**「負担付所有権」**に分けて、それぞれ別の相続人が相続することができます。

配偶者居住権とは、被相続人が亡くなった後も終身または一定の期間、賃料の負担なく配偶者が住み続けられる権利のことです。負担付所有権は、配偶者居住権という負担のついた所有権なので使用方法が制限されています。

被相続人の遺言や遺産分割協議等によって、配偶者居住権を取得することができます。遺言がなく遺産分割協議もととのわないときでも、家庭裁判所に遺産分割の審判の申し立てをすることで、配偶者居住権を取得できる場合があります。

配偶者居住権はあくまで遺産分割における選択肢の一つにすぎません。**配偶者居住権は譲渡ができない点に注意しましょう。**

配偶者居住権とは

建物の所有権を取得するよりも低い価額で居住権を確保できるので、預貯金等のその他の遺産をより多く取得することができるというメリットがある

⚠注意点

- **配偶者居住権は譲渡ができない**
- **配偶者居住権を取得したら、速やかに登記手続きを行う必要がある**

配偶者短期居住権とは

改正後

配偶者は下記の期間ともに無償で居住することができる

❶配偶者が居住建物の遺産分割に関与するときは、居住建物の帰属が確定する日までの間（または相続開始時から6カ月間を経過する日のいずれか遅い日）

❷居住建物が第三者に遺贈された場合や、配偶者が相続放棄をした場合には居住建物の所有者から消滅請求を受けてから6カ月間

⚠注意点

- **建物をこれまでと異なる用法で使用できない（所有者の許可なく賃貸など）**
- **通常の必要費（建物の固定資産税など）は負担する必要がある**

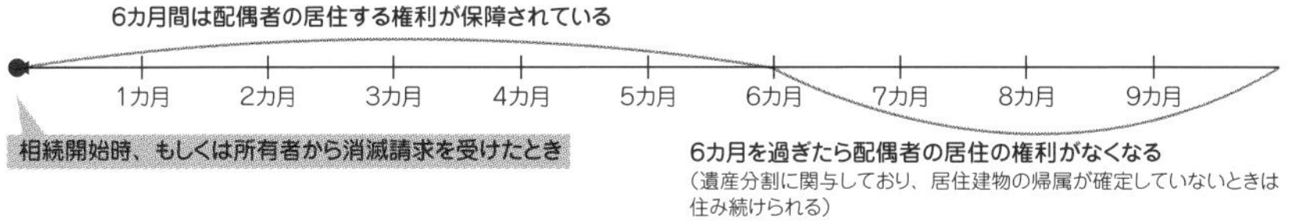

point

●配偶者が自宅から退去させられないために「配偶者居住権」と「配偶者短期居住権」が創設された

●配偶者居住権は売却や相続ができない

case study 1 ＞＞ 相続の承認と放棄

相続財産より負債が多く、放棄した田中さん

＊＊＊財産と家族の状況＊＊＊

- 依頼者　田中さん
- 職　業　会社員
- 被相続人　父
- 相続人　長男（本人）、計1人
- 財産の内容　負債のみ

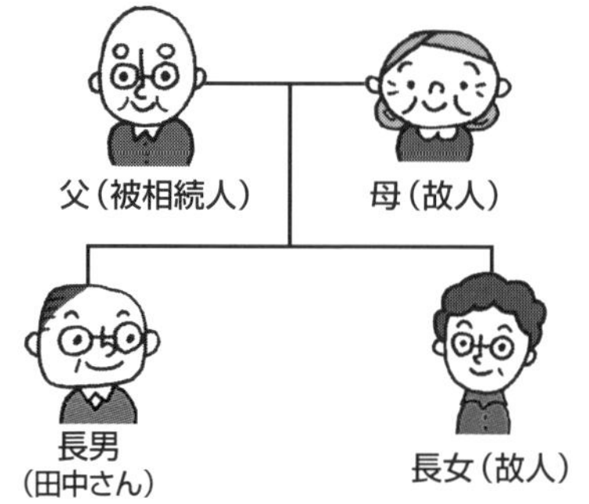

実家との往来はなかった

田中さんの父親は建設関係の会社を経営していましたが、バブル経済の崩壊のあおりを受け、経営難が続き、事業資金の借入や、事業税、住民税など税金の支払いが滞り、多額の借金を抱えていました。そうした苦労も重なり、母親が亡くなると田中さんと父親の関係も悪くなり、結婚を機に実家のある県から他県に移り住みました。以来、約25年間にわたり、ほとんど実家には寄りつきませんでした。

父親の財産内容

父親の財産は負債のみ。負債は、事業税や住民税などの滞納金が約450万円ありました。ほかに所得税や国民健康保険料などの滞納があるようです。

音信不通の妹も亡くなっていた

そのようななか、実家の近くで暮らしている親戚の叔母から、父親の死去を知らされました。そのまま放っておくこともできず、相続手続きをしようと父親の戸籍関係書類を調べていると、すでに行き来のなかった妹も3年前に亡くなっていることが判明しました。

動揺した田中さんですが、今後の手続きをしなければなりません。突然の出来事に加え、父親には負債しか残らなかったということがわかりました。今後どうすればよいのか、ご相談に来られました。

解決へのアドバイス Point of advice

財産を整理し相続財産を確認

まず必要なのはプラスの財産とマイナスの財産をすべて評価して検討することです。

父親は所有していた不動産をすべて処分して、賃貸住まいをしていました。家のなかの書類や郵便物を見ると、不動産を処分しても返しきれなかったようで、まだ借金が残っているということが判明したのです。

家庭裁判所で相続放棄の手続きを申請

検討した結果、このまま相続しても負債が残るだけとなることが明らかで、相続する価値はありません。

今後の田中さんの生活を考えて相続放棄*が最善と判断し、早めに家庭裁判所で相続放棄の手続きをされた方がよいのではとアドバイスをしました。

> **Word**
>
> ＊相続放棄
> (→P40)

後日、田中さんは相続放棄の手続きをされたとのことでした。なお、相続放棄の手続きには期限があり、相続人が相続があったことを知った日から3カ月以内となっています。被相続人の死亡した日から3カ月以内ではないので、きちんと確認することをお勧めします（3カ月の期限内に家庭裁判所へ申し出れば、期限を伸長することも認められています）。

ここがポイント！

- ☑ **まずは相続財産、債務を早急に確認すること**
- ☑ **相続放棄は期限があるので、早めの手続きが必要**
- ☑ **相続放棄は被相続人が亡くなったことを知った日から３カ月以内**

case study 2 ≫ 相続廃除

長男には相続させたくない遠藤さん

＊＊＊財産と家族の状況＊＊＊

●依頼者　遠藤さん
●職　業　不動産賃貸業
●被相続人　本人（予定）
●相続人　長男、長女、計2人（予定）
●財産の内容
不動産、預貯金

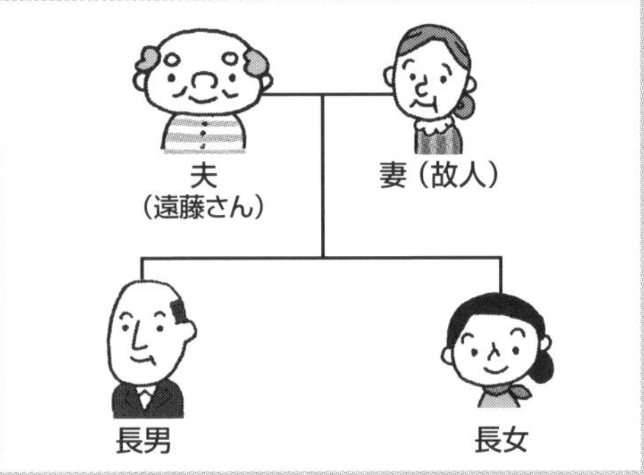

長男には相続させたくない

遠藤さんは妻を先に亡くし、ご自身も高齢になって、相続について考える機会が増えてきました。

相続人となるのは長男と長女です。しかし長男に問題がありとても悩んでいました。長男は早い段階から実家を離れ家族とほとんど関わらない生活を送っていました。それなのに、あちこちで借金をしては、遠藤さんや亡くなった妻に肩代わりしてもらうことが頻繁にありました。

遠藤さんの不動産

遠藤さんの所有する不動産は、郊外にある自宅と賃貸アパートです。

長女が世話をしてくれていた

長男は都合のよいときだけ遠藤さんのもとを訪れていましたが、母親の葬儀にすら参列しませんでした。

また高齢で体が不自由になった遠藤さんの世話をすることは一度もなく、身の回りの世話等は長女がすべて行っていました。

そういった事情から遠藤さんは、親子の縁を切りたいと考えるようになりましたが、親子関係は切れることはありません。

そこで、長男に何も相続させず、長女にすべてを相続させるにはどうしたらよいか考えていました。

解決へのアドバイス Point of advice

相続廃除の意思表示が必要になる

遠藤さんは遺言書で長男を相続廃除することを決めました。なぜなら、長男には遺留分*があるので、単に長女にすべて相続させるとしただけでは、遠藤さんの意思は実現できません。長男の行動は重大な侮辱に該当するとして長男を相続廃除する旨を記載し、遺言の執行者*を長女に指定しました。間もなくして遠藤さんは亡くなりました。

重大な侮辱に該当するかが焦点

長女は遺言執行者に指定されていましたので、家庭裁判所に相続人を廃除する申し立てをしました。それに対して長男は、母親の葬儀への参列や遠藤さんの身の回りの世話をしなかったのは、遠藤さんから追い出されたため実現できなかったと主張し、遺言が無効だと主張したのです。最終的に家庭裁判所は、長男の行いが「重大な侮辱を加えたとき」に該当すると判断し、相続人から廃除するとしました。こうして遠藤さんの意思を生かし、長女がすべての財産を相続できたのです。ただし、長男は独身でしたので何の問題もありませんでしたが、子どもがいる場合は、代襲相続人となり、被廃除者の子どもから遺留分侵害額請求を受ける可能性もあるため、注意が必要です。

Word

＊遺留分
法定相続人に最低限保証される相続財産の一定割合のこと。
(→ P152)
＊遺言執行者
遺言の内容を具体的に実現する人のこと。

ここがポイント！

- ☑ 相続廃除の意思表示は生前に家庭裁判所に申し立てをするか遺言書でできる
- ☑ 具体的に何が「重大な侮辱」に該当するかの解釈には幅がある
- ☑ 自動的に相続廃除になるのではなく、家庭裁判所での手続きが必要

case study 3 ≫ 寄与分制度

被相続人への貢献度を考慮した相続ができた坂本さん

＊＊＊財産と家族の状況＊＊＊

- ●依頼者　坂本さん
- ●職　業　主婦
- ●被相続人　母
- ●相続人　長女、次女（本人）、子2名（養子）、異父兄弟2名（養子）、計6人
- ●財産の内容
  自宅不動産、預貯金

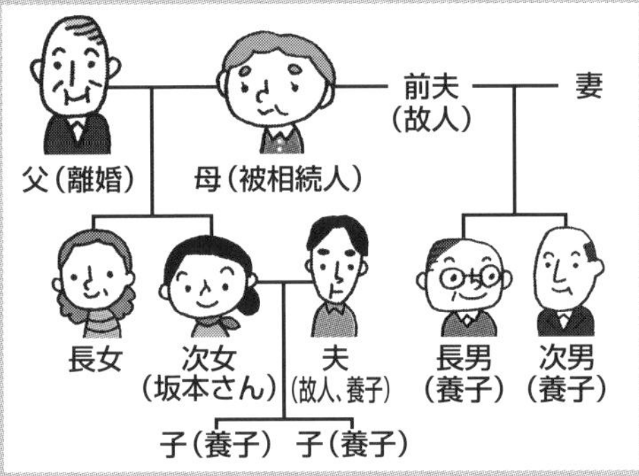

孫等を含め相続人が6人

坂本さんは2人姉妹。幼少の頃、両親が離婚し父親が実家を離れたため、以来母親と姉妹の3人でお互い協力しながら生活してきました。長女はその後結婚をし、実家を離れましたが、坂本さんと結婚した今は亡き夫が、坂本さんの実家に養子に入ったため、今まで実家で母親と暮らしてきました。

養子縁組の経緯

坂本さんの結婚を機に夫を婿養子として養子縁組しました。また、母が生前からかわいがっていた坂本さんの子２人も夫の代襲相続人として養子縁組しました。

母親は90歳で亡くなりましたが、70代半ば頃から認知症を患ったため、坂本さんが約15年間にわたって付きっきりで看病していたという経緯があります。

異父兄弟2人とは面識がない

49日法要が終わり、相続の手続きをするため姉妹と坂本さんの子2人で亡くなった母親の戸籍謄本を取り揃えていたところ、母が前夫の連れ子（長男、次男）2人と養子縁組していたことが判明しました。

彼らも亡き母親の法定相続人です。相続人は4人と思っていましたが、思わぬところで相続人が増える形となり、今後どのように話を進めていいかわからず、相談に来られました。

解決へのアドバイス Point of advice

亡くなるまでの母の状況を文書で説明した

坂本さんにとっては、今まで暮らしてきた自宅が遺産分割協議の対象になります。今まで母を看病してきたことなどから、できれば自宅は自分が相続したいと考えています。

姉と孫2人は坂本さんが相続することに納得しています。あとは養子縁組していた前夫の子2人に理解を得なければなりませんが、一方的にこちらの主張を通告しても、先方に理解してもらえるとは限りません。まずはこれまでの経緯をきちんと伝え、今までの坂本さんの母への貢献度を考慮してもらうように、2人へ文書で知らせました。

相続人個々に署名・捺印をもらう

連絡をいただいた2人からお話を伺ったところ、当人たちも、亡き母とは幼少の頃の記憶しかないとのこと。日程を調整し、坂本さんと直接対面して話をすることになりました。お互い初対面で複雑な思いもあったと思いますが、坂本さんから母親の様子を聞いた2人は、今まで献身的に看病してくれた坂本さんに心から感謝をされた様子で、坂本さんが自宅を相続することを、快諾してくれました。

相続人個々に署名・捺印をもらう方がお互いの抵抗も少なく手続き上都合がよかったため、遺産分割協議書ではなく、相続分譲渡証明書*を取り交わし、自宅は坂本さんの単独名義になりました。

Word

＊相続分譲渡証明書
相続分を相続人あるいは第三者に譲渡したことの証明書。

ここがポイント!

- ☑ 養子は全員が相続人となる
- ☑ 経緯が伝わりやすいよう、文書で説明した上で各相続人と向き合った
- ☑ 献身的な介護について相続人からの理解が得られた

case study 4 ≫ 特別受益

相続人間で特別受益について協議中の伊藤さん

＊＊＊財産と家族の状況＊＊＊

- ●依頼者　伊藤さん
- ●職　業　会社員
- ●被相続人　母
- ●相続人　長男（本人）、次男、三男、計3人
- ●財産の内容
  自宅不動産、貸家、預貯金

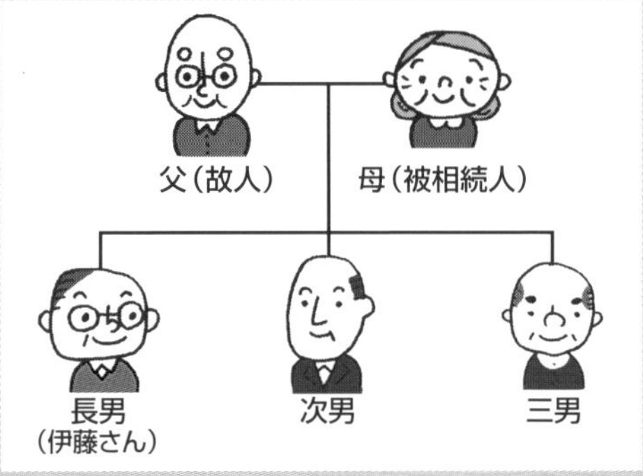

伊藤さんに対する弟の不満

伊藤さんは3人兄弟の長男。兄弟はそれぞれ結婚し家庭があります。次男と三男は実家から少し離れたところに、伊藤さんは母親が所有する賃貸アパートの一室に家族で居住しています。

そんななか母親が亡くなり、遺産分割協議に入りました。すると次男と三男は伊藤さんが有利な条件で母親のアパートに居住していたことを特別受益*だと主張しました。以前から次男と三男は、伊藤さんが有利な待遇で生活できていることを不満に思っていたようで、相続になって表面化してきたのです。

伊藤さんの家族の状況

伊藤さんはもともと母の家業を手伝っていたため、母の会社が入居するビルに居住していました。他の兄弟はそれぞれ仕事を持ち、家業に関わっていません。

伊藤さんは寄与分があると主張

それに対し伊藤さんは、自分は家業を手伝い、他の兄弟は別の仕事をしていたことに対して、自分は母に寄与*したと主張しました。以前から次男と三男が母の仕事を手伝わないことに不満を持っていました。もともと伊藤さんと他の兄弟は離れたところで生活し、疎遠になっていたことから、関係は良好ではありませんでした。どちらも相手方の主張を認めようとはしません。

解決へのアドバイス Point of advice

譲り合いの心を持つことが必要

特別受益の扱いには明確な決まりがありません。あくまでも相続人間で合意することが必要です。もし相続人間ではどうしても話がまとまらない場合は、家庭裁判所に調停を申し立てることになります。

次男と三男は、これまで伊藤さんが有利な条件で居住していた賃料の合計を計算し、その住居で通常得られる賃料の合計との差額が特別受益であると主張しました。

対する伊藤さんは、自分が母親の仕事を手伝うことで、母親の財産形成に寄与したと主張し、その額を計算して次男と三男に提示したのです。

数値化することで解決の方向に

その結果、それぞれの算出した額はほぼ同等の額となりました。

計算過程をお互いに確認しあいましたが、それぞれ合理的であると考え、納得のいくものでした。根拠を具体的に数値化することで、お互い納得することができたのです。このように根拠をつけて数値化することによって、問題がスムーズに解決に向かうという場合もあります。

その後は、互いの主張を認めて、相殺するという結論になりました。結果としてほぼ法定相続分で遺産分割協議を終えることができました。

Word

＊特別受益
(→ P44)
＊寄与
(→ P42)

ここがポイント!

- ☑ **寄与分・特別受益に明確な基準はない**
- ☑ **相続人間で合意することが必要（根拠のある計算で解決する場合もある）**
- ☑ **話がまとまらない場合は家庭裁判所へ**

case study 5 ≫ 遺留分

遺留分算定は売却して「時価」を決める

＊＊＊財産と家族の状況＊＊＊

- 依頼者　鈴木さん（女性・60 才代）
- 職　業　主婦
- 被相続人　父
- 相続人　長女（本人）、夫（養子縁組）、次女、三女
- 財産の内容
  自宅不動産、預金等

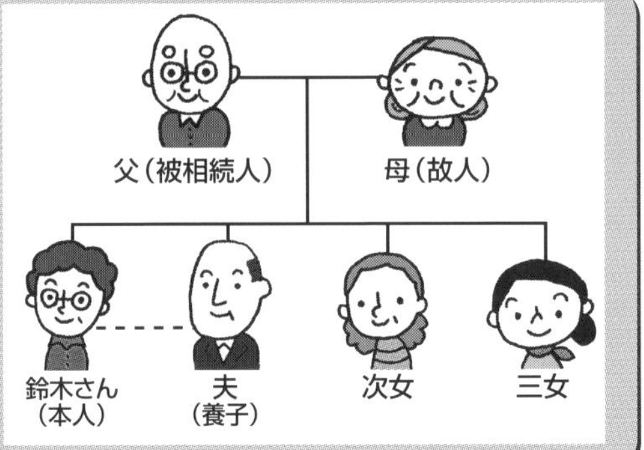

長女家族が両親と同居してきた

鈴木さん（60 代女性）は3姉妹の長女。婿養子として結婚した夫、子ども、両親とで、実家住まいでした。妹二人は結婚して電車で 30 分程度の場所で暮らしていますが、母親の死後は次第に来る頻度が減り、鈴木さん家族が父親の老後の世話を一手に引き受けていました。

実家の土地は 100 坪

実家の土地は角地で 100 坪あり、周辺ではひときわ目立つ家です。父親は家を守ってほしいとことあるごとに繰り返し、長女夫婦への相続についても公正証書遺言にしたおかげで、父親が 90 代で亡くなった際の手続きはスムーズだったようです。小規模宅地等の特例で相続税もかかりませんでした。

ところが、1周忌がすぎた後、妹たちから遺留分請求の通知が届きました。父親の財産は自宅の土地、建物で評価は 7000 万円、預金と株が 1000 万円ほど。預金は葬儀や相続税の申告、不動産の名義替えなどで半分程度しか残っていません。

遺言書ありの遺留分

この場合、相続人４人なので法定割合は４分の１ですが、遺言書がある場合の遺留分は法定割合の半分なので、８分の１の 1000 万円となります。

解決へのアドバイス Point of advice

算定は「時価」を基準とする

相続税の申告は土地は路線価で評価をしますので、土地 6600 万円、建物 400 万円が評価でした。ところが妹たちの弁護士は、不動産の価格査定書を送付してきて、路線価の1.5倍、9900 万円が流通価格だと主張しています。

遺留分請求には応えなければいけませんが、払える状況ではありません。鈴木さん夫婦は、土地の一部を売却して遺留分を捻出しようと考えているようです。

一部売却だと遺留分が高くなる

鈴木さん夫婦が不動産会社と相談したところ、角地を残して 35 坪を相場よりも高く売ることをアドバイスされました。しかしそうすると、残りの角地がその1.1倍程度の坪単価がつくと想定されます。遺留分は、妹たちの弁護士が査定した金額より1.1倍以上も高くなるという理屈です。

そこで、遺留分算定の「時価」を確定するため、土地は全部を売却することをアドバイスしました。調停が始まると早くても1年、長引くと数年かかり、時間と費用がかかります。精神的な負担はもちろん、「時価」が下がる危険性もあります。早めに出せる結論を選ぶことも大切です。父親の意思は実現できませんが、遺留分対策ができていなかったため、致し方ないと割り切られました。

Word

＊土地の評価方法（P 64）

ここがポイント!

- ☑ 土地を全部売却して売買価格となる「時価」を確定させる
- ☑ 土地の一部の売却では時価算定が難しいため、全部売却が望ましい
- ☑ 等分でない渡し方をするには遺言書が必須

case study 6 ≫ 内縁関係（夫婦別姓）

事実婚の夫が亡くなった石川さん

＊＊＊財産と家族の状況＊＊＊

- 依頼者　石川さん
- 職　業　会社員
- 被相続人　夫
- 相続人　父、計1人
- 財産の内容
  自宅マンション、預貯金、退職金、生命保険

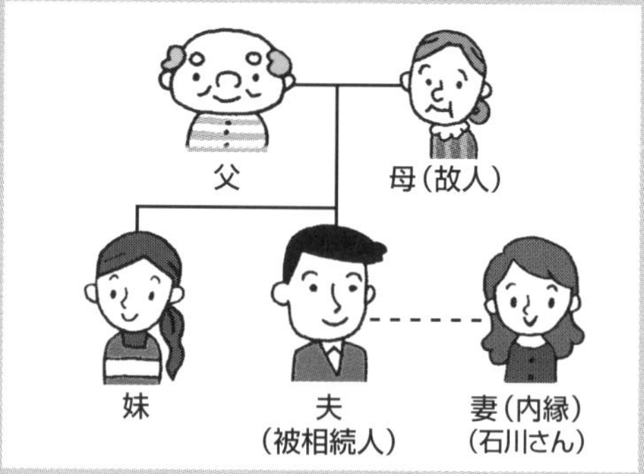

共有でマンションを購入

石川さん夫婦は40代。マンションを購入して同居を始めてからすでに10年になります。ピーク時よりは手頃感が出てきたことや、家賃の負担よりも買ってしまった方がいいという雰囲気があったので、それぞれの貯金を出し、2分の1ずつの割合で買うことにしました。ローンもそれぞれ別々に借りています。

互いに離婚歴があるわけでもなく、入籍できない事情はないのですが、子どもに恵まれなかったこともあるのか、別姓のまま入籍をすることなく過ごしてきたということです。

石川さんの意識

石川さんは、籍が入っていないとマンションの半分の名義を相続する権利がないと知り、愕然としました。遺言書を書いてもらうという発想もありませんでした。

夫の死で問題が表面化

問題が起きたのは、ご主人が急逝した後のことでした。ご主人はまだ働き盛りでしたが、検診でガンが見つかり、再検査をしたときには余命数カ月とわかり、告知どおりの入院期間で亡くなってしまったのです。

相続人はご主人の父親ということになりますから、石川さんが夫の財産を相続するためには手続きが必要となってきます。幸い、父親からは手続きに協力すると言ってもらえました。

解決へのアドバイス Point of advice

父から権利を譲ってもらう

内縁関係の夫婦の場合、相続人ではないため、遺言書がない限り財産を受け取れません。順番としては、まず父親が夫の財産を相続して名義変更をし、それから石川さんに遺贈*、贈与、売買のいずれかの方法で権利を譲ることになります。

ところが、亡くなったご主人には妹がいて、将来石川さんが父親から遺贈を受ける場合に、ご主人の妹さんとトラブルにならないとも限りません。不安は残したくないとのことで、結局は父親の権利を石川さんが買い取ることになりました。

万が一に備えて準備しておく

今回はご主人の父親の協力が得られたのですが、それでもストレートに相続人でない石川さんの名義にできないという問題がありました。

夫婦別姓*が注目されて久しいのですが、こうした問題があることは、直面しないと気がつかないかもしれません。ご主人が借りたローンは生命保険で相殺されたため、石川さんに負担はありません。長い人生ですから、石川さんにとって自分の住むところが確保できた安心感は大きいと言えるでしょう。欲得で財産や権利を主張するのではなく、万が一のときに困ることがないよう話し合い、準備することが必要です。

Word

＊遺贈
（→ P44）
＊夫婦別姓
婚姻時に両者の氏（姓）を統一せず、夫婦それぞれが婚姻前の氏（姓）を名乗り続けること。

ここがポイント！

- ☑ 内縁関係の夫婦間では相続ができない
- ☑ 相続人でない人にはストレートに名義変更できない
- ☑ 将来困らないように遺言書などを考え、準備をしておく

case study 7 ≫ 民事信託

老後破産を避けるために民事信託をした豊島さん

＊＊＊財産と家族の状況＊＊＊

- ●依頼者　豊島さん
- ●職　業　会社員
- ●被相続人　父（予定）
- ●相続人　母、長男（本人）、長女、計３人（予定）
- ●財産の内容
  自宅不動産、預金、生命保険

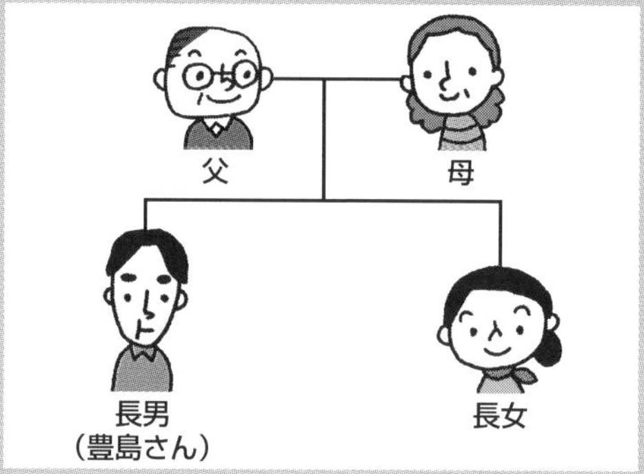

父親は要介護、母親は認知症気味

豊島さんの父親は家で転倒して歩くことが困難になり、要介護となりました。いまは介護施設に入所しています。母親は自宅で生活をしているものの認知症気味です。このままでは将来の相続で困ると感じ、相談に来られました。

老後の生活資金が不安

まずは相続税がかかるかどうか、クイック診断をしたところ、自宅の土地が200坪あり、広いため、それだけで1億2000万円ほどの評価になることが判明し、相続税がかかる財産だとわかりました。けれども、預金は300万円ほどで余裕はありません。相続になれば1200万円の生命保険が下りますが、それまでは手元に入りません。こうした現状では現金が足りなくなるのではという不安があります。

父親の財産の大部分が自宅不動産ですので、これを活用しない手はありませんが、まだ母親が住んでいますので、引っ越すなどして空き家になってから売却するのが望ましいところ。そのときに父親が認知症になって意思確認がとれないと手続きが大変になります。

遺言以外の生前対策法

財産を託して財産の活用ができるよう契約するのが民事信託ですので、生前対策に有効と言えます。

解決へのアドバイス Point of advice

家族揃って手続きを進める

状況を聞いてお勧めしたのは、今後のことを父親に代わって信託された長男である豊島さんができるという契約をしておくことです。

豊島さんのご両親の様子から、すぐに相続にはならないかもしれず、長くなれば費用の捻出に苦慮すると感じ、「民事信託」が必要だと決断されました。両親と妹にも説明し、進めようということになって、後日、契約が整いました。契約日には家族４人が揃い、父親の意思確認をしながら、円満に手続きをすることができ、将来の不安を払拭でき、家族の協力体制もとれるようになりました。

信託契約を勧めた理由

- 生命保険 1200 万円は相続にならないと入らない
- 父親が認知症になると不動産の処分や保険の解約ができない
- 自宅が一番大きな財産だが売らないとお金にならない
- 老後の資金が不足する

後見人をつけると節税対策ができない

高齢になると成年後見人をつけて財産を管理する方法もありますが、それでは母親の生活費や相続対策ができません。父親はまだ認知症と診断されてはいませんが、今後認知症になることもありますので、意思がはっきりしているうちに後見人ではなく、信託契約をしておくことで、母親や子どもたちの不安は解消されます。

ここがポイント！

- ☑ 父親が認知症になっても、長男が不動産を処分・活用して節税対策などができる
- ☑ 収益は父親のものとなり両親の生活費に充てられるため、老後破産は避けられる
- ☑ 母親が信託契約を継承することができ、母親が認知症になっても不安はない

コラム　これから必要な終活・相続のヒント

介護の貢献度に見合う相続をしたいなら遺言書が必須

母親は一人暮らし

Kさん（50代・女性）の母親は80代。3年前に父親が亡くなり、現在は自宅で一人暮らしをしています。

Kさんは3人姉妹の真ん中で、実家から30分ほどのところに夫と娘と息子の4人で生活をしています。長女と三女は独身ですが、母親と同居する気はなさそうです。

母親の財産

母親は亡くなった父親の財産を相続しており、評価が2000万円の自宅の他に、預金5000万円、生命保険8000万円がありました。父親の相続時は、母親には相続税がかからないために全部を母親が相続し、ほとんどの財産はそのまま残っています。

もし母親が亡くなると、姉妹の相続の法定割合は3分の1ずつです。しかし姉と妹の親に対する接し方、今後発生する母親の介護を考えると、Kさんは法定割合では納得できません。姉と妹の住まいは実家から2時間ほど離れていますし、やる気もなさそうで期待できないというのです。

遺留分

母親も、老後はKさんにすべてを任せる、遺言書も作ると言ってくれています。しかし、Kさんは遺留分の対象がどこまでか不安に思っていました。

生命保険は長女と三女は各2500万円、Kさんは3000万円となっていますが、生命保険は遺留分対象に含まれません。生命保険以外の財産は自宅と預金で7000万円ですから、仮に母親の全財産をKさんが相続すると、姉と妹の遺留分は1人約1166万円（7000万円÷3人÷2）となります。

遺言書があれば

この遺留分を念頭に入れて、母親が遺言書を残せば、Kさんの貢献度に見合った財産の渡し方ができるようになります。遺言書の作成時には、姉と妹にも、母親から遺言書を作ったことを伝えるほうが良いこともアドバイスしました。

Kさんは遺留分の確認ができたので、母親の気持ちを確認しながら遺言書を勧められました。

相続実務士より

相続人全員に遺言書の内容をあらかじめ伝えておこう

遺言書がないと、介護に貢献した子どもと介護をしなかった子どもは、法定割合に沿って同額で分けることになります。これでは不満が残り、争いになりかねません。

Kさんの母親のように、介護でお世話になる子どもに多く渡したい場合には、母親が遺言書を作成する必要があります。遺言書で、自分の老後生活に貢献してくれる子どもに見合った財産を渡せるようにして、その旨を全員に伝えておくと、他の子どもも親の意思として納得させられます。

終活・相続のヒント

- 介護がスタートするときは預金などの情報を子どもの間で共有すると疑われない
- 遺言書がないと法定割合を基準として分割することになるため不満が残る
- 遺言書は親の意思で作成、全員に伝えておく
- 生命保険は遺産分割の対象外。受取人の財産となる

第3章

相続財産は
こうして評価される

相続財産の評価は相続対策の第一歩。評価額によって、課される相続税も大きく変わってきます。土地や建物、金融資産などの基本的な評価の仕方をチェックしておきましょう。

相続財産は時価で評価される

相続財産の評価方法

相続税額を計算したり、相続対策を行うためにも、相続する財産の価額を算出しておく必要があります。しかし相続税が課税される財産には、預貯金などの現金だけでなく、土地や建物、株式や美術品など様々なものがあります。これらの財産はいったいどのように算定するのでしょうか。

相続税法では、**基本的に相続財産は相続があった日（つまり死亡時）の時価で評価する**ことが定められています。

しかし「時価」というのもあいまいな言葉であり、算定が難しいことに変わりありません。評価によって、課税額に大きな不公平が生じてしまうおそれもあります。そこで国税庁は「財産評価基本通達*」を定め、財産ごとに一定の評価基準を公表しています。したがって、原則として財産評価はこの基本通達に基づいて行っていくことになります。

◆土地の評価方法

土地のうち市街地にある宅地は「路線価方式*」で評価し、それ以外の土地については「倍率方式*」で評価することになっています。個々の土地については地域によって「路線価方式」と「倍率方式」のどちらかが適用されるように決められています。そのため、まずは路線価方式の地域なのか、倍率方式の地域なのかの確認が必要でしょう。

最寄りの税務署には「路線価図」「倍率表」があり、相続する土地がどちらの方式で評価されるのかを、だれでも確認することができます。国税庁のサイトにも公開されています。

海外財産の評価
海外の財産は基本的に国内の財産と同じように評価される。ただし、「路線価」などは定められていないので、時価で評価されることになる。

*財産評価基本通達
財産を評価する際の評価基準となるもの。国税庁によって定められている。

*路線価方式
道路ごとに定められた1㎡あたりの路線価をもとに宅地の評価額を出す評価方法。

*倍率方式
土地の固定資産税評価額に、国税局長が一定の地域ごとに定める倍率を乗じた額によって評価される評価方法。

路線価図の見方

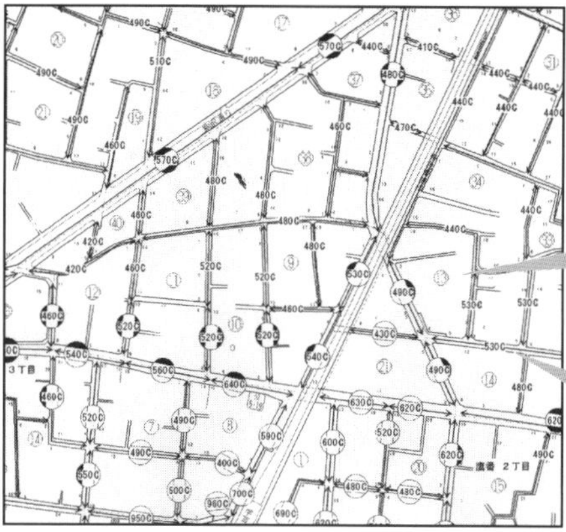

街区番号を表す

数字は路線価。この場合1㎡あたり53万円、アルファベットは借地権割合（→P66）を表す。

路線価図の見方

路線価は1㎡あたりの価額が千円単位で表記され、矢印で示す範囲に適用される。630Cとあるとき、その道路に接している土地は1㎡あたり63万円で評価されることになる（Cは借地権割合70%を意味する）。

地区区分

記 号	地 区
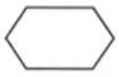	ビル街地区
	高度商業地区
	繁華街地区
	普通商業・併用住宅地区
	中小工場地区
	大工場地区
無印	普通住宅地区

適用範囲

記 号	適用範囲
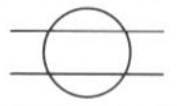	道路の両側の全地域
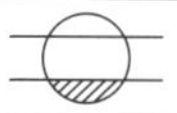	道路の北側の全地域
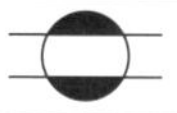	道路沿い
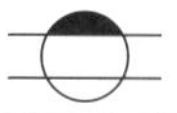	北側の道路沿いと南側の全地域
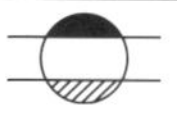	北側の道路沿いの地域

借地権割合

記 号	A	B	C	D	E	F	G
借地権割合	90%	80%	70%	60%	50%	40%	30%

●市街地にある宅地は「路線価方式」で評価される

メモ

時価による相続財産評価の基準

時価とは客観的な交換価値を指し、以下の3つに分類されます。

①収益還元価格…時価を財産の収益性に基づいて求めようとするもの

②再取得価格…時価を財産の費用性に基づいて求めようとするもの

③市場価格…時価を財産の市場性あるいは取引事情に基づいて求めようとするもの

point

●相続財産は時価で評価される

●土地は「路線価方式」か「倍率方式」かを確認しておくこと

宅地は形や地区区分によって計算が異なってくる

路線価方式、倍率方式の計算方法

市街地にある土地は、その土地が面している道路につけられた価格である「路線価」に、土地の面積をかけた価格が評価額となります。路線価図を見る場合は次の点に注意します。

①**評価する土地の所在を確認する**…どの道路に面しているかの位置確認をします（画地調整の際に必要）。②**路線価格を見る**…記されているのが1㎡あたりの路線価*です。③**借地権割合*を確認する**…アルファベットで割合が決められています（借地や貸している土地を評価する際に必要）。④**地区区分を確認する**…7つの地区区分に分かれています（画地調整を行う際に必要）。

路線価に面積をかければ、その土地の評価額は出せますが、具体的な土地の条件によっては正確な評価額とは言えない場合があります。その土地の形状や位置によって、基本の価格から一定の項目に関して考慮し、引いたり、足したりして算出することが必要になります。これを**画地調整**と言います。

◆倍率方式は「評価額」と「倍率」の確認を

倍率方式の地域の評価は、**固定資産税評価額*×倍率という計算式で算出**するため、固定資産税の評価額と倍率を調べなければなりません。固定資産税評価額を確認するには、市区町村で申請して**固定資産評価証明書を取得**します。倍率は路線価同様に**最寄りの税務署の倍率表で確認**します。

なお、倍率方式は路線価方式のような減算項目や加算項目はありません。

公図の取り方と活用
正確な土地の評価を出すには、「実測図」を作成することが必要であり、法務局で保管している「地積測量図」や「公図」を利用する。「公図」とは、登記された土地の位置や形状を記録したもので、法務局に申請すれば閲覧、コピーできる。

＊路線価
毎年7月頃、その年度の路線価図が国税庁から示される。自宅からインターネットによる閲覧も可能。

＊借地権割合
土地を賃貸借している場合などにおける、借主の権利を借地権という。借地権割合は、土地価格に対する借地権価格の割合のこと。

＊固定資産税評価額
市区町村が時価、路線価をもとに決定するもので、固定資産税の課税標準となる金額のこと。

路線価方式の減算項目

奥行価格補正	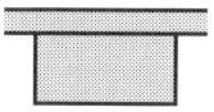 一方のみが路線に接している宅地 路線価に「奥行価格補正率表」を乗じて評価する
間口狭小補正	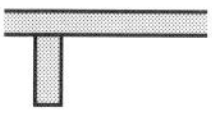 間口が狭い宅地 その程度に応じて相当と認められる金額を控除した価額により評価する
奥行長大補正	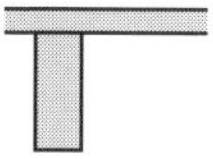 奥行が長大な宅地 その程度に応じて相当と認められる金額を控除した価額により評価する
がけ地補正	がけ地にある宅地など がけ地補正を行って評価する
その他	不整形地、無道路地など その形状や地積等に応じて不整形地は奥行価格補正等を適用した後の価額に、不整形地補正率を乗じた価額により評価する。無道路地は不整形地の評価の定めによって計算した価額から、その価額の100分の40の範囲内で相当と認められる金額を控除した価額により評価

路線価方式の加算項目

側方路線影響加算	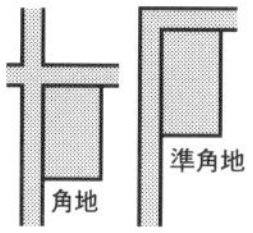 角地や準角地にある宅地 {(正面路線価×奥行価格補正率)+(側方路線価×奥行価格補正率×側方路線影響加算率)}×地積
二方路線影響加算	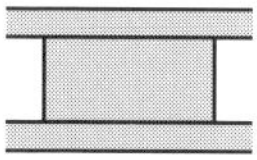 正面と裏面に道路がある宅地 {(正面路線価×奥行価格補正率)+(裏面路線価×奥行価格補正率×二方路線影響加算率)}×地積

※正面路線…奥行価格補正をした路線価の高い方の路線
※側方路線…奥行価格補正をした路線価の低い方の路線

●基本の価格に項目に応じた額を加算して評価する

農地の評価方法

●農地の評価
農地は所在する地域などにより①純農地、②中間農地、③市街地周辺農地、④市街地農地の4種類に区分される。
①純農地…固定資産税評価額×倍率
②中間農地…固定資産税評価額×倍率
③市街地周辺農地…（宅地とした場合の評価額－宅地造成費）×0.8
④市街地農地…（宅地とした場合の1㎡あたりの評価額－1㎡あたりの宅地造成費）×地積

メモ

広大地評価は廃止、地積規模の大きな宅地の評価が新設

2018年からは「地積規模の大きな宅地の評価」が新設されました。
都市圏では500㎡以上で普通住宅地区に存すること（その他は1000㎡以上、普通商業･併用住宅地区に存すること）などの要件がありますが、「規模格差補正率」を用いて、土地の形状と地積の大きさを考慮し、評価額を減額することが可能になりました。
地積規模の大きな宅地の評価額＝路線価×各種補正率×規模格差補正率×地積

point

●路線価方式は土地の形状によって計算が異なる
●地積規模の大きな宅地は規模格差補正率で計算

借地権と貸宅地の評価

借地や貸宅地は財産としての評価が下がる

借地権と貸宅地の評価方法

建物を所有するために土地を借りている権利を「借地権」と言いますが、借地権も相続財産として評価されます。

借地権は、通常の土地の評価額に借地権割合をかけて評価することになっています。借地権割合は地域ごとに決められていて、路線価図で確認します。ちなみに路線価図には、アルファベットで借地権割合が表示されています。

仮に土地の評価額が1億円で、借地権割合が60%だった場合、借地権の評価額は6000万円になるというわけです。

◆土地の利用形態ごとに評価が異なる

他人に貸している土地（貸宅地と言います）は、自分の土地であっても借地人の権利があり、すぐに明け渡してもらうというわけにはいきません。そのため、**通常の評価額から、借地人の持っている借地権を控除して評価**することになっています。

また、賃貸アパートやマンションの敷地は、土地と建物の所有権を地主が持っていることになります。この場合の土地のことを、**「貸家建付地」と呼び、自用地*価額から自用地価額に、借地権割合、借家権割合*、賃貸割合をかけた分を引く**ことになっています。

なお、親の土地に子どもが家を建てて住んでいるケースや、無償で土地建物を貸しているケースなどは、「使用貸借」と呼ばれ、貸家建付地とはみなされません。こういった場合では、借地権がないものとされるので、自用地として評価されることになります。また、駐車場なども借地権評価されることはありません。

*自用地
他人の権利の目的となっていない土地のこと。

*借家権割合
家屋を賃借している場合における賃借人の権利を借家権という。借家権割合は30%で一定となっている。

建物の評価方法
家屋の評価方式は「倍率方式」で、全国一律1倍。つまり、固定資産税の評価額がそのまま相続税評価額となる。ただし、家屋から独立した門や塀、庭木、庭石、池などの庭園設備は、別途に評価される。
貸家建付地が評価減されるように、借家人の入っている家屋は「借家権」を差し引き、計算する。借家権割合は30%を用いるため、貸家は70%で評価される。
建築中の建物は、費用現価の70%相当額で評価する。

貸宅地・借地権の評価方法

貸宅地の評価額＝更地価格 ×（1－借地権割合）

借地権の評価額＝更地価格 × 借地権割合

●貸宅地は借地権を控除して評価される

貸家建付地の評価方法

土地と建物を所有	自用地の評価額 × （1－借地権割合 × 借家権割合 × 賃貸割合）

●貸家建付地は借地権割合と借家権割合と賃貸割合をかけた分を引いて評価される

使用貸借・賃貸借の評価方法

土地と貸家の所有が別	使用貸借	権利金*の授受がなく、地代が固定資産税相当額以下	自用地の評価額
	賃貸借	使用貸借以外	自用地の評価額 ×（1－借地権割合）

山林の評価方法

●山林の評価

山林についても、基本的には農地と同様に評価する。①純山林、②中間山林、③市街地山林の3種類に区分される。

①純山林…固定資産税評価額×倍率

②中間山林…固定資産税評価額×倍率

③市街地山林…（宅地とした場合の1㎡あたりの評価額－1㎡あたりの宅地造成費）×地積

◎借地権と貸宅地の評価のケース
（→ P78）

*権利金

借地契約、借家契約の際に慣行として賃借人から地主家主に支払われる賃料・敷金以外の金銭。

メモ

セットバックを要する土地は減額される

建築基準法では、道路の中心線からそれぞれ2mずつ後退した線を道路の境界線とみなすため、建物の建て替えを行う場合は、その境界線まで後退（セットバック）して道路敷きとして提供しなければなりません。

このようなセットバック部分に該当する土地は、通常の70%を減額できることになっています。

point

●借地権も財産として評価される

●貸宅地は、財産としての評価が下がる

小規模宅地には減額の特例もある

80%と 50%の減額適用

亡くなった人が事業や居住に使っていた土地に高い評価額がつくと、その分相続税の負担も大きくなり、場合によっては土地を手放さざるを得ない事態にも陥ってしまいます。

そこで、相続した土地のうち、居住用は330㎡、事業用は400㎡までに対し、その土地の評価額の 80%を減額することができます。不動産貸付用は 200㎡まで 50%減額ができます。評価が高い土地を選択でき、組み合わせも可能です。ただし、相続開始前３年以内から事業を始めた宅地等については対象外です。

① 80%の減額適用…特定事業（居住）用宅地*

事業用の土地は、親の事業を子が申告期限まで継続して営むことが必要です。居住用の土地は配偶者が相続する場合や配偶者以外の相続人が継続して申告期限まで居住することや保有することが要件となっています。二世帯住宅の場合は内階段がなく完全に区分されている住宅でも、また老人ホームに入居した場合も一定の条件を満たせば適用が可能となります。

② 50%の減額適用…不動産貸付用地

貸家・アパート・駐車場などの不動産貸付の土地は、相続人が申告期限まで貸付事業を継続することにより適用されます。

◆遺産分割を終えていることが要件

小規模宅地等の特例は、相続税の申告期限までに遺産分割を終えていることが要件となっています。ただし、いったん特例適用前の評価額で納税した場合でも、申告期限から3年以内に分割した場合は、さかのぼって更正の請求*ができます。

税制改正
特定居住用宅地については限度面積が 240㎡まで→ 330㎡までに拡大された。また、事業用宅地と居住用宅地の完全併用が認められた（2015 年1月1日～）。

＊特定事業用宅地
被相続人が事業用として提供していた宅地を、被相続人の事業を承継したり相続等により継続して保有しているなどの要件を満たす土地のこと。

＊特定居住用宅地
居住用として提供していた宅地を、被相続人の配偶者および同居していた親族が継続保有しているなどの要件を満たす土地のこと。

私道の宅地評価
①不特定多数の人が通行する場合…公共性があるため評価しない。
②特定の人が通行する場合…自用地の評価×0.3
③自己の通行のみに利用…自用地の評価

＊更正の請求
税額が過大であった場合に、自ら誤っている点を直して正しくすることを請求できる制度のこと。

小規模宅地等の特例適用の要件

宅地等		申告期限まで	上限面積	軽減割合
事業用	①不動産貸付業以外の事業	継続	400 ㎡	80%
		非継続	適用なし	
	②不動産貸付業（例：アパート・マンションの経営を行っていた）	継続	200 ㎡	50%
		非継続	適用なし	
居住用（例：自宅）		居住の継続	330 ㎡	80%
		居住の非継続	適用なし	

80%引きになる特定居住用地の条件

① 被相続人の配偶者が相続した場合

② 被相続人と同居していた子などがその宅地を相続し、相続税の申告期限まで所有、居住を継続している場合

③ 相続前3年間、本人または本人の配偶者所有の家屋に居住したことがない親族が相続し、相続税の申告期限までその宅地を所有している場合（居住しなくてもよい）※被相続人の配偶者または同居の相続人がいない場合に限られる
ただし、次の相続人は対象外です。
①相続開始前 3 年以内に、3 親等内の親族や特別関係法人が所有する家屋に居住していた者
②相続開始時に居住していた家屋を過去に所有していた者

④ 被相続人と生計を一にしていた親族が相続し、相続開始前から相続税の申告期限まで引き続き居住を継続している場合

（例）自宅の土地 330 ㎡、評価額 9900 万円（1㎡あたり 30 万円）の場合、
（330 ㎡ ×30 万円 ×20%）＝1980 万円

9900 万円−1980 万円＝7920 万円　　7920 万円減額

point

●小規模宅地は 80%と 50%の減額適用がある
●特例の要件は、遺産分割を終えていること

上場株式は最も有利な評価額を選択する

株式評価の区分は３種類

株式は以下の3種それぞれに評価方法が異なります。

①上場株式…証券取引所*に上場され、日々取引の行われている株式のことであり、次のうち、最も低い額で評価します。

ⓐ相続開始日の終値、ⓑ相続開始日が属する月の終値の平均額、ⓒ相続開始日が属する前月の終値の平均額、ⓓ相続開始日が属する前々月の終値の平均額。

②気配相場等のある株式…証券取引所に上場はされていないが、証券会社の店頭では、売買が行われている株式です。「登録銘柄*・店頭管理銘柄*」と「公開途上にある株式」に分けられ、以下のように評価します。

ⓐ登録銘柄・店頭管理銘柄…「相続開始日の取引価格」「相続開始日以前3カ月間の取引価格の月ごとの平均額」のうち、最低額。

ⓑ公開途上にある株式…その株式の公開価格。

◆同族会社等の株式評価

③取引相場のない株式…上記以外の株式はすべて取引相場のない株式です。この場合、まず株主が経営支配力を持つ株主（同族会社のオーナーなど）か、それ以外の株主かを判定します。前者は原則的評価方式*、後者は配当還元方式*で評価されます。原則的評価方式の場合は、さらに会社の規模によって大会社＝類似業種比準方式*（または純資産価額方式）、中会社＝併用方式*（または純資産価額方式）、小会社＝純資産価額方式*で評価します。

＊証券取引所
株式や債券の売買取引を行う法人のこと。

＊登録銘柄
日本証券業協会によって登録されている株式のこと。

＊店頭管理銘柄
店頭登録を取り消された株式のこと。2004 年に制度は廃止。

＊原則的評価方式
会社の実態に即して評価する方法のこと。

＊配当還元方式
配当金額をもとに株価を評価する方法のこと。

＊類似業種比準方式
評価する会社と同じような業種の上場会社を選び、その会社の株価や1株あたりの利益金額などを基準として計算する評価方式のこと。

＊併用方式
類似業種比準方式の価額と純資産価額方式の価額を、会社の規模により一定の割合で折衷する方式のこと。

取引相場のない株式の評価方法

類似業種比準方式

$$\text{類似業種の株価}\times\left(\frac{\frac{\text{Ⓐ}}{A}+\frac{\text{Ⓑ}}{B}+\frac{\text{Ⓒ}}{C}}{3}\right)\times\text{斟酌率}$$

斟酌率

大会社	0.7
中会社	0.6
小会社	0.5

A 類似業者の配当金額　Ⓐ 評価会社の配当金額
B 類似業者の利益金額　Ⓑ 評価会社の利益金額
C 類似業者の純資産額　Ⓒ 評価会社の純資産額

※配当、利益、純資産額は1株あたり50円として計算している。

純資産価額方式

$$\frac{\text{各資産の相続税の評価額}-\text{負債合計}-\text{評価差額に対する法人税等相当額}}{\text{発行済株式数}}$$

併用方式

類似業種比準価額×L＋1株あたり純資産価額×（1－L）

※Lは類似業種比準価額で評価する割合。
会社の規模によって異なる。

配当還元方式

$$\frac{\text{1株あたり年配当金額}}{10\%}\times\frac{\text{1株あたり資本金額}}{\text{50円}}$$

※無配の場合は2円50銭として評価する。

●取引相場のない株式は状況に応じて評価方法が異なる

*純資産価額方式
評価する会社を清算したと仮定したときの株主の手取額をもって評価額とする評価方式のこと。

外貨の評価方法
外貨による財産は、円に換算して評価することになる。換算は、課税時期に取引金融機関が公表する対顧客直物電信買相場（TTB）またはこれに準じる相場による。課税時期に相場がない場合は、課税時期前の最も近い日の相場で評価する。

メモ

非上場会社には納税猶予制度の特例あり

同族会社のオーナーに相続が発生した場合、相続した株式に相続税がかかりますが、この相続税が大きな負担となって経営に支障をきたすことも考えられます。

そのため、先代経営者から後継者に対して一定要件の株式の贈与をした場合や相続させた場合には、贈与税や相続税が猶予される特例があります。

point

●株式は種類によって評価法が異なる
●会社の規模などで計算が異なるケースもある

定期預貯金には経過利子を加える

普通預金と定期預金は評価が違う

普通預金や通常貯金は、金融機関に預けてある残高がそのまま財産評価となります。評価は相続開始当日のものです。ただし、**定期預金や定期郵便貯金など貯蓄性の高いものは、預入額に課税時期現在の既経過利子（20％源泉徴収後）を加えなければなりません。**

貸付信託*の受益証券は、信託銀行が相続開始当日に買い取るとした場合の買取価格、証券投資信託*は、解約請求をした場合に証券会社から支払われる額で評価されます。

また、公社債は、利付《りつき》公社債*、割引公社債*、転換社債*に分けられ、それぞれ評価方法が異なっています。

◆生命保険の評価方法

被相続人が保険料を負担していて、相続時点で保険事故が発生していない生命保険契約については、契約者や権利を相続した人に相続税が課税されることになります。このとき、**契約の評価は、相続開始日に保険契約を解約した場合の解約返戻金**となっています。

通常、生命保険金は残された家族の生活を保障するために保険料が支払われていたものと考えられます。そのため、法定相続人が保険金を取得する場合、**500万円×法定相続人の数の非課税枠**が設けられています。

取得した保険金の総額が非課税限度額以内であれば、全額が非課税扱いです。ただし、相続人でない孫などが保険金の受取人であるときには、全額に課税されることになります。

*貸付信託
信託銀行が顧客から集めた信託金を長期貸付などで運用し、その収益を信託金額に応じて支払う信託商品のこと。

*証券投資信託
多数の一般投資家から資金を集めた運用の専門家が、株式や債券などに投資して、その運用益を投資金額に応じて分配する信託商品のこと。一般的に「投資信託」「投信」と呼ばれる。

*利付公社債
券面に利札の付いている債券のこと。

*割引公社債
券面額を下回る価額で発行される債券のこと。

*転換社債
発行会社の株式に転換することができる債券のこと。

金融資産の評価方法

普通預金	相続開始日の預入残高
定期預金等	預入残高＋既経過利子－源泉所得税額
貸付信託の受益証券	元本の額＋既経過収益－源泉所得税額－買取割引額
証券投資信託の受益証券	基準価格×口数－解約請求した場合の源泉所得税額－信託財産留保額・解約手数料（中期国債ファンド、MMF等の日々決算型の証券信託の受託証券を除く）

公社債の評価方法

利付公社債の評価

① 上場されている利付公社債
（課税時期の最終価格＋源泉所得税控除後の既経過利息）× 券面額 /100 円

② 売買参考統計値が公表されている銘柄
（課税時期の平均値＋源泉所得税控除後の既経過利息）× 券面額 /100 円

③ その他の利付公社債
（発行価格＋源泉所得税控除後の既経過利息）× 券面額 /100 円

割引公社債の評価

① 上場されている割引公社債　課税時期の最終価格 × 券面額 /100 円

② 売買参考統計値が公表されている銘柄　課税時期の平均値 × 券面額 /100 円

③ その他の割引公社債　［発行額＋（券面額－発行額）× 発行日から課税時期までの日数 / 発行日から償還期限までの日数］× 券面額 /100 円

転換社債の評価

課税時期の最終価格＋源泉所得税控除後の既経過利息

※株価が転換価格を超える場合　株式の価額 ×100 円 / 転換価格

●公社債は種類によって評価方法が異なる

point

●受益証券や公社債は種類によって評価が異なる

●生命保険には一定の非課税枠がある

5万円以下はまとめて評価、それ以外は市場価額

一般動産の評価方法

家具や家電製品、自動車なども相続財産であり、これらは一般動産として売買実例価額、精通者意見価格等を参酌して評価されます。不明なときは、小売価額*から経過年数に伴う減価償却分*を控除して評価することになっています。

これらの財産は1つひとつ評価するのが原則ですが、家具や衣服、食器など、1個または1組の価額が**5万円以下のものについては、「家財道具一式」としてまとめて評価することも可能**です。

◆書画や骨董品その他の評価

書画や骨董品といった美術品は、いちがいに値段がつけにくい代表例ですが、これまでの売買事例や鑑定士などの専門家の評価をもとに価額を決めることになります。

なお、金やプラチナなどの地金は課税時期の取引相場によって評価します。

商品や製品などの棚卸資産*は、課税時期の販売価額から適正利潤、予定経費、消費税額などを差し引いて算出します。

なお、**ゴルフ会員権は、取引価格の70%で評価**します。ゴルフの会員権には、株主でなければ会員になれないもの、あるいは預託金*を必要とするものなどがあります。取引価格に含まれない預託金などがあれば、その額を加算します。

ちなみに、単にプレーする権利のみの会員権（株式の所有を必要とせず、譲渡できない会員権で、預託金などの返還が受けられないもの）は評価されません。

*小売価額
この場合、新品として売られている商品の額のこと。

*減価償却分
使用経過に伴って目減りした価値を削った額のこと。

*棚卸資産
企業の将来の販売活動などによって消費されることを目的に保有している資産のこと。

*預託金
この場合は、ゴルフ場の会員になるにあたって、ゴルフ場に預けるお金のこと。

自動車の評価
自動車は中古車を扱うお店などで買取価格を出してもらうことで、中古車市場の実態に即した評価額を算定することができる。

その他財産の評価方法

自動車、家財道具など

市場で売買される価格。
売買実例価格もしくは買取業者の見積価格

書画・骨董品

売買実例価額、専門家の意見による評価額

電話加入権

国税局が定める標準価額

商品・製品

課税時期の販売価額
ー(適正利潤＋予定経費＋消費税)

原材料

課税時期の仕入価額＋引取運賃などの経費

●一般動産は原則として「調達価額」で評価される

ゴルフ会員権の評価方法

取引相場のある会員権 → 取引価格 ×70%

取引相場のない会員権

- 株主でなければ会員になれない会員権 → 株式の価額
- 株主であり、預託金等を払わなければ会員になれない会員権 → 株式の価額 ＋ 預託金等の価額
- 預託金等を払わなければ会員になれない会員権 → 預託金等の価額

●ゴルフ会員権は取引相場があるかないかで評価が異なる

point

●5万円以下のものはまとめて評価できる
●美術品は市場価格や鑑定評価とする

case study 1 ≫ 借地権と貸宅地の評価

財産の大半が不動産で納税資金が不足した鈴木さん

＊＊＊財産と家族の状況＊＊＊

- 依頼者　鈴木さん
- 職　業　会社員
- 被相続人　父
- 相続人　母、長男（本人）、長女、次男、三男、次女、計6人
- 財産の内容
  自宅不動産、貸宅地、駐車場、農地、預貯金

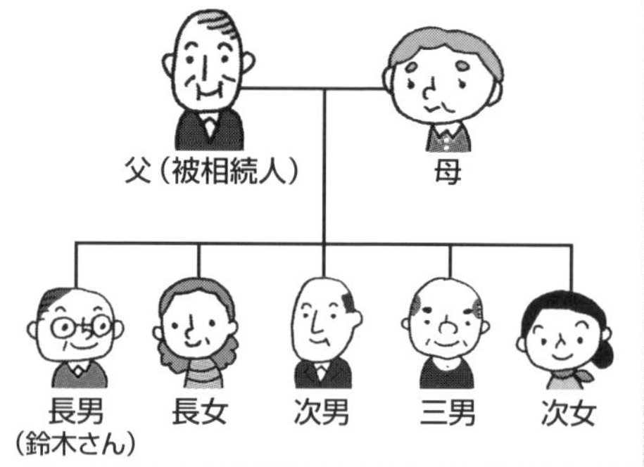

相続の対策をしていなかった

鈴木さんは5人きょうだい。鈴木さんと三男は仕事の関係で地元を離れましたが、それ以外のきょうだいは地元に残っています。鈴木さんの父親の自慢は、祖先から引き継いだ不動産を売らずにしっかりと守ってきたことです。

> **不動産の内容**
>
> 父親の財産はほとんどが農地でしたが、大半が区画整理事業の計画地内に含まれた結果、整然とした宅地に生まれ変わりました。利用価値は非常に上昇しましたが、固定資産税も上昇しました。

賃貸経営には難色を示していたので、区画整理された土地でも生前の対策は行っておらず、不動産から収益はほとんどないため、固定資産税等の納税には苦労されたようです。

父の死後に態度が急変した借地人

農地のほかにも貸宅地*を数カ所、所有していましたが、父親が亡くなってからは地代の支払いが止まってしまいました。借地人になぜ支払ってくれないのか聞いたところ、土地賃貸借契約は父親と交わしたのであり、相続人との間には契約を交わしていないので支払うつもりはないという理由でした。

もともと地代は非常に安い金額でしたが、その安い金額の地代さえも支払ってくれない借地人を前に、鈴木さんは途方に暮れたそうです。

解決へのアドバイス Point of advice

残す財産と手放す財産の見極め

相続財産のなかには相続人の自宅が含まれていますが、大半の不動産が利用されていない状況です。利用していたとしても収益性の低い貸宅地や駐車場となっています。

相続人に不動産の今後の維持管理についてお話を伺ったところ、自宅以外の土地は賃貸事業等をしてまで土地を残す意思がないので売却をして換金したいとのことでした。

父親が残した財産を生かす

区画整理地区*にある不動産は、売却に関しては問題がありません。しかし、貸宅地は第三者への売却が非常に難しい財産です。

また、一筆に残す土地と処分する土地がある場合は、分筆が必要になります。そのため、測量を行うことで境界を明確にする必要があります。

Word

＊貸宅地
（→ P68）
＊区画整理地区
整備が必要とされる市街地において、土地所有者から少しずつ土地を提供してもらい、健全な市街地とする事業区域のこと。

今回のケースでは貸宅地境界が不明確な場所がほとんどで、相続人と借地人が立会をして境界を確定し、境界を明確にしてから売却活動に入りました。

その結果、不動産を売却したお金で、今後の母の生活資金や介護サービスのついた施設に入所する場合の資金を作ることができました。

父親の財産が生きることになったと言えるでしょう。

ここがポイント！

- ☑ **残す財産、手放す財産の選別は早目に行う**
- ☑ **貸宅地は評価額が高いので生前に対策が必要**
- ☑ **現地調査時には将来の売却も想定して測量の有無を決める**

case study 2 ≫ 農地や山林の評価

自宅や裏山の評価を下げて農地を守った村上さん

＊＊＊財産と家族の状況＊＊＊

- 依頼者　村上さん
- 職　業　農業
- 被相続人　祖父
- 相続人　長男、長女、次女、三女、四女、孫（養子:本人）、計6人
- 財産の内容
  自宅不動産、周辺の調整区域の農地

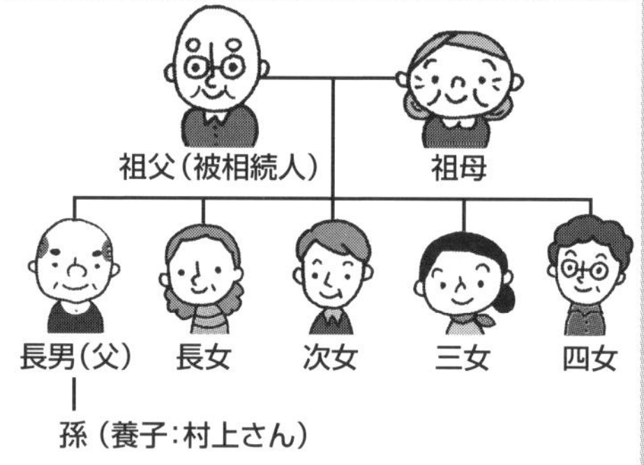

農地を守るのが跡取りの務め

村上家は代々続いた大地主で、専業農家です。

農地解放でかなりの土地を手放しましたが、それでも亡くなった祖父の財産の大部分は土地です。そのほとんどが自宅とその周辺の市街化調整区域の農地でした。

祖父の遺言内容

大部分の財産を長男と孫の村上さんに相続させ、娘４人は現金、配偶者である祖母には、二次相続の不安をなくすため、相続させるものはないという内容でした。

専業農家だけに、農地を守るのが跡取りの務めであり、自分の代で没落させるわけにはいかないというのが、村上さんの信条でした。

祖父は農地を分けることはできないという考えから、公正証書遺言*を作成しておいてくれました。

調整区域なのに、評価が高い

近隣は大規模な開発で山が切り開かれて、大きなニュータウンがいくつも広がっている地域です。しかし、村上家の自宅は調整区域にあるため、ほとんど昔のままで、自宅の裏には広大な山林が広がっています。

道路も狭く、車1台通るのがやっとという幅しかありませんが、そのわりに評価が高く、それだけでかなりの相続税がかかることが予想されました。

解決へのアドバイス Point of advice

土地を鑑定評価して減額した

倍率地域*の土地の評価は固定資産税評価額に倍率をかけるため、自宅周辺だけでもかなりの評価になってしまいます。

市街化区域の土地であれば地積規模の大きな宅地の評価*ができ、減額の余地がありますが、調整区域には適用できません。しかし、倍率だと高すぎると思われるため、税理士と検討した結果、測量をして鑑定評価*をするしかないという結論になりました。

そこで、自宅と裏山の2カ所と、無道路地となってしまい建築許可が取れない土地を鑑定評価して、減額することができました。

このように、3カ所の土地を鑑定評価することにより、相続税は約半分に減額することができたのです。

他の相続人に代償金を支払う

大地主で本家と言われる立場の家に生を受けることは、一見楽なように思えますが、現実問題として維持していくことは簡単ではないと言えます。

土地の分散を避けるために公正証書遺言をしたわけですが、他の相続人も一様に農家が楽ではないこと、家を継続することが大変であることを理解して、遺言書に記載のある代償金*を受け取り、土地は相続しないことで納得されました。

Word

＊公正証書遺言
(→ P150)
＊倍率地域
倍率方式により評価される土地。
＊地積規模の大きな宅地の評価
(→ P67)
＊鑑定評価
不動産鑑定士が案件に即した鑑定評価手法の検討と価格水準の判定を行い、評価をすること。
＊代償金
(→ P182)

ここがポイント!

- ☑ 不動産のマイナス要因を見つけて評価を下げる
- ☑ 不動産の実態に合わせた評価をする
- ☑ 特殊な事情がある土地は、不動産鑑定評価により評価が下がることもある

case study 3 ≫ 特殊な土地の評価

不動産の評価を下げて節税したい松本さん

＊＊＊財産と家族の状況＊＊＊

- 依頼者　松本さん
- 職　業　会社員
- 被相続人　父
- 相続人　母、長男（本人）、子（養子）、計3人
- 財産の内容
  自宅不動産、賃貸アパート、駐車場、現金、預金、有価証券

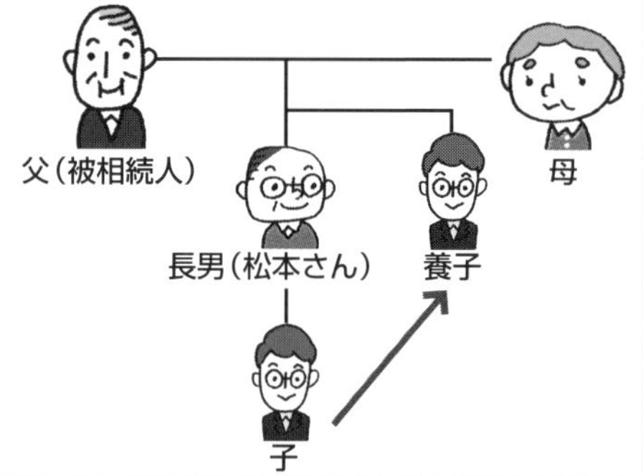

財産のほとんどが土地

松本さんの父親は賃貸アパートと駐車場を所有し、不動産賃貸業を営んでいました。しかしその父親が急死し、相続が発生しましたが、遺言書はありませんでした。

相続人は、母親と長男の松本さん2人だけでしたが、相続対策のためにと、松本さんの子どもを養子にしていました。

これで相続税の基礎控除額は4800万円になりますが、父親は自宅周辺を中心に広大な土地を所有していましたので、かなりの相続税がかかることが予想されます。相続税を節税するには土地の評価減しかありません。

> **相続税の基礎控除**
>
> 相続税の基礎控除の額は、3000万円＋600万円×法定相続人。松本家のケースでは養子が1人増えて、3000万円＋（600万円×3人）＝4800万円となりました。

通り抜けが可能な道路

所有地のなかに通り抜けが可能な私道があります。普段は防犯上通り抜けができないようにバケツやドラム缶といった、いつでも撤去が可能な障害物を置いて、通行止めにしています。

しかし、行き止まり道路よりも、不特定多数の者が通行する通り抜け道路のほうが公共性があり、道路部分はゼロ評価として、減額したいところです。

解決へのアドバイス Point of advice

私道部分に特定路線価の申請

私道には路線価が設定されていませんでした。私道に面した貸宅地を所有していましたが、その土地の評価をするためには、税務署に特定路線価*の申請を行い、新たに路線価をつけてもらう必要があります。

税務署は特定路線価を設定する際、担当者が直接現地に行き、調査を行います。そこでバケツとドラム缶を取り除いて、だれが見ても通り抜け道路と判断できるようにして調査に臨みました。

特定路線価は、周辺路線価の約90％程度となったことや、私道がゼロ評価になったことで評価減ができました。

二次相続を考えての分割

相続人は同じ世帯ですから、どう分けてもいいのでなるべく節税してほしいとの希望でした。そこで配偶者の特例（配偶者の税額軽減*）を受けるため、法定相続分の50％ぎりぎりのところまで調整して、全体の相続税を節税しました。

また、活用しやすい土地、築年数が経過して賃貸物件の建て直しが必要な土地といった、二次対策ができる土地を配偶者が相続することにしました。一方、比較的築年数の浅い賃貸物件については、将来の納税資金を貯蓄するため、松本さんと松本さんの子どもが共有で相続しました。

Word

＊特定路線価
路線価地域において、路線価が設定されていない道路に申請することで設定される路線価。
＊配偶者の税額軽減
（→ P222）

ここがポイント！

- ☑ **私道に通り抜け道路としての要件を整える**
- ☑ **配偶者の税額軽減を最大限利用して、納税を少なくする**
- ☑ **二次相続を考え、対策できる土地を配偶者が相続する**

case study 4 ≫ 地積規模の大きな宅地の評価

現況と登記簿の面積が一致しない清水さん

＊＊＊財産と家族の状況＊＊＊

- ●依頼者　清水さん
- ●職　業　会社員
- ●被相続人　父
- ●相続人　母、長女（本人）、計2人
- ●財産の内容
  自宅土地建物、現金、預金

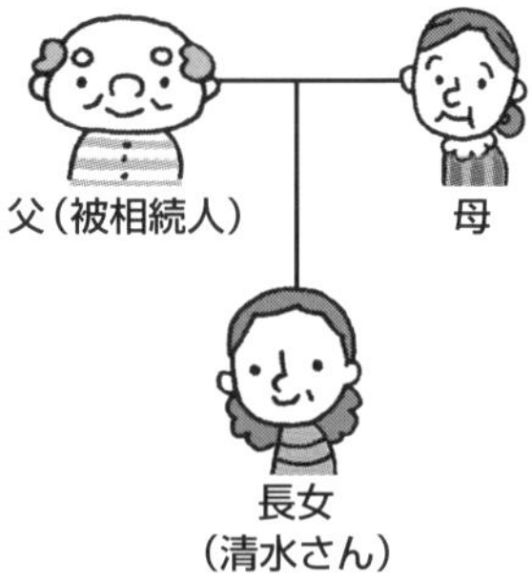

相続の知識がまったくない

清水さんの父親は、私鉄の駅から徒歩圏の線路沿いに広い土地を所有しています。

敷地内には両親の自宅と長女である清水さん夫婦の自宅があり、それ以外の部分は月極駐車場として収益を上げて生計を立てていました。

父親の財産の大部分は、その広い土地がほとんどで、負債はありません。相続人は母親と清水さんですが、2人とも相続に関して知識がないので、誰に相談したらいいかもわからず、本を買っていろいろと調べられたとのことです。

現地調査で気になる点

今回の現地調査で一番気になった点は、現況と公図の形状が明らかに違っていたことです。検討した結果、今回は現況測量をすることにしました。

父親が亡くなってから5カ月が過ぎたころに、どのように相続税を申告すればよいのかと相談に来られました。

現地調査が必要

相続財産について正確な評価をするために、まず不動産の現地調査を行う必要があります。

現地調査の目的は、不動産の利用や状態を確認することです。注意点は間口と奥行きはどうか、道路の接道はどうか、高低差や斜面はないかといった節税項目も見つけるようにすることです。

解決へのアドバイス Point of advice

公簿面積と実測面積の違い

現況測量の結果、登記簿に記載されている面積（公簿面積）よりも、実際に測った面積（実測面積）の方が大きく、いわゆる「縄延び」をしていました。

相続税の申告は、原則実測面積で申告することになっていますが、全部の土地を測量するのには時間も費用もかかるため、実際には登記簿の面積で申告をしているケースがほとんどです。

公簿と実測の面積差が大きいことから、どちらの面積で申告するかにより、評価額が変わります。税理士の先生といろいろと協議をした結果、今回は面積の小さい公簿面積で申告することにしました。

地積規模の大きな宅地評価を適用する

所有地は公簿面積でも500㎡を超える土地です。

普通住宅地区等に所在する土地で、開発許可を要する面積基準以上の土地を地積規模の大きな宅地と言い、①市街化区域、用途地域が定められていない非線引き都市計画区域*など、②用途地域が定められている非線引き都市計画区域などであることなどが要件で、清水さんの土地もこれに該当します。地積規模の大きな宅地の評価減*をした結果、通常の評価額の約60％程度まで下げて申告できました。

Word

＊非線引き都市計画区域
市街化区域でも調整区域でもない、都市計画区域。
＊地積規模の大きな宅地の評価減
（→ P67）

ここがポイント！

- ☑ **相続税の申告は、プロに依頼した方が得策**
- ☑ **現況測量することにより、利用区分をはっきりさせる**
- ☑ **大きな土地は評価を下げることができ、相続税も安くできる**

case study 5 ≫ 農地の評価

市街化区域の畑の評価を減額して相続税を下げた永山さん

＊＊＊財産と家族の状況＊＊＊

- 依頼者　永山さん
- 職　業　農業、不動産賃貸業
- 被相続人　母
- 相続人　長女（本人）、長女の夫（養子）、計2人
- 財産の内容
  自宅不動産、貸家、アパート、農地

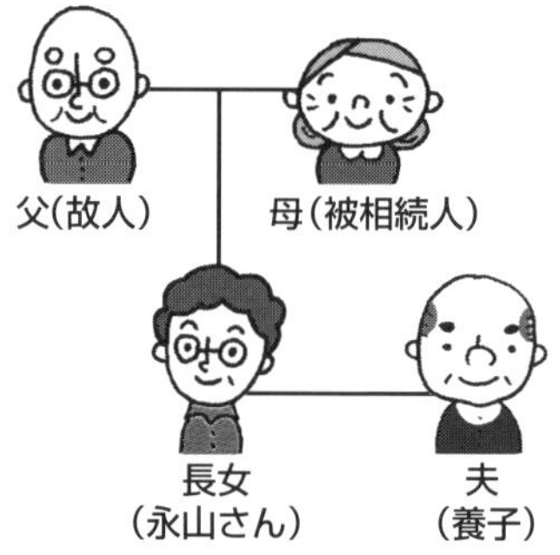

父の代より相続対策をしてきた

永山さんは兼業農家で、野菜を市場や農協に出荷しています。土地を生かして亡父は４０年程前から不動産賃貸業もしてきました。父親が亡くなったのはまだ土地の評価も上がる前でしたが、畑が多く、配偶者の特例を利用しても数千万円程度の相続税がかかったのです。

農地の納税猶予の特例

農地の納税猶予の特例とは、農業を継続していく場合に受けられる相続税の納税猶予のことです。

納税は農地の納税猶予の特例を利用したため、大きな負担はありませんでしたが、相続税は大変だと身にしみたようです。それからは、母親の相続税の節税対策にとりかかったのです。

相続税の予想額は1億円

貸家は土地を売ったお金で建てたので、負債はありません。相続のときには節税効果がなかったことから、銀行から借入をし、毎年のように賃貸アパートを建て、いまでは5棟になりました。建築費の借入は約2億円です。

銀行からは相続税は１億円以上になりそうだと言われていました。母親は90歳で亡くなりましたが、生前対策や納税の覚悟はできているものの、やはり節税したいと相談に来られました。

解決へのアドバイス Point of advice

利用形態ごとに土地を測量

貸家、アパート、畑、私道は一体の土地ながら利用が混在しています。詳細な評価を出すため土地家屋調査士*に地形図の作成を依頼、建物の配置図と利用目的ごとの面積を算出してもらいました。

貸家は、私道や公道のまわりに建てていますが、手前の建物と奥の建物に配置されており、個々に区画を作るといくつもの変形地ができ上がります。それを1つひとつ評価していくことで、筆ごとに評価するよりも減額につながります。

畑は、三方をアパートに、残る一方を駐車場によって囲まれています。現実は、アパートの敷地を通って畑に入るのですが、その道路付けの悪さと広い面積であることから、宅地の区画割りを作って通り抜ける道路をゼロ評価として減額しました。また、変形の区画もできてしまうので、それも減額につながりました。

Word

＊土地家屋調査士
土地または建物に関する調査・測量・申請手続きをすることを生業とする者。

予想の半分に節税

相続税は当初の予想額の半分程度まで減額することができ、納税用地は当初の見込みの半分以下で済みました。売却するのは貸家の土地ですが、母親が亡くなったときにはまだ入居中でした。

そこで申告の準備を進めることと並行して入居者へ明け渡しの協力を申し入れ、売却が進み、納税に間に合いました。

ここがポイント！

- ☑ 財産は確認できていたので、すぐに準備にとりかかれた
- ☑ 利用形態ごとの面積を出して詳細な評価をする
- ☑ 納税資金の土地は早めに売却する

case study 6 ≫ 延納

母親と共有、土地を残して延納した阿部さん

＊＊＊財産と家族の状況＊＊＊

- ●依頼者　阿部さん
- ●職　業　会社員
- ●被相続人　父
- ●相続人　母、長男（本人）、計2人
- ●財産の内容
自宅、アパート、貸家、駐車場、預貯金

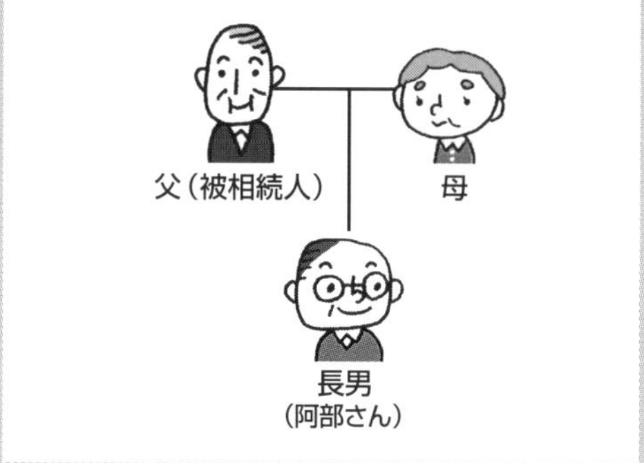

土地はどこも売りたくない

阿部さんの父親は借金がきらいな人で、これまで相続税の節税対策はできていません。

父親は自宅以外にも土地を所有しており、相続税が相当かかると覚悟はしていましたが、できるだけ節税して残したいと相談に来られました。

阿部さんの希望は、父親の土地については、どこも売りたくないというものです。

父親の財産の内容

父親の財産は、自宅と隣接するアパート、貸家と駐車場で合わせると1000坪以上もあります。

しかし、父親の残した財産の大部分が土地であるため、納税できる現金はありません。納税の原資を確保する必要があります。

貸家が古くなり問題が多い

父親が建てた貸家やアパートは、築30年以上経っていました。

建物が老朽化して修繕費がかかるだけでなく、なかには家賃を滞納する人もあり、維持にあたっては苦労が絶えないと言います。

貸家については、空くごとに解体して駐車場に切り替えていましたが、長年住み続けている人もいます。

残る貸家は5棟となり、敷地の4分の1程度になっていました。

解決へのアドバイス Point of advice

土地の評価と特例で納税額を減らす

貸家とアパートが建つ土地は、三方道路に面していますが、路線価の高い通りには生け垣があり、裏側の通りから出入りしています。そのため、低い路線価で評価し、建物ごとに利用区分図を作成して不整形地を作り出し、評価を下げました。

母親には節税対策ができるよう、広い道路に面した300坪の土地を相続してもらうことを考えましたが、これでは全体の半分（配偶者税額控除*の範囲）を超えてしまいます。

そこで母親の取得割合が全体の50%になるように調整し、その土地は母親80%、阿部さん20%の共有としました。

母親の相続分は納税が不要ですので、財産の半分を相続し、納税額を減らしました。

Word

＊配偶者の税額控除
(→ P222)
＊延納
(→ P230)

土地を残して延納を選択する

土地は全部残すことが目的でしたので、納税は延納*を選択しました。延納の場合は、担保が必要ですので、自宅裏の駐車場を担保としました。しかしながら、そのままでは、延納の返済が増える分、負担が大きくなります。そこで母親の相続税節税対策と延納返済原資確保の両方の目的で賃貸住宅を建てることとしました。

毎月の家賃収入が入ることで延納の返済に充てることができます。

ここがポイント！

- ☑ **配偶者税額控除を生かせる取得割合になるように、親子で土地を共有する**
- ☑ **延納（分割払い）するにあたっては担保が必要**
- ☑ **延納の返済原資を作っておく**

一人っ子が親より先に亡くなると、親の相続人は兄弟姉妹になる

一人っ子で、夫婦に子どもがいない

Ｙさん（50代・男性）は、88歳の母親の相続を想定して、対策を考えています。父親は20年前に亡くなり、母親はＹさん夫婦と実家で同居しています。

Ｙさんは一人っ子なので相続のときにもめごとになることはありませんが、不安もあります。

心配は自分が先のとき

Ｙさんの心配事は、母親よりも自分が先に亡くなったときのことです。Ｙさん夫婦に子どもがいないため代襲相続ができず、母親の妹二人が相続人になります。

つまり自分が先に亡くなると、Ｙさんの妻は母親の相続人ではないため、家や預金が母親の妹のものになって妻が困るというのです。

母親が妻に遺贈

Ｙさんの不安をすぐに解消するには、母親が公正証書遺言をし、「母親より先にＹさんが亡くなっている場合は、Ｙの配偶者に全財産を遺贈する」としておきます。

これできょうだいが相続人になることはなくなります。また、きょうだいには遺留分の請求権がないため、この遺言書で手続きが完了します。

このことをご説明すると、Ｙさんは母親の了解を得て、すぐに準備することにしました。

Ｙさんの相続も

同時に、Ｙさんの公正証書遺言も作成しました。Ｙさんが母親より先に亡くなった場合、相続人は妻と母親で、相続の割合は配偶者３分の２、母親３分の１です。

妻と母親が遺産分割協議で「配偶者が全財産を相続する」となれば問題はありませんが、母親がそのときに認知症になっていて、遺産分割協議がスムーズにできないことも想定されます。

それを避けるために、Ｙさんが「自分の財産は全部を配偶者に相続させる」という公正証書遺言を作成していたわけです。これでより安心です。

相続実務士より

養子縁組より、遺贈の方が気軽

Ｙさんと母親は、私どものアドバイスをもとに、同じタイミングで別々に公正証書遺言を作成されました。母親はまだ元気でいらしたので、公証役場に出向いて作成できました。

ふたりの遺言書ができたことで、今後どちらかに万が一のことがあっても、Ｙさんの妻は不安がないという状況になり、安心されています。

終活・相続のヒント

- 子どもが先に亡くなると、相続人は兄弟姉妹になる
- 養子縁組よりも遺言書で遺贈するほうが気軽
- 親子でも相続の順番がわからないため、ふたりとも遺言書を作っておく
- 兄弟姉妹は遺留分の請求権がないため、遺言書の遺贈で完結する

第4章

生前から始められる相続対策

納得のいく相続を実現できるかどうかは生前の対策しだい。いろいろな方法のなかから最善の策を選択しましょう。

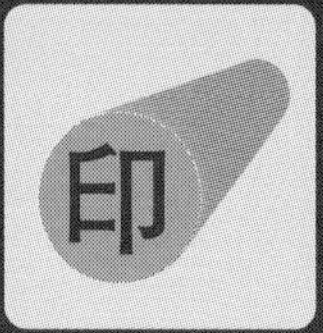

生前対策は財産の確認・整理から始める

相続は用意が肝心

相続では、自分の意思を残しておかなければ、残された家族は迷い、主張し、争うことが予想されます。そうした意思表示もなく、あとは子どもたちに任せるというのでは無責任です。

財産をどう維持し、どういう分け方をし、次の世代へ引き継がせたいかを考えてみることが、相続に取り組む入り口です。

相続対策には大きく分けて以下の3つがあります。

①**節税対策**…土地の評価を下げることで課税額を引き下げたり、養子縁組をして相続人を増やすなどで基礎控除*を有効に活用するといった方法があります。

②**資金対策**…生命保険に加入したり、不動産を売却したりして、納税に必要な現金を準備します。遺産分割で相続人が取得する現金を準備することも忘れてはなりません。

③**遺産分割対策**…相続では、感情的な部分にも配慮したいところです。目に見える財産だけでなく、円満な家庭や相続の仕方を残すことが大きな財産になることもあります。そのためには、遺言書*を伝えて残しておくことも大切です。

◆まずは相続の課題を整理することから

ひと口に「相続対策」と言っても、財産や家族の状況によって必要な対策は個々に違います。「生前贈与*をすること」や「空き地にアパートやマンションを建てること」といった具体的な対策を進める前に、まずは財産の確認と整理から始めます。

財産の確認と整理をすることにより、課題も整理ができ、具体的な対策が立てやすくなります。

分けられる財産にしておく
節税ができたとしても、遺産分割の話し合いがまとまらなければ実質的な財産分与ができなくなってしまうこともある。そのため、財産を分けられる状態にしておくことも生前対策として重要となる。ポイントは、以下の2つ。
①土地を分けられる状態にしておく（土地の分筆、売却など）。
②相続人間の共有はできるだけ避け、共有の解消などをしておく。

*基礎控除
（→ P216）

*遺言書
（→ P140）

*生前贈与
（→ P116）

相続対策の流れ

①財産の内容を確認する

不動産（土地・家屋・マンションなど）

名寄帳、固定資産税納税通知書、固定資産税評価証明書、登記簿謄本により、土地や家屋の面積、評価額を確認する。共有者がある場合は、割合を確認しておく。

動産（現金・預貯金・株式など）

預金は通帳の残高、株式は証券会社の預かり証、保険は保険証券で内容を確認する。同族会社の株や法人への貸付金がある場合も財産に加算する。

負債（借金など）

アパートや住宅のローンであれば金融機関の返済表などの明細で確認する。

②時価により相続財産の算定を行う

③相続人は誰かを特定し、基礎控除を出す

④相続税がかかるのかどうかを確認する

⑤相続税がかかる場合、どれくらいの額かを算出する

⑥納税に必要な資金を想定し、対策の方向性を決める

※実際の財産評価および相続税は、課税日（死亡日）により決定される。

point

- **相続では生前から意思を残しておくこと**
- **相続人と財産の状況確認をする**

養子縁組で相続税が下がるが、デメリットもある

相続人を増やせば税額が下がる

相続対策の代表的な方法として、「養子縁組*によって相続人を増やす」こともあります。孫や子どもの配偶者を養子にするケースが一般的です。これによって、以下のような節税効果を得ることができます。

①**基礎控除額が増える**…相続税の基礎控除額は、3000万円+600万円×法定相続人数であるため、相続人が1人増えることで、基礎控除額が600万円アップすることになる。

②**適用税率*が下がる**…相続人が増えると、相続人1人あたりの法定相続分が小さくなるため、適用される税率が低くなることがある。

③**生命保険金・死亡退職金の非課税枠が広がる**…被相続人の死によって支払われる生命保険金と死亡退職金の非課税枠は、相続人が1人増えるごとに500万円大きくなる。

◆節税の反面、トラブルを招く火種にも

養子縁組は何人とでもできますが、税務上法定相続人に含めることのできる養子の数は、「実子がいる場合は1人」「実子がいない場合は2人」までと定められています。

また、養子縁組は節税効果を得られる反面、後に相続人間のトラブルを引き起こすおそれもあります。例えば、親が子どもたちの了解を得ずに、長男の子ども(孫)1人を養子にするようなケースです。相続発生後に養子の存在を知った長男以外の子どもは、心穏やかな気持ちで遺産分割に臨むことはできないはずです。事前に関係者間で同意を得るなどの配慮が必要でしょう。

*養子縁組
血縁関係がない、あるいは嫡出親子関係がない者同士で親子関係を成立させること。

2015年の改正前
基礎控除額は5000万円+1000万円×法定相続人となっていた

*適用税率（相続税の税率）
（→P227）

普通養子と特別養子
養子には普通養子と特別養子と呼ばれるものがある。普通養子は、実親との親子関係を解消しないまま養親の養子になること。一方、特別養子は実親との親子関係を解消して、養親との親子関係を結ぶ縁組を指す。

孫養子には2割加算
孫が相続をする場合、子を飛び越すことで相続の機会が1回少なくなる。そのため、孫を養子にした場合、相続税の2割相当額が加算されることになる。

養子縁組をした場合の相続税の計算

※被相続人には3億円の遺産がある。相続人は長男と次男、長女。
このほかに長男の妻を養子にしたいと考えている。

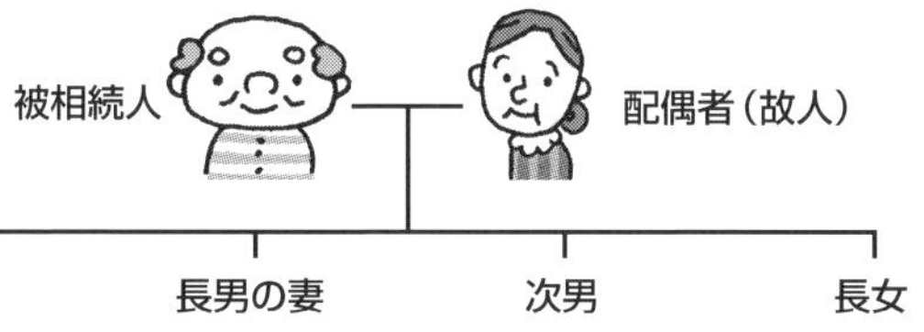

通常の相続税額

①課税価額を計算する
3億円−4800万円（基礎控除額）＝2億5200万円
※基礎控除額　4800万円＝3000万円＋（600万円×3人）

②相続人１人あたりの税額を計算する
2億5200万円×1/3（法定相続分）×30%（税率）−700万円（控除額）＝1820万円
（子ども3人の相続税の総額は5460万円）

養子縁組した場合の相続税額

①課税価額を計算する
3億円−5400 万円（基礎控除額）＝2億 4600 万円
※基礎控除額　5400 万円＝3000 万円＋（600 万円 ×4人）

②相続人１人あたりの税額を計算する
2億 4600 万円 ×1/4（法定相続分）× 30%（税率）−700 万円（控除額）＝1145 万円
（子ども4人の相続税の総額は 4580 万円）

相続税の差額（結果として）

長男の妻を養子としたことにより、相続税は 5460 万円から 4580 万円に減額になった。

point

●養子縁組は一定の節税効果がある
●養子縁組の前には必ず親族の同意を得ておくこと

生命保険に加入し納税資金を準備する

納税のための準備は必要

相続税の予想額を出し、遺産分割を考えると、相続時にどれくらいの現金が必要となるかは、ある程度想定できます。

その上で、現在の財産のなかで、すでにそれに見合う現金や有価証券*などの動産がある場合は、大きな不安はないと言えるでしょう。

> ＊有価証券
> 株券、小切手、手形など、所有者の財産権を証明する証書のこと。

しかし、不動産はあるが必要とされる現金がないこともあります。それでも相続財産の分割金や納税資金は必要ですから、そのための用意は必要です。相続人になってもお金は急に増やせないということです。

こうした場合の対策をするならば、相続税の予想額や遺産分割を目安とした**生命保険に加入しておけば、分割金*・納税資金を準備**することもできます。

> ＊分割金
> 遺産分割の結果、相続人それぞれが取得するお金のこと。

◆生命保険のメリット

生命保険には以下のようなメリットがあります。

①遺族の**生活保障**となる。

②保険金が現金で支払われるため、**納税資金**に充てることができる。

③法定相続人1人につき500万円の**非課税枠**がある。

④**スムーズな遺産分割**のために利用できる（例えば、長男には不動産を相続させ、長女には保険金を渡すといったケース。または、保険金は分割しやすいという利点を生かし、遺産分割の調整として活用する）。

> 保険料を贈与する場合
> 保険料に相当する現金を父が子に贈与するような場合、贈与の事実を証明できるようにしておく必要がある。例えば、保険料の口座引き落としなどを利用する。

> 相続放棄の場合
> 相続放棄をした場合でも、保険金を受け取る権利は、失われることはない。

生命保険の課税関係

契約状況	契約者	被保険者	受取人	課税関係
契約者と被保険者が同一	父	父	母	相続税
契約者、被保険者、受取人が異なる	母	父	子	贈与税
契約者と受取人が同一	子	父	子	所得税と住民税（一時所得）

●契約状況によって税金の種類が異なる

生命保険にかかる税金別の課税対象額

相続税 >>>

課税対象額＝取得した保険金額－（500 万円 × 法定相続人の数）

贈与税 >>>

課税対象額＝取得した保険金額

所得税 >>>

課税対象額
＝（取得した保険金額－支払った保険料－50 万円）×1/2

●それぞれのケースで試算して、最も有利な契約を選ぶ

母を被保険者にする方法
年齢や健康上の理由で父親が保険に加入できないケースもある。こんなとき、母親を被保険者、契約者と受取人を子にする方法もある。父親が先に死亡した場合、将来の二次相続の備えになり、母が先に死亡した場合、受け取った保険金を父の相続時の資金として活用できることになる。

メモ

相続に有利な保険は?

相続対策として、生命保険はどんな種類を選べばよいのでしょうか。

死亡保障を納税資金などに充てるわけですから、死亡保障の手厚い保険が適しています。しかし、死亡保障があるといっても相続の発生は予期できません。

一定期間しか保険金が支払われない定期保険よりも、生涯保障が続く終身保険の方が適していると言えそうです。

point

●納税資金は準備しておくことが大切
●生命保険は遺産分割に効果を発揮する

アパートを建てると財産の評価額が下がる

土地は状況ごとに評価が異なる

土地を活用した相続対策として、空き地などにアパートやマンションといった賃貸住宅を建てるという方法があります。これにより、主に以下のメリットを得ることができます。

①土地の評価が下がる…更地*が貸家建付地*として評価されることになり、おおよそ20%程度、評価額が下がります。

②建物の評価額が下がる…建物の評価額は固定資産税評価額と同じであり、通常は建築費用の60%程度で評価されます。さらに貸家の場合は、自用家屋の70%で評価されるので、仮に1億円の現金で賃貸住宅を建てると、1億円×60%×70%=4200万円の評価となるわけです。

③小規模宅地等の特例*が受けられる…賃貸住宅を建てた土地は、「貸付事業用宅地」となり、200㎡まで50%引きで評価されることになります。ただし、相続開始前3年以内から事業を始めた宅地等については対象外です。

◆アパート経営はリスクを避けて

アパート建築などによる土地の活用は相続対策の定番で、確実に相続税の節税ができます。しかし、建築費の融資を受けて賃貸事業をスタートさせる場合、返済のリスクが伴いますので、節税対策になるからという安易な考えでスタートすることは危険です。

賃貸事業は20年、30年と長期にわたり、家賃収入と経費の支出バランスを保つことが必須となります。堅実な賃貸事業となる計画ができてこそ、相続対策となります。

*更地
借地権などの権利関係のまったくない土地のこと。

*貸家建付地
貸家が建てられている土地のこと。

*小規模宅地等の特例
（→P70）

アパート建築のリスク
アパート経営の主なリスクには以下のようなものがある。
①空き室のリスク…空き室が多くなると、アパート経営を圧迫する。
②メンテナンス費用のリスク…清掃・修繕などでコストがかかる。
③建物老朽化のリスク…修繕費用がかかるほか、災害のリスクも高くなる。

アパートを建てた場合の土地の評価額の計算

※評価額1億円の更地と現金5000万円を所有している人が、
現金5000万円でアパートを建築した場合。

現状

①土地の評価額　1億円
②現金　5000万円

合計 1億5000万円

建築後

①土地の評価額　1億円 ×（1 −0.7×0.3）
＝7900万円
②建物の評価額　5000万円 ×0.6×0.7＝ 2100万円

合計　1億円

結果として

アパートを建てたことにより、1億5000万円から1億円に引き下げられた。
（借地権割合70%、借家権割合30%、固定資産税評価は建築費用の60%として計算）

不動産を減らすことも対策
不動産を減らして節税することも対策になる。例えば、
①贈与…贈与税の特例の範囲を生かして、配偶者に不動産や住宅資金を贈与することは確実な節税になる。
②寄付…不動産を公的機関に寄付することは活用しない不動産を減らすことで節税対策になる。
③売却…長期的な展望で不動産を見れば、利用しない状態で保有するより、処分し換金しておくことも対策の選択肢と言える。

メモ

節税は借入が必須?

節税対策するには借入が必ず必要ではなく、評価を下げることが節税につながります。たとえば、更地のままではなく、売却して売れた代金で区分マンションを買って賃貸すれば、もとの評価の半分以下になります。現金で賃貸不動産を購入しても評価が下がります。借入をしなくても節税対策はできるのです。

point

- **賃貸住宅を建てるのは代表的な節税対策**
- **賃貸住宅にあたっては安定経営が大切**

土地の利用区分を変えれば評価額が下がる

土地利用には様々な方法がある

土地の評価額は、道路との接し方によって異なります。なかでも、2つ以上の道路にはさまれている土地は、通常よりも高く評価されます。

そこで、例えば**正面路線側にアパートなどを建築することで、土地の評価を下げることができます**。正面路線側に建てられたアパートは貸家建付地として評価が下がるため、課税される相続税を抑えることができるというわけです。

◆「交換」を利用した土地の有効活用法

古くから代々他人に貸していた土地などは、旧借地法*によって権利関係が規定されていることがあります。旧借地権では、借地人の権利がとても強く、地主*が土地を自由にすることはほとんど不可能です。

このような場合、**借地権と底地*を交換する**という解決法があります。例えば、借地人の借地権割合60%のとき、借地人の借地権40%と、地主の底地60%が等価になるのでこれを交換し、それぞれが土地を完全に所有するというしくみです。この方法を利用し、一定の要件を満たした場合、譲渡所得税が課されないという税制上の優遇も受けることが可能です。

土地の有効活用をしたいが資金がない場合などは、**「等価交換方式」**を利用する方法もあります。これは、地主が土地を提供し、デベロッパー*が建築費を出資してマンションなどを建て、土地の額に応じた建物の所有権を交換するしくみです。リスクがない反面、デメリットもあるので注意が必要です。

*旧借地法
1921年に制定された借地法を指す。借地人を守るための法律であったが、反面、契約期間が切れても地主に土地が返されないケースも見られた。1992年8月に借地借家法が施行されることで、旧借地法は廃止された。

*地主
土地の所有者のこと。

*底地
借地権などの権利が設定された土地のこと。

*デベロッパー
開発業者のこと。

等価交換方式のメリット・デメリット
(メリット)
- 借入金のリスクがない
- 貸家建付地として土地の評価が下がる
- 管理会社に管理を任せられる

(デメリット)
- 土地の一部を失うことになる
- デベロッパーは販売管理費などを含めて建物を提供するため、土地の評価額が低くなる傾向があり、売却する時に安くなる

土地の利用区分を変えて評価を下げる

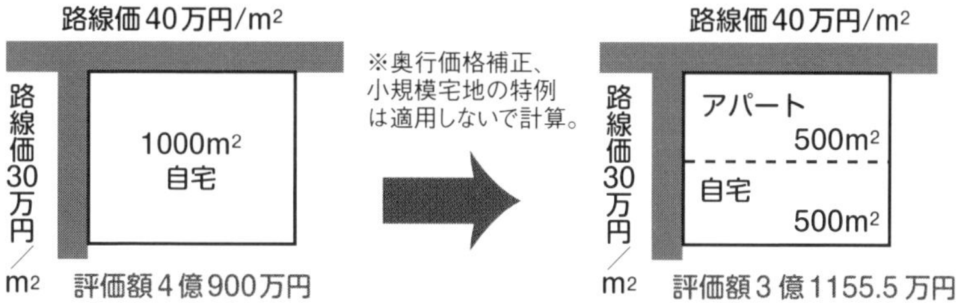

借地権と底地の交換

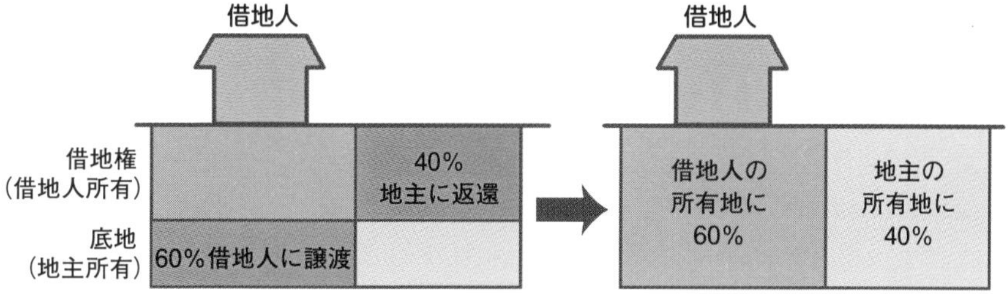

●借地人は借地権40%を、地主は底地60%を交換する

等価交換方式

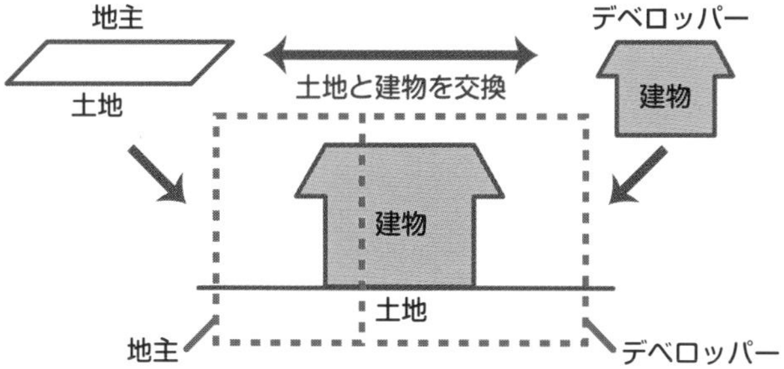

※建築した建物をマンションとして活用した場合、土地は貸家建付地として評価され、建物は貸家として評価されるため、評価額を下げることができる
（→P68）

point

●道路との接し方で土地の評価は変わる
●土地の活用法にはメリット・デメリットがある

お金を使うことも 節税策の1つとなる

必要なものは生前に購入する

墓地や仏壇などを生前に購入しておくことは、相続税対策として有効な手段です。**墓地、墓石、仏壇などといった、祖先をまつるために必要な祭祀財産には相続税がかからない***ため、確実に相続財産を減らすことができるからです。

相続開始後に祭祀財産を購入する場合、控除はなく、相続財産のうちから購入費を捻出しなければならなくなります。いずれ必要になるものは、相続開始前に購入しておくことが賢い選択と言えるでしょう。

ただし、墓地などをローンで購入し、返済中に亡くなった場合、残りのローンは債務控除*できないので注意が必要です。

◆自宅や教育にお金を使う方法もある

自宅の建て替えをするのも1つの方法です。家屋の評価額*は、固定資産税と同じであり、建築費用の60%程度となります。現金で保有していた場合の資産との差額の分だけ、相続財産の評価を下げることができるというわけです。

また、夫婦ともに収入があり、夫婦で生活費や教育費を半分ずつ負担しているようなケースでは、夫の負担を増やすことが相続対策となります。**生活費や教育費は贈与税がかからない財産***となっているため、妻は贈与税が課されないまま、財産を増やすことができます。

例えば、夫婦が毎月15万円ずつ出していた生活費を、夫が30万円負担する場合、毎月15万円ずつ妻に生前贈与しているのと同じことになります。

*相続税がかからない祭祀財産
（→ P220）

*債務控除
相続財産のうちプラスの財産からマイナスの財産を差し引くこと。
（→ P220）

*家屋の評価額
（→ P68）

*贈与税がかからない財産
（→ P117）

美術品には課税される
仏壇や仏具は非課税であるが、純金製のような高価なものは、投資目的で所有される美術品とみなされ、課税対象となる。

墓地と仏壇を購入した場合の相続税の計算例

※ 現金 1 億 2000 万円を所有している人が、700 万円の墓石と 300 万円の仏壇を購入した場合。
予定相続人は長男、次男、長女、次女の4人。

通常の相続税額

①課税価額を計算する
1億2000万円－5400 万円＝6600万円
※基礎控除額
5400 万円＝3000 万円＋(600 万円 × 4 人)

②相続人 1 人あたりの税額を計算*する
6600 万円 ×1/4 (法定相続分)
×15% (税率) －50 万円 (控除額)＝197万5000 円
子ども 4 人の相続税の総額

合計 790 万円

祭祀財産購入後の相続税額

①課税価額を計算する
1 億 2000 万円－1000万円 (墓地と仏壇の費用)
＝1億1000万円
1 億 1000 万円－5400 万円＝5600 万円
※基礎控除額
5400 万円＝3000 万円＋(600 万円 × 4 人)

②相続人 1 人あたりの税額を計算する
5600 万円×1/4 (法定相続分)
×15% (税率) －50 万円 (控除額)＝160万円
子ども 4 人の相続税の総額

合計 640 万円

結果として

祭祀財産を購入したことにより、相続税は 790 万円から 640 万円となり、150 万円減額できた。

寄付も有効な節税対策
現金や土地を、国や地方自治体、特定の公益法人に寄付することで、財産を減らすことができ、節税対策となる。相続や遺贈によって取得した財産を寄付する場合には、①相続税の申告書の提出期限までに、②政令で定められている一定の公益法人に寄付する、などの要件がある。

*相続税額の計算
(→ P224)

メモ

争わないことが財産となる

相続人が争わないように遺言書を作成しておくと安心です。
遺言書は具体的な財産分与だけでなく、感謝の気持ちを綴ることもできます。残された人たちを思いやる愛情にあふれたものであれば、遺族も感情的な部分で救われ、生きる勇気を与えられるはず。
遺言書で無形の財産を残すことも、相続の価値があると言えます。

point

- **祭祀財産には相続税がかからない**
- **生活費や教育費は非課税で贈与できる**

case study 1 ≫ 資産組み替え

駐車場を売却、賃貸不動産に替えた春田さん

＊＊＊財産と家族の状況＊＊＊

- ●依頼者　春田さん
- ●職　業　公務員
- ●被相続人　父（予定）
- ●相続人　長女（本人）、長男
  計2人（予定）
- ●財産の内容
  自宅、駐車場、預貯金、株式

父親は1人暮らしで同居はしていない

春田さんの母親は10年ほど前に他界、その後、父親は自宅で1人暮らしをしてきました。父親が80代になると介護が必要となり、数年前からデイサービスに通っています。

春田さんも弟も実家を離れて住居を構えていますので、同居する選択肢は選べそうにありません。定期的に父親の様子を見に行ってはいますが、不安をかかえていました。

春田さんの課題

父親の財産のうち、貸し駐車場は住宅街の中にあるため、今では満車にはならず、固定資産税のほうが高く、持ち出し状態になっていました。

自宅が空き家になった

そのうち、父親が家の中で転倒して骨折してしまい、入院することになりました。退院後は自宅に帰らず、介護施設に入所しました。その後もリハビリを続けていますが、自宅に戻れる可能性は低く、実家がずっと空き家になっていることも春田さんの心配事でした。

春田さんきょうだいの不安はいくつかあり、1つは、父親の自宅が空き家で、子どもたち2人とも同居する状況にはなく、このままだと小規模宅地等の特例[*]は使えないことです。

相続税が増えたら、払えるほどの現金が残っていないことも不安でした。

解決へのアドバイス Point of advice

自宅をリフォームして賃貸する

まず、父親のお金で室内をリフォームします。現金の消費は節税になり、賃貸することで賃貸事業用の小規模宅地等の特例*を使えるようになります。春田さんは、お父さん、弟さんと相談の上、自宅をリフォームすることを決断しました。リフォーム後にすぐ入居の希望があり、家賃 17 万円が入るようになりましたので、父親の施設の費用に充てられます。ただし、賃貸してから 3 年経過しないと特例が使えないため、早く始めておく必要があります。

貸し駐車場を売却して、収益マンションに買い替え

父親が購入した土地は、貸し駐車場として維持してきました。ジャリ敷きで8台が止められる区画ですが、現在は、3台程度しか借り手がありません。駐車料金の収入よりも固定資産税の方が高いという状況になっています。

このままでは自用地評価となり減額はできないため、節税効果は見込めません。この土地に賃貸アパートを建てる計画も立案できますが、建築費の借入が必要となり、子ども2人で運営するには課題があります。そこで駐車場は売却して、分けやすくするために、2つの収益マンションを購入することにしました。この資産の組み替えにより、節税と収益増加の両方が実現しました。また、2 つ購入することにより、分けやすくもなりました。

Word

＊小規模宅地等の特例
（→ P70）

ここがポイント!

- ☑ **自宅を賃貸すると賃貸事業用小規模宅地等の特例が使えるようになる**
- ☑ **子どもの同居や将来も予定がない場合は、売却が選択肢となる**
- ☑ **砂利敷きの駐車場は小規模宅地等の特例も使えない**

case study 2 >> 資産組み替え

自宅を売却して相続しやすくした石川さん

＊＊＊財産と家族の状況＊＊＊

- 依頼者　石川さん
- 職　業　自営業
- 被相続人　母（予定）
- 相続人　長男、次男（本人）
  計2人（予定）
- 財産の内容
  自宅不動産、アパート、預貯金、株式

母親はひとりで賃貸事業を経営

石川さんの兄は海外に居住しており、石川さんも結婚後は妻の故郷で独立開業したことから、実家とは遠く離れた土地での生活をしています。父親は10年前に亡くなり、その頃は兄弟とも実家を離れていましたので、母親はずっと1人暮らしです。

石川さんの心配事

母親の相続が起きると、空き家の実家とアパートには相当な相続税がかかることが予想されます。納税の負担に耐えられるかが石川さんの不安です。

父親は親から相続した土地を活かして自宅の敷地内にアパートを建て、ずっと賃貸業を経営してきました。

80代となって老人ホームに転居

アパートも築38年となり、老朽化が激しくなってきたため、建て替えを検討しており、居住者が退去した後は募集もせず、現在は半分が空室の状態でした。

その上、母親も80代となり、次第に買い物などの日常生活に支障をきたすようになりました。そこで、石川さんは兄と相談し、母親には自分が住む家の近くの老人ホームに転居してもらうことにしました。

石川さんは相続を迎えたときのために、何か対策をしなければならないと考えるようになりました。

解決へのアドバイス Point of advice

建て替えと売却を比較して選択する

自宅とアパートは、老朽化が激しく、このまま維持することは困難です。両方を解体して、建て替えることを検討しました。最寄り駅より徒歩5分という立地や賃貸環境は申し分がなく、賃貸事業の収支も悪くないのですが、建築費の借入が必要になること、不動産が分けにくいという問題があります。

次に、売却を検討してみると、周辺の取引状況から、路線価以上の価格で売却できると判断できました。そこで自宅、アパートを合わせて売却することを提案しました。まだ、入居者がある状態ですので、明け渡し、解体をせずに、現況のままの売却もできます。

自宅を売って区分マンションと生命保険を購入

売っただけで現金で保有すると評価が下がりません。母親の老人ホームは毎月20万円程度で済むため、今後、まとまった現金が必要になることもありませんので、区分マンションを購入することにしました。石川さんと兄が分けやすく、維持しやすくなるよう、コンパクトな1R2戸と広めの1LDKを2戸購入し、賃貸しています。購入したマンションの家賃が母親の収入になり、老人ホームの費用の支払いができます。さらに、生命保険の非課税枠を使うべく、一時払いの終身保険にも加入しました。80代でも入れる保険があり、契約すれば、すぐに節税効果が発揮できます。

ここがポイント!

- ☑ **老人ホームに転居、空き家になったときが対策実行のタイミング**
- ☑ **子どもが自宅に戻らない場合は売却を考える**
- ☑ **母親の認知症が進まないうちに決断、売却、買い替え、遺言書作成を終える**

case study 3 ≫ 売却

土地を売却、自宅を建て替えた黒田さん

＊＊＊財産と家族の状況＊＊＊

- 依頼者　黒田さん
- 職　業　不動産賃貸業
- 被相続人　本人（予定）
- 相続人　妻、長女 計2人（予定）
- 財産の内容 自宅、賃貸マンション、貸家、駐車場、預貯金

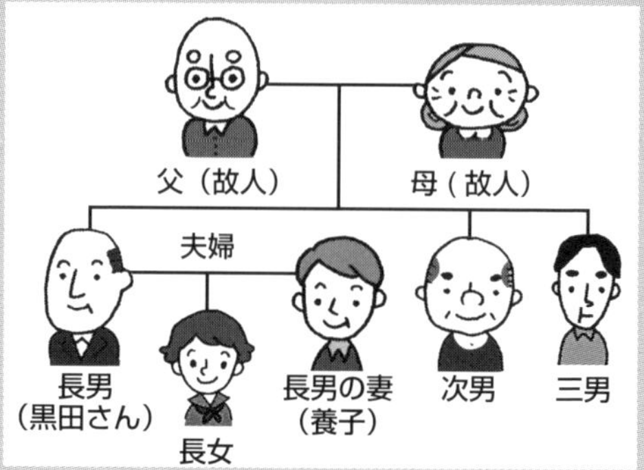

父親の相続手続きで苦労した

黒田さんの父親は一昨年亡くなりましたが、母親亡き後、90代まで生き、天寿を全うされました。長男の黒田さん夫婦は、両親と同居して、長年面倒を見てきましたので、黒田さんの妻も養子縁組をしています。黒田さんは3人兄弟で、父親は遺言を残さなかったため、遺産分割協議では一番下の弟の発言力が強く、苦労したということです。

黒田さんは自宅とマンションと駐車場を相続し、妻も畑を相続し、納税は土地を売却して全員分の相続税を払うことができたということです。

黒田さんの希望

黒田さんにはマンションの借入も残っていることから、借入をしなくてもいい対策をしたいという希望があります。

子どもに負担なく相続したい

一段落したというものの、黒田さん夫婦の財産が大きいため、早めに節税対策をしなければと考えるようになりました。

黒田さんは、自宅とマンションの負債も引き継ぎましたが、それでも不動産評価が大きいことから相続税がかかります。妻も財産を所有しているので、自分の財産は子どもに負担なく相続できるようにしたいというのが黒田さんの願いでもあります。

解決へのアドバイス Point of advice

相続した土地を売却する

黒田さんが相続した駐車場は、以前は満車となり稼働率もよかったのですが、最近は空きが目立ってきました。今では固定資産税*を支払う程度の収入にしかなりません。

アパートを建て、不動産収入を得ることも検討しましたが、周辺の賃貸市場が飽和状態でもあり、リスクもあると判断し、売却して資産組み替えをすることを決断しました。

現金で自宅を建てる

駐車場の土地の相続税評価は7500万円でしたが、売却することで1億円になりました。相続税評価額以上の金額で売却できたため、売却代金を現金のまま保有していると、当初より相続税が上がってしまいます。節税のための対策を行うことが必要でした。

黒田さんの家は、父親から相続した築50年の建物です。リフォームをするか、建て替えるか迷っているときでしたので、売却代金を建替資金にするようご提案しました。

昨今は地震など災害の心配もあり、黒田さんはこの機に建て替えることを決めました。借入することなく、現金で家が新しくなるだけでなく、評価減になり、節税になりました。無理や不安のない対策ができたとひと安心されたのでした。

Word

＊固定資産税
土地、家屋などの所有権者に課される地方税。

ここがポイント！

- ☑ **駐車場は評価減できないことが多いため資産組み替えを考える**
- ☑ **土地が評価以上に売れた場合、現金で保有するのは逆効果になる**
- ☑ **土地を売ったお金で建物を建てると評価減となり、借入なしの節税対策になる**

case study 4 共有解消

きょうだいの共有不動産を解消した佐々木さん

＊＊＊財産と家族の状況＊＊＊

●依頼者　佐々木さん
●職　業　不動産賃貸業
●被相続人　きょうだい4人（予定）
●相続人　きょうだい4人それぞれの子（予定）
●財産の内容
賃貸マンション（共有財産）

母親の相続のとき共有にした

佐々木さんの父親は同居する佐々木さん家族が面倒を見てきました。そうしたことから、自宅は佐々木さんが相続することで決まりました。しかし、父親は自宅のほかに100坪の土地を所有しており、生前、節税対策として賃貸マンションを建設していました。父親が先に、その後、母親が亡くなりましたが、遺言がなかったので、賃貸マンションの分け方に苦慮しました。

きょうだいの資産

父親が残した賃貸マンションについては、常々きょうだい仲良くと言われていたことから、4人で4分の1ずつ共有することにしました。

賃貸事業運営の法人を設立

父親が亡くなったときは佐々木さんがまもなく定年を迎える時期でしたので、賃貸事業に専念できました。それならば、運営のために法人を作ったほうがいいとアドバイスされたので、きょうだい4人が役員となり、4人名義の建物を法人が借り上げて転貸して家賃を受け取るようにしました。役員報酬も4等分してきました。

その後、借入返済が終わったタイミングで、建物を法人に移しており、法人運営も順調にできてきました。建物の築年数は相当経っていますが、満室経営ができてきました。

解決へのアドバイス Point of advice

きょうだいの高齢化に対応する

佐々木さんのきょうだいは、これまで順調に法人を運営してこられましたが、佐々木さんも70歳になり、きょうだい全員、自分たちの相続が気になる年代になりました。

建物は法人名義でも、土地は4人の共有のままです。このまま土地を共有していると、相続になるたび、相続人が増えてしまい、意思の統一がはかれなくなるかもしれません。賃貸管理や法人の運営についても、うまくいかないことも出てくるため、対策を検討しました。

売却して共有解消する

専門家に相談すると、きょうだい4人が元気で、意思が明確なうちに、土地、建物を売却し、共有を解消し、法人も解散しておいたほうがいいとアドバイスされました。

佐々木さんがきょうだいに相談したところ、全員異論はなく、共有を解消する合意が得られました。

賃貸マンションは築35年と年数は経過していますが、立地がよいため、ほどなく買い手が見つかり、売却が完了しました。売買代金を分けて、法人も解散、退職金を得ることもできたのです。

佐々木さんは、きょうだいが揃っているうちに手続きができてよかったと安堵されました。このタイミングを逃すと認知症になったり、亡くなったりして、スムーズにはいかなかったかもしれません。

ここがポイント！

- ☑ **共有者が複数の場合は、法人で運営したほうがメリットがある**
- ☑ **きょうだいの共有名義の不動産は早めに解消したほうがよい**
- ☑ **共有解消は全員で売却、所有割合で按分して分ける**

case study 5 ≫ 養子

先妻の子が後妻と養子縁組した中川さん

＊＊＊財産と家族の状況＊＊＊

- ●依頼者　中川さん
- ●職　業　会社員
- ●被相続人　義母（予定）
- ●相続人　長男（本人）、次男、長女、次女（後妻の子）計4人（予定）
- ●財産の内容　自宅、駐車場、アパート、未利用地、預貯金

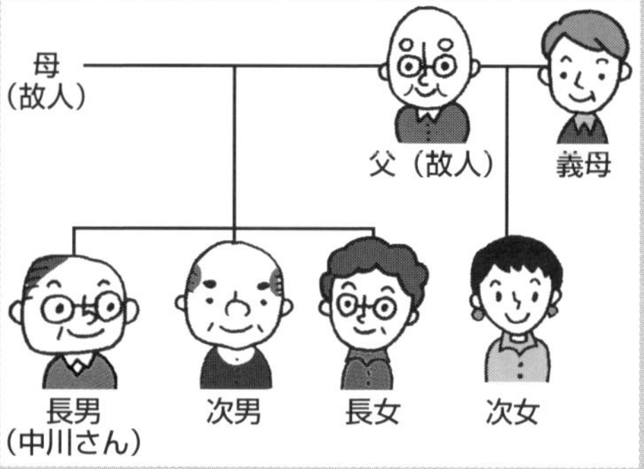

母親が亡くなり、父親は再婚

中川家は地元でも長く続く旧家で、代々の地主です。国道に面している自宅の敷地が最も広く、これまで相続が発生するたびに、納税のために土地を少しずつ切り売りしてきました。

母親は中川さん、弟、妹が幼い頃に亡くなり、その後、父親は再婚し、次女が生まれました。子どもたちは義母と生活した年月もあるので、関係は円満だと言えます。

中川さんの課題

中川さん一家は無事に父親の相続を乗り切りましたが、次に義母の相続を迎えたときについて事前の対策が必要となっています。

父親の相続で配偶者の特例を活用

父親は80歳で亡くなったときには、多くの土地を所有していました。全部の土地を測量して地積規模の大きな宅地評価をしたり、不整形地の評価をしたりすることで節税できましたが、いちばん大きな節税は、配偶者の税額軽減です。よって、義母が財産の半分を相続し、残る半分を子ども4人で相続しました。

このとき、納税は、高圧線下の土地と、駅から一番離れた駐車場という条件の悪い2カ所の売却代金を充てると決めていました。現地調査後すぐに同時並行で売却活動を開始し、申告期限までに売却代金で納税ができました。

解決へのアドバイス Point of advice

二次相続では相続人がひとり

義母が相続したのは、自宅と隣接する駐車場ですが、二次相続のことが心配です。このままでは、義母の相続では相続人は次女だけとなってしまうからです。

中川さんは、父親が義母と再婚したとき、中川さんや弟、妹も義母と親子関係になると思っていましたが、なっていないことが判明しました。そうなると、相続人は次女だけで、父親のときに払った相続税よりも倍以上の相続税になることもわかりました。

先妻の子3人と養子縁組をした

このままでは、自宅に同居する中川さんが義母から自宅を相続できなくなります。

次女は結婚して他県に住んでいますので、義母の相続した自宅に住むことはありません。

そこで、節税だけでなく、遺産分割*の公平性も考えて、中川さん、弟、妹の3人とも義母と養子縁組するようにアドバイスをしました。

> **Word**
>
> ＊遺産分割
> （→P182）

そして義母や次女の理解も得られ、3人とも義母と養子縁組をしたのです。実子がいる場合、税務上の法定相続人になれる養子は1人とされています。連れ子が養子縁組した場合は、法定相続人に含まれます。そうすることで相続税は半分に減らすことができ、全員が相続人として遺産分割に参加することができ、財産を受け取ることができるようになりました。

ここがポイント!

- ☑ **配偶者の税額軽減は大きな節税となるが、二次相続のことも考える**
- ☑ **相続人が増えると相続税は確実に減らせる**
- ☑ **節税遺言書で遺贈する方法も取れるが、相続税は2割増しになる**

母親が認知症になると実家が売れなくなる!

20代で家を離れた一人娘

Hさん（50代・女性）は一人娘で、高校卒業後は実家を離れて都市圏の大学に進学しました。そのまま都市圏で就職し、会社の同僚と職場結婚をして暮らしています。

Hさん夫婦は共働きで、子どもはいません。父親は70代で亡くなり、母親は元気で一人暮らしを楽しんでいるようでした。

母親の一人暮らしに不安が出てきた

ところが母親は80代半ばとなると、歩くことが大変になり、Hさんに電話が来ることが多くなってきました。母親の家までは２時間ほどかかる距離に住んでいるため、急な呼び出しには対応できません。

そのため、介護ヘルパーのアドバイスもあり、介護施設に入所しました。それで一安心はできましたが、２年ほど経つと実家の空き家の管理が気になり始めます。自分が老後に住むという選択肢はありません。

認知症を患う前に意思確認できた

実家は父親が亡くなった時に母親名義にしていますから、売却するには母親の意思確認が不可欠です。話を聞いて、母親の意思が確認できるうちにすぐ売却することをアドバイスしました。

売却を先延ばししているうちに、母親が認知症を患う可能性があります。介護費用が足りなくなったときに売却しようとしても、母親の意思確認ができない。名前を書くこともできない、となってしまっては、相続になるまで売ることができません。

Hさんはまだ意思表示できる母親とすぐに相談し、自宅を売却するよう決断しました。Hさんはお仏壇や位牌の供養、荷物の処分などをして、家の売却を無事に終えられました。

財産を現金にして介護費用にあてる

売却が済んだのは、Hさんが相談に来られてから半年かからないくらいのタイミングです。片付けなどは楽な作業ではありませんが、空き家を現金に変えられたことで、これから長く続く介護費用に不安がなくなったと安心されていました。

相続実務士より

意思確認ができるうちに売却する

空き家になった自宅は、持ち主が認知症になる前に売却するほうが、介護費用などにすることができます。認知症が進み、意思確認が取れなくなると、家の売却などができません。タイミングを逃してしまうと相続になるまで売却できなくなります。

本人が家に戻れない、子どもも住まないという場合は、早めに決断するようにしましょう。動かせない財産をかかえていくのは大変です。

終活・相続のヒント

- 実家が空き家になったら、早めに売却する
- 住んでいた本人が売却すると税金が少なくてすむ
- 荷物の片付け、処分は子どもがサポートする
- 契約は子どもが代理できるが、本人の意思確認は必須

第5章

贈与を
効果的に使うための知識

贈与をうまく使えば、スムーズな財産の継承に役立たせることができます。
贈与のしくみとメリットをマスターしておきましょう。

贈与はあげる人と受け取る人の契約で成立する

贈与と相続との違い

贈与とは、簡単に言えば、AさんがBさんへ金銭や物品などの贈り物をすることです。その際、与える側は無償で、見返りは期待しないものが贈与です。

しかし、いくらAさんが無償であげると言っても、Bさんが受け取らない場合には、贈与関係は成立しないことになります。つまり、**あげる人と受け取る人の両方が了承することで贈与と呼ぶ**ことができます。

なお、贈与は意思表示をすれば成立することになっています。日常生活での単なる口約束でも、効力は変わりません。

◆贈与には生前贈与と死因贈与がある

財産の贈与をする人を**「贈与者」**と言い、贈与を受けた人を**「受贈者」**と言います。贈与税は受贈者に対して課されます。贈与税がかかる財産は、相続税がかかる財産とほぼ同じとなります。

ただし、相続と贈与で大きく異なる点があります。相続はあげる人が亡くなった時点で始まるのに対して、贈与は贈与者・受贈者がともに存命中に行われることです。

また、贈与には「生前贈与」と「死因贈与」があり、前者は自分が生きているときに贈与することであり、後者はあらかじめ取り決められていた約束を、亡くなった時点で履行するというものです。

この点、一方的な形で遺言書として意思を残しておく遺贈とは違います。

負担付贈与
第三者などに対して債務（借金など）を払うことを条件にして財産を贈与する「負担付贈与」という契約もある。

贈与税の方が負担が重い
相続税の課税最低限(基礎控除額）が 3600 万円（相続人1人の場合）に対し、贈与税は1人年間 110 万円となっている。
また、1000 万円の財産に対して相続税率が 10%なのに対して、贈与税は 40%。相続税と比較して贈与税の負担が大きいことがわかる。

贈与税か相続税か
死亡した人が自分を被保険者として保険料を負担していた生命保険金を受け取った場合は、贈与税でなく相続税の対象となる。

＊相続開始年の贈与
相続開始前3年以内の贈与は相続税の課税対象となる。ただし、贈与税の配偶者控除による居住用不動産の贈与については、贈与税の対象とすることができる。
2024 年 1 月 1 日以降の贈与より 7 年以内になります（→ P3）。

贈与とみなされる場合（みなし贈与財産）

①信託受益権	委託者以外の者が信託の受益者となったときなど
②生命保険金	受取人以外の人が保険料を負担していた保険金を取得したとき
③定期金	掛け金を払っていた人以外の人が、年金などの定期金受給権を取得したとき
④低額譲渡	著しく低い価額で財産を譲り受けたとき ※債務者が債務を弁済することが困難な場合を除く
⑤債務免除益	債務の免除や肩代わりをしてもらったとき ※譲受人が債務を弁済することが困難な場合を除く

●上記の財産は本来の贈与財産ではないが、贈与があったものとして課税される

贈与税がかからない場合

①法人からの贈与	法人からの贈与により取得した財産（所得税として課税）
②生活費・教育費	夫婦や親子、兄弟姉妹などの扶養義務者から、生活費や教育費に充てるため取得した財産
③公益事業用財産	宗教、慈善、学術その他公益を目的とする事業を行う者が取得した財産で、その公益を目的とする事業に使われることが確実なもの
④奨学金	奨学金の支給を目的とする特定公益信託や財務大臣の指定した特定公益信託から取得した場合で、一定の要件に当てはまるもの
⑤心身障害者扶養共済制度に基づく給付金	地方公共団体の条例によって、精神や身体に障害のある人、またはその人を扶養する人が心身障害者扶養共済制度に基づいて支給される給付金を受ける権利を取得した場合
⑥公職選挙費用	公職選挙法の適用を受ける選挙の候補者が、選挙運動のために金品を取得した場合
⑦香典、見舞金など	個人から受ける香典、花輪代、年末年始の贈答、祝物、または見舞いなどのための金品で、社会通念上相当と認められるもの
⑧相続開始年の贈与*	相続（遺贈）により財産を取得した人が、相続があった年に被相続人から贈与された財産（ただし、その財産は相続税の課税財産となります）

●財産の性質や贈与の目的によって、贈与税がかからない財産が定められている

point

●生活費や教育費には贈与税はかからない
●贈与は贈与者が存命中に行われる

贈与税の基礎控除は年間110万円

贈与税の計算と申告

贈与税の課税方法には、「暦年課税*」と「相続時精算課税*」の2つがあり、一定の要件に該当する場合に「相続時精算課税」を選択することができます。

暦年課税の場合、贈与税は、**1人の人が1月1日から12月31日までの1年間にもらった財産の合計額に課税される**ことになります。

＊暦年課税
課税方法の一つ。毎年1月1日から12月31日までを一つの課税期間とする。暦年課税による生前贈与は、贈与する人が死亡した場合、相続開始前7年以内にさかのぼって相続税の課税価格に加算される（→P3）

＊相続時精算課税
（→P124）

また、贈与税には**年間110万円の基礎控除*額**があります。したがって、1年間にもらった財産の合計額が110万円以下なら贈与税はかかりません（この場合、贈与税の申告は不要）。

＊基礎控除
すべての納税者に無条件で適用される控除のこと。

基礎控除額は、贈与をした人ではなく、贈与を受けた人1人につき年間110万円と決められています。したがって、2人から各110万円ずつ合計220万円の贈与を受けたとしても、基礎控除額は110万円として計算します。

◆贈与税の計算はシンプル

贈与税額は、以下の手順で簡単に計算することができます。

①その年の1月1日から12月31日までの1年間に贈与によりもらった財産の価額を合計する。

②その合計額から基礎控除額110万円を差し引く。

③残りの金額に税率を乗じて、速算表控除額*を差し引く。

＊速算表控除額
119ページの表を参照のこと。

仮に1年間に贈与を受けた財産が700万円だったとすると、700万円－110万円（基礎控除額）＝590万円。590万円×30%（税率）－65万円（速算表控除額）＝112万円となります。なお、贈与税の申告は、翌年の確定申告時に行います。

贈与税の速算表（2015 年より）

一般的な贈与の場合

贈与額から110万円を引いた額	税率	控除額
200 万円以下	10%	なし
300 万円以下	15%	10万円
400 万円以下	20%	25万円
600 万円以下	30%	65万円
1000 万円以下	40%	125万円
1500 万円以下	45%	175万円
3000 万円以下	50%	250万円
3000 万円超	55%	400万円

親または祖父母から、その年の1月1日において18歳以上の子・孫へ贈与する場合

贈与額から110万円を引いた額	税率	控除額
200 万円以下	10%	なし
400 万円以下	15%	10万円
600 万円以下	20%	30万円
1000 万円以下	30%	90万円
1500 万円以下	40%	190万円
3000 万円以下	45%	265万円
4500 万円以下	50%	415万円
4500 万円超	55%	640万円

●基礎控除後の価額に対応する税額をかけ、控除額を差し引くことで計算できる

2015 年の改正前
200 万円以下の金額
税率 10%
300 万円以下の金額
税率 15%
400 万円以下の金額
税率 20%
600 万円以下の金額
税率 30%
1000 万円以下の金額
税率 40%
1000 万円超の金額
税率 50%

成年年齢
成年年齢が2022年4月1日から18歳以上に変更になったため、左表の子・孫への贈与についての年齢も18歳以上となっている。

贈与税の計算例

※父から500万円、祖父から100万円の贈与があった場合

STEP1 課税価額を計算する
500 万円+100 万円=600 万円

↓

STEP2 基礎控除額を引く
600 万円−110 万円（基礎控除額）=490 万円

↓

STEP3 税率をかけ、控除額を引く
490 万円 ×20%（税率）−30 万円（速算表控除額）
=68 万円（納税額）

相続時精算課税の税率
相続時精算課税を利用した場合の税率は2500万円を超える場合その超える部分の金額の一律 20%となっている。
（→ P124）

贈与税がかかる人
贈与税は基本的に受贈者である個人に対して課されるが、例外として、人格のない社団（町内会、同好会など）や公益法人に贈与があった際に課税されるケースがある。

point

●贈与税の基礎控除額は 110 万円
●贈与税の計算は比較的シンプル

賃貸借は課税あり、使用貸借は課税なし

親の土地に子が家を建てるケース

土地の貸し借りが行われる場合に、借り手は地主に対して地代*を支払います。権利金の支払いが一般的となっている地域においては、地代のほか権利金などの一時金を借地権*設定の対価として支払うのが通例です。

しかし、親の土地に子どもが家を建てたときに、地代や権利金を支払うことは通常ありません。このように、地代も権利金も支払うことなく土地を借りる場合を、土地の「使用貸借」と言います。

親の土地を使用貸借して子どもが家を建てた場合、子どもが親から借地権相当額の贈与を受けたことになるのではという疑問が生じます。しかし、**使用貸借による土地を使用する権利の価額はゼロ**として取り扱われています。この場合、子どもに贈与があったものとはされず、借地権相当額の贈与税が課税されることはありません。

◆使用貸借の土地の評価

この使用貸借されている土地は、将来親から子どもが相続するときに相続税の課税対象となります。相続税の計算のとき、この土地の価額は他人に賃貸している土地ではなく、自分が使っている土地として評価されます。つまり、貸宅地*としての評価額でなく更地*としての評価額になります。

なお、親の土地に子どもが家を建てるときに借地権利金を払わないまま地代を払うと、「賃貸借」となり、借地権は子どもに贈与されたものとなって、贈与税が課税されます。

*地代
土地を利用する者が所有者に払うお金のこと。

*借地権
土地の所有者に対する借り主の権利のこと。

*貸宅地
借地権などの権利がついている土地のこと。

*更地
借地権などの権利関係のない土地のこと。

親の所有地に子が家を建てた場合等

使用貸借	賃貸借
子が親に地代を払わない	子が親に地代を払う（権利金は払わない）
↓	↓
使用権の価額はゼロとみなされ、贈与税の課税なし	**借地権の贈与とみなされ、贈与税の課税あり**

●使用貸借の場合贈与税はかからない

子どもの地代が相続税の対象に
親の土地に子が家を建てた場合、親が子から地代を受け取っていると、増えた親の財産の分だけ課税される相続税も上がることになるので注意が必要。

メモ

贈与税の申告と納税

贈与税の申告期限は、贈与を受けた年の翌年2月1日～3月15日。受贈者の住所地にある税務署が提出先です。

基本的に全額を一括納付しなければなりませんが、①税額が10万円を超えること、②一括納付が困難であること、③担保を提供すること（条件あり）に該当し、申告期限までに延納申請書を提出すれば、延納が認められることがあります。

point

●子が地代を払わない場合、贈与税がかからない
●使用貸借の土地は更地として評価される

贈与税の配偶者控除

婚姻期間20年以上の夫婦には優遇がある

最高2110万円までの控除

夫婦間で財産を贈与した場合、110万円を超える財産であっても贈与税がかからないことがあります。これは**「贈与税の配偶者控除」と言い、基礎控除110万円のほかに最高2000万円まで（合わせて最高2110万円まで）控除できる**という特例によるものです。

ただし、配偶者控除の適用には以下の条件があります。

①夫婦の婚姻期間が20年を過ぎた後に贈与が行われること（内縁関係*の場合には適用されない）。

②配偶者から贈与された財産が、自分が住むための居住用不動産*であること、または居住用不動産を取得するための金銭であること。

③贈与を受けた年の翌年3月15日までに、贈与により取得した国内の居住用不動産、または贈与を受けた金銭で取得した国内の居住用不動産に、贈与を受けた者が現実に住んでおり、その後も引き続き住む見込みであること。

◆適用は一生に一度のみ

なお、配偶者控除は、同じ配偶者の間では**一生に一度しか適用を受けることができません**。すでに1600万円の控除額の適用を受けたという場合、翌年以降に400万円分の控除を受けることはできないというわけです。

また、婚姻期間20年以上の配偶者がもう一方に、居住用不動産を贈与または遺贈した場合、特別受益として扱わず、遺産分割から除外されます。

＊内縁関係
婚姻届を提出しない、事実上の婚姻関係のこと。

＊居住用不動産の範囲
居住用不動産は土地のみ、家屋のみの贈与でも特例の適用を受けることができる。また、土地や家屋の一部の贈与（持分の贈与）についても同様である。

相続開始前7年の場合
贈与税の配偶者控除を利用した場合、「相続開始前7年以内の贈与は相続財産の価額に含む」という規定から除外して扱われる（2024年1月1日より）。

土地のみを贈与する場合
土地のみを贈与する場合は、贈与した配偶者、あるいは贈与を受けた配偶者と同居する親族が居住用家屋を所有していることが条件となる。

◎配偶者への贈与のケース
（→P128）

贈与税の配偶者控除が適用される要件

夫婦の婚姻期間が20年以上を過ぎている。 …… NO → 控除が適用されない

↓ YES

贈与された財産が国内の居住用不動産、または国内の居住用不動産を取得するための金銭である。 …… NO → 控除が適用されない

↓ YES

贈与を受けた翌年3月15日までに、贈与を受けた者が現実に住んでおり、その後も引き続き住む見込みである。 …… NO → 控除が適用されない

↓ YES

これまでに同一の配偶者からの贈与について、配偶者控除の適用を受けていない。 …… NO → 控除が適用されない

↓ YES

控除が適用される。

●配偶者控除の適用には条件がある

配偶者控除の特例を受けたときの計算例

※婚姻期間25年の夫婦間で、夫が妻に3000万円の居住用不動産を贈与した場合

3000万円−2000万円（配偶者控除）−110万円（基礎控除）
＝890万円（課税対象額）

890万円×40%（税率）−125万円（速算表控除額）
＝231万円（贈与税額）

●基礎控除110万円のほかに最高2000万円まで控除できる

point

●配偶者間の贈与には控除の特例がある
●配偶者控除は同じ配偶者間に一度しか適用されない

相続時精算課税制度の利用で2500万円まで非課税に

相続財産を前渡しする制度

相続時精算課税制度は、贈与により財産を取得した子や孫が、贈与分と相続分を合わせて相続税額を計算し、相続税として納税する制度です。

まず、**贈与された財産の累積が2500万円（特別控除）以下であれば、贈与税は無税となります。**さらに2024年1月1日以後に贈与により取得した財産については、暦年課税の基礎控除とは別で、**贈与者ごとに1年間に贈与で取得した合計額から基礎控除額110万円を控除できるようになりました。**

この基礎控除額は特別控除の2500万円には含まれません。毎年の基礎控除額110万円を引いた合計額が2500万円を超えたとき、その超える部分の金額を贈与税として納税します。

後に相続が発生したときは、贈与時の価額から、贈与された年数分の基礎控除額を引いた累積額を相続財産に加算し、相続税額を算出します。

相続が発生する前に贈与税額を支払った場合には、算出された相続税額からその贈与税額を控除した金額を相続税として納付します。相続税額より支払った贈与税額が多い場合には、還付を受けます。

つまりこの制度は、相続のときにそれまでの贈与税額を精算して、相続税額を納税するものですから、いわば相続税の仮払い（生前相続）ですが、基礎控除額の分は節税効果があります*。

なお、贈与を受ける人は、**贈与者ごとに相続時精算課税制度の適用を受けるか否かを選択**します*。

届出書の提出
この制度を選択する者は、その財産を取得した年の翌年2月1日から3月15日までの間に、「相続時精算課税選択届出書」を、納税地の所轄税務署に提出しなければならない。その年分の贈与税の課税価格の累計額が2500万円以下であり、贈与税額が算出されない場合であっても、届出書は贈与税の申告書とともに提出が必要となる。

相続時精算課税制度利用の要件
60歳以上の親から18歳以上の子ども（養子も含まれる）および孫への贈与について、適用を受けることができる。親と子および孫の年齢は、贈与があった年の1月1日で判定する。

＊相続税を減少させる効果
贈与により取得した土地について相続時精算課税を選択した場合、小規模宅地等の特例が適用できないことに注意。

◎相続時精算課税のケース
（→P132、134、136）

＊相続時精算課税制度の選択
父からの贈与について、長男は相続時精算課税制度を選択し、次男は従来の制度によることも可能です。

相続時精算課税制度と通常の贈与税との比較

	相続時精算課税制度	通常の贈与制度
贈与税額の計算	（課税価格－110 万円－2500 万円）×20% ※1 ・課税価格は贈与者ごとに合計する	（課税価格－110 万円）×累進税率 ・課税価格はその年に贈与を受けた金額の合計額
贈与者の条件	60 歳以上 ※2 （住宅取得等資金の贈与は条件なし）	なし
受贈者の条件	18 歳以上の子および孫 ※2	なし
贈与税の納付	贈与時に納付し、相続時に精算	贈与時に納付し、完了
相続税計算との関係	贈与時の課税価格が相続財産に加算される	相続財産から切り離される ※3 （相続開始7年以内の贈与は加算）
贈与税の債務控除	控除できる	控除できない
相続税を減少させる効果*	なし。ただし、時価の上昇を抑制する効果はある	あり
その他	一度選択したら、従来の贈与制度は適用できない	いつでも相続時精算課税制度に移行ができる

※1　2024 年 1 月 1 日以後の贈与の場合の計算式。それ以前の贈与の場合、（課税価格－2500 万円）×20%
※2　年齢は贈与の年の 1 月 1 日現在のもの
※3　相続開始前 7 年以内は 2024 年 1 月 1 日以後の贈与より適用。それ以前の贈与については 3 年以内

相続時精算課税の適用例

※相続時精算課税により1人の相続人が2回の贈与を2023年12月31日以前と2024年1月1日以後に受けた場合。被相続人の所有する全財産は5000万円。

- 2023 年 1700 万円を贈与（特別控除額 1700 万円）→贈与税はゼロ円
- 2024 年 1200 万円を贈与（特別控除額 800 万円、基礎控除額 110 万円）
  →贈与税額は 290 万円 ×20%＝ 58 万円
- C年 相続開始　5000 万円－2900 万円 =2100 万円 を相続

相続時の割合	贈与財産　2900 万円	相続財産　2100 万円

相続税の申告は相続財産 2100 万円に贈与財産 2900 万円を加えた 5000 万円。
基礎控除額 3600 万円を超える 1400 万円にかかる相続税は 160 万円。すでに納めた 58 万円を差し引き相続税は 102 万円を納付。

point

- **相続時精算課税制度は生前相続のための方法**
- **贈与者は 60 歳以上が利用条件**

事業承継円滑化のための制度がある

中小企業の事業承継がスムーズに

中小企業の事業承継の円滑化を目的とする制度が設けられています。内容は以下のとおりです。

1. 遺留分に関する民法の特例 …一定の要件を満たす中小企業者の後継者が、先代経営者の遺留分*権利者全員と合意を行い、所要の手続き*を経ることを前提に、以下の遺留分に関する民法の特例の適用を受けることができます。

①後継者が先代経営者からの贈与等により取得した株式等について、遺留分を算定するための財産の価額に算入しない、②後継者が先代経営者からの贈与等により取得した株式等について、遺留分を算定するための財産の価額に算入すべき価額を、合意時の価額とする。

2. 金融支援措置 …事業の承継に伴って事業活動の継続に支障が生じている特定の中小企業者に対し、以下の支援措置が設けられています。

①中小企業信用保険法の特例、②特定の中小企業の代表者に対して、株式会社日本政策金融公庫および沖縄振興開発金融公庫が必要な資金を低利で貸付けする。

3. 贈与税の納税猶予制度*…一定の要件を満たした場合に、後継者が、先代経営者から一定の自社株式や事業用資産の贈与を受けた場合の贈与税の納税が猶予または免除されます。

4. 相続税の納税猶予制度*…一定の要件を満たした場合に、後継者が、先代経営者からの相続で取得した一定の自社株式や事業用資産の相続税の納税が猶予または免除されます。

*遺留分
兄弟姉妹以外の法定相続人に保障される相続財産の割合のこと。
(→ P152)

*所要の手続き
家庭裁判所の許可が必要となる。

*贈与税の納税猶予制度の手続き
贈与税の申告期限までに都道府県知事の認定を受けることおよびこの特例の適用を受ける旨の贈与税の申告が必要となります。

*相続税の納税猶予制度の手続き
相続税申告期限までに都道府県知事の認定を受けることおよびこの特例の適用を受ける旨の相続税の申告が必要となります。

事業承継円滑化の内容

1. 遺留分に関する民法の特例

①生前贈与株式を遺留分の対象から除外する。
②生前贈与株式の評価額をあらかじめ固定する。
※手続きは後継者が単独で行うことができる。

2. 金融支援措置

①中小企業信用保険法の特例
②株式会社日本政策金融公庫法および沖縄振興開発金融公庫法の特例
※株式、事業用資産の取得資金、信用力低下時の運転資金、相続税負担の資金調達を支援。

3. 贈与税および相続税の納税猶予

非上場株式等にかかる贈与税および相続税の納税猶予制度
対象株式を継続保有して、贈与者である先代経営者の死亡等により贈与税および相続税の猶予税額が免除される。
また、2018年から2027年までの10年間は特例措置が適用される。

経営承継円滑化法における中小企業者の定義
①製造業その他…資本金3億円以下、または従業員数300人以下。
②卸売業…資本金1億円以下、または従業員数100人以下。
③小売業…資本金5000万円以下、または従業員数50人以下。
④サービス業…資本金5000万円以下、または従業員数100人以下。

メモ

制度適用の条件

事業承継に関する贈与税・相続税の納税猶予制度を利用するためには、主に以下の条件があります。先代経営者は、①会社の代表者であったこと。②先代経営者と同族関係者で発行済議決権株式総数の50%超の株式を保有かつ同族内で筆頭株主であった場合。
後継者は、①会社の代表者であること。②後継者と同族関係者で発行済議決権株式総数の50%超の株式を保有かつ同族内で筆頭株主となる場合。
特例措置を活用した場合、各10%を所有する者が3人まで適用可能。

point

- 中小企業の事業承継のための特例がある
- 贈与税および相続税の納税が猶予されることもある

case study 1 ≫ 配偶者への贈与

相続税対策で自宅を妻の名義にした島田さん

＊＊＊財産と家族の状況＊＊＊

- ●依頼者　島田さん
- ●職　業　不動産賃貸業
- ●被相続人　本人（予定）
- ●相続人　妻、長男、次男、計3人（予定）
- ●財産の内容
自宅不動産、貸し家、預貯金

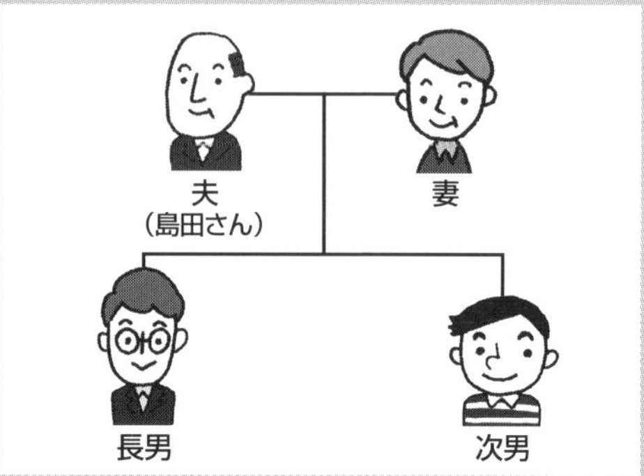

会社を設立し、成功を収める

島田さん夫婦は団塊世代の少し手前。妻とは職場結婚、その後、2人の息子に恵まれ、子育てに忙しかった妻はそのまま専業主婦となりました。

地方から出てきて繊維問屋で懸命に仕事をした島田さんは、その後独立して、同様の繊維関係の会社を設立しました。まじめな人柄もあってか会社は軌道に乗り、すこしずつ規模も大きくなりました。長男はしばらく同業の会社で修業をしていましたが、30歳になったことを機に入社しました。

息子を後継者に

島田さんは60歳で社長から会長職となり、息子を専務から社長へ昇格させ、実務一切を任せました。後継者の長男はよくがんばってくれ、任せてももう安心だと思ったからです。

夫婦で自宅名義の相談に

島田さんは余裕ができたときに、より駅に近い土地を取得して家を建てています。それまで住んでいた家は貸し家にしましたので、家賃収入もあります。今でこそ悠々自適ですが、経営の第一線にいたころは経済的にも妻に苦労をかけたことがあったようで、妻を安心させてあげたいとのこと。

それには自宅の名義があった方がいいのではないかと夫婦で相談に来られました。

解決へのアドバイス Point of advice

配偶者の特例で贈与

婚姻期間が20年以上であれば、居住用不動産の贈与は基礎控除* 110 万円のほかに最高 2000 万円まで控除（配偶者控除*）できるという特例があります。島田さん夫婦はこれに該当します。

同席した奥さんも、島田さんの提案に対し、ぜひ手続きしておきたいということでしたので、配偶者控除による贈与の手続きをすることになりました。

贈与税がかからない割合を決める

贈与税がかからない範囲の2110万円の算出ですが、土地は時価（路線価）、建物は固定資産税の評価額に基づいて計算するため、相続評価と同じです。

島田さんの場合は、土地と建物全部では特例の範囲を超えます。そこで、土地建物の2分の1を妻に贈与し、2分の1は島田さん名義のままとし、半分は相続のときに妻に遺贈することにしました。そうすることで、遺産分割からも完全に除外することができます。

Word

＊基礎控除
（→ P118）
＊配偶者控除
（→ P122）

この贈与・遺贈により、財産の一部が妻に移動するので、節税対策にもなります。

登記の手続きはほどなく完了し、贈与税を払うことなく、自宅の土地と建物の半分を妻へ贈与することができました。

ここがポイント！

- ☑ 財産が多い人は妻に不動産を贈与することで節税になる
- ☑ 贈与する 2000 万円＋基礎控除 110 万円の評価をきちんとしておくこと
- ☑ 登記費用だけでなく、不動産取得税がかかる

case study 2 ≫ 普通贈与

子どもに自宅の土地を贈与した平井さん

＊＊＊財産と家族の状況＊＊＊

- ●依頼者　平井さん
- ●職　業　無職
- ●被相続人　本人（予定）
- ●相続人　長男、長女、計2人（予定）
- ●財産の内容
  自宅不動産、預貯金、有価証券

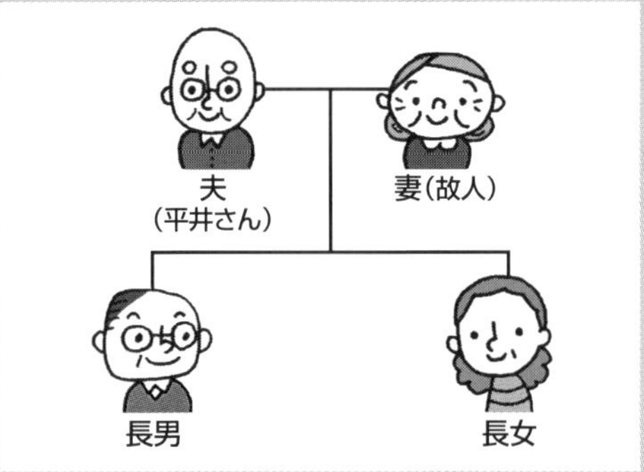

結婚した長男と同居

平井さんの自宅は最寄り駅まで徒歩5分。三方道路の角地で、売り出しのときに2区画合わせて購入したので、115坪もあります。

夫婦と2人の子どもの4人で住んでいましたが、娘は嫁いで家を離れました。長男は結婚して同居しており、孫も生まれてにぎやかな毎日です。

妻が先に亡くなった

2人の子どもが近くに住み、特に不安もないので、平井さんの定年後の生活は悠々自適と言えるものでした。老後も夫婦そろってのんびり生活したいと漠然と考えていました。

ところが、思わぬ病気で妻を先に亡くしてしまったのです。

予想外のことで平井さんはずいぶん気落ちしましたが、幸い子どもや孫がそばにいるので、それによって救われました。

時間が経つにつれて精神的には落ち着いてきましたが、配偶者がいない相続は大変だという話を聞いていたので、平井さんは早めに準備したいとのことで相談に来られました。

娘は自宅敷地に

結婚した長女が家を建てることになり、平井さんは自宅のうち45坪を使わせることにしました。嫁いだ娘も自宅敷地に住んでいることになります。

解決へのアドバイス Point of advice

暦年贈与で相続の不安を軽減する

平井さんは同居する息子に70坪の土地と建物を、45坪の土地を娘に、という分け方をするつもりで、2人ともそれで納得するはずだと考えています。一番の心配は、相続税がどうなるかで、できるだけ自分の相続手続きが簡単になるようにしたいとのこと。

そこで提案したのは、生前にそれぞれに土地の一部を暦年贈与し、相続税の基礎控除*範囲内の財産にしてしまうことでした。贈与税の負担はありますが、その分も自分のお金を少しずつ贈与していけば相続税の不安はなくなります。

そこで、娘と息子に土地を一部贈与し、結果、70 坪は長男と共有、45 坪は長女と共有となりました。

公正証書遺言で取得分を明記

次に公正証書遺言*を作成し、子どもたちの取得分を明記しておくことを提案しました。

それぞれの生活している土地を与えるという暗黙の了解はあるものの、万一争いになれば、隣同士に住みながらお互い権利を主張することになります。そうしたことはさせたくないという配慮からでした。

その後、平井さんが亡くなったとき、予定したとおりに相続税の申告の必要はなく、公正証書遺言で手続きができました。

Word

＊相続税の基礎控除 (→ P216)
＊公正証書遺言 (→ P150)

ここがポイント！

- ☑ 暦年贈与をすれば相続に影響されずに財産分与はできる
- ☑ 暦年贈与で財産を移せば、節税対策になる
- ☑ 使用貸借や暗黙の了解があっても公正証書遺言が必要

case study 3 ≫ 相続時精算課税

共有解消と相続対策を実行した清水さん

＊＊＊財産と家族の状況＊＊＊

- ●依頼者　清水さん
- ●職　業　主婦
- ●被相続人　母（予定）
- ●相続人　長女、次女（本人）、計2人（予定）
- ●財産の内容
自宅不動産、貸店舗（共有）、預貯金、有価証券

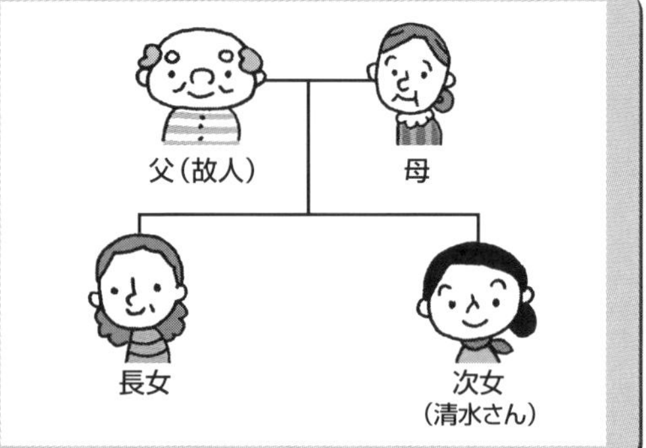

貸店舗を共有

清水さんは母親と姉と自分の3人で貸店舗を共有しています。母の兄で独身を通した伯父が所有していたもので、亡くなったときに遺言で遺贈を受けたものです。

その店舗は観光地にあり、立地もいいので、家賃も3人で分けています。今のところは大きな問題はないのですが、清水さんには気になっていることがあります。

母に万一のことがあったら…

清水さんが心配しているのは、現在は母親がいてバランスが取れていますが、姉と2人になったときには共同で運営していくことがストレスになるのではということです。

姉は勝ち気で何でも仕切るタイプで、おっとり型の清水さんとは波長が合わないところがあるからです。

現在の賃貸事業は、契約事や修繕の発注などはすべて姉が担当してくれています。清水さんとすれば助かることではありますが、姉には何事もしてあげているという発言があり、落ち着かない気持ちであるのが本音ということです。

清水さんの不安

貸店舗は木造の２階家で老朽化しており、今後の修繕費や維持費を考えると課題が大きいことを不安に感じています。

解決へのアドバイス Point of advice

共有を解消する

賃貸物件を姉妹で共有することは、経営上のトラブルだけでなく、将来の相続の問題もあるため、課題が多いと言えます。

そこで、この機会に共有を解消されることを提案しました。具体的な方法は、共有者が買い取る方法や全体で売却する方法などいくつか考えられますが、本来は共有者全員の合意のもとに進めなければなりません。

しかし、姉は売ることも買い取ることも反対の様子。そこで、母親に清水さんの持分を買い取ってもらうことを提案しました。

節税対策をしておく

母親が清水さんの持分を買い取るということは、現金が不動産に代わるわけですから、財産の評価が下がり、節税になります。これで相続税の申告も不要な範囲になりました。また、清水さんは不安のある共有から解放され、現金を得ることができました。

さらに母親はこの機会に2人の娘に同額の現金を贈与することにされました。相続時精算課税制度*を利用しての贈与です。

2500 万円までは特例を使うことで贈与税はかかりません。受ける側の負担がなく、すぐに娘たちが使えるようになるので、先延ばしにするよりもよかったということです。

Word

＊相続時精算課税制度 (→ P124)

ここがポイント！

- ☑ **現金で不動産を買い取れば節税になる**
- ☑ **姉妹の共有は避けた方が無難**
- ☑ **共有の解消は共有者間で売買する**

case study 4 ＞＞ 相続時精算課税

母と兄名義の土地に建つ二世帯住宅で暮らす山本さん

＊＊＊財産と家族の状況＊＊＊

●依頼者　山本さん
●職　業　会社員
●被相続人　母（予定）
●相続人　長男、長女（本人）
　計2人（予定）
●財産の内容
自宅の土地（母と兄の共同名義）、預貯金

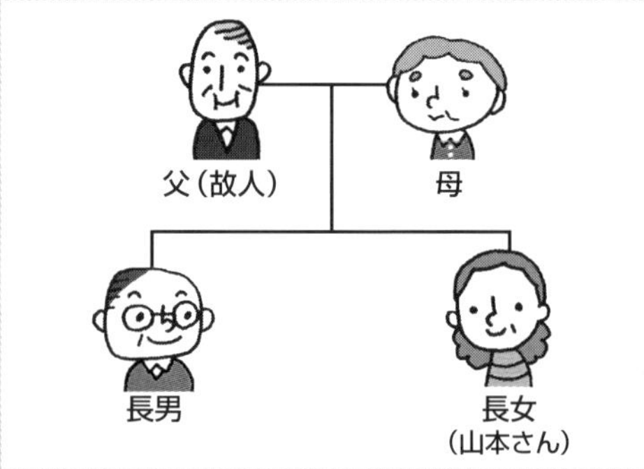

兄名義の二世帯住宅

山本さん（50代・女性）は二世帯住宅で母親と暮らしています。1階が母親の自宅で、2階が山本さん家族の自宅となっています。

二世帯住宅は父親が元気な頃、父親の土地に、兄がローンを組んで建てたものです。ところが完成してほどなくして、兄は仕事の都合で転勤によって遠くに住むことになってしまいました。

同居の経緯

山本さん家族が同居を始めたのは、兄家族が暮らしていた2階が空き家になること、両親の老後を考えると娘の山本さんが住んだほうが安心という理由です。

父親から母親と兄名義に

父親は8年前に亡くなり、自宅の土地は母親と兄が半分ずつ相続しています。兄が全て段取りし、言われるままに印鑑を押したように思いますが、明確な記憶がなく、いまに至ります。

建物は兄名義なので、兄がローンを返済し、山本さんは兄に毎月家賃を払っています。兄家族は仕事の関係でまだ実家に戻る予定が立たないそうです。そんななか、母親も80代後半となり、いつ相続になるかもわかりません。相続に関するテレビを見て不安になったようで、早めに解消しておきたいと、山本さんが一人で相談に来られました。

解決へのアドバイス Point of advice

相続税を計算して贈与を提案

母親の土地以外の財産は預金ですが、生活費などでほとんど残らないと思われます。母親は今はとても元気ですが、今後は介護が必要になるかもしれません。介護は山本さんが受け持つので、母親も財産を山本さんに渡すと言ってくれています。

母親に遺言書を書いてもらうだけでは相続時に兄ともめてしまうのではないかと心配しています。母親は山本さんに贈与していいとも考えていますが、気になるのは贈与税の額です。土地の評価は約2000万円で、半分の1000万円が母親名義です。贈与税は約170万円ほどになります。

しかし、「相続時精算課税制度*」を利用すれば、2500万円までの贈与なら贈与税は課税されません。相続税で精算しますし、財産が基礎控除*以内であれば相続税もかからないので、山本さんの場合は贈与税も相続税もかからず財産を受け取ることができます。

Word

＊相続時精算課税制度
(→P124)
＊相続税の基礎控除
(→P216)

費用が割高でも、今、手続きしておく

贈与の手続きにかかるのは、名義替えの費用と後で課税される不動産取得税です。相続より割高ですが、不安をなくすことを優先して、必要な書類を揃えると言って帰られました。兄には母親から直接、伝えてもらい、余計な争いを避けるようアドバイスしました。

ここがポイント!

- ☑ 母親から贈与を受けるには贈与契約書を作成
- ☑ 相続時精算課税制度を利用して贈与税は納税なしを選択
- ☑ 翌年、税務署に相続時精算課税制度適用の申告をしておく

case study 5 ≫ 相続時精算課税

土地を売却して現金を贈与してもらった中島さん

＊＊＊財産と家族の状況＊＊＊

- 依頼者　中島さん
- 職　業　主婦
- 被相続人　母（予定）
- 相続人　長女（本人）、次女、三女、計3人（予定）
- 財産の内容
  自宅不動産、宅地、預貯金

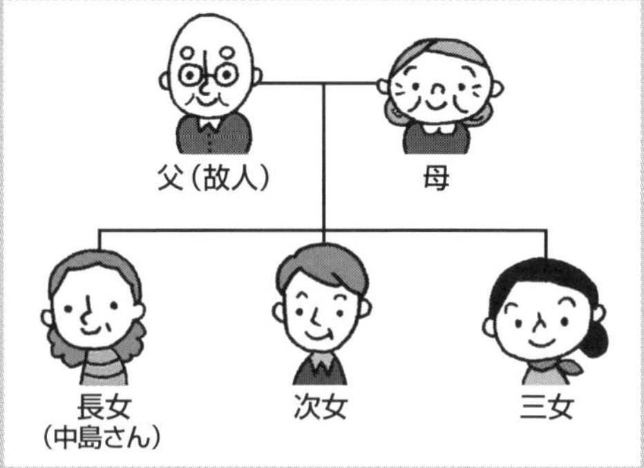

同居の予定で土地を取得

中島さんは生まれ故郷から遠く離れた土地に嫁ぎました。妹も嫁ぎ、両親は2人暮らしをしていましたが、父の死後は母が1人で暮らしています。

けれども高齢になり、1人暮らしが不自由になることがあれば、中島さんは自宅を二世帯住宅にして母親を引き取ろうと考えていました。そこで、中島さんの自宅近くで土地が分譲されたときに、母親からも半分出してもらい、共有名義で土地を購入しました。

母親は1人暮らし

先に父を亡くし、母親は長く1人暮らしをしています。実家のまわりには親戚が多く、中島さんが見る限り1人暮らしでも特に寂しいことはない様子です。

最後まで実家で

中島さんの自宅の築年数が経ち、そろそろ建て替えをするか住み替えをするかという時期に、母親に同居を持ちかけましたが、やはり住み慣れた今の家にずっといたいとのこと。

そこで母親を引き取る計画は先延ばしにして、中島さんは家を建て替えることにしました。

そうなると、二世帯住宅用に購入していた土地を空き地で保有し続けることになり、固定資産税がかかるばかりで負担になります。どうすればいいのかという相談でした。

解決へのアドバイス Point of advice

土地を売却する

中島さんはこれから建て直す自宅の建築資金が必要とのことで、それならばと土地を売却することを提案しました。名義は母親と中島さんが2分の1ずつの共有ですから、売却代金も半分ずつに分けることになります。

その土地は駅からほど近い住宅街にありましたので、それほど時間をかけずに、売却が完了しました。ほぼ購入当時の金額で売れたことで譲渡所得税*はかかりませんでした。

> **Word**
>
> ＊譲渡所得税
> 土地を売った価格から購入した価格を引いた額に対してかかる税金のこと。
> ＊相続税の基礎控除
> (→ P216)
> ＊相続時精算課税制度
> (→ P124)

現金を贈与する

母親の財産は実家の不動産と預貯金ですから、相続税の基礎控除*の範囲内です。その後、母親は売却代金を中島さんに贈与しました。建て替える建物資金にするためで、相続時精算課税制度*を利用しました。

住宅取得等資金の贈与税の非課税の特例がなければ、贈与税を払うか、建物に母親の名義を入れるかのいずれかにしなければいけないところでしたが、相続時精算課税制度ができたお陰で贈与税や相続税の負担がなく、現金の贈与ができます。

すぐの同居は実現しませんが、中島さんは母親のために広めの客間は用意したいと話しておられました。

ここがポイント！

- ☑ **利用しない土地は売却して換金する**
- ☑ **建物には母親の名義を入れない方がよい**
- ☑ **売却代金を贈与してもらう**

コラム　これから必要な終活・相続のヒント

公正証書遺言は情報共有して、子どもがサポートしながら作ろう

父親の公正証書遺言は家族で情報共有

Ｐさん（50代・女性）は母親名義の自宅敷地内に自宅を建てて住んでいます。父親が亡くなった時は公正証書遺言があり、手続きがスムーズでした。

父親の遺言書を作ったときは、父親、母親とＰさんと妹の４人で相談に来られたので、情報共有しながら進めました。家族全員にオープンにして進めると、後で知らなかったと不信感が出たり、分け方が公平でないと不満が残ることがありません。

母親も遺言書を作りたいという希望

現在、母親は90歳目前です。姉妹は仲が良く、遺言書がなくても問題はありませんが、父親のとき同様、母親が自ら遺言書を作ると言い出しました。

ただ、年齢的なことがあり、自分でいろいろと手続きすることは簡単ではありません。そこでＰさん姉妹がサポートし、父親と同様に公正証書遺言にする依頼を受けました。

自宅で公正証書遺言を作成

Ｐさんの母親の住まいは関東近県の郊外で、最寄りの公証役場までは車で１時間以上もかかります。母親は自力で電車に乗ったりすることが困難。こうした場合は公証人と証人がご自宅などに出張することができます。出張費はかかりますが、移動に苦労しないので、出張で作成することになりました。

母親がわかりやすい表現で作れる

不動産は自宅とＰさんの家、貸店舗、駐車場などで、普段から家族で○○○の土地という呼び方をしています。公証人に相談すると、母親が使っている表現で記載し、詳細は別紙にすればいいという提案を頂きました。

普段の呼び方で不動産の分け方を話すことで、公証人が母親の意思を確認でき、無事に公正証書遺言になりました。今回のＰさんの母親のように、本人の使っている表現で公正証書遺言が作れると、堅いイメージだけでなく、作りやすくなります。

相続実務士より

お年を召した方の遺言書作りは子どものサポートが不可欠

公正証書遺言を作成するためには、必要書類を整えたりする事前準備など、お年を召した方にとって負担になる作業もあります。これらは子どもがサポートできることを受け持つことで、スムーズに遺言書を作成することができます。

サポートをすると、自然と家族で情報共有できることもメリットです。移動が難しい人には、公証人と証人が出張して公正証書遺言を作成することもできます。慣れた環境で遺言書が作れるのは、お年寄りにはありがたいことでしょう。

終活・相続のヒント

- 公証人、証人が出張して、慣れた場所で遺言書が作れる
- サイン、押印を公証人が代理することもできる
- 事前準備は子どもたちが協力して段取りする
- 遺言書も子どもたちと共有しておくと争いは防げる

第6章

遺言書を活用して
トラブルを未然に防ぐ

財産の分け方について法的な効力を持つ遺言書。
遺族の争いを避けるためにも、遺言書を作成して、自分の意思を明らかにしておくことが肝心です。

遺言書の目的

遺言書は、故人の最終意思として法的な効力を持つ

遺言書を残すことの意味

相続の目的は、財産を分けることだけではありません。死をきっかけとして、被相続人の財産や意思をいい形で継承することであるとも言えます。ところが現実の相続では、遺産の分け方について円満にまとまるケースばかりではなく、身内の縁が切れてしまうまでもめることもあります。

財産があり、相続人が複数の場合、**各人がそれぞれ相続の権利を主張しあえば、互いの利害がぶつかりあう**ことは目に見えています。感情的な争いに発展するのを防ぎようがないこともあるでしょう。そうした感情的な対立関係の背景となっているのは、財産を手にできるチャンスを逃すわけにはいかない経済事情や、老後に対する先行きの不安感などと言えそうです。

◆遺言書に遺産分割の方法を託す

家督相続の制度がなくなった現在、財産を家に残すという考え方が希薄になっています。いざ相続になったとき、亡くなった人の意思が伝わりにくい状況と言えます。そのため、相続人は迷い、権利を主張するために、争いになるのです。これでは相続の価値が半減するというものです。

そこで、自分の死後、遺産分割の争いをさせないために、**生前から相続の方法を具体的にはっきりと決めておける**ようになりました。このシステムを遺言制度と言い、**被相続人の意思を書面の形に残したものを遺言書**と言います。

遺言書は、身内に余計な争いをさせないための配慮として必要なものなのです。

◎子がいないケース
（→ P168）

◎先妻の子がいるケース
（→ P158）

◎財産を与えたくないケース
（→ P156、P160）

*贈与
一方が他方に財産を渡すことについて、双方の合意のもとに成立する契約のこと。
（→ P116）

*寄与
被相続人に対する相続人の貢献度に応じて、他の相続人よりも多く財産を与えること。
（→ P42）

*使用貸借
不動産などを、一方が無償で使用した後に返還する契約のこと。
（→ P120）

遺言を残した方がよい主なケース

相続人について	①独身	独身で子どもがなく、親か兄弟姉妹が相続人になる場合
	②子がいない	結婚しているが子どもがなく、配偶者と親か兄弟姉妹が相続人になる場合
	③相続人がいない	独身で子どもがなく、親も兄弟姉妹もいない場合
	④再婚、認知	先妻、先夫の子どもと後妻、後夫の子ども、認知した子ども等がある場合
	⑤代襲相続人	子どもや兄弟姉妹が先に亡くなり、代襲相続人がいる場合
	⑥不仲	家族間ですでに争いを抱えていたり、対立している場合
	⑦相続人の廃除	財産を与えたくない相続人がいる場合
	⑧行方不明、海外在住	相続人が行方不明の場合や海外在住で手続きが複雑になる場合
遺産分割などについて	⑨贈与*	すでに贈与した財産を明確にしておきたい場合
	⑩寄与*	介護や事業に従事してくれた相続人などがある場合
	⑪使用貸借*、同居	相続人が同居したり、使用貸借している不動産がある場合
	⑫遺産分割	相続人に特定の財産を与えたい場合や与えたくない場合
	⑬援助	援助が必要な相続人に財産を多く与えたい場合
	⑭事業承継	同族会社や個人事業者で、後継者に財産を与えたい場合
	⑮遺贈	相続権のない孫や嫁、兄弟姉妹、第三者に遺産を与えたい場合
	⑯寄付	寺、教会、公共団体等に寄付する場合

point

- **遺言書は相続トラブルを未然に防ぐ手段として注目されている**
- **きちんと意思を残しておくことが大切**

遺言できる内容は 相続、身分、財産処分

遺言できる内容とできない内容

相続は、良好な関係にある親族の間でも争いになるほど難題と言えますから、相続が始まる前から複雑な事情がある場合は、さらに深刻な問題となります。各自の立場や利害が異なる場合には、簡単に片付く問題ではなくなってしまうのです。

遺言は、こうしたトラブルを制御する手段として、自分の意思を残すための最も確実な方法です。しかし、書いたことすべてに法的な効力が与えられているわけではありません。基本的には何を書いてもかまいませんが、遺言者の一方的な意思表示によって効力が生じる制度なので、法的に有効な事項は、ある程度まで決められています。遺言で残せる意思表示は、法的に次の3点に集約されます。

①**相続に関すること**…相続分*や遺産分割の方法の指定、相続人の廃除*や廃除の取り消しなど。

②**身分に関すること**…子どもの認知、未成年後見人*や未成年後見監督人*の指定など。

③**財産処分に関すること**…遺贈や寄付、信託の設定など。

◆法的効力のない遺言もある

形式的に有効な遺言であっても、**すべての内容が法的な効力を持つものではありません**。「葬儀は身内のみで、質素に行ってほしい」「兄弟は仲良く暮らすこと」などは、たしかに故人の意思を伝えるものとして記載する価値はあるかもしれませんが、法的な効力はありません。それを実行するかどうかは、あくまで遺族の判断に任せられるというわけです。

*相続分
相続人が財産を分けるときの配分のこと。

*相続人の廃除
被相続人が相続させたくないと感じるような非行が相続人にある場合、家庭裁判所の審判または調停によって相続権を剝奪すること。
(→ P36)

*後見人
有効な法律行為ができない人に代わって法律上の権限と責任を持つ人のこと。未成年後見人、成年後見人の2種類がある。

*後見監督人
後見人の仕事の内容をチェックする役割を担う人のこと。

遺言すると効力を発揮する内容

①相続に関すること
遺産の分割に関わる事項について意思を伝える

- ▶推定相続人の廃除および廃除の取り消し
- ▶特別受益者の持戻しの免除
- ▶遺贈の遺留分侵害額の支払い方法の指定
- ▶遺産分割方法の指定または指定の委託
- ▶相続分の指定または指定の委託
- ▶遺産分割の一定期間の禁止
- ▶相続人間の担保責任の指定

②身分に関すること
相続人や相続とかかわる人を指定する

- ▶未成年後見人の指定および未成年後見監督人の指定
- ▶遺言執行者*の指定または指定の委託
- ▶祭祀承継者の指定
- ▶遺言による認知

③財産処分に関すること
財産をどのように処分するかの意思を伝える

- ▶遺贈
- ▶寄付行為
- ▶信託の設定
- ▶生命保険受取人の指定
- ▶財団法人の設立

*遺言執行者
遺言の効力が生じたあとに遺言の内容をそのとおりに実行する人のこと。①遺言で指定された者、あるいは②家庭裁判所により選任された者がなる。相続人や遺言によって財産を受ける者を指定しておくこともできる。

メモ

分割協議後に遺言書が見つかったら

遺産分割協議が終わったあとに遺言書が見つかった場合、遺産分割協議は原則として無効となります。

ただし、全員の合意を得ることができれば、分割協議の内容を有効とすることはできます。これとは逆に、相続人のうち1人でも遺言書にしたがう意思を示した場合、遺産分割協議は効力を失います。

point

- ●遺言書の内容は法的にすべて有効というわけではない
- ●遺言できる内容は法律で決められている

基本は自筆証書遺言、公正証書遺言、秘密証書遺言

遺言にもいろいろなやり方がある

遺言には、法的に大きく分けて**「普通方式」**と**「特別方式」**によるものがあります。特別方式による遺言は、「危急時遺言」と「隔絶地遺言」とに分けられます。危急時遺言は、病気などで死が迫っているときや、船や飛行機が遭難して死が迫っているとき、隔絶地遺言は、伝染病で隔離されているとき、船のなかにいて一般の人と連絡が取れないときなど、いずれも特殊なケースで行われる遺言の形式です。

◆普通方式遺言の3種類

そのため、**通常は「普通方式」による遺言をする**わけですが、この普通方式による遺言は以下の３種類があります。

①**自筆証書遺言***…**遺言者が、自筆で作る遺言書**のことです。証人が不要で、費用がかからず、紙とペンと印鑑さえあれば作成できるため、最も簡単な方式と言えるでしょう。その反面、遺言そのものが発見されないケースや、偽造や改ざんのおそれがあり、かえってトラブルを招くケースもあります。また、家庭裁判所での検認*が必要です。

②**公正証書遺言***…遺言者が口頭で述べた内容を、２人以上の証人の立ち会いのもと、公証人*が文書にする遺言書です。法的な不備を回避できますが、遺言内容を証人や公証人に知られたり、費用がかかるデメリットもあります。

③**秘密証書遺言**…遺言者自身が作成して封印した遺言書を公証してもらう方式です。遺言書を秘密に保管するため用いられます。自筆の必要はないものの、検認が必要です。

*自筆証書遺言
（→ P148）

*検認
遺言書の偽造・変造を防止し、遺言書の記載を確認するための手続き。家庭裁判所において相続人または代理人が立ち会い、検認を受けると「検認調書」が作成される。
また、2020 年7月10日からは、法務局で自筆証書遺言を保管できる制度が開始。法務局で保管されていた自筆証書遺言については、家庭裁判所の検認は必要ない。

*公正証書遺言
（→ P150）

遺言書の種類

普通方式

自筆証書遺言	公正証書遺言	秘密証書遺言
証人なしで1人で簡単に作れる。秘密は守られるが、書き換えられる危険性がある（法務局の保管制度を使えば、危険性はない）。	2人の証人の立ち会いのもとに、公証人が記録。検認不要で保管は確実だが、秘密がもれるおそれがある。	秘密は守られるが、公証人のところまで行かなければならず、2人の証人の同行も必要。要件の不備の可能性のほか、保管に難点がある。

特別方式

一般隔絶地遺言	一般危急時遺言
伝染病などにより隔離されている人のための遺言	臨終の際、筆記できない状況下で行われる特例の遺言
船舶隔絶地遺言	**難船危急時遺言**
船上に長期間いる人のための遺言	船が遭難し、死亡の危機にせまられた乗客が残す遺言

●特別方式は普通方式が困難な場合に用いられる

＊公証人
弁護士、検察官、裁判官、法務局長経験者などから、法務大臣が任命する公務員。

メモ

遺言信託の活用

「遺言信託」とは、信託銀行が遺言執行者となり、遺言書の作成・保管、相続財産目録の作成などを行ってくれるサービスです。

信託銀行が一貫して手続きを行うため、トラブルを防ぐ上でメリットがあると言えます。その一方、遺言書の保管手数料や、遺言の執行に対する手数料などもかかってきますので、事前に確認する必要があるでしょう。

point

- **普通方式遺言には3つの種類がある**
- **遺言書には形式ごとにそれぞれメリット・デメリットがある**

遺言は書面で残すのが要件

遺言は書面で残すもの

遺言書にはいろいろな種類*がありますが、どのような方法であっても書面にしておくことが遺言書の要件になります。同じように本人の意思が確認できるとしても、IC レコーダーで録音したものやパソコン・ワープロで入力した USB メモリーなども自筆ではないので、遺言書としては無効とされています。

*遺言書の種類
(→ P144)

また遺言書の書き方には、いくつかの決まりがありますが、何に書くか、何で書くかについては特別な制限は設けられていません。どういう筆記用具を使うべきかについても、特別な制限はなく、筆、万年筆、ボールペン、サインペンなど何でもかまいません。

◆財産は特定できる表現にしておく

後々のトラブルを防ぐためにも、だれにどの財産を与えるのか、きちんと特定できるように書くことがポイントです（財産目録*）。例えば、「自宅の敷地」などのあいまいな表現よりも、地番、面積などを特定できる書き方にしておくことです。同様に、預貯金は銀行名、支店名、口座の種類と口座番号を、株券は会社名と株数などを明確にしておきましょう。記載内容を間違えないためにも、戸籍謄本*や登記事項証明書*、預金通帳などの資料を見ながら正確に書くことをお勧めします。

*財産目録
財産の一覧表。パソコン等での作成も可能。ただし、各ページに署名捺印が必要。

預貯金の財産目録
通帳のコピー添付でも可。

*戸籍謄本
戸籍の原本に記載された内容のすべてを転写したもの。なお、一部を抜粋して転写したものを戸籍抄本と言う。

*登記事項証明書
登記記録（不動産登記簿の場合、土地や建物の権利の取得、喪失や変更などの事実を記載したもの）を複写し、登記官が認証したもの。俗に登記簿謄本とも言う。コピー添付でも可。

また、不動産に関しては「相続させる」と書きましょう。そうすることによって、単独で不動産の移転登記*ができる（遺贈の場合は、遺言執行者または他の相続人との共同申請が必要）などのメリットがあるからです。

遺言状の書き方とポイント

	自筆証書遺言	公正証書遺言	秘密証書遺言
作成者	本人	公証人	本人（代筆可）
書く場所	どこでもOK	公証役場	どこでもOK
立会人	不要	公証人１人、証人２人以上	公証人１人、証人２人以上
パソコンワープロ	不可（財産目録は可）	可	可
日付	年月日まで記入	年月日まで記入	年月日まで記入
署名・押印	本人のみ記入	本人、証人、公証人	本人、封書は本人、証人、公証人
印鑑	実印・認印・拇印のいずれでも可	本人は実印・印鑑証明書、証人は認印＋住民票・運転免許証など	本人は遺言書に押印した印鑑証人は実印・認印どちらでも
費用	かからない（後で検認の費用がかかる）（法務局保管なら手数料がかかる）	公証人の作成手数料	公証人の手数料（後で検認の費用がかかる）
封入・封印	不要（封入しておいた方がよい）	不要	必要
保管	本人 法務局（2020年7月10日～）	原本は公証役場 正本は本人	本人
備考	本人保管だと見つからないおそれもあるが、法務局保管だと安心	保管は安心だが、遺言内容を公証人と証人に知られてしまう	遺言内容の秘密は守れるが、内容に不備がある可能性もある

●どの遺言書も書面にしておくことが要件となる

＊移転登記
不動産の所有権などが移転したことを登記するための手続き。

メモ

遺言書の内容を取り消したいとき

本人保管の自筆証書遺言・秘密証書遺言であれば、遺言書を破ったり焼却することで取り消しが可能です。
公正証書遺言の場合は、遺言取り消しの手続きをするか、新しい遺言書を作成して、古い遺言書を取り消す旨を記載する作業が必要です。
複数の遺言書があるときは原則として日付の新しい遺言書が有効とされます。

point

●遺言書は書面に残すことが絶対条件
●明確な表現で相続する財産を特定する必要がある

自筆証書遺言は自筆で残し、日付・署名・押印をする

自筆証書遺言に求められる要件

遺言書を自分で書いて作成する「自筆証書遺言」は、いつでも、どこででも自分1人で書くことができ、訂正や書き直しも簡単です。しかし、正式な遺言書として認められるには次の要件を満たす必要があります。

①**遺言書を自分で書くこと**…財産目録以外はワープロやパソコン、点字機などの使用は認められていません。

②**日付と名前を自分で書くこと**…日付は○年○月○日まで記入する必要があります。

③**自分で押印すること**…署名と押印が必要です（パソコン等で作成した財産目録は各ページに必要）。認印でもかまいませんが、トラブル防止のため、役場に登録した実印が望ましいでしょう。

◆自筆証書遺言の訂正・保管

書き終えて間違いがあったときには、遺言書の一部を訂正することが可能です。ただし、**訂正の方法は厳格に決められています**ので注意が必要です。きちんとした方法で訂正しなければ、変更がないものとして扱われてしまいます。後のトラブルを防ぐためにも、訂正が多い場合は書き直した方がよいでしょう。

また、遺言書の保管方法ですが、偽造・変造防止のため、封印した上で、以下の手段を取ることになります。

①自宅の金庫などにしまっておく。

②銀行の貸金庫に預ける。　**③信頼できる人に預ける。**

④法務局（遺言書保管所）に保管*する。

公正証書遺言にすれば原本は公証役場に保管されます。

自筆証書遺言の訂正方法
①訂正する箇所に、挿入や削除の印をつける。
②訂正箇所に正しい内容を記載する。
③訂正箇所に訂正印を押す。
④遺言書の欄外や最後に「本遺言○行目中5字を加入（削除）」「本遺言○行目の○○を削除し○○○と訂正」などの一文を付記する。
⑤付記した箇所に署名する。
といった手順を踏む。

勝手に遺言書を開封した場合
封印のある遺言書を検認前に開封した場合は、5万円以下の過料に処せられる。

*法務局（遺言書保管所）に保管
2020年7月10日から、法務局で自筆証書遺言を保管できる制度が開始。保管料は1件につき、3900円。

自筆証書遺言の書き方

遺 言 書

遺言者○○○○は、次のとおり遺言する。

一 私名義の次の物件を○○○○に相続させる。
　東京都○○区○○町○○丁目○○番地
　宅地○○平方メートル

　また、この家屋内にある家財道具等すべての財産も○○○○に相続させる。

一 私名義の○○銀行○○支店に有する預金・債券すべてを○○○○に相続させる。

一 私が所有している株式会社○○の株式は、○○○○に相続させる。

一 この遺言書の遺言執行者として○○市○○町○○丁目○○番地 ○○○○を指定する。

令和○年○月○日

東京都○○区○○町○○丁目○○番地
○○○○ ㊞

①表題をつける
②文体、字体に定めはない
③署名は氏名を全部書く
④印鑑は実印が望ましい
⑤用紙、筆記具の制限はない、鉛筆は望ましくない
⑥枚数の制限はない
⑦日付は○年○月○日まで記入
⑧本人直筆のみ有効（財産目録はワープロ可）
⑨遺言者特定のため住所を入れる
⑩タテ書きでもヨコ書きでも可

自筆証書遺言の封筒

表

遺言書

遺言書ということがわかればよい

裏

㊞

開封を禁ずる
この遺言書は、遺言者の死後、
開封せずに家庭裁判所に提出すること。

令和○年○月○日
遺言者 ○○○○ ㊞

偽造防止のために、遺言者の署名下の押印と同じ印鑑を使用する

このような一文は書かなくてもよいが、あった方が親切

日付は遺言書と同じにする

遺言書を発見したとき

遺言書を発見したときは、以下の手続きを取ります。

①遺言書の保管者がいない場合、発見した者が家庭裁判所に提出し、検認を受ける。
②封印してある遺言書は、家庭裁判所で相続人（もしくは代理人）立ち会いの上、開封する。

point

- **遺言書は必ず書面にしなければならない**
- **自筆証書遺言は、要件を満たさないとトラブルのもととなる**

公正証書遺言は安全かつ確実な形式

公正証書遺言作成の手順

民法に規定されたとおりに遺言書を作成すれば、どのような方式の遺言書でも効力が生じます。しかし、ちょっとした間違いや不備で無効になってしまうおそれもあります。そこで、遺言書を確実なものにするための方式が**公正証書遺言**です。

公正証書遺言は、**遺言者が公証人*に依頼をして作成する遺言**で、遺言者が公証役場*に出向いて作成します。ただし、遺言者が病気等で出向けないときは、公証人に自宅や病院に来てもらうことも可能です。

◆遺言には2人の証人が必要になる

作成するときには、公証人が公正証書遺言の内容を読み上げ、最終的に本人の意思確認をします。本人の意思が確認できたあと、公正証書遺言に署名をし、実印を押印します。遺言者本人は印鑑証明書*を提出します。**2人の証人も作成に立ち会い、署名・捺印が必要になります**。遺言の証人は、①推定相続人*、受遺者、およびこれらの配偶者、直系血族（親、子など）、②未成年者、③公証人の配偶者、四親等内の親族、公証役場の書記および雇い人はなれません。

作成した公正証書遺言は、原本、正本、謄本の3通を作成します。原本は公証役場にて原則20年間*保管されます。正本および謄本は遺言執行時に使用するもので、正本は本人が保管し、謄本は遺言執行者、受遺者や証人等が保管するのが一般的です。公正証書遺言は、偽造、紛失、隠匿などのおそれもなく、また、家庭裁判所による検認手続きも不要です。

＊公証人
（→P145）

＊公証役場
公証人が執務し、公正証書の作成、私文書の認証、確定日付の付与などを行う官公庁。全国に約300カ所存在する。

＊印鑑証明書
事前に個人の場合は住居地の市区町村役場、法人の場合は管轄の法務局に印鑑を届け出る。実印の印影が真正であることを証明する文書。

＊推定相続人
相続が開始した場合、第一順位として相続人になる予定の人を指す。

＊20年間
公証人法施行規則第27条1項に記載されている。ただし、同条3項により、保存の必要がある場合はその期間保存しなければならないため、実際にはかなり長期間保存されているものと思われる。

＊手数料
公証役場の手数料は財産の額によって決められている。
証人への手数料も必要となる。

公正証書遺言作成の流れ

遺言書の原案作成

▶どういう内容にするかを考える
→できれば箇条書きでメモを作成するとよい

資料をそろえる

①遺言者の印鑑証明書
②遺言者・相続人・受贈者の戸籍謄本・住民票
③不動産登記簿謄本
④不動産の評価証明書（土地・建物）
⑤財産の明細を正確にメモしたもの　※④⑤は手数料の算出に必要

証人の依頼

▶証人（2人以上）を決める
→相続に詳しい専門家に依頼した方が安心
→住所がわかる身分証明書を用意してもらう

公証人と打ち合わせ

▶当日もれのないよう事前に何度も打ち合わせをする

証人と公証役場へ

▶遺言者は実印を持参
→そろえた資料を渡し、原稿は公証役場が作成をする

公正証書の作成

▶遺言者・証人が署名・捺印する
▶公証人が署名・捺印し遺言が完成

原本→20年間公証役場で保管
正本→遺言者に交付（銀行貸金庫などに保管）
謄本→遺言者に交付(遺言執行者等が保管が一般的)
公証役場に手数料*を支払う

●公正証書遺言は遺言者が公証役場に出向いて作成する

point

●公正証書遺言は、家庭裁判所による検認手続きが不要
●証人に遺言内容を知られるデメリットもある

遺言書があっても 最低相続分が守られる

遺留分制度の意味

遺言書は、故人の最終意思をあらわすものとして尊重されています。故人は、遺言書を書き残すことで自分の財産を自由に処分することができるというわけです。しかし、例えば「全財産を愛人に相続させる」などと遺言書に書いてあった場合、残された家族は何も相続できなくなり、最低限の生活が保障されないケースも生じてしまうでしょう。そのため民法では、相続人に対して最低限の財産（遺留分と言う）を残すように定めています。これを**「遺留分制度」**と言います。

遺留分が認められるのは、配偶者、直系卑属（子や孫、代襲相続人*を含みます）、直系尊属*に限られています。よって、被相続人の兄弟姉妹には遺留分が認められていません。なお、遺留分の割合は被相続人の財産の2分の1であり、直系尊属のみが相続人の場合は3分の1と定められています。また、遺留分は金銭債権化され、支払いは現金に限定されます。

*代襲相続人
（→ P36）

*直系尊属
被相続人の親や祖父母などのこと。

◆遺留分侵害額請求の期限

遺留分を侵害された相続人は、財産を多く相続した受遺者*や受贈者*に対して「遺留分侵害額に相当する金額を支払ってください」と申し出をする必要があります。これを**「遺留分侵害額請求」**と言います。**遺留分侵害額請求は、相続開始（被相続人の死亡の日）および遺留分の侵害を知った日から1年以内かつ相続開始から10年以内に行わなければなりません。**この期限が過ぎると権利が認められなくなるので要注意です。法改正により遺留分侵害額は現金で支払うことになりました。

*受遺者
遺言によって財産を取得した者。

*受贈者
贈与によって財産を取得した者。

遺留分の割合

法定相続人	配偶者	子	父母	遺留分の合計
配偶者だけ	1/2	―	―	1/2
子だけ	―	1/2	―	1/2
配偶者と子	1/4	1/4	―	1/2
父母だけ	―	―	1/3	1/3
配偶者と父母	1/3	―	1/6	1/2

●兄弟姉妹には遺留分が認められていない

遺留分の計算例

被相続人が「全財産 6000 万円を愛人に相続させる」と
遺言を残した場合の遺留分による相続
（生前贈与・特別受益がない場合）

配偶者 ―― 被相続人 - - - - - - - - 愛人

配偶者：6000 万円 ×1/2（遺留分）×1/2（法定相続分）＝1500 万円

長男：6000 万円 ×1/2（遺留分）×1/6（法定相続分）＝500 万円

長女：6000 万円 ×1/2（遺留分）×1/6（法定相続分）＝500 万円

次男（すでに死亡）

孫 A：6000 万円 ×1/2（遺留分）×1/6（法定相続分）＝500 万円

遺留分侵害額請求できる財産の求め方
①相続財産全体額から遺留分額を算出する（割合が 1/2 の場合は 1/2 を乗ずる）。
②相続人の法定相続分にしたがって分ける。

メモ

遺言書は何歳でも書ける?

民法では、年齢が満15歳以上であれば遺言書を残すことができると定められています。子どもの代わりに親が遺言書を作成することはできません。

もちろん年齢に上限はありませんが、例えば重度の認知症の人が残した自筆証書遺言などは、正常な判断能力がない状態で作成されたものとみなされ、無効となる可能性があります。

point

●配偶者や子には遺留分が認められている
●遺留分侵害額請求は決められた期限内に行わなければならない

兄姉に財産を渡さないための遺言（P156）

遺言書

遺言者　○○○○は左記のとおり遺言する。

第一条

　遺言者は、遺言者所有の不動産、預貯金等財産全部を、遺言者の実妹○○○○（昭和○年○月○日生）に相続させる。

第二条

　遺言者は、本遺言の執行者として前記○○○○を指定する。ただし、万一○○○○が遺言者より先に、または同時に死亡した場合には、次の者を遺言執行者に指定し、前条記載の財産すべてを換価処分し、その処分金を子どもの権利を擁護する団体に遺贈する。なお、この場合は受遺者の選定を遺言執行者に委託する。

記　住所○○○○　会社役員　○○○○　昭和○年○月○日生

第三条

　遺言者は、遺言者の長姉○○○○（昭和○年○月○日生）及び実兄○○○○（昭和○年○月○日生）に対しては、遺言者の財産を一切相続させない。

（付言事項）

　平成○年○月○日に亡くなった父親の相続手続きに際し、姉の○○○○はあまりに横暴な態度で高圧的に物事を進めようとした経緯があり、姉妹の情がまったくないことがわかり、愕然とした次第です。

　私と妹○○○○は、今まで父親の身の回りの世話についても献身的にしてきたことを考えると、姉○○○○の今回の態度が許せない気持ちであり、父親から相続した財産は姉○○○○には一切相続させるつもりはないことを明記します。また、兄○○○○に関しても姉○○○○の管理下におかれているような状態にあり、兄○○○○に相続させたものが姉○○○○に渡ることは想像に難くないため、同様に相続させるつもりはありません。

　また、万一遺言者と妹○○○○とが同時に死亡した場合も前述のとおり、姉○○○○及び兄○○○○に財産を相続させるつもりはないため、前記○○○○を執行者と指定し、私の意思を生かすような財産処分をすることとします。

令和○年○月○日

遺言者　○○○○　印

先妻の子があるときの遺言（P158）

遺言書

遺言者　○○○○は左記のとおり遺言する。

第一条

　遺言者は、遺言者所有の全財産（ただし、第二条の生命保険金及び第三条の年金等を除く。）及び負債を、遺言者の妻○○○○（昭和○年○月○日生）、先妻○○○○（昭和○年○月○日生）との間の長女○○○○（平成○年○月○日生）、同長男○○○○（平成○年○月○日生）及び現在の妻○○○○（昭和○年○月○日生）との間の長女○○○○（平成○年○月○日生）の四名に対し、各四分の一の割合で相続させる。

　なお、左記の不動産については、遺言執行者において売却処分をし、その換価代金から租税を含む必要経費を控除した残額を、遺言者所有のその他の財産と合算した上、上記四名に対し、上記の割合で相続させる。

記　所在○○○　地目○○○　地積○○○

第二条

　遺言者を被保険者とする生命保険の保険金については、受取人が指定してあるものは、その指定どおりにそれぞれが受け取るものとする。

第三条

　遺言者の年金については、妻○○○○が受け取るものとするが、児童手当等はそれぞれの子供に渡すものとする。

第四条

　遺言者は、本遺言の執行者として、左記の者を指定する。

記　会社役員　○○○○　昭和○年○月○日生

令和○年○月○日

遺言者　○○○○　印

孫に相続させるための遺言（P166）

遺言書

本公証人は、遺言者○○○○の嘱託により、証人○○○○、○○○○の立会いのもとに、遺言者の口述を筆記して、この証書を作成する。

第一条
遺言者は、遺言者所有の全財産を、遺言者の孫○○○○（養子○○○○同○○○○の長男）、（昭和○年○月○日生）に遺贈する。

第二条
遺言者は、本遺言の執行者として○○○○を指定する。

（付言事項）
遺言者は、夫○○○○が死亡したとき、遺言者と亡夫との間の養子である○○○○、同○○○○の両名に対し、遺言者との間に遺産分割協議書を作成して亡夫の財産を分け与えた。それは、○○家を守ってもらうには○○○○、○○○○の両名に対してそうすることが一番よいことだという気持ちからであったが、二人にはこの私の配慮に対する感謝の気持ちがなく、日々の生活態度にもそれが見える状況にある。

そのようなことから私は、○○○○、○○○○の二人に自分の亡き後の財産を託す意思がなくなったので、孫の○○○○に私の全財産を遺贈することとした次第である。

令和○年○月○日

遺言者　○○○○　㊞

知人に財産を託すための遺言（P170）

遺言書

遺言者　○○○○は左記のとおり遺言する。

第一条
一、遺言者は、相続開始時に遺言者が所有する有価証券、預貯金等一切の財産を遺言執行者をして随時適宜の方法によりすべて換価させた上換価により得られた金銭（手持ち現金を含む。）を、次の者に対し、つぎのとおり遺贈する。
(1)○○○○（昭和○年○月○日生。住所○○○○）に対し、金○○万円。
(2)○○○○（昭和○年○月○日生。住所○○○○）に対し、上記○○○○に遺贈する金○○万円を除いた残余の金銭。
二、遺言者より先に○○○○が死亡した場合は、前項の換価により得られた金銭のうち金○○万円を○○の夫○○○○（昭和○年○月○日生。住所○○○○）に、その余の金銭を前記○○○○に遺贈する。

第二条
遺言者は、本遺言の執行者として前記○○○○を指定する。
遺言者より先に○○○○が死亡した場合は、前記○○○○を遺言執行者に指定する。

（付言事項）
○○○○は、私の内縁の妻○○○○の甥であり、内妻の葬儀の時、その他いろいろと世話になったので、感謝の気持ちから遺贈するものです。
○○○○さんは、私がかつて○○株式会社に在職していたときから大変お世話になり、私が胃から出血したり下血したときも救急車の手配や入院中の看護等、筆舌に尽くせぬ面倒を見ていただき、その後もお手数をお掛けしているので、感謝の気持ちから遺贈するものです。
お二人には大変お世話になり、ありがとうございました。

令和○年○月○日

遺言者　○○○○　㊞

case study 1 ≫ 兄姉との確執

父の相続で決裂した兄姉には渡したくない清水さん

＊＊＊財産と家族の状況＊＊＊

- 依頼者　清水さん
- 職　業　会社員
- 被相続人　本人（予定）
- 相続人　長男、長女、三女、計3人（予定）
- 財産の内容
  自宅不動産、預貯金

前から意思の疎通はなかった

清水さんは4人兄姉妹、兄と姉は結婚して配偶者と子どもがありますが、清水さんと妹は独身です。母親を25年前に亡くしたため、家事を切り盛りする必要もあり、婚期を逃したとのこと。

父親はもともとは農家で、先代より多くの土地を相続しました。父親には商才があったようで、若い頃より知人と鉄工所の共同経営を始め、4つの会社を経営するようになりました。自分の土地に工場や会社事務所を建て、それぞれが軌道に乗っています。父親の会社は兄と姉が経営しており、清水さんと妹は参加させてもらえませんでした。

兄姉妹の関係

清水さんと妹は、兄とは行き来がありましたが、姉とはずいぶん前から意思の疎通が図れなくなっていたそうです。

2対2の対立に発展

兄姉と決定的な亀裂ができたのは、父親が亡くなったとき。すべてを姉が仕切り、清水さんと妹にわずかな現金を渡して済まそうとして、何も説明をしなかったため、不信感を持ったのです。

なんとか遺産分割協議を終え、清水さんと妹は法定割合となる多くの現金を相続しましたが、姉への不信感は残りました。兄も姉側についたので、頼る気持ちになれません。

解決へのアドバイス Point of advice

2人で支え合う覚悟を持つ

清水さんと妹は父親の相続時に手に入れた相続財産で2人が一緒に住むためのマンションを購入し、快適な生活をスタートさせました。清水さんも妹も結婚の意思がないため、2人で支え合って生きることを決意されています。新しい環境のもとで生活を始めることは、兄姉との確執のダメージから回復するためにも、いい切り替えになると言えます。

遺言書の作成を区切りとする

親の相続時にトラブルを抱えてしまったケースでは、次の相続時にもうまくいかないことがほとんどと言えます。生活環境を変えるだけでなく、将来のことを考えて、清水さんと妹さんには遺言書の作成が必要だと思われました。

Word

＊公正証書遺言
(→P150)

財産は残りましたが、兄姉との関係は修復できそうにもありません。自分が相続した財産も兄姉に渡したくないという気持ちだとのこと。そこで、清水さんと妹がともに公正証書遺言*を作成されることをアドバイスしました。いつまでも争いの感情を持ち続けているよりも、自分たちが決断することで前向きになっていただけると判断したからです。

2人は父親の相続手続きが終わるとすぐに公正証書遺言を作成され、前向きに生きる覚悟ができたと安心されました。

ここがポイント!

- ☑ **必要以上にもめない方策として遺言書は必要**
- ☑ **分割協議が不要だと負の感情を引き出さないで済む**
- ☑ **遺言書作成を機に兄姉との関係を整理する**

case study 2 ≫ 再婚者の遺言

先妻の子と後妻の子がある山崎さん

＊＊＊財産と家族の状況＊＊＊

- ●依頼者　山崎さん
- ●職　業　会社員
- ●被相続人　本人（予定）
- ●相続人　妻（後妻）、長女、長男、再婚後の次女、計4人（予定）
- ●財産の内容
  自宅不動産、預貯金、生命保険

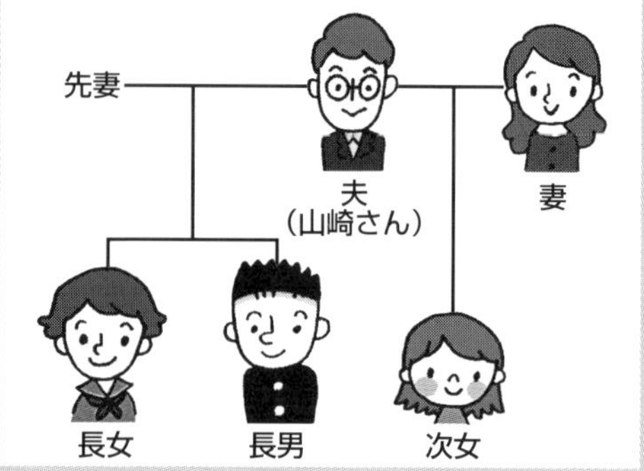

先妻の子を引き取り、再婚

山崎さんは40代のサラリーマンです。先妻とは離婚し、2人の子を引き取り再婚しました。

先妻は仕事と子育ての両立に悩み結果的には離婚して2人の子どもを山崎さんに託したのでした。

ほどなく、現在の妻との間にも子どもに恵まれ、今は家族5人で仲良く暮らしています。「先妻の子どもも自分の子も分け隔てなく接してくれ、ありがたい」と、再婚した妻にはとても感謝をしています。

山崎さんの心配

山崎さんは、後妻を信頼しているものの、自分が亡き後、先妻の子どもを追い出したり、冷遇したりするのでは、との一抹の不安もよぎるとのことです。

自分の死後が心配

そんな山崎さんは、自分の死後が不安になるときがあると言います。「自分が事故などで亡くなった場合、自分の思っていることを伝えるすべがない」「自分が先に死んだら、家族同士がうまくいかないのではないか。そうなったら、先妻の子どもを守る人がいなくなってしまう」と相談に来られました。

山崎さんから見れば、後妻と先妻の子どもとの間には、実の親子ではないことの“多少の遠慮”が見え隠れするようです。

解決へのアドバイス Point of advice

自宅マンションは売却して分ける

義理の親子間の相続は複雑で、一緒に仲良く暮らしてきた年月があったとしても決裂することもあります。一家の主軸である父親がいるときはまとまっていても、亡くなってしまえば今までとは関係が微妙に違ってしまうこともあります。後々起きうるトラブルを防ぐためにも、やはり遺言によって相続内容を決めておいてあげる方が親切と言えるでしょう。

自分が亡くなると共同生活は難しくなることも想定し、山崎さんはマンションを売却し、預金、生命保険とともに妻と、先妻の子ども、妻の子どもが各4分の1ずつに分けるという内容にされました。

各4分の1ずつにした理由ですが、老後は年金も受給する妻よりも、子どもの将来を考えて子どもへの分配を多めにしたそうです。法定割合からは少しはずれますが、熟慮した結果であり、妻は理解してくれるはずとのことでした。

未成年後見人を指定することもある

先妻の子と後妻は養子縁組*をしておらず、山崎さんが先に亡くなると先妻の子2人は親権者が不在となるため、未成年後見人の指定を遺言ですることができます。山崎さんは万一に備え、実姉を指定しました。

Word

＊養子縁組
(→P94)

ここがポイント！

- ☑ 人間関係が複雑な場合は遺言書が必要
- ☑ 義理の親子が感情的に対立しない配慮をする
- ☑ 養子縁組をしていない場合は未成年後見人を指定しておく

case study 3 ≫ 公正証書遺言

公正証書遺言でも、認知症でない証拠の動画や写真を

＊＊＊財産と家族の状況＊＊＊

- 依頼者　中島さん
- 職　業　会社役員
- 被相続人　父
- 相続人　長男、次男（本人）、養子（中島さんの妻）、三男
- 財産の内容
  自宅不動産、駐車場、賃貸アパート、預金、上場株式、生命保険等

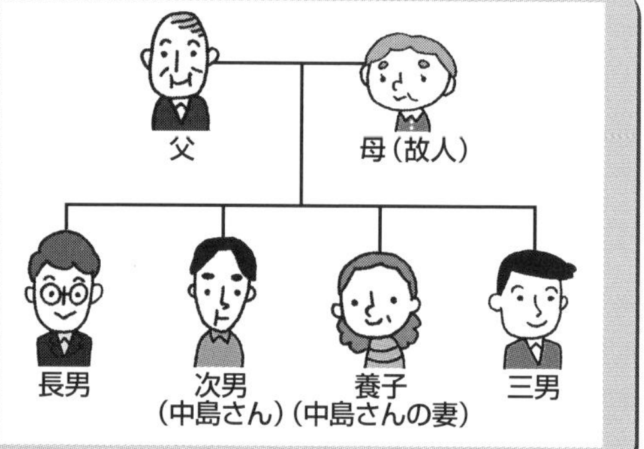

次男が地元に残って家業を継ぐ

中島さん（60代・男性）は次男で、母親は70代で他界、父親が90歳で亡くなるまで同居して、妻や子どもたちと協力して介護をしてきました。父親が営む会社も中島さんが継ぎました。

兄も弟も大学で実家を離れて以来、都会で就職し、結婚、家も購入しているので、自然だったと言います。

同居の次男妻と養子縁組

父親は80歳を過ぎた頃に、身の回りの世話をしてくれる中島さんの妻と養子縁組しました。さらに「次男夫婦に財産を等分に相続させ、長男、三男には遺留分相当の現金を相続させる」という公正証書遺言を作成しました。

ところが、父親が亡くなると、長男と三男が公正証書遺言の無効の裁判を起こしました。「父親は認知症を発症していたため、意思能力が低下、遺言書が作れる状態ではなかったため、無効」という訴えです。

父親は、高齢で要介護3の認定をされていましたが、意思は明確で、遺言書の作成には何の問題もありませんでした。

本人の意思能力

公正証書遺言が無効になるには、「本人は認知症で、意思能力が低下していた」という証拠が必要です。その証拠をもとに裁判所が判断します。

解決へのアドバイス Point of advice

要介護認定＝認知症ではない

認知症は、脳の病気や障害など様々な原因により、認知機能が低下し、日常生活全般に支障が出てくる状態をいいます。しかし、要介護は生活するために介護が必要になるレベルの認定をすることであり、認知症の判定ではありません。

公正証書遺言を作るときの証拠を残していた

遺言書は父親が顧問弁護士と顧問税理士を証人として、最寄りの公証役場に出向いて作成したものです。中島さんと妻は父親を車に乗せて公証役場まで連れていくために同行したといいます。そして公証人、証人の許可を得て、作成風景を動画で残していました。随所で写真も撮影していたので、これを証拠として裁判所に提出しました。

> **Word**
>
> ＊公正証書遺言
> (→P150)

さらに、公証人に証人喚問に協力してもらい、作成時に違和感はなく、問題なく遺言書の作成はできたと証言してもらったといいます。

こうした証拠や証言を合わせることにより、裁判は勝訴し、父親の公正証書遺言は有効となり、父親の意思通りに執行できました。

中島さんと妻は、顧問弁護士や顧問税理士のアドバイスで何事も記録するようにしていました。こうした日常の積み重ねによって裁判所でも証拠として認められたのでしょう。

ここがポイント!

- ☑ **要介護でも意思確認ができれば遺言書は作れる**
- ☑ **遺言書作成時に認知症でない証拠（写真や動画、直筆の書類など）を残しておく**
- ☑ **明確な認知症の証拠がなければ公正証書遺言は無効にならない**

case study 4 >> 寄与者への相続

老後を託せる子どもに財産を残した池田さん

＊＊＊財産と家族の状況＊＊＊

- 依頼者　池田さん
- 職　業　不動産賃貸業
- 被相続人　本人（予定）
- 相続人　長女、次女、三女、計3人（予定）
- 財産の内容
自宅不動産、預貯金

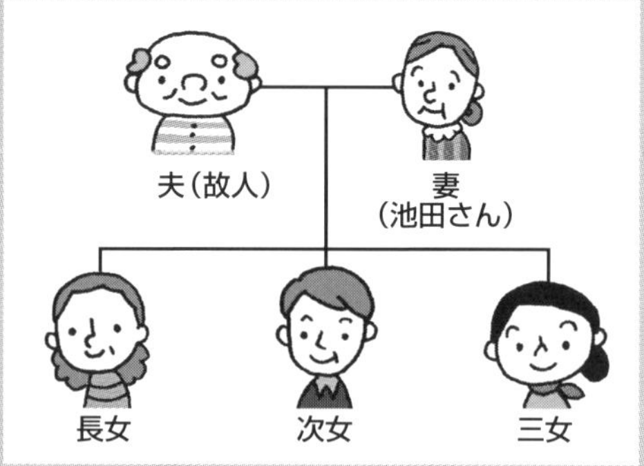

夫が亡くなり1人暮らしに

池田さんは3人の娘を嫁がせ、夫婦で暮らしていましたが、一昨年、長年連れ添った夫を亡くし、現在は1人暮らしをしています。

自宅は地方都市のローカル線の駅から徒歩3分程度と近く、土地も300坪ほどあります。夫が亡くなったときに池田さんの名義としました。自宅の土地の半分は空き地で、貸し駐車場にしています。

アパート建築を勧められて

近くの不動産会社から、駐車場の土地を有効利用してアパートを建てたらどうかという話があり、ハウスメーカーが作った図面や事業計画を持ってきて、熱心に勧められたとのこと。池田さんは次女に相談しましたが、2人ともどう判断していいか困ってしまったとのことです。

また、池田さんのもう1つの悩みは、娘3人が嫁いでおり池田姓を継いでくれる子どもがないことです。娘の子ども（孫）に養子になってもらえば、池田姓が残せるので、孫のうち1人でも養子縁組できないかと考えていました。

> **土地を有効活用**
>
> アパートを建てると土地・建物の評価額が下がるなどのメリットがある。このため、代表的な相続対策とされている。

解決へのアドバイス Point of advice

無理にアパート建築をしなくてよい

財産評価をしたところ、相続税の基礎控除*の範囲で、節税対策は不要です。土地は広いのですが、アパートを建てるには自宅も壊さなければなりません。また将来道路拡張のため敷地の一部が買収される予定だとのこと。こうした状況では賃貸事業に取り組むべきではないと判断しました。相続税の節税が必要でなければ、借入をしてまでアパートを建てる必要はありません。池田さんは、アパートを建てておかないと相続税が大変だというイメージがあったようです。住み慣れた自宅を壊して建てる計画にも踏み切れないところがあり、勧められるままアパートを建てないでよかったと言われました。

アパートよりも遺言書を残すことが重要

それよりも自分の財産を、3人の娘にいかに相続させるかを決めて遺言にしておかないと、現実の相続になったらもめる要素があることを指摘しました。

池田さんは老後は娘に世話にならないといけないと思っていますが、この機会にあらためて母娘全員で話したところ、長女、三女は母親を引き取ってまで面倒は見られないと発言。それを受けて、次女が責任を持って老後をみると言ってくれました。そこで次女に財産を多く残す遺言書を作成し、長女、三女に了解させたとのことです。養子縁組についてもこだわらないようにアドバイスしました。

Word

＊相続税の基礎控除
(→ P216)

ここがポイント!

- ☑ アパート建築が必要か否かを財産評価で判断する
- ☑ 遺言書の内容は相続人の同意があった方がよい
- ☑ 相続は、現実的で無理のない方法を選ぶ

case study 5 ≫ 援助目的の遺言

うつ病の息子を守りたい阿部さん

＊＊＊財産と家族の状況＊＊＊

- ●依頼者　阿部さん
- ●職　業　会社員
- ●被相続人　本人（予定）
- ●相続人　後妻、次男、先妻の長女、長男、計4人（予定）
- ●財産の内容
  自宅不動産、預貯金、生命保険

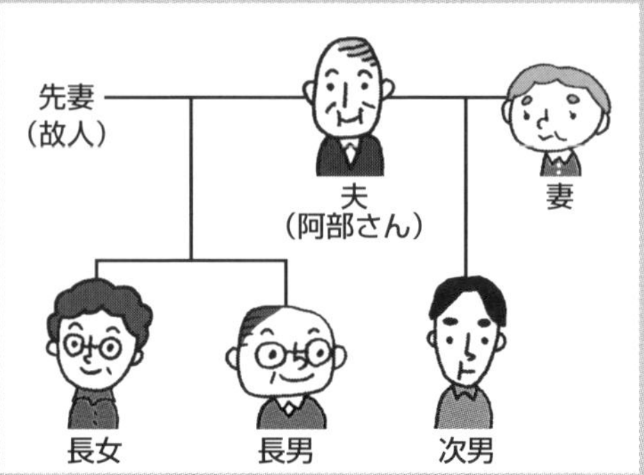

複雑な家庭で次男は引きこもり

阿部さんは先妻との間に2人の子どもを授かりましたが、先妻と死別。その後、現在の妻と再婚して、次男が誕生しました。

その間、後妻は母を亡くした子も育てなければならず、苦労をされたようです。また、近くに住む阿部さんの姉が頻繁に来て我が物顔で振る舞い、落ち着く場所がなく、後妻は何度も離婚しようと思ったそうです。

後妻の意思

自宅を長女にあげるなら、阿部さんの老後は長女に面倒を見てもらうとして、自分は離婚してもいい。とにかく意思を明確にしてもらいたいとのことです。

その後、先妻の長女は結婚し、先妻の長男も独立して、夫婦と次男の3人で暮らしてきましたが、複雑な家庭環境が次男には負担になったようで、うつ病を発症。30代の現在も社会と関わりを持てない状態だということです。

いまから財産を要求する長女

最近、先妻の長女が久しぶりに訪ねてきて、自宅は自分がもらいたいと要求してきました。長女は何度も阿部さんに詰め寄ってきます。この様子を見ていた後妻は将来をとても不安に感じたようです。阿部さんも長女の要求を受け入れるつもりはないので、きちんと対処しておきたいとのことです。

解決へのアドバイス Point of advice

贈与で名義を確定する

今回は夫婦揃って相談に来られ、こうした経緯があるため、この機会に2人とも遺言書を作成したいということでした。

自宅の土地と建物の評価をしてみると2000万円程度ですので、配偶者控除の特例*を利用し、後妻に贈与することを提案しました。贈与をしておけば相続を待つまでもなく、後妻の所有となった自宅は、次男に相続させることができます。先妻の子ども2人は後妻と養子縁組をしていないので、相続権がないからです。この提案に納得された阿部さんは、早速自宅を後妻に贈与し、その後、夫婦ともに公正証書遺言*を作成されました。

Word

＊贈与税の配偶者控除の特例
(→ P122)
＊公正証書遺言
(→ P150)

財産を分けない理由を付言事項に

阿部さんの妻は、先妻の子どもが2人いることを承知の上で再婚されたわけですが、自分の子と先妻の子を一緒に育てるのは容易ではなかったようです。そんな人間関係の犠牲になるように発病した次男を守りたいというのは、母親なら当然の心理かもしれません。

しかし、遺産分割がない長女、長男が納得する記載が必要であり、付言事項に入れるようアドバイスしました。現代社会が抱える再婚の問題、ニートの課題、心の病の問題、熟年離婚の問題等、簡単には結論が出ないようなテーマを抱えているご夫婦でした。

ここがポイント!

- ☑ 相続まで待たずに贈与をする方法もある
- ☑ 配偶者の贈与税の特例を利用すれば自宅を渡せる
- ☑ 付言事項を明記して相続人に納得してもらう内容にしておく

case study 6 ≫ 遺贈

相続人の養子夫婦ではなく孫に相続させたい山下さん

＊＊＊財産と家族の状況＊＊＊

- 依頼者　山下さん
- 職　業　不動産賃貸業
- 被相続人　本人（予定）
- 相続人　養子夫婦、計2人（予定）
- 財産の内容
  自宅不動産、貸店舗、アパート、預貯金、生命保険

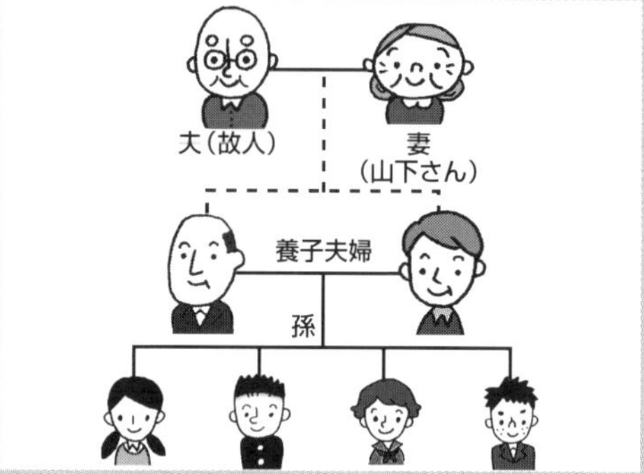

子に恵まれず養子縁組を決断

山下さん夫婦は子どもに恵まれず、親戚中で相談し、養子縁組をしました。代々地主で本家とされる山下家には跡継ぎがないと困るということだったのです。

その後、4人の孫にも恵まれ、公務員の嫁に代わって山下さんが孫たちの世話をしてきました。孫に囲まれた生活はにぎやかで、幸せを感じる日々だったと話してくださいました。

山下家の財産状況

所有地の一部は区画整理により、駅より徒歩３分の宅地となりました。夫は相続対策として２棟の店舗とアパート１棟を建てたので、毎月の家賃収入もあります。

節税目的の財産分与なのに

夫が亡くなったとき、節税を考えると、養子夫婦にも財産を分けた方が将来的に払う相続税が少ないことから、1億6000万円を山下さんが相続。残りの35%を養子夫婦2人が相続しました。山下さんの意識では、節税のために名義を分けただけと思っていましたが、養子夫婦の態度が変わり、ときには邪険な態度となり、自分の財産は自由に処分すると言い出す始末。

山下さんは、これではっきりと決別を宣言されたと痛感し、自分が亡くなっても養子夫婦には財産は一切渡したくないという意思を固めたそうです。

解決へのアドバイス Point of advice

財産は孫に遺贈する

山下さんの意思は、遺言書を作成することで実現しますので、専門家を遺言執行者として全財産は孫に相続させるという公正証書遺言書*を作ることになりました。山下さんはようやくひと安心され、養子に自由にされないよう、長生きすると話してくださいました。

> **Word**
>
> ＊公正証書遺言
> （→P150）

もとをただせば、相続税の節税のために財産を分散したわけで、2000万円以上の節税はできています。節税ができたことには大変喜んでいたものの、その後こうした事態になるとはまったく予想をしていなかったのが事実です。山下家の不動産を残すために決断した孫への遺贈ですから、養子夫婦は慰留分の請求をすることなく理解してくれると思います。

自分の意思を残しておくこと

夫の生存中と亡くなった後の力関係の変化もあると言えますが、財産が入ると人の気持ちは変わるのかもしれません。養子夫婦のような態度の豹変は決してめずらしいことではありません。だからこそ、自分の財産の処分を明確に意思表示しておくことで、納得のいく相続をすることができ、これからの人生を生き抜く気力につながると思えます。

今回のケースでは、孫であっても相続人ではないため、公正証書遺言を作成することにより相続人の養子ではない孫に財産を遺贈することが可能となりました。

ここがポイント！

- ☑ **養子でない孫にも財産は遺贈できる**
- ☑ **遺贈するときは公正証書遺言を作成する方がよい**
- ☑ **信頼のおける専門家を遺言執行者に指定する**

case study 7 ≫ 子がいないケースの遺言

50代で財産の相続意思を明確にした坂本さん

＊＊＊財産と家族の状況＊＊＊

- 依頼者　坂本さん
- 職　業　大学教授
- 被相続人　本人（予定）
- 相続人　妻、母（あるいは弟）、計2人（予定）
- 財産の内容
自宅不動産、マンション、預貯金、生命保険

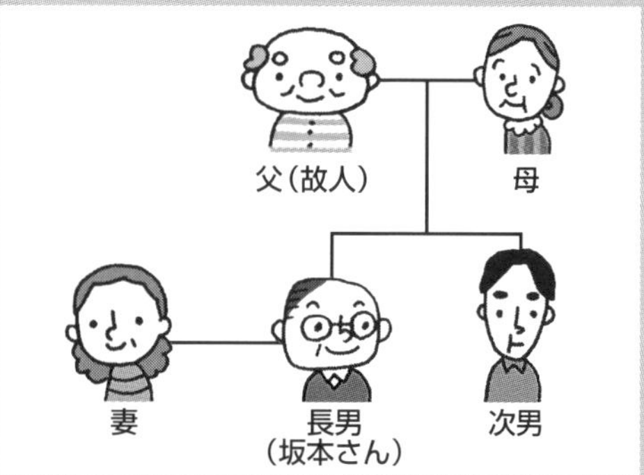

共有名義の不動産を持つ

坂本さんは私立大学の教授として毎日学生に接しています。また、学生だけでなく社会人教育にも力を注いでおり、書籍も出版されています。

坂本さんご夫婦は高校の同級生として出会い、互いに助け合って今の生活を築いてきました。実家を離れて独立し、やがて戸建てを購入、そして妻の仕事場のマンションも購入し、両方が共有名義です。坂本さんの妻は美容関係の仕事を長年しています。2人に子どもはいません。

坂本さん夫婦の意思

坂本さん夫婦はまだ50代ですが、自分たちの将来も考え始めたとき、自分たちで築いた財産は、自分の意思できちんとしておきたいという気持ちになりました。

父の死で相続を考える

坂本さんの父親が亡くなったあとは母親を引き取り、現在、同居をしています。妻の父親も亡くなり、妻の母親は1人暮らしをしています。ともに地方に実家がありますが、とりあえずはそれぞれの母親が相続しています。

2人とも母親の相続のときは弟や妹と遺産分割しなければならず、母親に遺言書を用意してもらえればと思いますが、高齢の母には言い出しにくいので実現できていないとのことです。

解決へのアドバイス Point of advice

お互い配偶者に相続させる

坂本さんご夫婦の現在の相続人は、配偶者と亡くなった人の親ですが、親の亡きあとは兄弟姉妹となります。仕事をして少しずつ築いた財産なのに、法律だからと言って何ら助けてもらっていない兄弟姉妹に相続させることは納得しがたいとのこと。まして自分の兄弟姉妹なら、まだ理解はできるが、配偶者の兄弟姉妹となるとそもそも他人であるから、感情論にもなりかねない。それを避けたいということでした。そこで夫婦で互いに全財産を相続させることを提案しました。

兄弟姉妹には遺留分は認められない

自分の財産の分割のしかたを決めておけるのが、遺言書です。公正証書の遺言にして、例えば「自分の全財産は配偶者に相続させる」と記載しておけば、兄弟姉妹と話し合うこともなく、相続の手続きができます。そもそも財産形成に貢献していないのであれば、道義的にも遺産を要求できなくて当然のことですし、兄弟姉妹には遺留分*がありませんから、感情的なもめごとには発展しないでしょう。

兄弟姉妹には自分の財産を知られたくない人が多いのですが、遺言で「全財産を配偶者に相続させる」としておけば財産を知らせる必要もなく手続きできるので、ご自分の意思は成就できます。坂本さんご夫婦は、互いに「全財産を配偶者に相続させる」という遺言書を作成しました。

Word

＊遺留分
(→P152)

ここがポイント！

- ☑ **公正証書遺言作成で配偶者に全額相続させることができる**
- ☑ **兄弟姉妹には遺留分が認められない**
- ☑ **「全財産を配偶者に相続させる」遺言があれば財産の内容を知らせなくても済む**

case study 8 ≫ 代襲相続人の相続

亡兄の娘とは疎遠、知人に残したい遠藤さん

＊＊＊財産と家族の状況＊＊＊

- 依頼者　遠藤さん
- 職　業　無職
- 被相続人　本人（予定）
- 相続人　姪（亡兄の娘）、計2人（予定）
- 財産の内容
  預貯金、生命保険、有価証券

亡き妻は内縁、子もいない

遠藤さんは電力会社に定年まで勤め、現在は年金暮らしです。実家の両親もずいぶん前に亡くなりましたが、特に財産を相続したことはありません。代わりに介護や同居といった煩わしいこともなかったのは幸いでした。

結果、故郷を出てからというものほとんど帰ることはなく、もう東京生活の方が長くなっています。一緒に暮らしていた妻とは子に恵まれず、結局内縁関係のまま、もう何年も前に亡くなってしまい、1人暮らしが長くなったと話してくださいました。

内縁関係の相続

内縁とは、同居して婚姻関係にありながら、婚姻届を出していないため、法律上の夫婦と認められない関係のこと。内縁の配偶者は法定相続人と認められません。

相続人の姪とは疎遠

遠藤さんの兄弟は兄1人ですが、すでに亡くなってしまい、現在の相続人は姪2人だけとなっています。しかし、その姪とは親の葬儀で会った程度。それも何十年も前のことで、兄の葬儀のときにも言葉を交わすことはありませんでした。

その程度ですから、日頃の交流はなく、どこに住んでいるのかもわかりません。このままでは、自分が亡くなったときに困ると思っています。

解決へのアドバイス Point of advice

お世話になった同僚に財産を託す

疎遠になっている姪に財産やあとのことを託せるか尋ねたところ、連絡先もわからないくらいで、とてもそんな心境になれないとのことです。

遠藤さんは定年前の50代後半に、検査で異常が見つかり、入院、手術をした経験があったそうです。当時、すでに内縁の妻は亡くなっており、1人暮らしをしている頃でしたので、さて入院、手術となると何かと1人では大変で心細い思いがありました。

それを察した職場の同僚の女性が、着替えや入院手続きなどを、いろいろと親切に助けてくれたことがあったそうです。それによって順調に回復した経験があり、とても感謝をしているので、その人に託したいとのこと。また、亡き内妻の甥にも何度も会って世話になったので、預金の一部を渡したいということでした。

遺贈する人にも了解を得ておく

公正証書遺言を作成するとき、相続人ではない人に遺贈*するとした場合、受贈者の住所、氏名の記載が必要で、住民票や年賀状、宅配便の送付状などでそれを確認します。1人で決めるより、生前に受贈者に自分の意思を伝えて了解をしてもらうのが望ましいでしょう。遠藤さんに元同僚の女性と亡き内妻の甥に連絡をしてもらい、ともに快諾を得て住民票も用意してもらいました。

Word

＊遺贈
遺言による贈与のこと。

ここがポイント！

- 遺言をすれば相続人でない人にも財産を残せる
- 財産だけでなく、葬儀や処分のことも託しておける
- 亡兄の子どもには遺留分の侵害額請求権はない

case study 9 ≫ 共有不動産の相続

親の面倒も見なかった義兄が権利を主張する小川さん

＊＊＊財産と家族の状況＊＊＊

- ●依頼者　小川さん
- ●職　業　会社員
- ●被相続人　義父
- ●相続人　義兄、妻、計2人
- ●財産の内容
  自宅不動産、預貯金

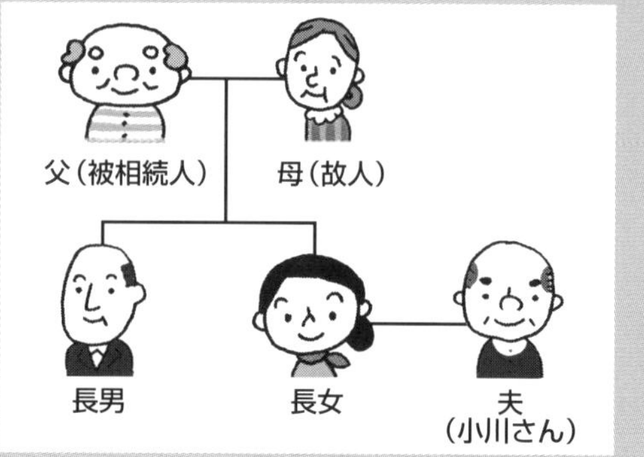

義父と共有名義の家を所有

小川さんは、義父と共有名義の家を所有しています。土地は義父の名義ですが、3階建ての1階は義父、2、3階は小川さんの区分所有*で登記をしています。費用もその割合で負担しましたが、これにはいきさつがあります。結婚当初は同居ではありませんでしたが、義母が亡くなったとき、義父の方から同居の要望がありました。そのときに義兄からも頼まれたのでした。

共有のいきさつ

建物は小川さん名義にする条件で進めていましたが、義兄から父親の権利も確保したいので区分所有登記にしてもらいたいと言われ、やむなく同意しました。

財産は半分ずつ、が兄の主張

義兄はほとんど実家に来ませんでしたが、義父の具合が悪くなった頃、自分が手配をして入院させるとして義父の預金を全部持ち出しています。義父の死後、兄妹2人で遺産分割をするとき、義兄から「財産は半分ずつにする」と通告がありました。

小川さんは妻の実家に同居し、義父の面倒を見てきたわけで、土地と建物の区分所有は妻が相続し、預貯金は義兄に譲るという気持ちでいました。義兄は実家に戻るつもりはないようですが、土地の権利は主張したいとのことで、譲ろうとしません。

解決へのアドバイス Point of advice

遺言がなかったためトラブルに

このようなもめごとを防ぐためには、義父が遺言書を作成し、土地、建物は同居して面倒を見てくれた長女に相続させ、同居しなかった長男には預貯金を相続させせると書いておけばよかったはずです。そうすれば小川さん家族はそのまま住み続けられ、現金を相続する兄もあきらめがついたに違いありません。

Word

＊区分所有
分譲マンションのように建物の一部について、独立して所有権を登記している状態のこと。
＊代償金
(→P182)

不動産は住んでいる人に相続が望ましい

相続する建物に実際に住んでいるのは小川さん家族ですから、不動産は小川さんの妻が相続し、兄には預貯金を払うのが妥当と言えるでしょう。

相続財産の預貯金が財産の半分に満たない場合は、小川さんの妻が代償金*を払うことになります。義兄と話し合い、折り合いがつけばいいのですが、義兄にすれば駅に近い土地で価値があるからと権利を主張し続けます。小川さん夫婦にとっては義兄は学生時代から実家を離れて以来ほとんど寄りつきもしなかったことが頭から離れず、許し難いとの思いで妥協点が見つかりません。

最悪の場合は義兄と妻で土地を共有にしておき、建物を解体するときに売却して共有を解消することも提案しています。

ここがポイント!

- ☑ 不動産は住んでいる人が相続する方が無理がない
- ☑ 代償金で不動産と同等になるようバランスを取る
- ☑ 代償金が足りない場合は、寄与分等の理由を明記する

case study 10 ≫ 先妻の子に相続

育てた苦労も実を結ばなかった藤田さん

＊＊＊財産と家族の状況＊＊＊

- ●依頼者　藤田さん
- ●職　業　専業主婦
- ●被相続人　夫
- ●相続人　妻（本人）、長女、次女、三女、計4人
- ●財産の内容
  自宅不動産、マンション、預貯金、負債、退職金

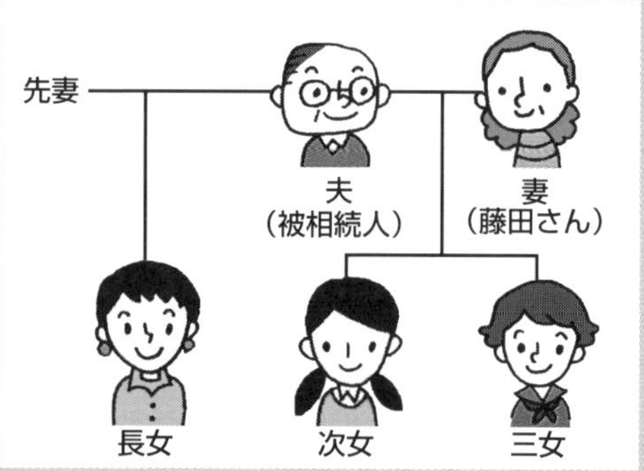

再婚して3人の娘を育てた

藤田さんは夫と結婚し、2人の娘に恵まれましたが、夫が先妻と離婚するときに引き取った娘もいます。夫は海外勤務も多く、精力的に仕事をする人でしたが、50代になって病気が見つかり、入院、手術をしました。その後、仕事に復帰したのもつかの間、病気が再発し亡くなってしまいました。

先妻の子は結婚し、夫の勤務の都合で海外に在住していました。実の娘2人は大学生と未成年の高校生です。

藤田家の財産内容

財産は自宅とマンション2つと預貯金。マンション購入の借入もあり、相続税の申告は不要。遺言書がなく、子どもと遺産分割協議をする必要があります。

分骨して今後は会わない

先妻の子と再婚後に生まれた娘2人は年は離れていますが、実の娘と分け隔てなく育てたつもりでした。ところが夫が亡くなると、先妻の娘は感謝どころか自分は苦労をしてきたという主張ばかり。葬儀のときから勝手な行動が多く、父親の遺骨を分骨してもらい今後は会わないと言ったきり、連絡もつきません。

遺産分割協議を進めようにも話し合いのテーブルにもつかないばかりか、理解しがたい行動ばかりで困り果てて相談に来られました。

解決へのアドバイス Point of advice

当事者間で進まないときは家庭裁判所へ

夫の生前に相談を受けていれば、まずは遺言書を作成し、遺言執行者を藤田さんにしておくことで藤田さんが実務的な手続きを進められるようにしておくことをアドバイスしたに違いありません。

先妻の娘は要望がどんどんエスカレートしてきたため、家庭裁判所に調停*の申し立てをするようにアドバイスしました。相続人で話し合うことが一番ですが、進まない場合は第三者に依頼するべきで、家庭裁判所、あるいは弁護士に依頼します。

Word

＊家庭裁判所の調停
相続人１人ひとりの意見を聞き、必要に応じて事実確認をした上で、適切な助言を与える解決の一手段。
（→ P186）

早く決着をつける選択をする

家庭裁判所でも先妻の娘は決まった調停日をすっぽかすことが多く、なかなか話し合いが進まなかったようです。しかし長くストレスを抱えることは藤田さんにも2人の娘にもデメリットですから、多少譲ってでも早く決着する方が得策だとアドバイスをしました。そうして先妻の娘にはマンション1つと法定割合程度の現金を渡すことで決着したとのこと。

藤田さん側がかなり譲った感がありますが、金銭の問題ではなく精神的な負担から解放されることの方を選択されたわけで、結果としてよかったと思います。先妻の娘は義理の母と妹2人と決別する代わりに金銭を勝ち取ったわけですが、それで良かったのかと疑問に思います。

ここがポイント！

- ☑ 人間関係が複雑な場合、遺言書は絶対必要
- ☑ 話し合いが進まないときは家庭裁判所か、弁護士に依頼する
- ☑ 多少譲っても早く決着する選択をする

コラム　これから必要な終活・相続のヒント

借入のない賃貸事業は半分売却して、賃貸併用住宅に建て替えに

80代で築50年の自宅とアパートを保有

Ｙさん（80代・男性）は亡くなった両親から自宅とその敷地にあるアパートを相続しています。土地は約110坪、最寄駅から徒歩３分の好立地で、相続財産は２億5000万円ほどです。現在は、自宅でＹさん夫婦と40代の１人娘の３人で暮らしています。

アパート８世帯は満室ですが、築50年なのでリフォーム代も増えていて、家賃が貯まるほどの余裕がなくなっています。

相続税が3800万円近くかかる

もしＹさんが亡くなって妻と娘が２分の１ずつ相続すると相続税が2460万円と試算されます。さらにその後に妻が亡くなると娘が支払う相続税は1340万円、合計3800万円です。仮に娘がＹさんから１人で相続すると、相続税は6930万円にもなります。

これでは納税額を準備するのがむずかしく、次の相続では自宅かアパートを売却して相続税を捻出することになりそうです。

相続税を節税する土地活用案の比較

現在の自宅とアパートは耐震性に不安もあり、修理代を考えると建て替えが妥当です。そこで、相続税を節税しながら収入も確保できる土地活用案を作成しました。

①全体を活用、借入で建て替える案

②アパート部分を売却、売買代金で自宅を建て替える案

③全部（自宅・アパート）を売却し、住替え、資産組替をする案

ご家族は、「住み慣れた土地は離れがたいが、全部を残して建て替えるのは借り入れの負担が大きいから」と、両方の折衷案となる②のアパートを売却して、その代金で自宅を建て直す案を選択されました。

建てたのは、高齢のＹさん夫婦が１階に住み、２階が娘さん、３階を賃貸にする賃貸併用住宅です。Ｙさん夫婦が亡くなったあとは、１階も賃貸物件にできるよう、別世帯として建ててあります。

Ｙさんの娘さんは会社員ですが、定年後に収入が減るときには家賃が生活費の補塡になるでしょう。

相続実務士より

土地の所有に執着するより、住み替えて快適に

Ｙさんの相続プランは主にご自宅の土地活用です。相続人が子ども1人のため、大きく残すよりは手堅く維持できる財産とすることをお勧めしました。土地は半分になりましたが、借入のない賃貸併用住宅になり、小規模宅地等の特例により相続税を減らして、収入を増やすことができます。現状維持に固執して大きな借り入れをかかえるよりは、発想を変えて不安なく維持できる財産にすることが現実的でしょう。

Ｙさん親子は無理のないプランに満足いただきました。

終活・相続のヒント

- 現状にこだわり大きく残すよりも形を変えて手堅くする
- 借入がない賃貸事業ができたほうが安心
- 土地が半分になれば相続税が節税できる
- 賃貸収入があれば子どもの将来の不安が軽減

亡くなってから必要な相続の手続き

相続は予期せず起きることもありますが、相続手続きの期限は決まっています。
必要な項目をチェックしてしっかり備えましょう。

第7章

相続の手続き①

死亡から7日以内に死亡届を提出する

死亡と同時に相続がスタートする

相続がスタートすると各種の手続きが待ち受けています。そこで、申告から納税までのスケジュールをあらかじめ知っておきましょう。まず**被相続人（故人）の死亡から7日以内に、死亡者の住所地の市区町村役場の戸籍係に死亡届を提出**します。

次に被相続人が遺言書を残しているかどうかを確認します。**遺言書*があるならば、被相続人の最後の住所地を管轄する家庭裁判所に遺言書の検認*手続きの申し立てを行います**（法務局で保管〈2020年7月10日～〉されていた場合、また公正証書遺言は家庭裁判所の検認手続きは不要）。

*遺言書
相続に関して故人の意思を書面として残したもの。
（→P140）

*検認
遺言書の偽造・変造を防止し、遺言書の記載を確認するための手続き。
（→P144）

遺言書がない場合は、相続人の間で財産を分ける話し合いをし、財産の分割を決めていくようになります。

次に、財産と借金の大まかな状況を確認して、相続するかしないかを決めます。相続放棄*や限定承認*などを家庭裁判所に申し立てる期限は相続の開始を知ったときから3カ月です。

*相続放棄
プラスの財産もマイナスの財産も含め一切を相続しないこと。
（→P40）

*限定承認
プラスの財産の範囲内でマイナスの財産を引き継ぐという相続の形式。
（→P40）

◆準確定申告は4カ月以内に

相続人は**相続開始を知った日の翌日から4カ月以内**に、相続人の連名で（ただし、他の相続人の氏名を付記して各人が別々に提出することもできます）、**被相続人のその年の1月1日から相続発生日までの所得について、所得税の申告（準確定申告と言います）をしなければなりません**。

被相続人が前年分の申告をしないまま亡くなった場合にも、相続人は相続開始日から4カ月以内に、被相続人の前年の所得について申告をする必要があります。

相続手続きの流れ

相続発生　●法律に定められた期限にしたがって手続きを済ませる

7日以内　死亡届を提出

- 葬儀費用の領収書を保管管理
- 遺言書の有無を確認
  →遺言書がある場合は、家庭裁判所にて検認
- 相続人の確認

3カ月以内　相続放棄・限定承認の申し立て

4カ月以内　被相続人の所得税申告・納付（準確定申告）

- 遺産の評価・鑑定
- 遺産分割協議書の作成
- 遺産の名義変更手続き
- 相続税申告書の作成

10カ月以内　相続税の申告・納付（延納・物納の申請）

死亡届け先は?

死亡届は死亡者の本籍地、死亡地または届出人の住所地の市区町村役場に届け出る。手数料は不要だが、印鑑、死亡診断書が必要。

死亡届は誰が届け出るのか

届け出は同居の親族、同居していない親族、親族以外の同居者、家主、地主または土地家屋の管理人などが行う。葬儀社の代行もある。

point

- **相続の手続きには期限がある**
- **遺言書の有無によって手続きが異なる**

相続の手続き②

相続税は10カ月以内に申告が必要となる

申告時にも評価は下げられる

相続税の申告のためには、全部の財産や借金を詳しく評価する必要があります。遺産総額が算出されることで、相続税の額を計算することができますが、現実には、相続人の間でどのように遺産を分けるかを決めたあと、各自が負担する相続税額を出していきます。このとき作成するのが**遺産分割協議書**です。

ところで、相続の申告では“申告時に評価を下げる”ことで、相続税も下げることができます。どういう財産の評価を下げることができるかというと、主なものは不動産です。不動産のうち、土地の評価の仕方は1つではなく、いくつかの方法があります。不動産自体も個々に状態が違うことから、1つひとつの評価や価値が違って当然と言えます。

不動産評価減のポイント
- 測量や分筆で土地の不整形を作り出すと評価は下がる。
- 大きい土地は広大地評価の利用等で下がる。
- 土地の利用状況に合わせた評価をすれば下がる。
- その他の特殊な事情がある土地は評価が下がる可能性がある。

また、土地だけでなく、他の財産にも評価を下げる要因はいくつもあり、そうした減額の要素を1つだけでなく、2つ、3つと積み重ねていくことで、“申告時に評価を下げる”ことができ、必然的に、合法的に相続税を下げることができるのです。

◆名義変更の手続きも行う

それが済むとようやく相続税申告書の作成となりますが、それと並行して、納税資金の調達方法を検討していきます。期限である**10カ月目までには、相続税申告書を提出し、同時に納税しなければなりません**。また、不動産の相続登記*など財産の名義を変える手続きも行うことになります。登記の手続きを放置しておくと、次の相続時にトラブルが起こることも考えられます。権利関係は常に明確にしておくことが望ましいでしょう。

*相続登記
不動産の相続に際して、不動産の名義を相続人に変更すること。
(→ P2)

相続に関する手続き

手続きの種類	期限	手続窓口	提出する書類
死亡届	7日以内	死亡者の住所地の市区町村役場	死亡診断書または死体検案書
遺言書の検認	相続後遅滞なく	死亡者の住所地の家庭裁判所	家事審判申立書、遺言書（申し立て時は写しで可）、遺言者の戸籍謄本、受遺者の戸籍謄本、相続人全員の戸籍謄本
相続の放棄・限定承認の申し立て	3カ月以内	被相続人の住所地の家庭裁判所	相続放棄申述書、申述人の戸籍謄本、被相続人の住民票除票または戸籍附票
所得税の申告・納付	4カ月以内	被相続人の住所地の税務署	準確定申告書、死亡者の所得税の準確定申告書付表
相続税の申告・納付	10カ月以内	被相続人の住所地の税務署	相続税の申告書、その他
生命保険金の請求	3年以内（かんぽ生命は5年）	保険会社	死亡診断書、受取人の印鑑証明書、生命保険金請求書、最終の保険料領収書、受取人および被相続人の住民票と戸籍謄本、保険証券
財産の名義変更　不動産	なし（死亡後はいつでも可）	不動産の所在地の法務局	所有権移転の登記申請書、その他
株式		証券会社または株式の発行法人	株式名義書換請求書、被相続人および相続人の戸籍謄本
預貯金		預入金融機関	依頼書、遺産分割協議書、被相続人および相続人の戸籍謄本、通帳、相続人全員の印鑑証明書
自動車		運輸支局	移転登録申請書、自動車検査証、被相続人および相続人の戸籍謄本、自動車損害賠償責任保険証書、遺産分割協議書、相続人全員の印鑑証明書
電話		各 NTT	加入等承継・改称届出書、被相続人および相続人の戸籍謄本

point

●相続の申告前にきちんとした評価が重要
●権利関係は明確にしておく

遺産分割には現物、代償、代物などがある

遺産分割の注意事項

相続人が複数いるときは、だれがどの財産をいくらくらいの割合で相続するかといった話し合いをして、遺産の分け方を決めなければなりません。**遺産の分配を「遺産分割」と言います**。

最初に相続人を確定し、遺産内容を確定して、財産目録*を作成します。遺言書*がある場合は遺言書に記載された事項が優先されますが、ない場合は、相続人全員が納得すればどういうふうに分けてもかまいません。必ずしも法定相続分*どおりに分ける必要はありません。

遺産の分割には期限はありませんが、相続税の申告までに遺産分割が決まらないと配偶者の税額軽減*の特例などが受けられないため、そのころまでに分割しておいた方がいいでしょう。

◆遺産分割の方法は5つある

遺産を分割する方法としては次の5つがあります。

①**現物分割**…だれがどの財産を取るか決める方法です。最も一般的と言えるでしょう。

②**代償分割**…ある相続人が法定相続分以上の財産を取得する代わりに、他の相続人たちに金銭（代償金）を支払います。

③**代物分割**…ある相続人が法定相続分以上の財産を取得する代わりに、他の相続人たちに物を渡します。

④**換価分割**…相続財産を売却し、その代金を分割します。

⑤**共有分割**…相続人全員で共有する方法です。土地などは共有にして持分*で分けます。

以上の方法を組み合わせることも可能です。

*財産目録
財産と債務を記入した目録のこと。特に書式は定められていない。

*遺言書
（→ P140）

*法定相続分
民法で定められた相続財産の分配のこと。
（→ P38）

*配偶者の税額軽減
（→ P222）

*持分
共有物全体に対する所有権の割合のこと。

◎遺産分割のケース
（→ P194、196、202、204）

遺産分割の方法

①現物分割

▶現物のまま財産を1つひとつ分割。わかりやすいが、相続分どおりに分配しにくい。

②代償分割

▶相続人の1人が財産を多く取得する代わりに、他の相続人に金銭を支払う。相続人には資力が必要。

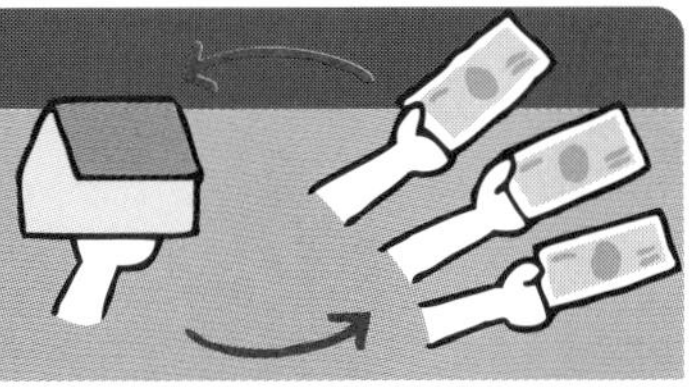

③代物分割

▶相続人の1人が財産を多く取得する代わりに、金銭以外の物を渡す。譲渡益に対して所得税が課せられる。

④換価分割

▶相続財産をすべて売却して、その代金を分割する。公平な方法だが、譲渡益に対して所得税が課せられる。

⑤共有分割

▶相続人全員で共有する。公平である反面、資産の自由度が低下する。

point

- ●相続税の申告までに遺産分割協議を終えておく
- ●遺産分割の方法は組み合わせが可能

遺産分割協議書は財産と相続人を特定する

遺産分割協議書の必要事項

相続人同士で遺産の分割が確定した場合は、遺産分割協議書を作ります。遺産分割協議書の作り方には決まったルールはなく、ワープロでも手書きでも支障はありません。ただし、

①財産の内容と相続人を特定すること。

②相続人全員が名を連ねること。

③印鑑証明*を受けた実印を押すこと。

の3点に注意が必要です。不動産であれば所在地や面積、預貯金であれば口座番号などを正確に記入します。そして、相続人全員が合意した内容であることを、確実に証明できるようにしておくことがポイントです。

相続人に未成年者*がいる場合は、法定代理人または家庭裁判所で選任を受けた特別代理人*が協議を行うことになります。

◆遺産分割の方法は先を見越して選択する

遺産分割の選択肢はいくつもあります。この方法しかないということであれば、争ったり、迷ったりはしなくてもいいのでしょうが、答えが1つではなく、いくつもの方法が考えられることから、実に難題と言えます。

相続人全員が同意でき、最良の方法を選択することが理想ですから、先を見越した分割でなければ意味がありません。先を見越した分割とは、**財産を引き継いだ1人ひとりにとって、相続することが人生のプラスになる相続**ということです。選択を誤ると、いつまでも親族間で争うことになり、不幸なことになりかねません。

遺産分割のポイント
- ●相続税の申告までに遺産分割協議は終わらせる
- ●二次相続での分け方まで考えた内容にする
- ●兄弟姉妹で不動産の共有は避ける
- ●感情的になってもめる前に調整できる第三者に入ってもらう
- ●調停や審判に委ねてもいい結果は望めない
- ●長引かせてもいい結論は出ないので、決着をつける
- ●具体的な案を提示して全員が納得できる方向性を見つける

*印鑑証明
個人が市区町村役場に登録した特定の印鑑について、市区町村役場が行う証明のこと。

*未成年者
2022年4月1日より18歳未満

遺産分割協議書の作成例

遺産分割協議書

令和○年○月○日に死亡した被相続人○○○○の遺産について、同人の相続人全員において分割協議を行った結果、各相続人がそれぞれ下記のとおりの遺産を分割し、取得することと決定した。

記

1．相続人○○○○が取得する財産
（1）東京都○○○区○○○丁目○番
　　宅地○○平方メートル
（2）同所同番地　家屋番号○番
　　木造瓦葺き２階建て居宅１棟　１階○○㎡、２階○○㎡
（3）同居宅内にある家財一式
（4）○○銀行○○支店　○○○○○名義の定期預金
　　口座番号○○○○　○○○○万円

2．相続人○○○○が取得する財産
（1）東京都○○○区○○○丁目○番
　　宅地○○平方メートル
（2）同所同番地　家屋番号○番
　　軽量鉄骨造り３階建て共同住宅１棟
　　１階○○㎡、２階○○㎡、３階○○㎡
（3）○○○○の山水画掛け軸１幅

3．相続人○○○○が取得する財産
（1）○○株式会社の株式　○万円○○○株
（2）○○銀行○○支店　○○○○○名義の定期預金
　　口座番号○○○○　○○万円

4．相続人○○○○○が負担する債務
　　令和○年度未納分固定資産税　○○万円

上記のとおり、相続人による遺産分割の協議が成立したので、これを証するため、本書３通を作成し、１通ずつ所持する。
令和○年○月○日

東京都○○区○○○丁目○番地○号　相続人　○○○○　㊞
東京都○○区○○○丁目○番地○号　相続人　○○○○　㊞
東京都○○区○○○丁目○番地○号　相続人　○○○○　㊞

●遺産分割協議書はワープロでも手書きでも可

＊法定代理人または特別代理人を立てる
相続人のなかに未成年者がいる場合、その親である親権者が法定代理人となって遺産分割協議に加わり、遺産分割協議書の署名・捺印を行う。ただし、その親権者と未成年者がともに相続人である場合は、利益相反行為にあたるため、代理人を務めることができない。この場合親権者は、未成年者のために特別代理人を選任することを家庭裁判所に請求する必要がある。

メモ

遺産分割協議を守らなかった場合

遺産分割協議で決まったことを守ろうとせず、例えば他の相続人に対して代償金を払おうとしない相続人がいることもあるでしょう。このような場合でも、遺産分割協議のやり直しはできません。

こういったケースでは、調停や訴訟によって支払いを請求する手続きを取ることになります。

point

●遺産分割協議書の書式に決まりはない
●遺産分割は慎重に決定することが大切

意見が割れたときは 調停・審判で分割を決める

「調停分割」と「審判分割」

遺産分割では、協議を重ねても話し合いがつかなかったり、相続人同士が対立した結果、一部の人が分割協議に加わろうとしないこともあります。

こういったとき、家庭裁判所に申し立て、調停*・審判*によって遺産分割をするという方法もあります。**調停による分割を「調停分割」、審判による分割を「審判分割」と言います**。通常は、調停による解決を図り、調停が成立しなかった場合に審判に移行するという順序となっています。

*調停
裁判所で行う話し合いのこと。調停委員会を介して、問題の解決を図る。相続人同士の合意が基本となるため、調停委員が解決法を強制することはない。

*審判
審判官が家事審判法に基づいて進める審理のこと。審判の判定には法的な効力がある。

◆調停がまとまらない場合は審判へ

調停の申し立ては、相手方のうち1人の住所地を管轄する家庭裁判所で行います。裁判所にある「遺産分割調停申立書」に記入し、必要な書類と費用を添えて提出します。

調停は家庭裁判所の審判官と2人以上の調停委員からなる「調停委員会」の立ち会いのもと行われます。調停委員会では、相続人1人ひとりの意見を聞き、必要に応じて事実確認をした上で、適切な助言を与えます。話し合いが成立した場合には、合意内容を**「調停調書」**にまとめます。調停調書は判決と同じ効力を持っているので、これにしたがって遺産分割を行うことになります。

申し立てに必要な主な書類と費用
（書類）
申立書（インターネットからダウンロード可）、相続人の戸籍謄本と住民票、被相続人の除籍謄本、遺産目録、不動産登記事項証明書、固定資産評価証明書
（費用）
収入印紙 1200 円分と通知のための切手代。

調停で合意できない場合、審判手続きに移行します。家庭裁判所の審判官が財産の種類や各相続人の事情などを確認した上で、分割方法についての審判を下します。裁判所の審理にしたがい、強制的に遺産分割することになります。

調停・審判による解決の流れ

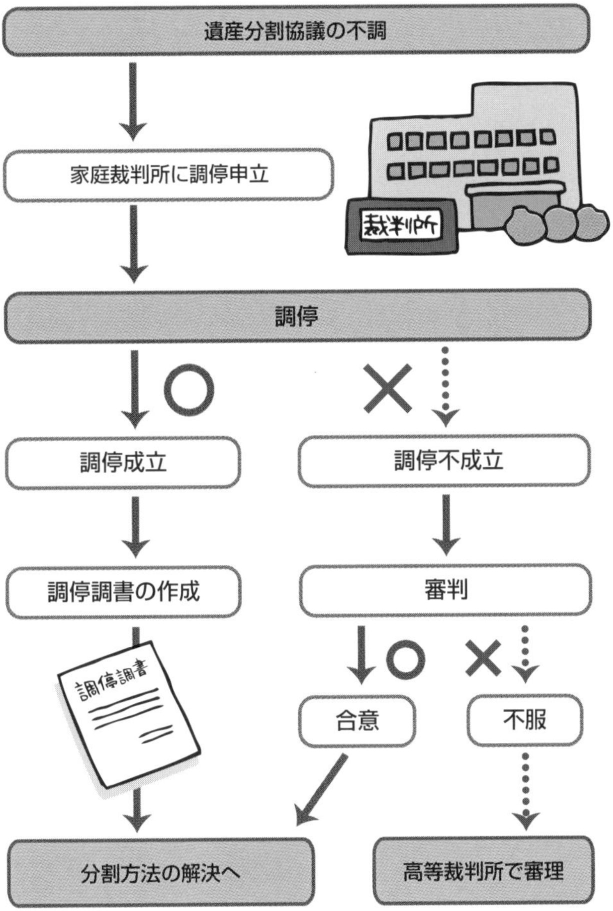

●協議がまとまらないときには家庭裁判所の調停・審判で分割方法を決める

遺産分割の申立人となる人
●共同相続人
●包括受遺者
●相続分譲受人
●遺言執行者（包括遺贈の場合）

審判に不服の場合
裁判所の審判に不服があるとき、審判書を受領してから2週間以内に高等裁判所に不服申立をすることができる。

メモ

未分割での申告

民法では遺産分割の期限についての定めはありません。しかし、相続税には申告期限が設けられています。

相続税法では、相続税の申告までに遺産分割が決まっていない（未分割と言う）場合、法定相続にしたがって相続人が遺産を取得したものとして税額を計算し、申告するように定められています。

point

●協議不調のときは家庭裁判所に申し立てる
●裁判所の審判には法的な効力がある

行方不明者がいる場合は家庭裁判所に申し立てる

3つの選択肢から方法を選ぶ

相続人のだれかが家出したり、蒸発したりして、行方がわからなくなっていることがあります。こういったときでも、行方不明者を除外して遺産分割を進めることはできません。行方不明者を捜し出して交渉することが望ましいのですが、それもできないとなると、次の3つの方法からいずれかを選択することになります。いずれも家庭裁判所に申し立てることが必要です。

①**失踪宣告*を申し立てる**…行方不明者の生死が明らかではなく、7年以上の年月を経過している場合。失踪審判の宣告によって、行方不明者は死亡したものとみなされます。なお、行方不明者に子どもがいれば、代襲相続*が認められます。

②**不在者財産管理人を家庭裁判所に選任してもらう**…財産管理人と残りの相続人が、家庭裁判所の許可を得た内容の遺産分割を行います。

③**家庭裁判所に遺産分割の審判を申し立てる**…家庭裁判所の審理の結果にしたがうこととなります。

◆遺産分割後に行方不明者が出現したとき

ちなみに、遺産分割の終了後、行方不明者が現れる可能性もゼロとは言い切れません。この場合、失踪宣告は取り消され、当人は財産を取り戻すことができます。ただし、**失踪宣告が取り消された時点で残っている財産を返還**することになります。

また、被相続人が認知した子が現れることも、まれにあります。この場合、認知した子の存在を知らなかったとしても、遺産分割協議の請求*を拒否することはできません。

*失踪宣告
①普通失踪と②特別失踪に分かれる。普通失踪は通常の失踪を指す。特別失踪は戦地に行ったり、船が遭難した場合などで、1年間生死不明が続けば失踪宣告を受けることになる。

*代襲相続
法定相続人の子や孫などが代わって相続すること。被相続人が亡くなった日よりも、失踪宣告により行方不明者が死亡したと認定された日が後の場合は、代襲相続ではなく、数次相続として処理をする。また、相続財産管理人を選任してもらった場合も、代襲相続はできない。
(→P36)

*遺産分割協議の請求
遺産分割協議の請求を受けた時点ですでに分割が終わってしまった場合は、金銭をもって支払う(遺産である不動産、株券等を分割する必要はない)。

◎行方不明者のケース
(→P200)

行方不明者がいる場合の手続き

失踪宣告の申し立て

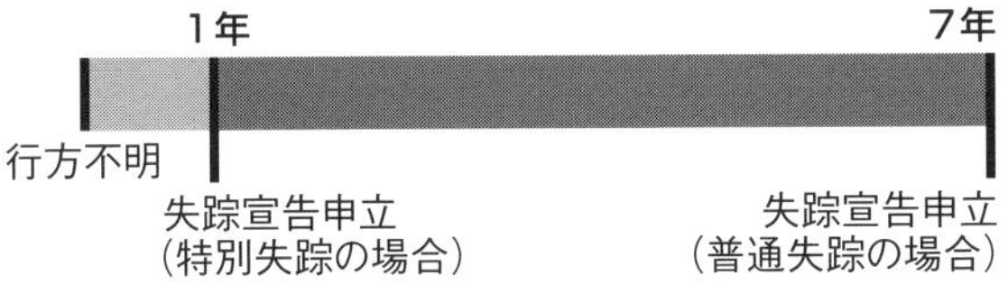

財産管理人の選任

▶失踪期間内に相続問題を解決したいときなどに行う

▶財産管理人は家庭裁判所の許可のもと、遺産分割を進める

審判の申し立て

▶「協議をすることができないとき」に該当するものと考える

●行方不明者がいる場合は家庭裁判所に申し立てる

失踪宣告の効力

普通失踪の場合は行方不明者の生死が不明になってから7年間の期間満了時に、特別失踪の場合は危難が去ったときに死亡したものとみなされる。

申し立てに必要な主な書類と費用

（書類）
申立書、申立人・不在者の戸籍謄本各1通、不在の事実を証する資料（不在者の戸籍附票謄本など）、利害関係を証する資料
（費用）
収入印紙 800 円、連絡用の郵便切手、官報公告料

メモ

相続人でないことがわかったら?

遺産分割協議に参加した相続人が、遺産分割が終わってから、実際には相続人でなかったことが判明することもあります。

このようなときは遺産分割協議をやり直すか、相続人でない者が取得した遺産を返還してもらい、その分について新たに遺産分割協議を行うという手続きを取ることになります。

point

●7年以上経過で不明者は死亡とみなされる

●不明者が出現すると失踪宣告は無効になる

預金はあらかじめ全部を申告しておく

税務調査を受けるときのポイント

相続税の申告書を提出すると、税務署*はその内容を確認し、ほぼ1年くらいの間に税務調査*を行うことが一般的です。遺産総額が3億円以上であれば、ほぼ調査が入るとみて間違いはないでしょう。

ただし、税務署が何の予告もなしにいきなり訪れて、家のなかに申告をしていない財産が隠されていないかを探し回るということはありません。まずは、申告を担当した税理士および相続人に調査をしたい旨の連絡があり、相続人の都合を確認してから来るわけです。税務調査のときほど、税理士が相続人の味方か否かがはっきりするときはないと言ってよいでしょう。

税務調査には申告をした税理士も立ち会いながら、課題となっている項目を確認していくことになります。相続人がおろおろする必要はなく、質問に簡潔に回答することが大切です。もちろん、**税理士は依頼主である相続人が不利にならないようにサポートしてくれる人を選任しておくこと**が大切です。

◆家族名義の預金には要注意

税務署から調査の連絡があったときには申告した書類はすでに確認されていますから、調査のポイントは絞られています。特に、金融機関の調査は終えたあとと言えます。最近では、家族名義の預金はほとんどが調査をされ指摘を受けます。名義だけ家族にしておき、実質的には被相続人の財産であったものは、確実に追及の対象となります。**はじめから全部を相続財産として申告しておく方が無難**です。

＊税務署
国税局の下部組織として内国税の賦課や徴収を行う行政機関のこと。

＊税務調査
相続税の申告が適切であったかどうかの調査。国税局や税務署によって行われる。

家族名義の預金
家族の名義でありながら実質的に被相続人の預貯金であるものを「名義預金」という。名義預金は被相続人の財産として相続税の課税対象となる。

◎税務調査のケース
(→P212)

税務調査のチェックポイント

①預金通帳

「名義預金」や財産の移し替えなどがある場合、相続税の適切な申告がなされているか追及の対象となる。

②香典帳の芳名

香典そのものには課税されないものの、芳名にある金融機関名などをもとに申告外の金融資産がないかをチェック。

③被相続人の趣味

ゴルフなどが趣味であることが判明すれば、ゴルフ会員権などがないかどうかが問題に。

④被相続人の手紙・日記・手帳

香典帳と同じく、申告外の金融機関の存在を確認するほか、大きなお金の流れなどがないかを確認。

point

- **税務調査は税理士立ち会いのもと行われる**
- **家族名義の預金は申告しておくのが無難**

case study 1 ＞＞ 手続きの期限

相続税の申告期限が過ぎてしまった橋本さん

＊＊＊財産と家族の状況＊＊＊

- 依頼者　橋本さん
- 職　業　自営業
- 被相続人　父
- 相続人　長男（本人）、次男、計2人
- 財産の内容
  自宅不動産、農地、預貯金

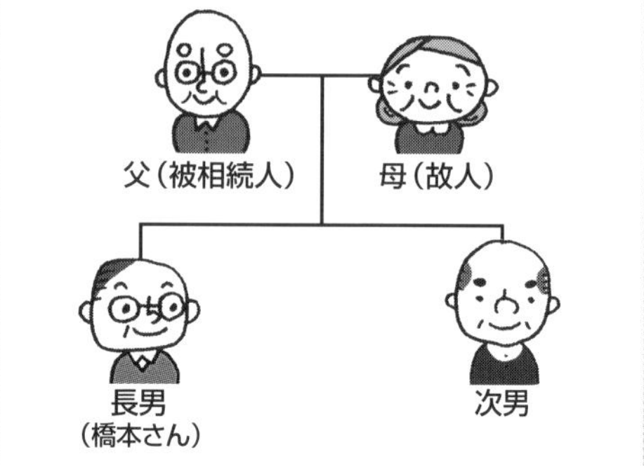

相続税の申告は不要と考えていた

橋本さんは2人兄弟、それぞれ結婚して配偶者と子どもがあります。母親が先に亡くなり、父親も亡くなりました。母の相続の際には相続税の申告はしていません。生前父親は農業を営んでいましたが、亡くなる前にはほぼ耕作をしていない状態でした。

元農地はいくつかの筆*に分かれていますが、合計するとかなりの面積になります。しかし、実家には特に高額な財産もなく、相続税の申告などは無縁だろうと考えていましたので、ほとんど何も手続きはせずに、土地の名義もそのままでした。

相続税の延滞税

橋本さんは相談に来た時点で相続税の申告期限を２カ月過ぎていましたが、この場合、納税が遅れた期間に応じて延滞税を納める必要が生じます。

急に申告が不安になった

そんな状況のなか、書店で相続関連の本を手にして読んでみたところ、申告が必要だったのではと急に不安になり相談に来られました。橋本さんのお話を伺いながら概算で相続財産を試算したところ、土地の評価が予想以上に高く、基礎控除額*を超えていました。

すぐに相続税の申告を勧めましたが、すでに申告期限を2カ月ほど過ぎていました。

解決へのアドバイス Point of advice

不動産を被相続人名義のままにしておかない

橋本さんも次男も結婚し、実家を離れていますので、特に不動産が欲しいという考えがなかったことや、農地も放置したままあまり興味がなかったことも、手続きが遅れた理由の1つです。

ご兄弟で分割方法をよく話し合ってもらった結果、動産は次男、不動産は橋本さんが相続するという結論になりました。今までは相続登記に期限はありませんでしたが、法改正により2024年から相続から3年以内に不動産を登記することが義務付けられます。いつまでも分割を決めないわけにはいかなくなるでしょう。

無申告加算税を最小限に抑える

すでに無申告加算税を支払うことは確定していますが、無申告の期間を最小限にするためすぐに税理士を手配し、税理士には現地調査から評価まで、迅速に行ってもらいました。また分割に際して、あらかじめ相続人間で話し合いを重ねてもらったので、あまり時間がかからず決まりました。

Word

＊筆
土地の一区画のこと。
＊基礎控除額
(→ P216)

必要書類である戸籍や評価証明関係の書類の取得は意外に時間がかかりますが、どこで何を取得するか等、手続き方法を的確に伝え、1日ですべての機関をまわっていただき、最短で取得することができました。その結果、初回のご相談から3カ月ほどで相続税の申告書を税務署に提出することができ、延滞税も比較的少額で済みました。

ここがポイント！

- ☑ 相続税納税は、自分と無縁とは考えずに確認する
- ☑ 不動産の名義を亡くなった人のままにしておかない
- ☑ 延滞税や無申告加算税を抑えるため、なるべく早く申告する

case study 2 ≫ 遺産分割協議

代償金で遺産分割した石井さん

＊＊＊財産と家族の状況＊＊＊

- ●依頼者　石井さん
- ●職　業　会社員
- ●被相続人　父
- ●相続人　母、長女、長男、次男（本人）、次女、計5人
- ●財産の内容
自宅不動産、畑、貸地、貸工場、アパート、預貯金

全体の資産の大部分が不動産

石井さんの父親はもとは農家ですが、所有する自宅や畑が市街化により宅地になって以来、農業を続けながら、不動産賃貸業で生計を立ててきました。アパート、貸工場、貸地がそれぞれ1カ所、そのほかに1000坪の畑と自宅が250坪以上あります。

長男の提示内容

大部分の財産を長男である自分が相続、次男には不動産を1カ所、結婚して外に出た長女と次女には、現金で500万円ずつ渡すという内容でした。

実家の敷地に長男が家を建て、ほかの子どもたちはそれぞれ他県に住んでいます。長男が家を建てる際、父親と長男が意見の食い違いでもめた経緯があり、同じ敷地で生活をしながら、両者の交流がなくなっていました。

長男の考えに全員が反対

父親はこれまで特に大きな病気もありませんでしたが、気分が悪いと母親に告げた2時間後に容態が急変し亡くなりました。そして長男が、家族全員に相続について自分の考えを説明してきたのは、父親の葬儀のさなかでした。

その時点では、父親の財産の全体像が見えないせいもあり、善し悪しの判断もできませんでしたが、一方的な提示内容に、家族全員とても納得できる気持ちにはなれません。

解決へのアドバイス Point of advice

財産を確定し、評価額を割り出す

長男任せにはできないと次男の石井さんが相談に来られました。そして相続税の申告期限まで残りあと4カ月という時期に、不動産の正確な評価をするために現地調査を行うところからスタートしました。

当初石井さんが別の税理士に相談をしたとき、不動産だけで概算評価2億6500万円と言われていたそうです。

しかし、現地調査をした結果、財産全体で1億8000万円まで評価減が実現できました。

母と長男が代償金を払う

長男以外の弟姉妹は、できれば現金で法定割合相当を相続することを希望していましたが、それに足りるほどの現金はありません。

そこで不動産を相続することになる母親と長男が代償金*を払うという選択肢をアドバイスしました。

財産の大部分を相続するつもりだった長男は、最初は納得がいかない様子でしたが、公平さを欠かない方が、あとにしこりが残らないだろうと思い直したようです。結果的に母親が財産の約80%を相続する形で分割がまとまりました。配偶者の特例（配偶者の税額軽減*）により相続税の節税にもつながり、無事申告期限までに申告を終えることができ、石井さんも納得できたということです。

Word

＊代償金
（→ P182）
＊配偶者の税額軽減
（→ P222）

ここがポイント！

- ☑ 財産の全体像を把握し、評価額と相続税を確認する
- ☑ 兄弟姉妹間での不公平な財産の分割は避ける
- ☑ 申告期限までに遺産分割協議は終わらせる

case study 3 ＞＞ 遺産分割協議書

賃貸併用住宅の分割方法でお悩みの島田さん

＊＊＊財産と家族の状況＊＊＊

- ●依頼者　島田さん
- ●職　業　会社員
- ●被相続人　父
- ●相続人　長男（本人）、長女、計2人
- ●財産の内容
賃貸併用住宅、預貯金、負債（住宅ローン）

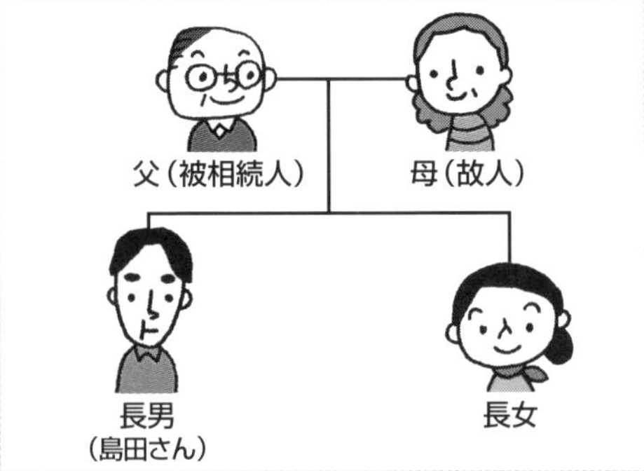

賃貸併用住宅に全員が同居

島田さんは妹と2人兄妹です。2人とも独身で、島田さんは長男ということもあり、自宅の1階で父親と同居しています。

自宅は賃貸併用住宅で、10年前に父親名義でローンを組んで建てました。2、3階が貸室部分で4室に区切られ、うち3室は賃貸中、残り1室に妹が暮らしています。

賃貸収入からローンを返済していますので、特に負担はない状況で暮らしています。

島田さんの家族

島田さんの母親は3年前に亡くなっています。父親が病気で亡くなるまで、父親、島田さん、妹の3人で同じ建物で生活していました。

不動産の共有を勧められたが

そんななか、父親が病気で亡くなりましたが、突然のことでしたので、相続の準備は何もしていません。

あるとき、たまたま市の相続無料相談会があることを聞いて兄妹一緒に相談に行きました。そこでは兄妹が1／2ずつ分けるよう提案されたとのことです。

しかし、相談に対応してくれた担当者の説明に不安があり、今後どのようにして相続手続きを進めていいかわからず、相談に来られました。

解決へのアドバイス Point of advice

相続税の申告の有無を確認する

今回は相続人が2人なので、基礎控除額*は 4200 万円です。父親の財産に関する資料を確認したところ、自宅のローンがあったので、基礎控除の範囲内に収まり、申告の必要はありません。問題は、兄妹が居住している賃貸併用住宅をどちらが相続するかです。

島田さんが不動産を相続し、妹には代償金を払う

現在は独身だとしても将来配偶者ができることを想定すると、不動産の共有は後々のトラブルのもとになります。話し合いの結果、長男が単独所有することでまとまりました。

相続財産の構成比を見ると、不動産の割合が約80%を占めています。住宅ローンの負債を長男が引き継ぐことにしても、長女の相続分が残りの現預金だけでは、不公平感が残ります。

特に兄妹仲が悪いわけでもなく、2人とも今後も支え合って暮らしていきたいという思いでしたので、賃貸収入の一定額を代償金*として長女に支払うことでお互い合意にいたりました。

遺産分割協議書の調印と合わせて、念のため島田さんが妹に支払う代償金の支払い方法や時期を記した覚書を別途作成し取り交わすことで、両者が納得して相続手続きを終えることができました。

Word

＊基礎控除額
(→ P216)
＊代償金
(→ P182)

ここがポイント！

- ☑ **きょうだいで不動産の共有は避けた方がよい**
- ☑ **賃貸部分の収益も加味して不動産の評価をする**
- ☑ **分割協議はなるべく早い段階で合意できるようにする**

寝たきりで意識がない母親がいる松田さん

＊＊＊財産と家族の状況＊＊＊

- 依頼者　松田さん
- 職　業　会社員
- 被相続人　父
- 相続人　母、長男（本人）、次男、三男、計4人
- 財産の内容
  自宅不動産、アパート、貸家、駐車場、預貯金

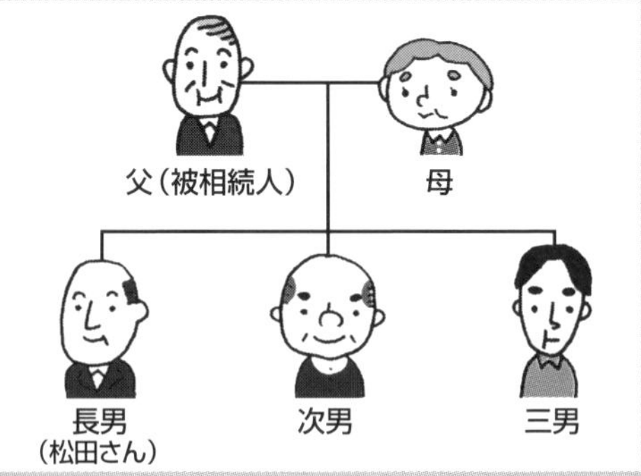

母は病気で意識がない

松田さんは3人兄弟の長男で、鉄道会社に勤務しています。兄弟3人とも子どもに恵まれ、幸せな家庭を築いています。

松田家はもともと農家だったので市内各所に数多くの土地を所有していますが、市街化が進むにつれて両親はそれらの土地を月極駐車場や貸家にして賃貸収入で生活をしてきました。

母親は認知症を発症し、寝たきり状態となり、実家の近くの老人ホームに入所しています。

母親の状態

松田さんの母親は、摂食嚥下障害を持ち、食事もチューブを経由して摂取していたとのことでした。

元気な父が突然亡くなった

そんな折り、父親が昨年突然亡くなりました。これまで大きな病気をすることもなくとても元気でしたが、急に体調を崩し、あっと言う間に他界されたとのことです。

本来は今後のことについて母親を交えて考えるべきところですが、認知症が進んでいるために意思の疎通を図ることもできません。

松田さんは、このような状況で相続の手続きをどのようにしたらいいのか相談に来られました。

解決へのアドバイス Point of advice

未分割による相続税申告と延納

母親には判断能力がまったくないため、遺産分割協議を行うことができません。遺産分割協議に参加できない相続人がいる場合、家庭裁判所に後見人の選任を申し立てる必要がありますが、申し立てには時間がかかります。申告期限が迫っていたこともあり、まずは未分割で相続税の申告をし、財産はほとんどが不動産だったため、相続税の納税は延納*手続きをとりました。とりあえず10カ月の期限までに相続税の申告を済ませてから、その後に遺産分割協議を行い、あらためて更正*の請求申告をする段取りとしました。

特別代理人選任を請求

相続後の母親の財産の管理等を長男が行うため、長男を後見人候補者として家庭裁判所に申し立て、ほどなく審判が確定しました。

しかし、後見人である長男自身が相続人であるため、いわゆる利益相反行為にあたり、長男は遺産分割協議について、母親の代理をすることができません。この場合には、相続の遺産分割協議のための特別代理人の選任を家庭裁判所に請求する必要があります。特別代理人は、被後見人に代わって遺産分割協議に加わり、遺産分割協議書の署名・捺印も行うことになります（後見監督人が選定されている場合は、後見監督人が母親に代理して遺産分割協議を行うことができます）。

Word

＊延納
一定要件のもと、相続税を年賦により納める方法のこと。
(→P230)
＊更正の請求
(→P232)

ここがポイント!

- ☑ 相続税の申告は経験豊富な税理士に依頼する
- ☑ 期限までに遺産分割が間に合わない場合でも未分割で申告する
- ☑ 相続の手続きはなるべく時間に余裕をもってスタートさせる

case study 5 ≫ 行方不明者

行方不明者がいるため分割協議ができない吉田さん

＊＊＊財産と家族の状況＊＊＊

- ●依頼者　吉田さん
- ●職　業　会社員
- ●被相続人　長男
- ●相続人　次男、三男（本人）、計2人
- ●財産の内容
自宅マンション、預貯金、生命保険

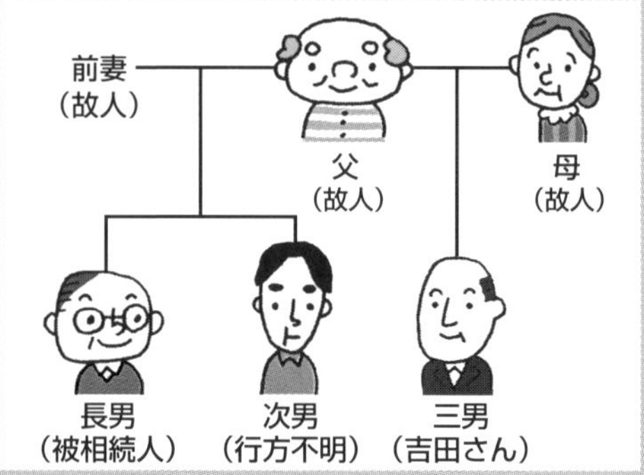

行方不明のため分割協議できない

長男は父親と前妻の子であり、吉田さんから見て異母兄弟にあたります。長男は生涯独身であり、両親も亡くなっているため、相続人は兄弟姉妹となります。もう1人の異母兄弟である次男との法定相続分は、吉田さんが1に対し、次男は2の割合です。

長男は遺言書を残していなかったため、その遺産は相続人間で協議して決めるしかありません。しかし次男が行方不明であり、分割協議をすることができないとのことです。

実弟の消息

長男から聞いていた話では、海外にいるということだけで、詳細は分からず、長男自身も何十年も会ってはいないということでした。

負担が続くことが心配

吉田さんは、長男が異母兄弟ですが、病魔と闘う長男を最後まで支え、マンションの管理費、固定資産税、都市計画税、ほかにかかる経費等をすべて負担してきました。

また、相続が発生してからも葬儀費用を負担した上に、吉田家のお墓も守ってきました。

このままではずっと持ち出しになってしまい、とても負担が大きいため、長男の残した財産から維持費を出していきたいとのことです。

解決へのアドバイス Point of advice

家庭裁判所に申し立てをする

相続人が行方不明であっても、まだ7年が経過していないときや、どこかで生きているという噂があるときは、失踪宣告*の申し立てはできません。

この場合、利害関係人*が家庭裁判所に不在者の財産管理人を選任してもらうよう申し立てをする方法をとります。選任された財産管理人は、不在者の財産について現状に変更をきたさない保存行為や利用・改良行為は自分の権限で行えますが、これを超える処分行為をするには家庭裁判所の許可が必要です。

遺産分割は不在者の財産に対する処分行為の一種と考えられますので、財産管理人が遺産分割の協議や調停をするには、家庭裁判所の許可が必要となります。

Word

＊失踪宣告
(→P188)
＊利害関係人
この場合、配偶者、父、母、相続人などを指す。

代償金を支払う遺産分割協議書を作成

今回のケースでは、失踪宣告ができる要件を満たしていますが、年齢もまだ若いこともあり、財産管理人を選任する方法にしました。

遺産分割については状況を考慮し、被相続人の財産をすべて吉田さんが取得し、行方不明者が出現後、相続分の請求があった場合に、代償金として支払う内容としました。この内容で家庭裁判所からも審判が下り、吉田さんは手続きを終えることができました。

ここがポイント!

- ☑ 行方不明者がいる場合、遺産分割協議はできない
- ☑ 家庭裁判所に申し立てをして協議を進める
- ☑ 行方不明者の出現を想定した遺産分割を行う

case study 6 ≫ 遺産分割

子どもはまだ20代、全部を相続した山本さん

＊＊＊財産と家族の状況＊＊＊

- 依頼者　山本さん
- 職　業　専業主婦
- 被相続人　夫
- 相続人　妻（本人）、長男、計2人
- 財産の内容
  自宅不動産、預貯金、退職金、生命保険、等

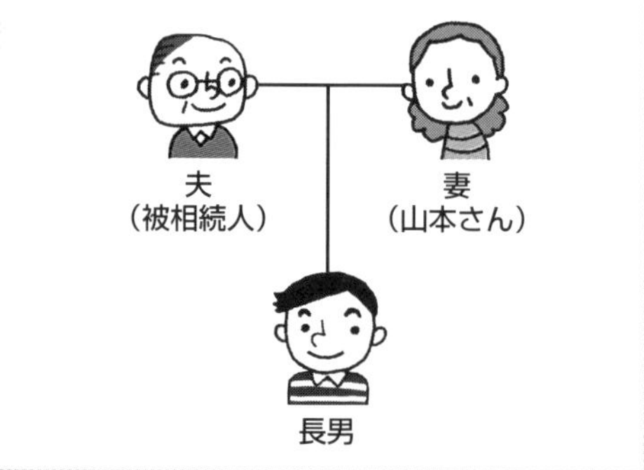

50代、現職、定年間近の死

山本さんの夫は公務員で勤続30年以上の管理職です。武道を続けており、見るからに健康そうな人でした。ところが職場の健康診断で異状が見つかり、すぐに手術が必要だとのこと。

3カ月程度の休職で職場に復帰して、2年ほどは順調な日々を過ごしていましたが、病が再発。緊急で再入院、再手術をしましたが、半年後に帰らぬ人となってしまったのでした。

> **山本さんの家族**
>
> 山本さんの長男は一人っ子でまだ20代。山本さんと同居しています。山本さん自身は50代前半。早すぎる夫の死と言えるでしょう。

自宅の隣地に土地を購入

山本さんの夫は転勤族で社宅住まいでしたが、子どもが小学生になるとき職場の融資制度を利用して建売住宅を購入しました。その後、自宅の隣地が売りに出されていることを知り、間口を広げられるので購入を決めました。一人息子が結婚したときに家を建てればいいという気持ちもあり、夫が一番乗り気で決めたのでした。

ところが購入の手続きの途中で再発がわかり、検査入院、一時退院して手続きを済ませて、購入が終わってからまた入院という慌ただしさでした。山本さんは今後の手続きが心配です。

解決へのアドバイス Point of advice

配偶者の税額軽減を利用

夫の財産は自宅の不動産と隣接する土地ですが、まだ借入もあり大きな評価にはなりません。しかし、現職で亡くなったことから、職場から退職金が出たことと、たまたま団体生命保険に入っていたことから、かなりの額の保険金が手元に入りました。退職金と生命保険金は、ともに相続財産として申告しなければなりません。

子どもは山本さんと同居していることと、ほかに兄弟姉妹はなく、二次相続でももめる要素はありません。

山本さんも今後の長い人生にお金もかかります。専業主婦として夫の庇護のもとに生活してきたわけで、しかも夫がこんなに早く亡くなってしまうとは予想もしていませんでした。今後の生活を考えると、住む家だけでなく預貯金もなるべく多くある方が安心です。そこで、今回は配偶者が全財産を相続*することで相続税の納税をなくすようにしました。

遺産分割協議をする

山本さんが全財産を相続すると、息子は相続するものがないので相続放棄*の手続きが必要ではないか、と山本さんは思われたようです。結果は相続放棄と同じですが、相続分をゼロとして遺産分割が成立したことになるので、放棄の手続きは不要です。山本さんと息子で分割協議書を作成し、手続きはできました。

Word

＊配偶者が全財産を相続（配偶者の税額控除）
(→ P222)
＊相続放棄
相続に関する一切の権利を放棄すること。
(→ P40)

ここがポイント!

- ☑ 配偶者の税額軽減特例を利用する
- ☑ 将来を見越した相続を考える
- ☑ 財産を相続しない場合、遺産分割協議に加わるだけでもよい

case study 7 ≫ 遺産分割

配偶者の特例で1億円を節税した小川さん

＊＊＊財産と家族の状況＊＊＊

- ●依頼者　小川さん
- ●職　業　専業主婦
- ●被相続人　父
- ●相続人　後妻、長女（本人）、長男、計3人
- ●財産の内容
  自宅不動産、貸店舗、貸家、宅地、駐車場、預貯金、等

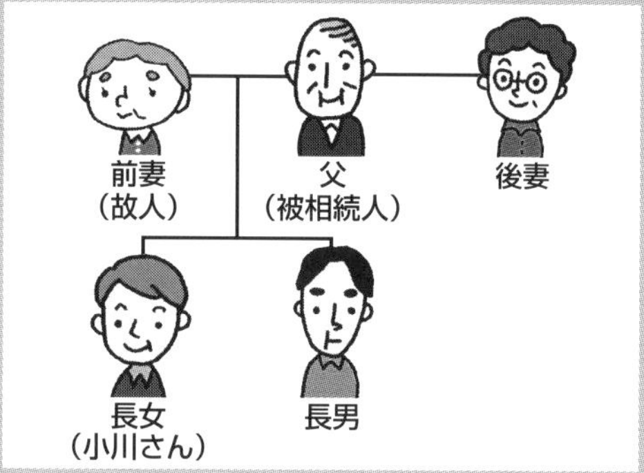

弟の仕切りが不信感に

小川さんの父親は貸家や貸店舗を所有し、不動産賃貸業を営んでいました。母親は若くして亡くなり、2人の子どもは後妻に育てられ、母子の関係は円満です。

弟は父親の会社を引き継ぐため勤めていた会社を辞め、現在は社長となっています。父親が亡くなったとき、義母は一緒に住む弟夫婦に気兼ねがあるためか、相続の手続きを仕切ったのは弟でした。

弟の態度

父親の死後、弟は「現金を渡すので印鑑を押してもらいたい」と言うばかりで、なぜ文句があるのかという態度です。

詳しいことは教えずに印鑑を

遺言書がなかったので遺産分割協議をしなければいけません。しかし、弟は詳しい内容を教えてくれようとはしません。

申告をする顧問税理士に質問しても、弟と打ち合わせをしているようで、納得のいく答えが返ってこないのです。

自分が嫁いでからの実家の様子がわからないだけに、この機会に財産の確認をして、自分が納得できる相続をしたい。できるだけ節税して父親の財産を残したいというのが、小川さんの気持ちでした。どうすればいいか相談に来られました。

解決へのアドバイス Point of advice

配偶者の割合を高めて納税額を減らす

弟は財産の大部分を自分が相続したいため、義母への相続は3割程度としていましたが、納税の負担を減らすためにも、相続財産全体の半分まで弟から義母へ変更することを提案しました。

弟は渋々でしたが、これで納税額を約1億円減らすことができました。小川さんには代償金を払うという提案でしたが、父親が苦労して守ってきた土地は相続しておきたいという理由で、小川さんは角地の駐車場と、現金による法定割合相当を希望しました。

弟はかなり難色を示しましたが、弟としても、協議が長引いても得策ではないと判断したようで、申告期限の前日に調印、当日に申告、納税ができたのでした。

相続税の更正の請求で還付を受ける

弟が依頼した税理士の相続税申告書を確認すると間違いもあり、まだ節税の余地があると判断できました。小川さんも更正の請求*を依頼したいとのこと。

Word

*更正の請求
(→ P232)

弟の協力は得られませんでしたが、小川さんが単独で更正の請求をしました。土地評価のし直しと保険評価の誤りを訂正する内容で、請求したとおりに認められ、相続税の還付を受けることができました。

後の税務調査で、弟も還付を受けることが決定しました。

ここがポイント!

- ☑ 申告期限をゴールとして遺産分割協議をする
- ☑ 遺産分割が長引くと未分割申告となり、納税は負担増になる
- ☑ 申告書は相続人の１人だけでも提出できる

case study 8 ≫ 納税

利用しない土地を売却して納税した竹内さん

＊＊＊財産と家族の状況＊＊＊

- 依頼者　竹内さん
- 職　業　不動産賃貸業
- 被相続人　夫
- 相続人　妻（本人）、長女、長女の夫（養子）、計3人
- 財産の内容
  自宅不動産、駐車場、アパート、貸家、貸地、預貯金、山林、等

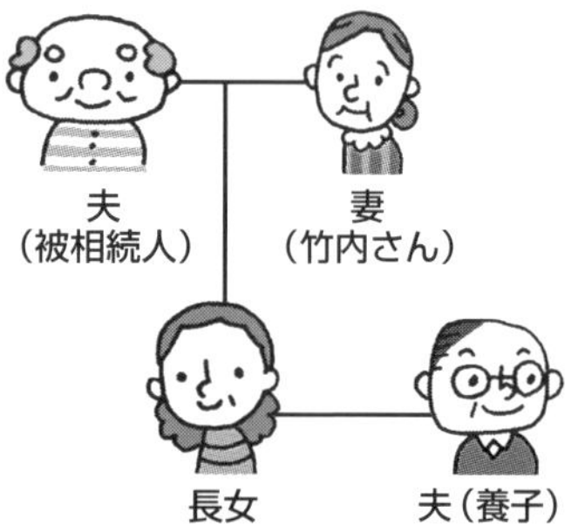

借金嫌いで対策ができていない

竹内家は地元の名家で、代々の地主さんです。広い敷地に自宅と蔵や稲荷さんがあり、手入れの行き届いた庭が広がっています。

周辺にはそんな広い家はないので、ひときわ目立つお宅です。さらに自宅周辺に駐車場やアパート、貸家、貸地があり、分家した親戚も住んでいるので、常に隣近所に配慮しながら生活している様子がうかがえました。

一部を贈与

竹内家はまわりからも相続になれば大変だと言われてきたので、自宅の土地など一部は、夫から竹内さんと長女に贈与してあります。

現在、財産の大部分は夫名義となっています。しかし、夫は借金が嫌いな昔気質の人でしたので借入もなく、ほとんどこれと言った節税対策はできていませんでした。

相続税が払えないのでは

養子の娘婿は数字に詳しく、資料をそろえ、将来、相続が発生したときのだいたいの計算はできていましたが、土地が多く、変形地もあるため、どこに相談していいか決めかねていたとのこと。

このままでは、相続税がかなりの額になるのではないかと相談に来られたのです。

解決へのアドバイス Point of advice

土地の評価を下げる

二次相続でも相続税の不安があるため、竹内さんには有効利用ができる土地を相続してもらうことを優先し、配偶者の特例（配偶者の税額軽減*）を最大限に利用するため、財産の半分を妻である竹内さんが相続しました。

さらに自宅周辺の土地は全部を測量し、利用区分図を作成しました。自宅、アパート、駐車場、貸地、貸家と、利用目的ごとの面積を出すことで不整形地ができるので、30%程度の減額ができました。

不要な土地は売却して換金

夫が30年ほど前に購入した山林がありましたが、今は宅地化が進んで区画整理され、閑静な宅地になっています。現地は雑木林のようになっており、毎年の草刈りだけでも手間がかかるということです。

納税には半分程度を売却すれば足りますが、維持管理が大変なため、全部を売却することにしました。

納税額の概算が出た頃から売却活動に入ったところ、地元の建て売り業者から購入申し込みが入り、申告の前日に売却が完了。納税もでき、まとまった現金も手元に残せたのです。この土地は納税が必要な長女夫婦が相続しましたが、利用目的のない土地が売れて納税資金となり、残りをまとまった現金で残せたことで、安心されたようです。

Word

＊配偶者の税額軽減
（→ P222）

ここがポイント！

- ☑ **測量して、利用区分ごとに評価する**
- ☑ **売却は早めにし、申告、納税までに完了が理想**
- ☑ **利用しない土地は処分、換金することも対策となる**

case study 9 >> 納税

財産の95%が上場株式 現金では払えず株で物納した山下さん

＊＊＊財産と家族の状況＊＊＊

- ●依頼者　山下さん
- ●職　業　主婦
- ●被相続人　父（被相続人）
- ●相続人　母、長女（本人）、長男、次男、計４人（予定）
- ●財産の内容
自宅不動産、マンション（長女宅）、預金、有価証券

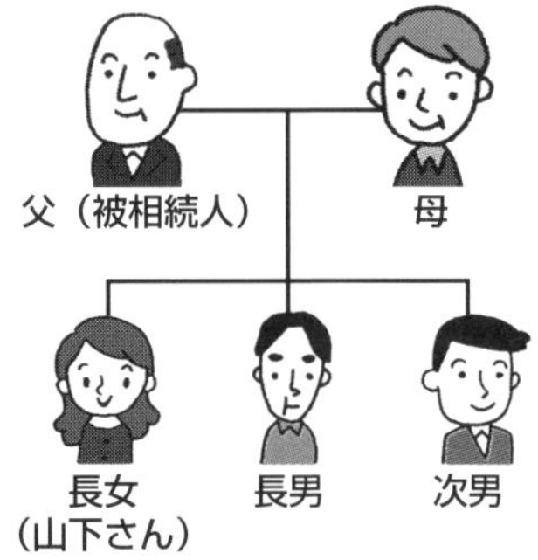

まとまった株を保有している

山下さんは3人姉弟。山下さんが結婚後、2人の弟も実家を離れたため、両親は2人暮らしをしていました。老後は、長女の山下さんが両親の面倒を見ることになり、父親が自宅の近くのマンションを購入してくれたため、4人家族で住んでいます。

父親は祖父から相続した株を持っており、配当金で生活できると聞いていました。祖父は父方の親族が創業した会社の株を持っていて、上場を機に株価が何十倍にもなったというのです。その会社は業績が安定し、以前よりも成長しています。

父親の相続対策が間に合わず

山下さんは母親の協力を得て、株や預金の明細を整理しました。すると想像以上に株の評価が高くなり、財産の95%が株だと判明。預金がほとんどないこともわかりました。

両親ともに贅沢は一切しない生活をしており、3人の子どもにも同様に厳しかったので、億単位の財産になっているとは思いもしなかったのです。嬉しいというよりは、父親が入院中のため、退院したらとにかく相続対策をしなくてはという思いになりました。しかし、父親は容体が急変し、退院することなく亡くなってしまいました。

解決へのアドバイス Point of advice

配偶者の特例を利用して納税を半分に

父親は遺言書を作る間もなく亡くなりましたので、母親と子ども3人で遺産分割協議をして財産の分け方を決めます。亡くなってからの大きな節税は自宅の小規模宅地等の特例を適用し、配偶者の税額軽減を利用することです。よって、母親が財産の半分を相続するような遺産分割にしました。

納税は株の物納で

山下さんの父親が亡くなったときは株価も安定しており、納税は株を売却すればいいと安易に考えていましたが、いざ納税期限が近くなると株価は以前から20%も下落していて売ると損だという状況になっていました。

そこで、株を物納する形で納税する方法があると提案を受けて、そのようにしました。そうすると相続税の申告の評価のまま納税できますので、売却損もなく、売却の手数料もかからないのです。

多額の相続税というだけで気持ちが重かったところ、株価の下落で困ったことになったと、きょうだいで不安になっていましたが、物納ができ、気持ちが楽になったのでした。ただし、物納が認められるには金銭納付が困難であることの理由が必要になります。

Word

＊物納
(→ P230)

ここがポイント！

- ☑ 現金納付が困難なときは物納という方法がある
- ☑ 物納できるのは上場株式や国債や不動産などで順位がある
- ☑ 上場株式は相続時より下落することもあり、慎重に判断する

case study 10 ≫ 納税

代償金で納税分を割り当てた佐川さん

＊＊＊財産と家族の状況＊＊＊

●依頼者　佐川さん
●職　業　不動産賃貸業
●被相続人　夫
●相続人　妻（本人）、長男、長男の妻（養子）、計3人
●財産の内容
自宅不動産、貸店舗、アパート、預貯金、生命保険

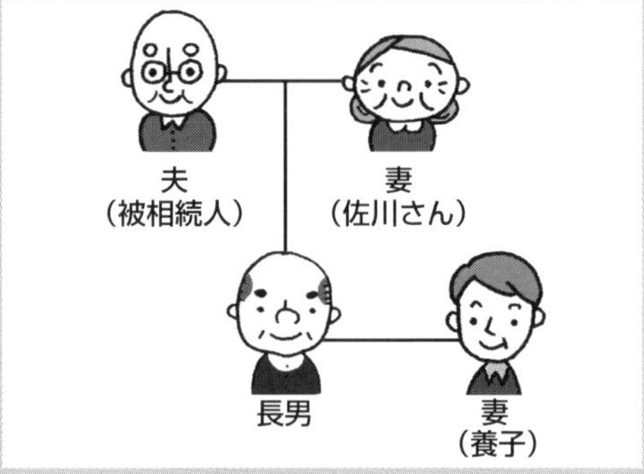

農地が宅地になった

佐川家は本家と言われる立場で、代々続いている家系です。土地を多く所有する資産家で農業を続けてきましたが、駅周辺で区画整理が行われ、農地は宅地になり、価値も上がりました。

駅に近い土地は家電店とジーンズショップに貸しており、安定収入が得られます。この賃貸収入で夫婦2人分の生命保険にも入っていました。

保険の受取額

夫は貯蓄のつもりで、5本の保険に加入していました。もともと農家で、質素な暮らしを続けてきた佐川さんは賃貸収入の一部を積立型保険の保険料に充ててきました。夫が亡くなったときの生命保険の受取額は約4000万円でした。

納税は保険で

預貯金と生命保険の両方足せばまとまった金額になります。夫は相続税はそれで払うようにと常日頃から言っていましたが、これと言って贅沢をせずにきた佐川さんとすれば、相続税だからといって財産を減らしたくないのが本音です。

また、同居はしているものの、息子夫婦は共稼ぎで農家の手伝いも大してしていません。

ほとんどは佐川さんがやりくりしていたことから、息子夫婦にはまだ財産を任せられないという気持ちもあると言います。

解決へのアドバイス Point of advice

相続税が一番安くなる遺産分割をする

そこで、相続財産の分け方のパターンを作り、それぞれを選択した場合の税額を比較検討しました。ポイントは今回の税額が少なくなることと、毎年の所得税が少なくなることです。

佐川家の主な不動産は店舗2棟とアパート1棟です。この不動産を各々が取得するとし、ほぼ3等分に分けることにしました。また、配偶者の特例（配偶者の税額軽減*）を利用し、相続税の76.56%が節税できました。

納税は代償金で

保険金を受け取る配偶者は控除を適用して無税ですから、納税する必要はありません。しかし実際に納税する長男夫婦が取得するのは不動産だけですから、保険金を納税に充てようと考えていました。

納税原資については合意ができていますが、そのままでは贈与となってしまいます。

そこで、納税に足りる分だけ佐川さんが息子夫婦に代償金として支払い、それで納税することにしました。長男には1000万円、長男の妻には500万円となります。

遺産分割協議書にも記載し、申告もその内容とすることで、相続の財産分与となり、贈与税の課税はされません。

Word

＊配偶者の税額軽減
（→ P222）

ここがポイント！

- ☑ 配偶者の特例を利用し、相続税を 76.56%節税
- ☑ 不動産相続で納税資金がない場合は代償金をもらう
- ☑ 預金、保険は妻、他の相続人の税額は代償金とする

case study 11 ≫ 税務調査

土地評価は指摘されず減額ができた佐藤さん

＊＊＊財産と家族の状況＊＊＊

●依頼者　佐藤さん
●職　業　会社員
●被相続人　父
●相続人　母親、長男（本人）、長女、計3人
●財産の内容
自宅不動産、アパート、駐車場、貸地、預貯金、同族会社株、生命保険、等

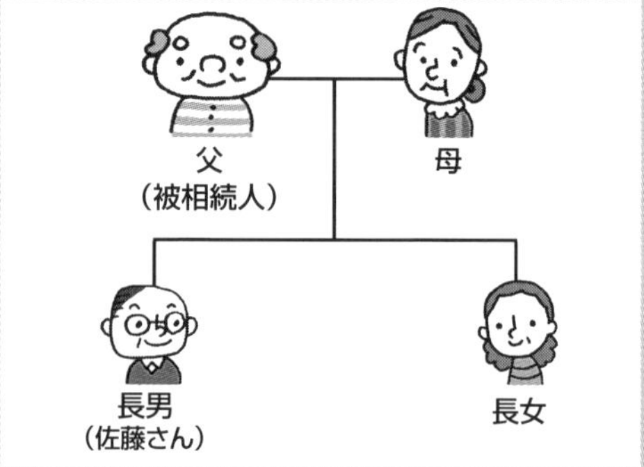

それまでは会社員で詳細がわからない

佐藤家は代々の地主で父親が11代目です。先祖から相続した土地を生かしてアパートや駐車場、貸地にして不動産賃貸業を営んでいます。不動産管理業の法人も設立しています。

佐藤さんはいずれ跡を継ぐつもりでしたが、父親が取り仕切っている間は別の会社で仕事をしてきました。ところが、引き継ぎをするどころか、父親は急に亡くなってしまったのです。

専門家を集めたがうまくいかず

そこで佐藤さんは今までの顧問弁護士や顧問税理士に加え、テレビ出演もする有名な弁護士と税理士が数十名在籍する会社に依頼し、一流のメンバーでプロジェクトチームを作り、不動産の調査から始めました。

父親は信託銀行で作成した公正証書遺言を残していましたが、財産の増減があることなどから弁護士主導のもとに分割協議をすることになりました。ところが有名弁護士は佐藤さんの意向を優先して強引に押し切ろうとしたのです。そのため、当事者間では話ができないほどの争いに発展、対立してしまったのです。

妹の不満

妹は、長男の佐藤さんが財産を多く取得するために動いていると勘ぐり、自分で別の弁護士を立てることで意思の疎通を図るようになってしまいました。

解決へのアドバイス Point of advice

自宅土地に地積規模の大きな宅地評価を適用

相談に来られたのは申告期限の2カ月前でした。すでに分割協議は終了していましたが、土地の評価はまだ下げられる余地があると判断しました。評価のポイントは母親が相続した自宅の土地です。建物の前には広い庭があり、300坪程もあります。税理士は通常の評価をしていましたが、周辺は戸建ての住宅街であり、地積規模の大きな宅地評価[*]が適用できるという結論になり、この提案で相続税を約1億円近く節税することができました。

税務調査で土地評価の指摘なし

母親の取得割合が全体の半分以下で増やすと納税はさらに減らせることも提案しましたが、すでに妹と決裂しており、前向きなことも受け入れられる状態ではなく断念しました。

申告期限までに地積規模の大きな宅地の評価明細書なども作成して添付し、相続税の申告は終えました。その後、早々に税務調査[*]になりましたが、調査対象は法人と個人の預金の流れが中心で、土地評価は指摘もなかったとのこと。佐藤さんは、自宅の土地評価だけで大きく減額でき、税務調査が完了したことで、安堵されたのでした。

Word

＊地積規模の大きな宅地評価
（→ P67）
＊税務調査
（→ P190）

ここがポイント!

- ☑ 地積規模の大きな宅地は普通住宅地区または普通商業併用住宅地区にあることが要件
- ☑ 自宅として利用していても地積規模の大きな宅地評価ができる
- ☑ 税務調査は預金が中心で土地評価は指摘されないことが多い

頼める専門家は誰!?

父親は公正証書遺言を作成

Mさん（50代・女性）は、90代の父親が亡くなり、相続の手続きをしているところで相談に来ました。相続人は兄、Mさん、妹の３人です。公正証書遺言があり、執行者は都市銀行で、執行料は700万円です。

父親の財産は約７億円もありますが、財産の９割が土地です。納税額の準備が不安なMさんが確定申告を依頼している大手税理士法人に試算してもらうと、相続税が２億円を超えそうだといいます。

父親の預金だけでは相続税が払えない

父親の預金は7000万円で、財産の10％しかなく、相続税が払えません。不足分は不動産を売却して現金を捻出する必要があります。

そこで、財産の中で貸宅地から売却するよう、銀行の系列の信託銀行に依頼をしました。しかし、貸宅地の評価は２億円なのに、4500万円でしか売れないと言われてしまいます。とても納税には足りません。

不足分は融資からと訴える銀行

大手税理士法人は、相続税は2.3億円以下には下げられないと説明します。すると銀行は不足分の融資を提案してきました。できれば融資は受けたくないMさんは、悩んで相談に来られたのでした。

このままでは借金が残る相続です。遺言執行はせずに、銀行、信託銀行、大手税理士法人を断り、相続に慣れた別チームでプランを作り、提案をしました。

亡くなってしまってからでもできること

結果は大きく変わりました。土地の評価は減額要因があります。埋蔵文化財包蔵地、近くに墓地がある、分筆して不整形になったなどで減額し、相続税が１億7000万円に。6000万円安くできました。自宅を残し、相続税、譲渡税を払った後、各自に１億円以上の財産を残せたのです。

申告期限まで５ヵ月しかありませんでしたが、相続実務士がスケジュールを組み、相続に慣れた専門家が協働して出した成果です。Mさんも安堵されていました。

相続実務士より

相続のときの専門家選びは慎重に

相続税の計算は、誰に頼むかによって結果が大きく変わります。銀行、信託銀行、大手税理士法人でも担当者は相続に慣れていないこと、他人事で親身になってもらえないことがあるので注意が必要です。

相続になって、いざ相続税の申告や分割、納税が必要な時こそ、慎重に依頼先を選択しましょう。相続、遺言書、不動産に慣れた専門家に依頼しないと、Mさんのように困った事態になりかねません。

終活・相続のヒント

- 相続の専門家選びを間違わないように
- 相続の実例やノウハウを持つところを選ぶ
- 必要な専門家と連携してくれるところを選ぶ
- 相続税の負担を減らすなど親身に対応してくれるところを選ぶ

第8章

相続税の計算と申告方法

相続税の計算と申告は、相続のなかでも複雑な難関ポイントの1つと言えるでしょう。正しい知識を身につけることが必要です。

相続税の知識①

基礎控除額を超えたら申告が必要

どんな場合に申告するのか

人が亡くなることによって相続が始まり、相続人には取得した財産に応じて相続税が課されることになります。被相続人は、生前は所得に応じて所得税を納めていたわけですが、亡くなったあとにも税金が課されるのは、どうしてなのでしょうか。

これは**「富の再分配」**のためというのが大きな理由の1つです。特定の人に集中した資産が、そのまま次代へ引き継がれると、経済的な機会平等が損なわれてしまいます。そのため、相続税を徴収して社会に還元するというしくみです。

◆相続税は基礎控除額が大きい

相続では、財産を取得した人全員が相続税を納めるわけではありません。相続税には一定の基礎控除*額が設けられています。**基礎控除の額は3000万円＋600万円×法定相続人*の人数**となっています。

法定相続人が配偶者と子ども2人のケースであれば、基礎控除の額は4800万円となります。この場合、取得した財産が4800万円以下であれば、相続税が課されることはありません。

財産を取得した各人の課税価格の合計額が、遺産にかかる基礎控除額を超える場合、その財産を取得した人は、相続税の申告をする必要があります。

なお、小規模宅地等の特例*などを適用することにより、課税価格の合計額が遺産にかかる基礎控除以下となる場合には、納税額自体はゼロとなりますが、相続税の申告をする必要があります。

相続税には3つの課税原因がある
相続が課税される原因には、以下の3つがある。
①相続による財産の取得
②遺贈による財産の取得
③死因贈与による財産の取得
なお、相続時精算課税制度の適用を受けて贈与による財産を取得していた場合にも相続税が課税される。

＊基礎控除
すべての納税者に無条件で適用される控除のこと。

＊法定相続人
民法の規定によって相続人となる人のこと。

2015年の改正前
基礎控除額は5000万円＋1000万円×法定相続人。

＊小規模宅地等の特例
(→P70)

相続税の主な特徴

①基礎控除額が大きい

3000万円+600万円×法定相続人まで控除される。これ以下の財産であれば非課税となる

②配偶者には特別の軽減措置がある

法定相続分または1億6000万円以下であれば非課税となる

③生命保険金や死亡退職金に対する控除がある

いずれも法定相続人1人につき500万円の控除がある

④一定規模以下の小規模宅地などには特別の軽減措置がある

一定の面積につき、評価額が80%減、または50%減となる

相続税の課税最低額（2015年より）

法定相続人	基礎控除額
1人	3600万円
2人	4200万円
3人	4800万円
4人	5400万円
5人	6000万円

●相続人が1人増えるごとに基礎控除額が600万円増加する

相続税がかかる人

相続税は基本的に個人に対して課税されるため、法人が相続によって取得した財産に対しては法人税が課されることになる。ただし、例外として人格のない社団（町内会、同好会など）や公益法人が遺贈などで財産を取得した際に相続税が課されるケースがある。

メモ

統計に見る相続税

国税庁が発表した相続税の申告実績（2022年分）によると、被相続人（死亡者数）156万9050人に対して、相続税の課税対象となった被相続人数は15万858人。課税割合は9.6%となっています。

課税価格を被相続人1人あたりで見ると1億3711万円、同じく1人あたりの税額は1855万円という結果が出ています。

point

●基礎控除額以下であれば非課税となる
●相続税はすべての相続にかかるとは限らない

相続税の知識②

生命保険金や死亡退職金は相続財産とみなされる

相続税のかかる財産をチェック

相続税の課税対象となるのは、金銭に見積もることができるすべての財産です。

具体的には、亡くなった人が相続開始現在において所有していた土地、家屋、立木、事業（農業）用財産、有価証券*、家庭用財産、貴金属、宝石、書画骨董、電話加入権、預貯金、現金などの一切の財産ということになります。

*有価証券
株券、小切手、手形など、所有者の財産権を証明する証書のこと。

◆「みなし財産」にはどんなものがあるか

相続税法では、亡くなった人が所有していた財産以外のものにも相続税を課税するという規定を設けています。そのため、相続税のかかる財産は本来の相続財産のほかに、税法が財産とみなす**「みなし財産」**があります。

死亡退職金の課税条件
死亡退職金は「みなし財産」として相続税が課税されるが、被相続人の死亡後3年以内に支給が確定したものに限られる。
死亡後3年以内の支給確定には以下のケースがある。
①死亡退職で支給される金額が、相続後3年以内に確定したとき
②生前に退職していて、支給される金額が相続後3年以内に確定したとき
なお、3年を経過して支給されたものについては、一時所得として相続人に対して所得税が課税されることになる。

「みなし財産」のなかでは、「生命保険金」と「死亡退職金」が代表的なものです。生命保険金などは、被相続人が所有していた財産ではありません。しかし、相続を原因として取得できる財産という意味で、相続税法上は実質的な財産とみなされるというわけです。

生命保険金、死亡退職金ともに、500万円×法定相続人の数まで「非課税控除」の適用があります。例えば、法定相続人が妻と子ども3人であった場合、500万円×4＝2000万円まで非課税となります。

このほかに「みなし財産」とされるものには、「生命保険契約に関する権利」「定期金に関する権利」といったものがあります。

「相続財産」として相続税がかかるもの

土地	田・畑（自作農のほか、貸農地も含む）、山林（普通の山林や保安林等） 宅地（事業用宅地や居住用宅地、貸宅地や貸家建付地も含む） その他の土地（原野、牧場、池沼、鉱泉地、雑種地等）
土地の上に存在する権利	田や畑の耕作権や永小作権 宅地の地上権や借地権、温泉権など
家屋	家屋（建物のほか、門、塀等の設備や庭園設備も含む） 構築物（駐車場、養魚池、広告塔等）
事業（農業）用資産	減価償却資産（農具、機械器具、器具備品、自動車、船舶等のほか、営業権も含む） 棚卸資産（商品、製品、半製品、原材料、農産物等） その他の財産（売掛金、受取手形や営業上の貸付金、電話加入権等）
有価証券	株式、出資（上場株式で取引されていない同族会社の株式や出資） 公債、社債、証券投資信託、貸付信託の受託証券
現金、預貯金等	現金、銀行預金、郵便貯金、小切手、金銭信託等
家庭用財産	家具、什器備品
その他の財産	立木、電話加入権、書画骨董品、宝石、事業に関係のない自動車、特許権、著作権、貸付金、未収の地代や配当金、ゴルフ会員権等

●金銭に見積もることができるすべての財産に相続税がかかる

みなし財産として相続税がかかるもの

生命保険金等	被相続人の死亡によって支払われる生命保険金や損害保険金、共済金で、被相続人が保険料を負担していたもの
死亡退職金等	被相続人が受け取るべきだった退職手当金等で、死亡後に遺族に支払われたもの
生命保険契約に関する権利	被相続人が保険料を負担した生命保険契約で、相続時にまだ保険事故が発生していないもの
定期金（年金）に関する権利	被相続人が掛金を負担していた郵便年金契約等で、相続時にまだ年金の給付事由が発生していないもの
定期金（年金）の受給権	被相続人が支給を受けていた郵便年金等で、契約に基づいて被相続人の死亡後に遺族に支給される一時金や年金
退職年金の継続受給権	被相続人が支給を受けていた退職年金で、死亡後に遺族に継続して支給されるもの

●本来の相続財産とは別に「みなし財産」にも相続税がかかる

point

●「みなし財産」にも相続税がかけられる
●生命保険金と死亡退職金には非課税枠がある

相続税の知識③

葬式の費用は債務控除できる

8種類の非課税財産

相続財産のなかには、相続税が課税されないものがあります。これは、国民感情や社会通念などを考慮した上で定められているものです。

現在では、例えば**お墓や仏具などの祭祀財産が非課税とされているほか、生命保険金や死亡退職金には、一定の金額を非課税**とすることになっています。

また、国の政策的な見地から、財産を特定の公益法人[*]に寄付した場合も非課税となります。ただし、相続税の申告期限[*]までに寄付をすること、寄付をした公益法人等からの証明書を申告書に添付して申告することなど、いくつかの要件を満たす必要があります。

◆被相続人の借金や葬式費用の扱い

相続では、プラスの財産ばかりでなく、マイナスの財産を相続することもあります。故人の借金などの債務は、相続財産から控除することが認められています。これを**「債務控除」**と言います。債務控除は、大きく分けて借金などの債務と被相続人の葬式費用があります。

もっとも、葬式費用と言っても、葬式の内容は様々であるため、一定の基準が設けられています。例えば、**香典返しの費用などは控除できない**ことになっています。葬式に際して必要不可欠な費用ですが、受け取る香典には課税されないことになっているためです。また、初七日や四十九日法要に要する支出も債務控除の対象ではありません。

＊公益法人
社団法人と財団法人に分けられ、公益を目的とし、営利を目的としない法人。

＊相続税の申告期限
相続の開始日の翌日から10カ月以内。

寄付しても非課税とならないとき
相続した土地などの財産を、相続人が関係する公益法人などに寄付したあとに私的に利用しようとするといったケースでは、非課税とはならない。

香典返しのマナー
香典返しは一般的に香典として受け取った額の3分の1〜2分の1程度の品物を用意するのが相場となっている。

課税対象から除かれる8種類の財産

①皇室経済法の規定により、皇嗣が継承するもの

②墓所、霊廟、仏壇、祭具など

③一定の要件に該当する公益事業者が取得した公益事業用財産

④特定公益信託に支出した場合の金銭

⑤心身障害者扶養共済制度に基づく給付金の受給権

⑥相続人の取得した生命保険金などで、法定相続人1人あたり500万円で計算した金額

⑦相続人の取得した死亡退職金などで、法定相続人1人あたり500万円で計算した金額

⑧相続財産を国や特定の公益法人に寄付した場合の寄付財産

※費用はメモしておく

葬式費用のなかにはお寺へのお布施など、領収書が取りにくい項目もたくさんある。このようなときは、出納簿などに記入しておけば、基本的に控除は認められる。

●財産のなかには相続税が課税されないものがある

葬式費用の扱い

葬式費用とされる

- ①埋葬、火葬その他に要した費用
- ②葬式に際し施与した金品で、被相続人の職業、財産などから相当程度と認められるものに要した費用
- ③その他、葬式の前後に要した費用で通常葬式に伴うと認められるもの
- ④死体の捜索または、死体もしくは遺骨の運搬に要した費用

葬式費用とされない

- ①香典返礼費用
- ②墓碑および墓地の購入費ならびに墓地の借入料
- ③法会に要した費用
- ④医学上または裁判上の特別の処置に要した費用

●香典返しなどは葬式費用として認められない

メモ

葬式費用の相場は?

一口に「葬式費用」と言っても、葬儀社に支払う費用や寺院関係への謝礼、飲食費用などに大別され、一般的に合計250万円程度が相場とされているようです。

ただし、葬式費用は地方によっても異なり、葬儀社による各種葬儀プラン設定があり、実情は「ピンキリ」です。

また、葬式費用を月掛で積み立てる互助会方式もあるので、事前のプランが重要です。

point

●お墓や仏具などには相続税がかからない
●香典返しの費用は控除できないので注意が必要

配偶者、未成年者などは税額が軽減される

税額控除は全部で6種類

相続税の税額控除は全部で6種類（①贈与税額控除、②配偶者の税額控除、③未成年者控除、④障害者控除、⑤相次相続*控除、⑥外国税額控除）ありますが、最も節税効果が大きいのは②配偶者の税額控除です。

これは**「配偶者の税額軽減」**と呼ばれることからもわかるように、被相続人の配偶者の税負担を大幅に軽減するものです。

1. 控除額の範囲

ⓐ被相続人の配偶者が取得した財産の課税価格が法定相続分以下なら、取得額がいくら多くても、相続税はかからない。

ⓑ配偶者の取得額が法定相続分を超えていても、その額が1億6000万円以下なら、相続税はかからない。

2. 配偶者税額控除を受ける条件…配偶者税額控除を受けるためには、次の2つの条件が必要です。

ⓐ婚姻届が出ている法律上の配偶者であること。

ⓑ相続税の申告期限までに、相続人・包括受遺者*間で遺産分割が確定していること。

◆申告期限までに遺産分割を確定させる

これらの控除を使うには、**相続税の申告期限までに、相続人同士で遺産の分割が確定していることが必要**です。相続人同士で遺産争いがあり、申告時までに分割ができない場合には、軽減の特例は受けられません。

ただし、相続税の申告期限から3年以内に遺産分割が行われたときは、この軽減の特例が受けられるようになります。

＊相次相続
短期間に相次いで相続が起きること。最初の相続を一次相続、2回目の相続を二次相続と言う。

配偶者の範囲
税額控除の適用を受けることができる配偶者は、正式な婚姻の届けが行われている配偶者に限る。そのため、内縁の配偶者は含まれない。

＊包括受遺者
遺言によって「財産の3分の1」というように、一定割合の財産分与を受ける者のこと。相続人と同一の権利義務を有する。なお、一定割合の財産分与をする「包括遺贈」に対し、具体的に「○○の土地」「○○万円」を遺贈するといった具合に、分与する財産を明確にしているケースを「特定遺贈」と言う。

相続税の税額控除の種類と計算法(2024年より)

税額控除の種類	控除の内容または要件
贈与税額控除	被相続人からその生前7年以内に贈与を受け、その贈与税が相続税の課税価格に加算されたもの※ $\text{贈与を受けた年の申告贈与税額} \times \dfrac{\text{相続税の課税価格に加えられた贈与財産の価額}}{\text{贈与を受けた年分の贈与財産の合計額}}$ ※2024 年 1 月 1 日以後の贈与より適用。それ以前の贈与については 3 年以内
配偶者税額控除(配偶者の税額軽減)	原則として相続税の申告期限までに相続財産が分割・取得されていること。 相続税の申告書を提出すること 次の書類を添付すること ①遺言書の写し、②遺産分割協議書の写し・印鑑証明書、③戸籍謄本 配偶者が財産の半分まで、あるいは取得財産が1億 6000 万円までは無税。 以下の計算式で控除額を計算する $\text{相続税の総額} \times \dfrac{\text{AまたはBのうちいずれか少ない金額}}{\text{相続税の課税価格の合計}}$ A 相続税の課税価格の合計のうち配偶者の法定相続分 (法定相続分が1億 6000 万円未満なら1億 6000 万円) B 配偶者が実際に相続により取得した財産の価額
未成年者控除	無制限納税義務者などであること 法定相続人であること 相続人が 18 歳未満であること 10 万円 ×(18 歳−相続開始時の年齢)
障害者控除	無制限納税義務者であること 法定相続人であること 相続人が 85 歳未満でかつ障害者であること 一般障害者控除=10 万円 ×(85 歳−相続開始時の年齢)
相次相続控除	被相続人が相続により財産を取得してから 10 年以内で、前回の相続で相続税が課税された場合
外国税額控除	相続または遺贈により日本国外にある財産を取得し、その財産の所在国で相続税に相当する税金が課せられたとき

●配偶者税額控除は節税効果が最も大きい

point

●相続税には6種類の税額控除がある
●「配偶者の税額軽減」は節税効果が高い

まずは課税価格を算出する

相続税の計算のしくみを知る

相続税を計算するには、まず相続した財産の内容と、それらは金銭にするといくらに評価されるかを知ることが必要です。

次に、実際にどのくらい相続税がかかるか計算する段階になります。相続税の算出は、**①課税価格の計算、②相続税総額の計算、③各人の相続税額の計算、④各人の納付税額の計算という4つの段階**からなります。

◆課税価格算出の手順

相続税の算出は、課税価格を算出することから始まります。この計算は、相続や遺贈*によって財産を取得した人ごとに行います。計算の手順は以下のとおりです。

①相続（遺贈）財産＋②みなし相続財産*－③非課税財産*－④債務および葬式費用*＋⑤相続開始前7年以内*の贈与財産＋相続時精算課税に係る贈与財産

相続開始前7年以内*の贈与財産とあるのは、相続や遺贈によって財産を取得した人が、その相続前7年以内*に被相続人から財産の贈与を受けていたときは、その贈与の価格をその人の相続税の課税価格に加える、というものです。

以上から導き出された額から、基礎控除額を差し引きます。これによって実際に相続税がかかる財産価格が導き出されるというわけです。遺産にかかる基礎控除額とは、いわゆる課税最低限のことです。

したがって、課税価格の合計額が基礎控除額以下の場合、相続税は一切かかりません。また、申告の必要もなくなります。

*遺贈
遺言による贈与のこと。

*みなし財産
（→ P218）

*非課税財産
（→ P220）

*相続開始前７年以内
2024年１月１日以後の贈与より適用。それ以前の贈与については３年以内。

*債務および葬式費用
（債務控除→ P220）

基礎控除の算定方法
遺産に係る基礎控除額＝3000万円＋600万円×法定相続人数

*相続税の税率
（→ P227）

相続税算出の基本（2024年より）

(1) 課税価格の計算	課税価格の合計額を出す 課税価格の合計額 ＝相続（遺贈）財産＋みなし相続財産 －非課税財産－債務および葬式費用 ＋相続開始前7年以内の贈与財産* ＋相続時精算課税に係る贈与財産 ↓ 基礎控除額（3000 万円＋600 万円×法定相続人数）を出す 課税価格の合計額－基礎控除額…① ↓ ①を法定相続分で分け、各人の課税価格を出す…②
(2) 相続税総額の計算	②で出した各人の課税価格に税率*をかけて税額を出す…③ ↓ 相続税の総額を出す…④
(3) 各人の税額の計算	相続税の総額を各人の課税価格の割合（実際の分割割合）で按分。未分割の場合は法定相続分で按分…⑤
(4) 各人の納付税額の計算	税額控除のある人は、その分をマイナスする…⑥

●相続税の算出は、課税価格を算出することから始まる

《計算例》
課税価格の合計額＝9000 万円
相続人＝3名（配偶者、子2名）の場合

配偶者が 3000 万円、子は各3000 万円取得の場合

基礎控除額
＝3000 万円
＋1800 万円
＝4800 万円

①9000 万円－4800 万円＝4200 万円

②配偶者　2100 万円
子　各 1050 万円

③配偶者　265 万円
子　各 107.5 万円

④相続税の総額
480 万円

⑤配偶者　160 万円
子　各 160 万円

⑥配偶者の税額0円
（配偶者の税額軽減）
子　各 160 万円

point

●まずは財産の内容を金銭に換算する
●相続開始前7年以内の贈与財産は課税対象※

※ 2024 年 1 月 1 日以後の贈与より適用。それ以前の贈与については 3 年以内

実際の取得分に応じて各人の相続税額を算出する

税率は速算表を参照して計算

課税価格から基礎控除額を差し引いた「課税遺産総額」をもとに、今度は、法定相続人が法定相続*どおりに相続したと仮定して計算を進めていきます。

法定相続分に応じた額が計算できたら、これに所定の税率をかけ、控除額を差し引きます。相続税の速算表にしたがえば、簡単に計算することができます。

こうして算出した仮の税額を合計すれば、相続税の総額が求められます。

◆相続税の総額を比例按分する

相続税の総額は、相続や遺贈により財産を取得した人全員が負担すべきトータルな税額を示すものです。ただし、これだけでは、だれがどれだけの相続税を負担するかわかりません。そこで、次に財産を取得した各人がどれだけの税額を納めるかについて計算が必要になります。

この計算は、相続人や受遺者*たちが実際にどれだけの財産を取得したかに基づいて行います。すなわち、**相続税の総額を、各人が取得した財産の課税価格で按分する**のです。

なお、按分割合は、その人が取得した財産を課税価格の合計額で割って出します。按分割合に小数点2位未満の端数がある場合には、各人の割合の合計額が1になるように調整します。

各人の按分割合を相続税の総額にかけると、1人ひとりの算出税額が出てきます。

*法定相続
(→ P38)

*受遺者
遺言によって贈与を受けた人のこと。

相続税が2割増しになるケースがある
相続税の2割加算とは、被相続人の配偶者や一親等の血族（父母や子ども）以外の者が財産を取得した場合は、算出税額にその2割を加算するというもの。
例えば、被相続人の孫や兄弟姉妹が財産を取得した場合は、その算出税額が2割増しとなる。

相続税の速算表（2015年より）

法定相続分	税率	控除額
1000万円以下	10%	——
1000万円超～3000万円以下	15%	50万円
3000万円超～5000万円以下	20%	200万円
5000万円超～1億円以下	30%	700万円
1億円超～2億円以下	40%	1700万円
2億円超～3億円以下	45%	2700万円
3億円超～6億円以下	50%	4200万円
6億円超～	55%	7200万円

（例）法定相続分が1500万円の場合

1500万円×0.15−50万円＝175万円

●法定相続分に税率をかけ、控除額を差し引いて計算する

各人の相続税額の計算（2015年より）

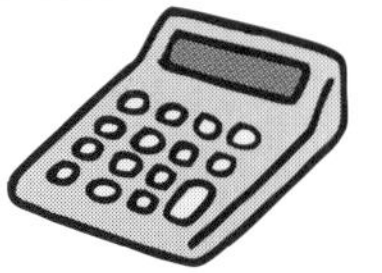

納付税額＝算出税額＋相続税の2割加算−税額控除
（該当者のみ）（該当者のみ）

※課税価格の合計額2億円、配偶者が1億2000万円、長男が6000万円、次男が2000万円相続した場合。

①基礎控除額を差し引いた「課税遺産総額」（この場合1億5200万円）を法定相続分に分け、税率をかける

配偶者　1億5200万円×1/2＝7600万円→7600万円×30%（税率）−700万円（控除額）＝1580万円
長男　1億5200万円×1/4＝3800万円→3800万円×20%（税率）−200万円（控除額）＝560万円
次男　1億5200万円×1/4＝3800万円→3800万円×20%（税率）−200万円（控除額）＝560万円

相続税総額　1580万円＋560万円＋560万円＝2700万円

②相続税総額を課税価格の割合で按分する
（算出税額＝相続税の総額×按分割合　※按分割合＝その人の課税価格÷課税価格の合計額）

ⓐ按分割合
配偶者　1億2000万円/2億円＝0.6
長男　6000万円/2億円＝0.3
次男　2000万円/2億円＝0.1

ⓑ各人の算出税額
配偶者　2700万円×0.6＝1620万円
長男　2700万円×0.3＝810万円
次男　2700万円×0.1＝270万円

③該当者は算出税額に2割加算する
相続や遺贈により財産を取得した者が、被相続人の配偶者・父母・子以外の者である場合

④該当者は各種税額控除（P222）を差し引く
配偶者の税額　配偶者控除により相続税はゼロとなる
長男の税額　810万円　　次男の税額　270万円

point

●まずは法定相続分に応じて計算する
●各人の仮の税額の合計が相続税の総額となる

被相続人の住所地管轄の税務署に申告する

相続税の申告期限は 10 カ月

相続税の申告書の提出期限は、**相続開始日の翌日から 10 カ月目の日**です。提出期限が土曜日曜祝祭日などにあたるときは、これらの日の翌日が期限となります。申告書は、被相続人の死亡時における住所地を管轄する税務署に提出します。

期限内申告のメリット
相続税を期限内に申告すると以下のようなメリットがある。
①小規模宅地等の特例を受けることができる。
②配偶者の税額軽減を受けることができる。
③農地の相続税猶予制度を受けることができる。

不動産の相続登記
相続で不動産を取得した場合には、3年以内に不動産相続登記をする義務がある（P2）。

相続税の申告書は、同じ被相続人から相続や遺贈によって財産を取得した人が共同で作成して提出することができます。しかし、これらの人の間で連絡が取れない場合や、その他の事由で申告書を共同で作成して提出することができない場合には、別々に申告書を提出しても差し支えありません。

また、配偶者の税額控除*、小規模宅地等の減額の特例*などを受ける場合、税額がゼロでも申告の必要があります。

*配偶者の税額控除
(→ P222)

*小規模宅地等の減額の特例
(→ P70)

◆相続税の申告に必要な書類

申告は、申告書と一緒に相続財産の明細書や計算書などの書類を添付して税務署へ提出します。主な必要書類は、以下のとおりです。

①財産に関するもの…登記事項証明書や相続財産の明細書等
②債務に関するもの…借入金の明細書等
③身分に関するもの…遺言書*や遺産分割協議書*の写し、親族関係図等
④その他……………………葬式費用の領収書等

*遺言書
相続に関して故人の意思を書面として残したもの。
(→ P140)

*遺産分割協議書
遺産分割について相続人全員で話し合った内容を文書にまとめたもの。
(→ P184)

相続税の申告書は多岐にわたっていて、記入には手間がかかります。そのため税理士に作成してもらう方法もあります。

申告書に添付する主な書類

種類	書類
身分関係	親族関係図 被相続人の経歴書 被相続人の戸籍謄本・除籍謄本 各相続人の戸籍謄本・住民票・印鑑証明書 遺言書または遺産分割協議書のコピー
土地・建物	登記事項証明書 実測図・公図・地形図・路線価図・評価倍率表 固定資産評価証明書・土地賃貸借契約書 建物賃貸借契約書
有価証券	有価証券の保護預り証のコピー 有価証券残高証明書（相続開始の日現在） 非上場株式（発行会社の過去3年の決算書・申告書・内訳書）、銘柄別一覧表
預貯金	預貯金の残高証明書（相続開始の日現在） 預貯金通帳のコピー（本人名義・家族名義） 預金証書
保険・年金	生命保険の支払通知書のコピー 年金証明書 保険証書
債務など	借用証書 借入金残高証明書（相続開始の日現在） 賃貸借契約書、準確定申告書 国税・地方税の領収書・通知書のコピー
その他	医療費の領収書 葬式費用の領収書

●申告書と一緒に必要書類を添付して税務署に提出する

相続時精算課税制度の適用時
相続時精算課税制度の適用を受けた場合は、相続時に課税を精算する必要が生じるため、相続税を申告する必要がある。
（→ P124）

納期限が延長になるとき
災害等により相続税の納税が困難になった場合には、税務署長の承認を受けて災害のやんだ日から2カ月以内に限って、納期限を延長することができる。

メモ

申告期限はいつからいつまで?

相続税の申告期限は「相続の開始日の翌日から10カ月以内」とされています。
仮に被相続人が2024年7月14日に亡くなったとすると、翌日の7月15日から10カ月後の2025年5月14日までに申告することになります。
なお、申告書の提出先は、納税地の所轄税務署長となっているため、相続人全員が同じ税務署で申告することになります。

point

●相続税は期限内に申告書を提出する
●申告書に必要な書類を添付する

納付できないときは延納や物納もできる

延納・物納には条件がある

相続税を一括して納税できない場合には、手続きを取ることによって **「延納」** をすることができます。ただし、この場合、延納期間に応じて利子税が課されることになります。

延納には以下の条件が求められます。

①相続税額が **10万円を超える**こと。

②納付期限までに金銭で**納付することが困難**であること。

③**担保*を提供できる**こと（延納税額が100万円以下で延納期間が3年以下の場合は不要）。

④申告期限までに **「延納申請書」を提出**すること。

◆物納という選択肢もある

税金は現金で納付するのが原則であり、相続税も例外ではありません。しかし、相続財産の大半が不動産で、手持ちの資金が少ないため金銭で納付できない場合は、**「物納」** という方法を選ぶことができます。物納の条件は以下のとおりです。

①**延納によっても金銭納付が困難**なこと。

②**物納できる財産がある**こと。

③申請により**税務署長の許可を受ける**こと。

④**金銭による納付が困難である金額の限度内**であること。

⑤**申告期限までに「物納申請書」および「物納関係書類」を提出**すること。

申告期限から10年以内に限り、延納した相続税の残額部分について、延納していた者がその後の資力の変化等により延納の継続が困難となった場合に、物納に変更もできます。

＊担保
債務が履行されない場合に備えて、債務者が提供する対象のこと。相続税を延納する際の担保は、所有者の同意を得ることができれば、他人の財産でもよい。担保にできる財産には以下のものがある。
①国債および地方債
②社債
③土地
④その他の財産（建物、自動車など）

物納できない財産
物納できない財産には以下のようなものがある。
- 抵当権が付されている不動産
- 境界が不明確な不動産
- 他の土地に囲まれて公道に通じない土地
- 耐用年数を経過している建物
- 有害物質に汚染されている不動産
- 風俗営業の用に供されている不動産
- 暴力団の事務所等に供されている不動産

物納の撤回もできる
賃借権などが設定されている土地、家屋について、物納の許可を受けたあとに、金銭による一時納付または延納により納付することができるようになったときは、物納の許可を受けてから1年以内に申請すれば物納を撤回することができる。

相続税の延納期間と利子税の割合

区分		延納期間（最高）	利子税（年割合）
不動産等の割合が75%以上	不動産などに対応する税額	20年	3.6%
	動産などに対応する税額	10年	5.4%
不動産等の割合が50%以上75%未満	不動産などに対応する税額	15年	3.6%
	動産などに対応する税額	10年	5.4%
不動産等の割合が50%未満	立木に対応する税額	5年	4.8%
	特別緑地保全地区内の土地に対応する税額	5年	4.2%

※利子税は基準割引率が年0.3%の場合（利子税は基準割引率および基準貸付利率によって変動）

●延納期間に応じて利子税がかかる

物納できる財産の種類と順位

第1順位

上場株式等
国債・地方債
不動産・船舶 など

第2順位

社債・非上場株式
証券投資信託
貸付信託の受益証券
など

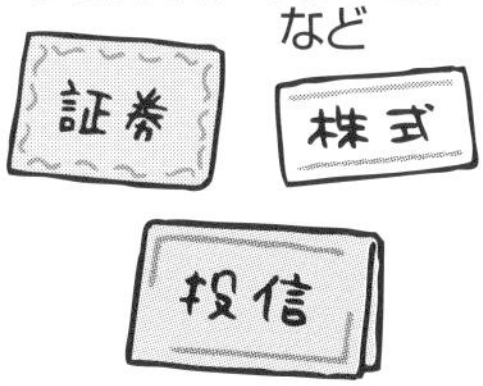

第3順位

動産

●物納できる財産と順位が定められている

point

- **延納には担保の提供が必要となる**
- **延納から物納に切り替え可能なこともある**

間違った申告は修正することができる

決してめずらしくはない申告の間違い

相続税の申告は、そう何度も経験するものではないでしょう。まして、亡くなった人の所有していた財産を明確に把握しているとも限らず、あとになってから新たな財産が出てきたというケースもめずらしくありません。

申告の間違いをそのまま放置しておくと、税務調査*などの際に指摘されて、加算税*や延滞税などのペナルティを課されることになります。申告内容に間違いが見つかった場合は、申告の内容を訂正する必要が生じます。

◆修正申告と更正の請求

申告書の提出期限後に申告税額が少なすぎたことに気がついた場合は、税務署長から更正の通知が来る前なら、修正申告書を出すことができます。修正申告書は税務署で手に入れ、相続人全員について、修正前と修正後の金額、そしてその差額を記載します。

この修正申告書を提出するときに、不足していた納税分を追加して納付することになります。なお、税務調査前の自主的な修正の場合、加算税はかかりません。

これとは逆に、申告書の提出期限後に申告税額が多すぎたことに気がついた場合は、税務署に更正の請求をして訂正します。相続税申告期限後に**更正の請求ができる期間は、申告期限から5年以内**です。申告税額が多すぎたことが認められれば、多すぎた税額分が還付されます。

期限後の申告
申告期限を過ぎても申告がない場合、税務署による独自調査のもと税額が決められる（これを「決定」と言う）。決定が行われると、税額の15％相当（50万円超の部分については20%）が「無申告加算税」として追徴される。税務調査の前に申告書を提出すれば「無申告加算税」は5%となる。

*税務調査
相続税の申告が適切であったかどうかの調査。国税局や税務署によって行われる。

*加算税
無申告のとき、過少申告のときにかかる税金のこと。
①過少申告加算税、②無申告加算税、③重加算税の3種類がある。

修正申告と更正の請求

どんなとき	計算ミスや、新たに相続財産が見つかった…… 本来納める額より少なく申告してしまった場合	計算ミスや、未分割のためとりあえず税金は払ったが、実際の分割で配偶者控除を使ったことで少なくなった…… 多く納めすぎてしまった場合
どうする	**修正申告** 税務署に備え付けの用紙で申告するのと同時に、追加分を納める	**更正の請求** 税務署に備え付けの用紙で請求する
ここに注意	税務調査を予期しないで自主的に行ったもの以外は、過少申告加算税が課せられる 本来の納付期限を過ぎている場合は延滞税も課せられる	請求期限は本来の申告期限から５年以内（2011年12月2日以後に法定申告期限が到来するもの） 以下の場合等は、その事由を知ったときの翌日から4カ月以内 ①申告後に遺産分割を行った場合 ②申告期限から3年以内に遺産分割して配偶者控除が受けられるようになった結果、申告額が多いことがわかった場合

●申告内容に間違いがあった場合、申告内容を訂正する必要がある

過少申告加算税
納税額が少なかったのに修正申告をしなかった場合、税務署で「更正」が行われ、不足税額の10%（50万円超の部分については15%）相当額がペナルティとして課されることになる。

メモ

延滞税と利子税

期限までに相続税を納税しなかった場合、相続人は「延滞税」を納めることになります。

これとは別に、相続税を延納するにあたっては、延納している期間の金利として「利子税」がかかることになります。

それぞれ性格が違う税金であり、税率も異なっており、利子税と延滞税が両方課税されることはありません。

point

●税務調査前に修正すると加算税がかからない
●更正の請求は申告期限から5年以内に行う

case study 1 ≫ 申告

申告をして納税がなくなった前田さん

＊＊＊財産と家族の状況＊＊＊

●依頼者　前田さん
●職　業　自営業
●被相続人　母
●相続人　長男（本人）、計1人
●財産の内容
自宅不動産、預金、現金

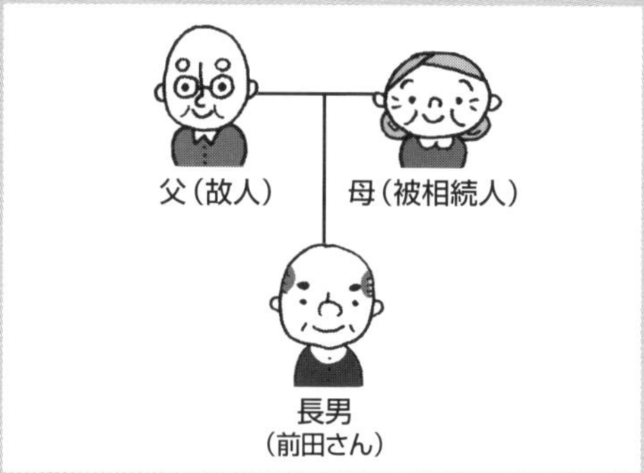

相続人は長男１人

前田さんの母親は、配偶者を亡くし、晩年は1人暮らしをしていました。

子どもは前田さん1人で、都市圏で飲食店を経営しています。父親が亡くなったあと、前田さんは自分の家に同居してはどうかと何度か母親に提案してきましたが、父親が建てた自宅に愛着があり、最寄り駅から至近の立地と環境も気に入っているので離れる気持ちはないと言われたとのことです。

前田さんの母親の財産

財産は自宅の土地建物と預金のみ、建物は１階が自己住居、２～４階は７世帯の賃貸マンションです。最寄り駅は人気のある快速停車駅で、駅から徒歩３分の好立地ということもあり、建築以来ほぼ満室で稼働し、相続が発生したときも空室はありませんでした。

母親が１人暮らしを続けている間、前田さん夫婦が折りを見て訪れていましたので、前田さん夫婦には十分親孝行を果たしたという満足感があります。

相続税の申告が必要

母親が住んでいた自宅には建築資金の借入がなく、母親の生活資金としては十分過ぎるぐらいの家賃収入がありました。

自宅と預金だけでも、相続税の基礎控除である3600万円を超えることが確実です。相続税の申告手続きと進め方を相談に来られました。

解決へのアドバイス Point of advice

申告をして小規模宅地等の特例を適用

相続税の基礎控除*額を超える財産がある場合、相続が開始した日の翌日から10カ月以内に、被相続人の住所地を管轄する税務署に相続税の申告書を提出しなければなりません。

前田さんの場合、不動産は母親の自宅であったため、被相続人が居住していた自宅等を相続する場合に、一定の要件を満たせば、一定面積までの部分について評価減ができる小規模宅地等の特例が受けられます。

前田さんは持ち家ではなく、特例の適用を受けた結果、財産が基礎控除の範囲内に収まったため納税の必要がなくなりました。

貸金庫も手元現金として計上

前田さんの母親は、銀行預金のほかに貸金庫に預けていた分を含め、合計300万円以上の手元現金がありました。

当初前田さんは、貸金庫のお金まで税務署にはわからないのではないかということで、財産として計上することに消極的でした。

しかし、貸金庫の現金もきちんと計上した方が無難であり、また計上しても納税がないことを説明し、申告してもらうことになりました。それによって、早い段階で相続手続きを完了することができました。

Word

＊基礎控除
(→P216)

ここがポイント！

- ☑ 財産の全体像を把握し、申告の要否を判断する
- ☑ 小規模宅地等の特例を受けるためには、申告をしなければならない
- ☑ 申告をすれば、納税しないで済む場合がある

case study 2 >> 税額の計算

相続税の申告が不要と思っていた原田さん

＊＊＊財産と家族の状況＊＊＊

- 依頼者　原田さん
- 職　業　会社員
- 被相続人　父
- 相続人　母、長女（本人）、計2人
- 財産の内容
  自宅不動産、地方のマンション、預貯金

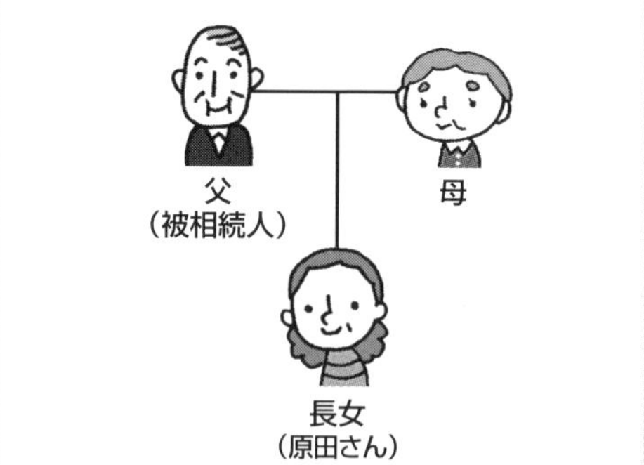

父親の急死で相続が発生

原田さんの実家は父親と母親の2人暮らし。父は公務員でしたがすでに引退しており、母親と2人で都内で生活していました。長女である原田さんはすでに結婚して配偶者と子どもがおり、日中は仕事をしながら都内の別のところで家族と生活をしています。

父親は公務員でしたので、特別な財産があるとは考えていませんでした。そんなある日、父親が急死しました。

口座が凍結

金融機関の口座を持つ人の死亡を届けたり、死亡が金融機関に知られたとき、死亡した人名義の口座は凍結され、遺産分割の手続きが終了するまで預貯金を引き出せなくなります。切迫した状況のときは150万円を限度に引き出すことができますが、あくまで仮払いとなります。

母が要介護状態に

相続の手続きをするため、母親にいろいろ確認しようとして連絡を取ったところ、母親は要介護状態になってしまい、また母親の預金が底をつきそうな状況であることを初めて知りました。

原田さんが父親の口座がある銀行に父親が亡くなった連絡をすると、口座は凍結され預金が引き出せなくなってしまいました。しかも通帳など一部の重要なものはその銀行の貸金庫に入っており、貸金庫が開かないと財産の全体がわからない上、現金も引き出せません。

解決へのアドバイス Point of advice

財産が基礎控除の範囲内かを確認する

自宅ですぐに見つかった父の預金通帳、自宅と中古マンションの評価を確認すると基礎控除*の範囲内のため申告不要と思われました。

その後、遺産分割協議書を作成し、戸籍謄本等必要な書類を揃えて貸金庫を開き、他の銀行の通帳や不動産の権利証を取得しました。その時点でようやく財産の全容を確認することができましたが、通帳の金額を合計すると基礎控除額を超えていることが判明し、相続税の申告が必要なことがここで初めてわかりました。

このときすでに、申告期限*まであと2カ月となっていました。

期限内に申告手続きを済ませる

申告が必要になることがわかったため、急いで手続きに入りました。新たに判明した財産を記載した遺産分割協議書をすぐに完成させ、金融機関にも急いで手続きをし、申告期限にぎりぎり間に合いました。

原田さんは仕事をしながら戸籍等の書類を集めるために会社を休んだり大変でした。無事に手続きを済ませることができましたが、生前に両親の状況を確認しておくべきだったと痛感したと話しておられました。財産が多くないので大丈夫と思っても、基礎控除も少なくなっているため、課税対象になることもあります。なるべく早いうちに確認することが大切です。

Word

＊基礎控除
(→ P216)
＊申告期限
(→ P228)

ここがポイント！

- ☑ 相続はいつ起こるかわからないため、財産金額を事前に把握しておく
- ☑ 親の財産について、重要な書類がどこにあるかを事前に聞いておく
- ☑ 相続発生後、速やかに書類を集めて申告が必要かどうかを確認する

case study 3 ≫ 養子の相続

自分の子が父の孫養子になっている高木さん

＊＊＊財産と家族の状況＊＊＊

- 依頼者　高木さん
- 職　業　農業、不動産賃貸業
- 被相続人　父
- 相続人　長女（本人）、養子2人（長女の子）、計3人
- 財産の内容
  自宅不動産、賃貸物件、預貯金

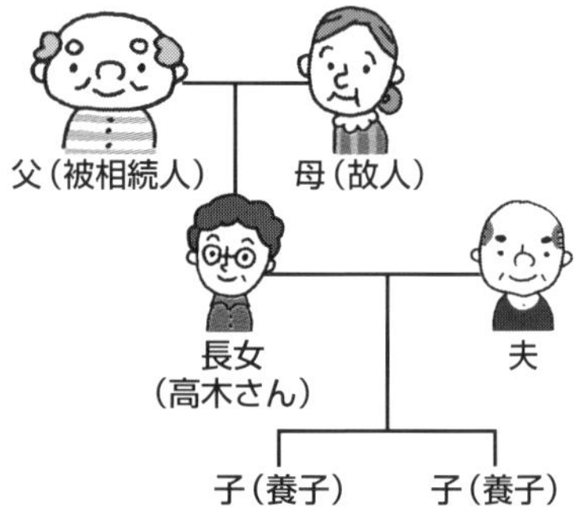

開発に伴い不動産賃貸業を営む

高木さんは農業と不動産賃貸業を営み、父親を含む家族5人で暮らしていました。母親は 10 年ほど前に亡くなっています。

高木さんが小さいころは専業農家でしたが、しだいに近隣の開発が進み、町の人口も増加したため、高木家も不動産賃貸業を営むようになりました。

高木家の家業

高木家では、父親が主に農業を営み、高木さんは主に不動産賃貸業をしていました。

高木さんの子どもたちはそれぞれ成人し、長男は家業を手伝い、次男は企業に勤めました。

父は相続を気にしていた

不動産賃貸業がうまくいったこともあり、父親の財産は増加し、また付近の土地価格も上昇していることから、父親は自分の相続が発生したときの相続税が気になりはじめました。

何か相続対策をしなければと思い、考えついたのが、高木さんの長男、次男を自分の孫養子*にするということでした。

高木さんの子どもたちを養子にする手続きを終え、その後は父親も安心して平穏な日々が続いていましたが、ある日父親が亡くなりました。

解決へのアドバイス Point of advice

基礎控除の計算に含められるのは1人だけ

父親は遺言書を作成しておらず、突然の不幸であったため、残された家族も、分割案について考えたこともありませんでした。

税理士に依頼して葬儀後に父親の財産評価をしたところ、基礎控除*額を超え、相続税申告の必要があることがわかりました。

高木さんの長男、次男は父親と養子縁組をしていたので、相続人となるのは全部で3人です。

しかし被相続人に実子がいる場合は、養子のうち１人までしか基礎控除の計算に含めませんので、今回の相続では、父親の考えた相続対策もあまり効果を発揮できるものではありませんでした。

孫の相続には2割加算が適用される

高木さんは、いずれ長男と次男が相続する財産を、いったん高木さんが相続するよりも、一代飛ばして、今回の相続で長男と次男に一部相続させてはどうだろうかと考えました。

しかし、相続税には2割加算という制度があり、孫が相続した財産に関しては、相続税が2割増しとなり、今回の相続税の負担は大きくなります。

今回の相続税額が、父親から相続する預貯金と高木さんの預貯金を合わせてもぎりぎりであったため、これ以上相続税が増えないように調整して分割案を決めました。

Word

＊孫養子（養子縁組）(→ P94)
＊基礎控除(→ P216)

ここがポイント！

- ☑ 養子縁組すると基礎控除額が増える
- ☑ 実子がいる場合、基礎控除計算上養子のカウントは１人まで
- ☑ 孫への相続は相続税が２割加算になる

case study 4 ≫ 納税

納税と節税対策にアパートを建てた藤井さん

＊＊＊財産と家族の状況＊＊＊

- ●依頼者　藤井さん
- ●職　業　公務員
- ●被相続人　父
- ●相続人　母、長女、次女、三女、長男（本人）、次男、三男、四男、計8人
- ●財産の内容
  自宅不動産、貸店舗、アパート

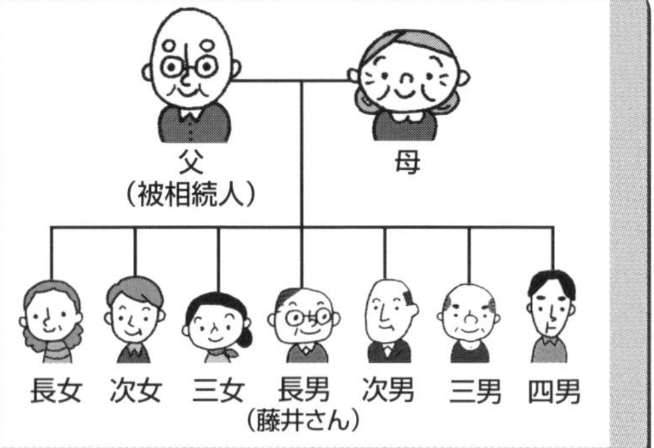

対策はしてこなかった

藤井さんの父親はもとは農家ですが、30年前より貸家を建てて賃貸業を営んでいました。

自宅以外は宅地のほとんどに賃貸物件が建っていますので貸家建付地の評価減*は得られますが、建物に対する借入金はまったくありません。相続に備えてこれといった対策はしていませんでした。

姉弟からの不満が出てきた

父親が亡くなったとき、銀行から紹介された税理士に相談したところ、予想以上の相続税がかかると言われ、困ってしまいました。藤井さんは長男で両親と同居してきましたが、兄弟姉妹は7人と多く、遺産分割の話し合いが簡単にまとまるかわかりません。

藤井さんには相続のプランがありましたが、その内容では姉弟たちの納税額にも満たないため、長男の藤井さんばかりがもらいすぎであると不満が出ていました。

藤井さんは納税方法の不安などもあり、節税もできればという気持ちで相談に来られました。

藤井さんの考え

父親の土地に家を建てて住んでいる姉弟4人にはその土地を相続させ、土地を使用していない姉2人にも同じくらいの土地を相続させるというのが藤井さんの分割案でした。

解決へのアドバイス Point of advice

変形、無道路、高圧線下の土地などを減額した

今回相続する不動産には、道路側に姉と弟の家を建てたことで、残りが凸凹した変形地となった畑などがありました。こういった土地は、それぞれの状況に合わせた評価をすることで減額しました。

姉弟の納税用には土地、自分は銀行から借りた

姉弟には納税のために土地の売却が必要だと藤井さんを説得、80坪の宅地を姉弟に相続させることで合意しました。姉弟はその土地を売却して、納税ができました。

藤井さんが相続する土地は、貸家や貸店舗が建っており、すぐに売却できるところはありません。そこで相続税はそっくり銀行から借りて納税しました。返済原資として古い貸家を明け渡してもらい、新たに2棟のアパートを建てることにしました。この家賃収入で相続税の借入返済は十分まかなえます。翌年、妹が相続した土地も合わせて100坪に、母親が銀行でローンを組んでアパートを建てました。

これで、将来、万一母親が亡くなった場合も相続税はかからない計算です。また、妹には土地を借りているので毎月地代を支払うこともできています。藤井さんの返済は増えましたが、代わりに母親のアパート収入が入り、一家の生活は今までと変わらず、余分な負担なしに維持していけます。

Word

＊貸家建付地の評価減
(→ P68)

ここがポイント！

- ☑ 土地の状況に合わせて減額の評価をする
- ☑ 居住用財産のほかに、納税できるような土地も相続させた
- ☑ 銀行で納税資金を借り、賃貸事業の家賃で返済する

case study 5 ＞＞ 未分割での申告

担保を盾に兄から土地全部相続を主張される岡田さん

＊＊＊財産と家族の状況＊＊＊

●依頼者　岡田さん
●職　業　会社員
●被相続人　父
●相続人　長男、長女、次女、次男（本人）、計4人
●財産の内容
自宅不動産、アパート、負債

1つの土地に建物2棟

父親を亡くした岡田さんは、兄と姉2人の4人で財産を相続することになり、遺産分割の話し合いを始めました。

父親の主な財産は土地と建物で、1つの土地に建物が2棟建っています。1棟は自宅と賃貸の併用住宅で岡田さん家族が父親と同居をしていました。もう1棟は、兄家族の自宅でやはり賃貸住宅と併用の建物になっています。岡田さんが父親と同居する建物は父親名義ですが、兄が住む建物は、兄が自分で銀行融資を受けて建てています。

岡田さんの考え

岡田さんの希望は、住んでいる現状どおりに不動産を兄と自分が相続し、姉２人には預金を分けることです。姉たちは岡田さんの考えに同意をしてくれましたが、肝心の兄の同意が得られません。

父親の土地は兄の融資に担保提供

２棟の建物が建っているとはいえ、土地は分筆されておらず一筆です。父名義の建物はすでに建築費のローンは払い終えていますが、兄はローンが残っており、融資を受ける際に父の土地を担保提供していますので、抵当権も設定されています。

それを理由に兄は土地を全部相続したいと言い出しました。岡田さんが土地を相続したいなら、返済分を払ってくれたら担保を抜くという理屈です。

解決へのアドバイス Point of advice

土地を分筆しておくべき

建物が2棟ありそれぞれに住む家族が違う場合は、もっと早いうちに分けられるような準備が必要だったと言えます。

兄がアパートを建てるときにきちんと分筆をして別々の土地にし、担保もその土地だけとしておけばこうした問題は防げました。その上で父親には利用に合わせて相続させるとする遺言書を残してもらえば争いにはならなかったでしょう。

未分割の場合法定相続分によって納税する

申告期限までには話し合いがつかず、とりあえず未分割で相続税の申告を済ませました。この場合、法定相続分によって財産を取得したとして税額を計算して納税します。

未分割で申告をすると小規模宅地等の特例*や配偶者の税額軽減*などの特例が受けられない（分割後に適用できる）ので注意が必要です。

今回のケースでは、兄は弁護士を立てて家庭裁判所の遺産分割協議の調停の申し立てをしてきました。弁護士の主張に勝つことは難しいと判断し、岡田さんも弁護士に依頼する選択をお勧めしました。

今までどおりに隣り合わせで住むことすら精神的な負担になるため、岡田さんはどういう結論が出ても家から出ていく決意をしたとのことです。

Word

＊小規模宅地の特例
（→ P70）
＊配偶者の税額軽減
（→ P222）

ここがポイント！

- ☑ **土地は利用ごとに分けられるようにしておく**
- ☑ **遺産分割がまとまらなかった場合には未分割で申告をする**
- ☑ **未分割の場合、特例の適用が受けられないことがある**

相続の専門家活用ガイド

1. 税理士を探す

税理士とのつきあいもなく、知り合いもいない場合は、ゼロから探さなくてはなりません。大勢のなかから、相続に慣れていて、ノウハウもあり、節税をして相続人に有利な申告をしてくれる税理士を見つけることは簡単ではないでしょう。

税理士会で紹介してもらうことも1つの方法かもしれませんが、やはり相続に慣れているかどうかはわかりません。なるべくなら、税理士関係ではなく別の視点から冷静に判断できるところからの紹介が望ましいと言えます。

相続を依頼する税理士を探す主な方法は次のとおりです。

① 相続実務協会から税理士を推薦してもらう
② インターネットの検索システムで実績などを確認して決める
③ 相続を経験した知人などから紹介してもらう
④ 税理士会で紹介してもらう
⑤ 顧問税理士に依頼する

2. 税務署や国税局を活用する

（1） 税務署に質問をして、直接確認してみよう

税務署は恐くて近寄りたくないという人が多いのではないでしょうか。

とにかく税金を取られるところというイメージがあり、用がなければ近づきたくないのが本音でしょう。

しかし、税務署にとって納税者はお客様ですから、質問をすれば丁寧に答えてくれます。税務署に質問する際のポイントは以下のとおりです。

① わからないことは直接問い合わせる
② 一般的な質問ではなく、具体的に場所や価格を特定する
③ 回答してくれた担当者の名前を確認し、日時とともにメモをしておく
④ 根拠となる説得材料の資料をそろえておく
⑤ 税務調査の場合、聞かれたことだけ回答し、余計なことは話さない
⑥ いろいろな部分で交渉の余地はあるので、事情により相談してみる

（2） 国税局の無料相談を利用してみよう

税務署で結論が出なかったり、財産が一定額以上の場合は、国税局が窓口となります。結局は国税局の回答が結論なのです。

税務署の窓口では、すべての職員が相続に詳しいとは言えないため、本を見ながら回答したり、他の職員と相談しながら回答したりする場面に出くわすこともあるでしょう。そのため、わからないことは最初から国税局に問い合わ

せて確認してみることで解決への糸口が見つかるかもしれません。
各国税局の税務相談窓口は、所轄の税務署に電話をかけ、音声アナウンス後[1]を選択し、引き続き音声アナウンスに従い相談内容の番号を選択すると、回答者につながります。

3. 一般社団法人　相続実務協会を活用する⇒相続実務士を探す

相続手続きを進めるときに、相続の専門家をまとめる相続実務士を選ぶことは、よりよい相続を実現するための近道です。相続実務士は、相続人の感情面、経済面の事情に合わせた相続のストーリーを描き、相続を「みえる化」「わかる化」することで、ご家族の絆と財産を守る“ほほえみ相続”をサポートしています。
相続実務協会の相続実務士は、「相談システム・ほほえみ」を活用し、相続対策のシミュレーションをし、対策の提案、サポートをしています。

●一般社団法人　相続実務協会　とは?
「相続実務」の専門家となる「相続実務士」を主体として、相続実務に必要な専門家（弁護士、税理士、測量士、不動産鑑定士、司法書士、行政書士、宅地建物取引士、不動産コンサルティング、ファイナンシャル・プランナー、等）で組織された全国ネットワークです。
相続実務協会は、相続実務士の養成、認定を行っています。

◆相続実務士の役割
◇相続対策を「みえる化」「わかる化」して伝えます
「みえる化」→家族の状況と財産の内容、評価額、節税額など
「わかる化」→提案書にする、わかりやすく説明する
◇相続相談に特化いたします
相談対応することで課題を整理、提案解決しながら、実務の提案ができる相談者のお客様から直に仕事を受注することができる

◆相続実務協会の連絡先　事務局　㈱夢相続
〒104-0032　東京都中央区八丁堀4-11-4　八丁堀フロント5F
TEL 03-6225-2587
URL https://souzoku-j.org

4. タックスアンサーを利用する

国税庁のホームページに、税に対する一般的な回答が掲載されています。相続税・贈与税についても載っていますので、調べるとよいでしょう。
URL：https://www.nta.go.jp/taxes/shiraberu/taxanswer/index2.htm

さくいん

●著者紹介――――**曽根恵子**（そね　けいこ）

相続実務士。一般社団法人相続実務協会代表理事。株式会社夢相続代表取締役。株式会社PHP研究所勤務後、昭和 62 年不動産会社設立、相続コーディネート業務を開始。日本初の相続実務士として1万 5000 件以上の相続相談に対処。感情面、経済面に配慮した“オーダーメード相続”を提唱し、家族のきずなと財産を守る“ほほえみ相続”をサポートしている。主な著書に『図解 90 分でわかる! はじめての相続』（クロスメディア・パブリッシング）、『図解でわかる 相続発生後でも間に合う 完全節税マニュアル』（幻冬舎メディアコンサルティング）ほか 80 冊。累計 74 万部。

●監修――――弁護士　**上野 晃**
司法書士　**内田裕樹**

●カバーデザイン――――松倉浩
●本文イラスト――――こいけゆか、関口紀子
●紙面デザイン・DTP――――アスラン編集スタジオ
●編集協力――――アスラン編集スタジオ
●企画・編集――――成美堂出版編集部（原田洋介、芳賀篤史）

本書に関する正誤等の最新情報は、下記の URL をご覧ください。
https://www.seibidoshuppan.co.jp/info/ichiban-sozoku2407

上記アドレスに掲載されていない箇所で、正誤についてお気づきの場合は、書名・発行日・質問事項・氏名・住所・FAX 番号を明記の上、**成美堂出版**まで**郵送**または **FAX** でお問い合わせください。

※**電話でのお問い合わせはお受けできません。**
※本書の正誤に関するご質問以外にはお答えできません。また法律相談などは行っておりません。
※ご質問の到着確認後 10 日前後で、回答を普通郵便または FAX で発送致します。
※ご質問の受付期限は、2025 年の 6 月末日到着分までと致します。ご了承ください。

いちばんわかりやすい相続・贈与の本 '24～'25年版

2024年 8 月30日発行

著　者　曽《そ》根《ね》恵《けい》子《こ》
発行者　深見公子
発行所　成美堂出版
〒162-8445　東京都新宿区新小川町1-7
電話(03)5206-8151 FAX(03)5206-8159
印　刷　大盛印刷株式会社

ISBN978-4-415-33447-9
落丁·乱丁などの不良本はお取り替えします
定価はカバーに表示してあります

6訂版

キャリアコンサルティング 理論と実際

専門家としてのアイデンティティを求めて

木村　周
下村英雄　著

一般社団法人 雇用問題研究会

６訂版へのまえがき

６訂版は大きな改訂となった。本書初版１刷は2010年の発行だが、その前身は1997年発行の著作『キャリア・カウンセリング ― 理論と実践、その今日的意義』に遡る。この間、実に25年もの長きにわたり、キャリアカウンセリングとは何か、キャリアコンサルティングとは何かを世に示し続けてきた。当時1997年のまえがきに書かれた木村の問題意識は「キャリア・カウンセリングは、従来のカウンセリングとどこが同じで、どこが違うのか、変動する社会とどのようにかかわるのか」というものだった。それは一口に言って、キャリアカウンセリング・キャリアコンサルティングのアイデンティティをめぐる問いであっただろう。

人が専門職を目指すに当たっては、学ぶべき知識や技能がある。キャリアコンサルタントであれば、例えば、キャリア理論やカウンセリング理論、労働関係法規や国のキャリア関連施策、産業・組織心理学や人事労務管理に関する知識、メンタルヘルスに関する知識などである。そして、それを対人、対集団、対組織へと具体的に展開する技能である。そこには、傾聴、受容、共感といった基礎的な相談スキルに加えて、自己理解・職業理解を促すキャリア支援の基本スキル、目標設定や方策の実行を促すアプローチ、さらにはグループや組織を対象とした支援スキルも含まれる。

しかし、それだけで、十分ではない。

キャリアコンサルタントという一定の職能を有した専門職として自らを確立するには、その初期訓練過程において、「キャリアコンサルタント」というアイデンティティを形成する必要がある。自分は、人のキャリアを支援する専門職だという確固たる自覚を伴うことで、キャリアコンサルタントは初めて１つの専門職として成立する。これは、海外のキャリア支援者養成でも重視されており、初期訓練でキャリア支援者としての独自のアイデンティティを確立することが１つの重要な目標として掲げられている。

確固たるアイデンティティを持つことで、キャリアコンサルタントは、自分がどのような領域で何をする専門家なのかを明確に意識することができる。それはキャリアコンサルタントが社会に向けて自らの地保を確保し、いっそうその活動を拡大していくことにもつながる。そして、キャリアコンサルタント自身は専門家としての明確な意識を基盤に、さらなる専門性を求めて不断に知識や技能を向上させていくこととなる。結果的に、より多くの人々に、職業やキャリアを考える際の有意義な支援を提供することができるだろう。

したがって、本書に大きな改訂を加えるに当たっても、目標としたのは、専門職としてキャリアコンサルタントのアイデンティティを確立することだった。単にキャリアコンサルティングの知識・技能を知るだけでなく、そのことを通じて、単なるキャリアの専門家でもなければ、単なるカウンセリングの専門家でもない、キャリアコンサルティングを行うキャリアコンサルタントとしての確固たる基盤を多くの人と共有したいと考えた。

以上の問題意識から、今回の改訂では章立てを大きく変更した。具体的には以下の３点である。

第一に、キャリアコンサルティング及びキャリアコンサルタントに職業能力開発促進法による明確な定義や規定が与えられ、キャリアコンサルタント登録制度として成立した点を重視した。2016年５月出版の４訂版及び2018年10月出版の５訂版は、いわゆるキャリアコンサルタントの国家資格化を踏まえた改訂であったが、過渡期でもあり、従来の記述を多く残していた。特に、キャリアコンサルティングの全体像を示すに当たって、それが「カウンセリング、ガイダンス、コンサルティングが一体化された」ものであることを理論的な基礎として全体の章立てを構成していた。これは現在でも未だ有意義な捉え方ではあるが、一方で、国家資格化からすでに５年以上を経過し、キャリアコンサルティング及びキャリアコンサルタントの確固たる法的・制度的な位置づけは明らかになっている。

そこで、今回、あらためて、キャリアコンサルティングは国の法律によって明確に規定された営みであること、その担い手たるキャリアコンサルタントは登録制・更新制の名称独占資格であること、守秘義務・信用失墜行為等の禁止義務が課せられていることを、その記述の根幹に据えるべきだと考えた。そのため冒頭より、国家資格キャリアコンサルタントの法的な根拠等を示し、キャリアコンサルティングを支える指針その他の制度についてその概要を示した。また後続の各章において、キャリアコンサルティングと関連が深い各種の労働関係法規に関する記述をやや手厚く取り上げた。併せてキャリアコンサルタントの倫理にも触れた。

第二に、キャリアコンサルタントが専門家としてのアイデンティティを形成するに当たっては、その歴史や歩みを知ることが不可欠だと考えられた。例えば、キャリアコンサルタントのアイデンティティの源泉は、人のキャリアを支援する専門家の始祖フランク・パーソンズから続く営々たる歴史に求められる。パーソンズは110年以上前の著作で、病弱で勉強が苦手な19歳の少年のケースを書き残している。この少年は、以前は食料品店の配達馬車の運転手としてある程度の収入を得ていた。しかし、病気のために仕事を失い、僅かな賃金でビリヤード場の片隅で靴磨きを行っていた。パーソンズは、この少年の職業相談に乗り、彼の絵やレタリング（文字のデザイン）が他の若者よりも秀でていることを見出す。そして、街角の看板や雑誌の広告を見て気に入ったものがあれば、それを真似て、１日に何度も何度も練習することを促す。少年は言いつけにしたがった。その結果、すぐにレタリングの技術を身につけ、立派な装飾文字を描く看板作りの職を得るのである。

この遥か昔の素朴な事例１つを紐解くだけでも、われわれは人のキャリアを支援するとはどういうことなのかについてある種の確信を心のうちに刻み込む。キャリアカウンセリングの歴史は、カウンセリングの歴史より長い。今回の改訂では、そうした歴史の重みを重視した。そのため各章において、現在では廃止されたり、存在していない制度・ツール・サイト等についても歴史的な意義があるものは記載した。同様の意味から、現在の日本社会の状況に照らして、いささか古く感じられる記述についても重要なものは残した。

第三に、キャリア理論や産業・組織心理学などについては、新たな内容を多く加えた。例えば、６訂版の改訂を引き継ぐに当たって、生前、木村が打ち合わせで特に含めることを示唆したのは、従来、日本のキャリア心理学ではあまり取り上げられなかった多文化・社会正義の理論群であった。木村はこの理論群を気に入り、この版に含めることを望んだ。冒頭、木村が問うた「変動する社会とどのようにかかわるのか」に対する１つの答えを見たこともあったのだろう。 その際、 従来までの版はHerr & Cramerの「Career guidance and counseling」の各版をベースとしていたが、今回、より幅広くBrown & Lent（2005）の「Career development and counseling」やHartung, Savickas, & Walsh（2015）の「APA handbook of career intervention」、Arthur, Neault, & McMahon（2019）の「Career theories and models at work」などの定評ある比較的新しいキャリア支援・キャリアカウンセリングの書籍から海外の理論動向を多く参照した。

また、複雑化する今後の社会への対応という意味合いから、キャリアコンサルタントは他の多くの職種との連携を考える必要が生じている。そこで、今後、協働の可能性が大いに考えられる公認心理師等が学習する内容はキャリアコンサルタントも知るべきだと考えた。例えば、公認心理師となるために修めるべき科目のうち、産業・組織心理学及び産業・労働分野に関する理論と支援の展開等で取り上げられている事項については、キャリアコンサルティング・キャリアコンサルタントとの関連を加味した上で取捨選択しつつ取り上げた。

以上、キャリアコンサルタントのアイデンティティを求めて、「法律」「歴史」「理論」の視点から大幅な加筆修正を行った。その他、職業情報、キャリアコンサルティングと人事・労務管理、ジョブ・カード、セルフ・キャリアドック、ストレスチェック制度などについても、やや大きな加筆を行った。さらに、これも木村が重視し続けたシステマチック・アプローチについては、今回、あらためて原典まで遡り、現代にも通じる有意義な点は記述を追加した。

なお、６訂版では、従来の記述の改訂及び上記の加筆に当たって、直近の社会経済動向を意識しつつも、むしろ、キャリアコンサルティングの基礎的な原理・原則を示すべく、「原論」としての記述を心掛けた。キャリアコンサルティング・キャリアコンサルタントに関心を持つ者は、すでに各方面で活躍し、一定の社会経験・実務経験を積んでいることが多い。その意味で、むしろ必要なのは、日々の忙しい仕事や業務からひとたび離れ、落ち着いてキャリアについて考え、それを支援するとはどういうことかを原理的に追究することであると考えた。本書がその目的を達しているかについては、読者諸賢のご判断を仰ぎたい。

最後に、今回の改訂版出版に当たって、企画段階からご示唆・ご支援いただいた雇用問題研究会の鎌田義夫氏、校正その他の段階でお世話になった同じく雇用問題研究会の中濵晶子氏、内容及び表記面について編集協力をいただいた（独）高齢・障害・求職者雇用支援機構の奥博史氏には、記して感謝申し上げたい。

令和４年３月
著者を代表して　下村英雄

もくじ

もくじ

もくじ

もくじ

6訂版発刊にあたって

本書の前身である木村周著『キャリア・カウンセリング　理論と実際、その今日的意義』は1997年に初版を発刊、その後改題・改訂された『キャリアコンサルティング　理論と実際』は2010年３月に発刊、約25年間にわたり５訂まで版が重ねられてきました。

５訂版発刊後、木村先生より６訂版は下村英雄先生に一任し、今後は引き継いでもらいたい旨申し出があり、下村先生にもご快諾いただいたため、木村先生、下村先生共著という形で６訂版を出版することとなりました。下村先生により改訂作業が進められている中、2021年３月に木村先生が逝去され、完成をご覧いただくことはかないませんでしたが、この度６訂版の出版に至りました。この場をお借りし、関係各位に御礼申し上げます。

一般社団法人雇用問題研究会　編集部

第1章
国家資格キャリアコンサルタントと倫理

第１節　キャリアコンサルティングと職業能力開発促進法

1.1　職業能力開発促進法の目的と理念

（1）　職業能力開発促進法の目的

職業能力開発に関する基本法である職業能力開発促進法は、キャリアコンサルティング及びキャリアコンサルタントを直接、規定した法律である。2016年４月１日以降、キャリアコンサルタント登録制度の創設後（いわゆるキャリアコンサルタントの国家資格化後）は、「『キャリアコンサルティング』とは、労働者の職業の選択、職業生活設計又は職業能力の開発及び向上に関する相談に応じ、助言及び指導を行うことをいう」（法第２条第５項）と定められた。

すなわち、キャリアコンサルティングとは、端的に言えば、労働者の「職業選択」「職業生活設計」「職業能力の開発及び向上」に関する「相談・助言・指導」を行うことである。

そして、上記を業とするのがキャリアコンサルタントであり、「キャリアコンサルタントは、キャリアコンサルタントの名称を用いて、キャリアコンサルティングを行うことを業とする」（法第30条の３）。この点、キャリアコンサルタントが行うべき業務を法律は明確に定めており、キャリアコンサルティングには確固たる法律的な支えがあると言って差し支えない。

キャリアコンサルティングを規定する職業能力開発促進法は、その法律の目的を次のように記す。

> 第１条　この法律は、労働施策の総合的な推進並びに労働者の雇用の安定及び職業生活の充実等に関する法律（昭和41年法律第132号）と相まって、職業訓練及び職業能力検定の内容の充実強化及びその実施の円滑化のための施策並びに労働者が自ら職業に関する教育訓練又は職業能力検定を受ける機会を確保するための施策等を総合的かつ計画的に講ずることにより、職業に必要な労働者の能力を開発し、及び向上させることを促進し、もって、職業の安定と労働者の地位の向上を図るとともに、経済及び社会の発展に寄与することを目的とする。

したがって、職業能力開発促進法に規定のあるキャリアコンサルティングも、究極的には、①職業の安定、②労働者の地位の向上、③経済及び社会の発展の３点に寄与することを目的とする。

ここで、「職業の安定」とは、「一企業内あるいは企業グループ内における雇用の維持のみならず、転職を含む労働者の広い職業キャリアの継続によっても図られるものであることを意味（有田，2018）[1]」する。また、「労働者の地位の向上」は、労働行政の大原則である労働者保護の理念[注1]から労働者[注2]の立場を向上させることを謳ったものである。労働組合法や労働基準法などの立法趣旨と類似のものである。「経済及び社会の発展」は、文字どおり、経済や社会の発展を言ったものである[2]。

翻って、この目的のために、「職業に必要な労働者の能力を開発し、向上させる」ことを促進する。その手段として、①職業訓練、②職業能力検定の内容

注１）本来､労働者と使用者（≒従業員と会社等）の契約は双方の合意があれば自由であるが、概して使用者は圧倒的に優位な立場にあるので、「労働契約の内容を全くの自由にしてしまうと、会社よりも弱い立場にあることが多い労働者にとって、低賃金や長時間労働など劣悪な労働条件のついた、不利な契約内容となってしまうかもしれません。そうしたことにならないよう、一定のルールをもうけて労働者を保護するために労働法は定められています」（厚生労働省「知って役立つ労働法－令和２年６月更新版」）。労働行政及びその基盤となる労働法は、労働者を保護する観点から労使間の自由な契約に規制をかけるべく定められており、それにより、労働者の地位の向上を目指している。

注２）なお、職業能力開発促進法では、第２条で「労働者」を定義しており、「事業主に雇用される者」のほか、「求職者」も含む。

の充実強化・円滑化、③労働者自らが教育訓練と職業能力検定を受ける機会を確保するための各種施策を示している。

（２）　職業能力開発促進法の理念

また、職業能力開発促進の基本理念は、以下のとおりである。

> 第３条　労働者がその職業生活の全期間を通じてその有する能力を有効に発揮できるようにすることが、職業の安定及び労働者の地位の向上のために不可欠であるとともに、経済及び社会の発展の基礎をなすものであることにかんがみ、この法律の規定による職業能力の開発及び向上の促進は、産業構造の変化、技術の進歩その他の経済的環境の変化による業務の内容の変化に対する労働者の適応性を増大させ、及び転職に当たっての円滑な再就職に資するよう、労働者の職業生活設計に配慮しつつ、その職業生活の全期間を通じて段階的かつ体系的に行われることを基本理念とする。

再び「職業の安定」「労働者の地位の向上」「経済及び社会の発展」に言及し、そのために「職業能力の開発及び向上の促進」は、①「労働者の職業生活設計」に配慮しつつ、②「職業生活の全期間を通じて」、③「段階的かつ体系的に行われること」を求めている。そして、それは「労働者の適応性」を増大させ、転職に当たって「円滑な再就職」に資するためである。なぜ労働者の適応性を増大させる必要があるかと言えば、「産業構造の変化」「技術の進歩」「その他の経済的環境の変化」によって業務内容が変化するからである。

以上、職業能力開発促進法の目的と理念の枝葉を取り除き、根幹の部分だけを抜き出せば、職業の安定、労働者の地位の向上、経済及び社会の発展のために、労働者の職業生活設計に配慮しつつ、職業生活の全期間を通じて、段階的かつ体系的に職業能力開発を行うことを目的とし、理念としている。キャリアコンサルティングも、すなわち、この目的及び理念に資することが求められていることになる。

1.2　労働者・事業主の責務

職業能力開発促進法では、職業能力開発促進の基本理念に続いて、まず労働者の責務を規定している。

第３条の３　労働者は、職業生活設計を行い、その職業生活設計に即して自発的な職業能力の開発及び向上に努めるものとする。

次いで、事業主の責務を定めている。

第４条　事業主は、その雇用する労働者に対し、必要な職業訓練を行うとともに、その労働者が自ら職業に関する教育訓練又は職業能力検定を受ける機会を確保するために必要な援助その他その労働者が職業生活設計に即して自発的な職業能力の開発及び向上を図ることを容易にするために必要な援助を行うこと等によりその労働者に係る職業能力の開発及び向上の促進に努めなければならない。

事業主は、基本的に、①必要な職業訓練、②教育訓練・職業能力検定を受ける機会確保のための援助、③自発的な職業能力開発を用意するための援助を行うことが努力義務である。

その他、①多様な能力開発の機会の確保（法第８条）、②OJT、Off－JT（業務遂行の過程内外における職業訓練）及び公共職業能力開発施設等の利用（法９条）、③その他の職業能力開発及び職業能力検定の機会の提供（法第10条）、④実習併用職業訓練の実施（法第10条の２）を規定している。ここまで何度か出てきた「労働者が自ら職業に関する教育訓練又は職業能力検定を受ける機会を確保するために必要な援助」とは具体的には「教育訓練休暇（法第10条の４）」等のことである。

これら事業主が行うべき一連の職業能力開発の流れの中で、キャリアコンサルティングが登場する。

第10条の３　事業主は、前３条の措置によるほか、必要に応じ、次に掲げる措置を講ずることにより、その雇用する労働者の職業生活設計に即した自発的な職業能力の開発及び向上を促進するものとする。

一　労働者が自ら職業能力の開発及び向上に関する目標を定めることを容易にするために、業務の遂行に必要な技能及びこれに関する知識の内容及び程度その他の事項に関し、情報の提供、キャリアコンサルティングの機会の確保その他の援助を行うこと。

二　労働者が実務の経験を通じて自ら職業能力の開発及び向上を図ることができるようにするために、労働者の配置その他の雇用管理について配慮すること。

2016年の改正職業能力開発促進法は、キャリアコンサルティング及びキャリアコンサルタントに、法律上の明確な定義を与えた。

なお、第10条の３第一号は、2022年４月１日に次の下線部のとおり改正された。「労働者が…（中略）…に関し、情報を提供すること、職業能力の開発及び向上の促進に係る各段階において、並びに労働者の求めに応じてキャリアコンサルティングの機会を確保することその他の援助を行うこと」。また、第10条の３第２項に、「事業主は前項第一号の規定によりキャリアコンサルティングの機会を確保する場合には、キャリアコンサルタントを有効に活用するように配慮するものとする。」が新設された。事業主によるキャリアコンサルティングの機会の確保を明確に規定し、その際、キャリアコンサルタントを有効活用することをよりいっそう強調した改正となった。

1.3　国及び都道府県の責務

国及び都道府県は、上記の「事業主その他の関係者の自主的な努力を尊重しつつ、その実情に応じて必要な援助等を行う」。それにより「事業主の講ずる措置等の奨励に努める」。したがって、事業主の行う職業能力開発に対して必要な援助を行うのが、国及び都道府県の責務となる。その他、「職業を転換しようとする労働者」他への職業訓練の実施、事業主等によって行われる職業訓練の実施、労働者の自発的な職業能力開発への援助、技能検定の円滑な実施等に努めることとしている（以上、法第4条第2項）。

加えて、①多様な職業能力開発の機会の確保（法15条）、②事業主その他の関係者に対する援助（法第15条の2）、③事業主に対する助成等（法15条の3）、④職務経歴等記録書の普及（法第15条の4）、⑤職業能力の開発に関する調査研究等（法第15条の5）、⑥職業に必要な技能に関する広報啓発等（法第15条の6）を定めている。

第2節　キャリアコンサルティングと事業主指針

キャリア形成支援の具体的内容は、職業能力開発促進法第10条の3等の規定を受けた「労働者の職業生活設計に即した自発的な職業能力の開発及び向上を促進するために事業主が講ずる措置に関する指針」（2001年9月12日厚生労働省告示第296号、以下、事業主指針）に示している。

この指針で事業主は次のような措置を講じ、努力するとしている。

①　情報の提供、相談の機会の確保その他の援助
②　労働者の配置その他の雇用管理についての配慮
③　休暇の付与
④　教育訓練等を受ける時間の確保
⑤　その他

この事業主指針は、現在でも有効であり、労働者が職業生活設計に即した自発的な職業能力開発を行うに当たり、上記指針に即した措置を講ずべく努力することを、事業主に求めている。いずれも企業領域のキャリアコンサルタントが取り組む内容となる。

中でも最もキャリアコンサルティングについて手厚い記述があるのは、「①情報の提供、相談の機会の確保その他の援助」である。以下に指針で詳しく記述されている箇所を抜粋する。

第２　法第10条の３第一号に関する事項（情報の提供、相談の機会の確保その他の援助）

事業主は、労働者が自ら職業能力の開発及び向上に関する目標を定めることを容易にするために、業務の遂行に必要な技能及びこれに関する知識の内容及び程度その他の事項に関し、次のような情報の提供、相談の機会の確保その他の援助に努めること。

①　労働者に対して、次に掲げる情報その他の職業能力の開発及び向上に関する目標を定めるために必要な情報を提供すること。その際には、情報伝達のための各種の手段を活用すること等により、公平かつ効果的な提供を行うようにすること。

（１）　職務等の内容及びその遂行に必要な職業能力に関する情報

（２）　労働者の配置に係る基本的方針及びその運用状況に関する情報

（３）　人材育成に係る基本的方針及びこれに基づき行う職業訓練、職業能力検定等に関する情報

②　労働者に対して、次に掲げる相談の機会の確保その他の援助（以下「キャリア・コンサルティング」という。）を行うこと。

（１）　労働者自らの職業経験及び適性に関する十分な理解を促進すること。その際、労働者の希望等に応じ、キャリアシートの記入に係る指導その他の労働者自らの取組を容易にするための援助を行うこと。

（２）　労働者自らの職業生活設計及びこれに基づく実務の経験、職業訓練の受講、職業能力検定の受検等を容易にするための相談の機会の確保を行うこと。

③　キャリア・コンサルティングを適切かつ効果的に行うため、次のような措置を講ずること。

（１）　キャリア・コンサルティングを定期的に行うこと。

（２）　実習等を通じた職務の体験機会の確保等により職務に対する理解を促進すること。

（３）　キャリア・コンサルティングを行うに当たって、職業能力検定の結果を適切に活用すること。また、労働者がキャリア・コンサルティング

に必要な職業能力評価を受けることについて、必要な援助を行うこと。

（4）　キャリア・コンサルティングを担当する者にその能力の向上に資するための講習等を受けさせること。

（5）　キャリア・コンサルティングに関する専門的な知識及び技能を有する者並びにキャリア・コンサルティングの専門的サービスを提供する機関の効果的な活用を図ること。

（6）　キャリア・コンサルティングの過程で知り得た労働者の個人情報を適正に管理すること。

以上を集約すると、①情報提供、②相談、③その他の措置となる。2016年の改正職業能力開発促進法でキャリアコンサルティングが定義される以前は、上記のうち、「②労働者に対して、次に掲げる相談の機会の確保その他の援助（以下「キャリア・コンサルティング」という。）を行うこと」をキャリアコンサルティングの事実上の定義とすることもあった。

ここでは、キャリアコンサルティングをあくまで情報提供とセットで考えていることも重要である。情報提供には、①職務内容及び必要な職業能力、②労働者配置の基本方針及びその運用状況、③人材育成の基本方針及び職業訓練・職業能力検定に関する情報を含む。これらの情報を労働者に提供したうえで、労働者は自らのキャリアを考える。その結果、相談したいことが出てきた時、相談の機会を提供する。

キャリアコンサルティングを適切に行うために必要な措置にも言及している。ここでは、①キャリアコンサルティングを定期的に行うこと、②職務に対する理解を促すこと、③職業能力検定及び職業能力評価を活用すること、④キャリアコンサルティングの担当者の能力向上のための講習を受けさせること、⑤キャリアコンサルティングに関する専門的な知識・技能・サービスを活用すること、⑥個人情報を適正に管理することを指摘している。

キャリアコンサルティングについては、概して個別相談のことのみを考えがちになる。しかし、キャリアコンサルティングを適切かつ効果的に行うための環境整備が必要であることは、あらためて重視したい。

その他、事業主指針では、関連事項として、「労働者の配置その他の雇用管理についての配慮（法第10条の３第二号に関する事項）」「休暇の付与（法第10条の４第１項第一号に関する事項）」「教育訓練等を受ける時間の確保（法第10条の４第１項第二号に関する事項）」がある。それぞれ、①労働者が実務の経験を通じて職業能力の開発・向上ができるように雇用管理を行うこと、②教育訓練のための休暇の付与を効果的に行うこと、③教育訓練の時間を確保するために始業就業の時間変更・勤務時間の短縮と措置を講ずることが中心となる。労働者の職業能力開発のために、「雇用管理」「休暇付与」「時間確保」を指摘したものである。

なお、事業主指針では、「その他」の事項でも、キャリアコンサルティングに関する直接的・間接的な言及があるので抜粋する。

一　事業主は、職業能力開発推進者を適切に選任するとともに、事業内職業能力開発計画の実施に当たっての権限を委任する等により、職業能力開発推進者の積極的な活用を図ること。
二　事業主は、キャリアコンサルティングを担当する者に対し、職業生活設計に即した自発的な職業能力の開発及び向上を促進するために当該事業主が講ずる措置について意見を述べる機会を与えるよう努めること。
三　事業主は、キャリアコンサルティングの実施に関する技術的な助言、人材開発支援助成金その他の支援措置等の効果的な活用を図ること。
四　事業主は、第二の一に掲げる情報について、可能な限り、求職者に対しても提供するよう努めること。
五　事業主は、その雇用する労働者の職業能力の開発及び向上が、青年期、壮年期及び高齢期を通じて段階的かつ体系的に行われるよう努めること。

上記の一にある「職業能力開発推進者」と「事業内職業能力開発計画」が鍵となる重要用語である。二のキャリアコンサルティングの意見具申の機会を与えること、三のキャリアコンサルティングに関する技術的助言、キャリア形成促進助成金等の活用、四の求職者に対する情報提供も重要だが、五にある「段階的かつ体系的」に職業能力開発・向上を行うに当たってキーパーソンとなるのが「職業能力開発推進者」であり、職業能力開発推進者に権限を委任することで「事業内職業能力開発計画」を実施することを求めている。

第3節　職業能力開発推進者と事業内職業能力開発計画

3.1　職業能力開発推進者と事業内職業能力開発計画

職業能力開発促進法第12条では、人事・教育訓練等で担当部署の部・課長などを「職業能力開発推進者」として選任することを、事業主の努力義務としている。職業能力開発推進者の具体的な役割を以下のように規定している。

第12条　事業主は、厚生労働省令で定めるところにより、次に掲げる業務を担当する者（以下「職業能力開発推進者」という。）を選任するように努めなければならない。

一　前条第１項の計画の作成及びその実施に関する業務

二　第９条から第10条の４までに定める措置に関し、その雇用する労働者に対して行う相談、指導等の業務

三　事業主に対して、国、都道府県又は中央職業能力開発協会若しくは都道府県職業能力開発協会（以下この号において「国等」という。）により前条第１項の計画の作成及び実施に関する助言及び指導その他の援助等が行われる場合にあっては、国等との連絡に関する業務

上記の役割を、厚生労働省では、さらに簡明に以下のとおり説明している[3)]。

（１）　事業内における職業能力開発計画の作成と実施
（２）　企業内での従業員に対する職業能力の開発に関する相談と指導
（３）　国、都道府県、中央職業能力開発協会（各都道府県協会）との連絡

上記のうち「前条第１項の計画」や「事業内における職業能力開発計画」と

して記述されているのが、職業能力開発促進法第11条に規定がある「事業内職業能力開発計画」である。以下の条文に基づき、事業主は職業能力開発を促進するための計画を立てなければならない。

> 第11条　事業主は、その雇用する労働者に係る職業能力の開発及び向上が段階的かつ体系的に行われることを促進するため、第９条から第10条の４までに定める措置に関する計画を作成するように努めなければならない。
> ２　事業主は、前項の計画を作成したときは、その計画の内容をその雇用する労働者に周知させるために必要な措置を講ずることによりその労働者の職業生活設計に即した自発的な職業能力の開発及び向上を促進するように努めるとともに、次条の規定により選任した職業能力開発推進者を有効に活用することによりその計画の円滑な実施に努めなければならない。

この第11条に「職業能力開発推進者」が出てくるように、第11条と第12条は対応している。すなわち、①事業主は、雇用する労働者の職業能力の開発・向上が段階的かつ体系的に行われることを促進するため、「事業内職業能力開発計画」を作成しなければならず、②その実施に関する業務を行う「職業能力開発推進者」を選任するように義務づけている。

特に重要なのは、2018年７月の職業能力開発促進法施行規則等の改正によって、職業能力開発推進者を「キャリアコンサルタント等の職業能力開発推進者の業務を担当するための必要な能力を有する者」から選任するものと規定した点である（2018年４月１日施行）。条文は以下のとおりである。

> 第２条　法第12条の職業能力開発推進者の選任は、キャリアコンサルタントその他の同条各号の業務を担当するための必要な能力を有すると認められる者のうちから、事業所ごとに行うものとする。

そのうえで、「キャリアコンサルタントは、キャリア形成や職業能力開発などに関する相談・助言を行う専門家で、職業能力開発推進者の業務に関する知識・技能」を備えていると、厚生労働省のパンフレットでは述べている[4)]。

パンフレットでは、法律の条文を少し具体化して、職業能力開発推進者の役割を、次のとおり列挙している。

・事業所単位の職業能力開発計画の作成・実施
・企業内外の職業訓練を受け、又職業能力検定を受ける労働者に対する相談・指導
・雇用型訓練を受ける労働者に対する相談・指導
・労働者へのキャリアコンサルティング
・労働者が職業能力開発を受けるための労務管理上の配慮に係る相談・指導

なお、人材開発支援助成金（特定訓練コース、一般訓練コース、教育訓練休暇付与コース）では、事業内職業能力開発計画と併せて、職業能力開発推進者の選任が要件となることも厚生労働省パンフレットに明記されている。

3.2　事業内職業能力開発計画の作成

事業内職業能力開発計画の重要性を、厚生労働省は以下のとおり示す[5)]。

計画の作成は、従業員の職業能力開発について、仕事の種類やレベル別に、「何を身につけたらよいか」「そのためにはどのような学習・訓練を受ければよいか」を整理することができます。これらを明らかにして示すことで、企業の経営者や管理者と従業員が能力開発について共通の認識を持ち、目標に向かってこれを進める「道しるべ」となり、効果的な職業能力開発を行うことが可能になります。さらに、従業員の自発的な学習・訓練の取組意欲が高まることも期待されます。

こうして磨かれた従業員は貴社のかけがえのない資産となり、永続的発展に欠かせない存在となります。

是非、事業内職業能力開発計画の作成に取り組んでください。

そのうえで、①企業の経営方針や理念に基づき、当該企業で求める人材像や能力要件を明確化、②人材の育成方針を定め、これらを踏まえた雇用管理方針の下に、従業員に対する職業能力開発の体系図と計画を策定するとしている。基本的な構成は以下のとおりである。

①　経営理念・経営方針	②　人材育成方針・目標
③　雇用管理方針など	④　職務要件、職務評価基準
⑤　キャリアマップ（個人別職務評価）	⑥　教育訓練体系図
⑦　教育訓練計画	⑧　教育訓練カリキュラム

上記のうち特に中心となるのが、「経営理念・経営方針」「人材育成方針・目標」「雇用管理方針」である。

「経営理念・経営方針」には、従業員の意識・行動を１つの方向に合わせる効果があり、経営の基本、活動のよりどころとなる。社是・社訓と同じ意味であり、迷ったときは、原点に立ち返ってここを確認しながら進む。

「人材育成方針・目標」では、育成していくための措置・施策の目標・方向の設定を行う。経営理念・経営方針を実現するため、必要な人材像を明確にし、

図表１－１　事業内職業能力開発計画作成の４つのステップ

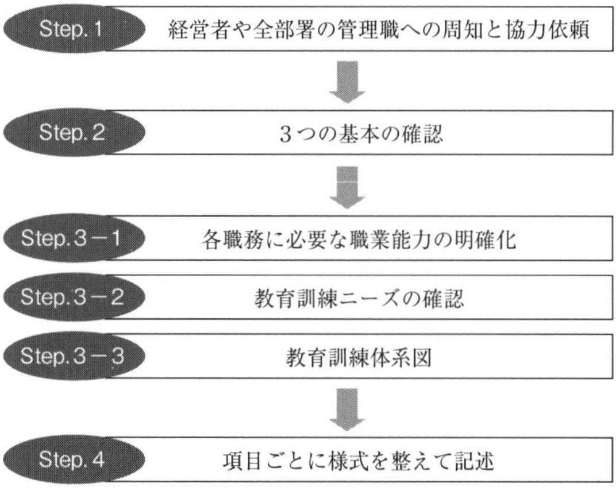

図表１－２　労働者の職業能力開発に対する事業主の責務

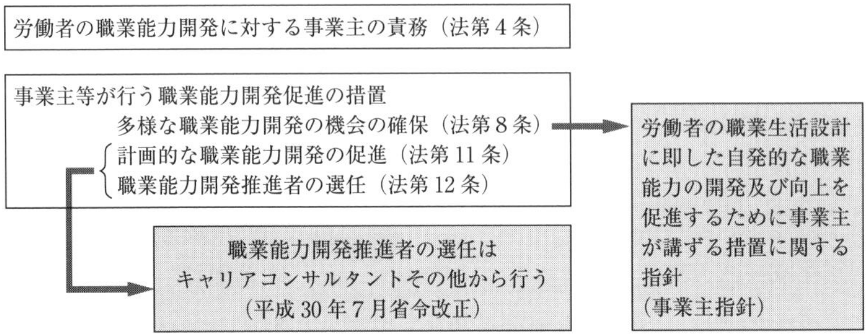

どのような目標を持ってどのように育成していくかを定める。

「雇用管理方針」は雇用管理における目指すものであり、就業規則などに定めている従業員の採用、配置、賃金、昇給等々の面に関する方針を明記した部分となる（以上、「事業内職業能力開発計画」作成の手引きより抜粋[6)]）。

具体的な内容及びその作成のステップについて図表１－１に示した。

また、図表１－２には、職業能力開発促進法及び事業主指針に定められた事業主の責務をまとめた。キャリアコンサルタントが企業領域で活動する場合、基本的には、この図にある事項を中心に活動する。キャリアコンサルティング及びキャリアコンサルタントの活動には、確固たる法律的な根拠があるということが重要となる。

第４節　キャリアコンサルタント登録制度

４.１　登録試験機関及び指定登録機関

ここまで何度か出てきたキャリアコンサルタント登録制度の創設について、あらためて整理する。

2015年９月18日公布、2016年４月１日施行の職業能力開発促進法の一部改正に伴い、キャリアコンサルタント登録制度が発足した。これによっていわゆるキャリアコンサルタントの国家資格化が実現した。国家資格化に際して、キャリアコンサルタントに関する諸規定を明確化した。

まず、キャリアコンサルタントの業務を定めた。すなわち職業能力開発促進法で「キャリアコンサルタントは、キャリアコンサルタントの名称を用いて、キャリアコンサルティングを行うことを業とする（法第30条の３）」と規定した。

また、「キャリアコンサルタント試験は、厚生労働大臣が行う（法第30条の４）」とした。キャリアコンサルタント試験は、「キャリアコンサルティングに必要な知識及び技能に関する講習で厚生労働省令で定めるものの課程を修了した者」か「厚生労働省令で定める実務の経験を有する者」か「前二号に掲げる者と同等以上の能力を有すると認められる者として厚生労働省令で定めるもの」でなければ受けることができない（法第30条の４第３項）。

法第30条の５から第30条の18までは、キャリアコンサルタント試験の実施に関する業務を行う登録試験機関に関する詳細な規定が続く。まず、厚生労働大臣は、厚生労働大臣の登録を受けた法人（登録試験機関）にキャリアコンサルタント試験の実施に関する業務（資格試験業務）を行わせることができる（法第30条の５）。その登録に当たっての欠格事項、登録の要件、登録事項等の変更の届出、資格試験を行うに当たっての試験業務規程、資格試験業務の休廃止、財務諸表等の備付け及び閲覧等、解任命令、秘密保持義務等、適合命令、登録の取消し等、帳簿の記載、報告等、公示などを規定している。

キャリアコンサルタントにとって重要な事項として、キャリアコンサルタントの登録に関する規定がある。「キャリアコンサルタント試験に合格した者は、厚生労働省に備えるキャリアコンサルタント名簿に、氏名、事務所の所在地その他厚生労働省令で定める事項の登録を受けて、キャリアコンサルタントとなることができる（法第30条の19）」。そのため、キャリアコンサルタント試験に合格した者がキャリアコンサルタントになるには、登録をしなければならない。その際、「厚生労働大臣は、厚生労働大臣の指定する者（以下「指定登録機関」という。）に、キャリアコンサルタントの登録の実施に関する事務（以下「登録事務」という。）を行わせることができる（法第30条の24）」。すなわち、厚生労働大臣が指定した機関でキャリアコンサルタントの登録に関する事務は行わなければならない。なお、「第１項の登録は、５年ごとにその更新を受けなければ、その期間の経過によって、その効力を失う（法第30条の19第３項）」とあるとおり、キャリアコンサルタントには5年ごとの更新が求められている。

概して、登録試験機関がキャリアコンサルタントの資格試験業務を行うに当たって、また、指定登録機関が登録事務を行うに当たって、厚生労働大臣の許可を受け、届出をし、命令を受けなければならない。これらの厳格な規定によって、いわゆる国家資格化が実現している。

なお、キャリアコンサルティング技能士は、職業能力開発促進法第44条に規定のある「技能検定」の職種の1つである。「技能検定」とは、働くうえで身につける、または必要とされる技能の習得レベルを評価する国家検定制度であり、機械加工、建築大工やファイナンシャル・プランニングなど全部で131職種の試験がある。試験に合格すると合格証書が交付され、「技能士」と名乗ることができる。「キャリアコンサルティング」職種は2008年2月27日付の政令改正及び同年2月29日付の省令改正によって技能検定試験の対象職種となった。

4.2　キャリアコンサルタントの義務

キャリアコンサルタントの義務についても規定がある。まず、「キャリアコンサルタントは、キャリアコンサルタントの信用を傷つけ、又はキャリアコンサルタント全体の不名誉となるような行為をしてはならない（法第30条の27）」。また、「キャリアコンサルタントは、その業務に関して知り得た秘密を漏らし、又は盗用してはならない。キャリアコンサルタントでなくなった後においても、同様とする（法第30条の27第2項）」。さらに、「キャリアコンサルタントでない者は、キャリアコンサルタント又はこれに紛らわしい名称を用いてはならない（法第30条の28）」。

上記、①信用失墜行為の禁止義務、②守秘義務に加えて、③名称の使用制限には、いずれも罰則がある。①信用失墜行為の禁止義務に違反した場合、厚生労働大臣はキャリアコンサルタントの登録を取り消し、キャリアコンサルタントの名称の使用の停止を命じることができる。②守秘義務に違反した場合、1年以下の懲役又は100万円以下の罰金に処す。③名称の使用制限はいわゆる「キャリアコンサルタント」名称独占の規定であって違反した者は、30万円以下の罰金に処す。

前項の内容も含めて考えた場合、キャリアコンサルタントには、①キャリアコンサルタントとして登録しなければならない、②５年ごとに更新をしなければならない、③信用失墜行為をしてはならない、④守秘義務を守らなければならない義務があり、加えて、キャリアコンサルタントでなくなった場合には、⑤キャリアコンサルタントと名乗ってはいけないという義務を課していることになる。これらのうち、最も重い罰則が科せられているのが守秘義務違反であり、最も重い義務である。

第５節　キャリアコンサルタント倫理綱領

5.1　キャリアコンサルタント倫理綱領

職業能力開発促進法の規定と併せてキャリアコンサルタントの活動を規定する原理・基準を示したものとして、「キャリアコンサルタント倫理綱領」がある。これは、2016年の職業能力開発促進法改正に伴って2016年４月１日に特定非営利活動法人キャリアコンサルティング協議会が公表したものである。

「序文」に、キャリアコンサルタントは「『個人の人生設計に関わること』の責任と重要性を従前にも増して自覚し、一層高い倫理観を持って活動することが求められます」と目的を述べ、「キャリアコンサルタント及びキャリアコンサルティング技能士が相談者、組織、社会の信頼を得て自らの職業倫理を高め確かなものにする拠り所」として倫理綱領を制定したと述べている。全体の構成は「基本的姿勢・態度」と「職務遂行上の行動規範」となっている。

重要なので、本章末に全文を示す（序文、雑則、附則を除く）。

5.2　カウンセラーの倫理とキャリアコンサルタント

ヒル（Hill, 2004）[7)]は、カウンセラーの倫理を次のように述べている。

> 倫理は、専門職が質の高いサービスを提供することを保障するための原則であり、基準である。そして、専門職がともに作業している人物の権利を尊重することである。倫理的なやり方で振る舞うことには、その専門職

を規定する法律と規則に従うことも含まれる。したがって、原則と基準は、その専門職に携わる人々の総意によって定められた、目指すべきガイドラインである。他方、法律と規則はある行為に対する法的な拘束力をもつ規定であったり、禁制であったりする。

キャリアコンサルタントに引きつけて解釈した場合、キャリアコンサルタントが倫理的であるためには2つのことが必要である。1つには「専門職を規定する法律と規則に従うこと」である。これが先述のキャリアコンサルタントの各種の義務に当たる。それと並ぶものとして「専門職に携わる人々の総意によって定められた目指すべきガイドライン」がある。これは「専門職が質の高いサービスを提供」し、かつ「ともに作業している人物（クライエント含む）の権利を尊重する」ための原理・基準ということになる。上記のうち、「法律と規則」が職業能力開発促進法にあるキャリアコンサルタントの規定であり、「原則と基準」がキャリアコンサルタント倫理綱領となる。

カウンセラーの一般的な倫理原則としては、以下の6つの原則が重要である（Hill, 2004、藤生・岡本・下村・柿井訳, 2014　pp. 55－56）。

①　自律性（autonomy）：他者に不利に影響しないという条件のもと、自ら選択し、行動を起こす権利を尊重する。信念に基づいて行動する機会を認める。

②　慈善（beneficence）：他者を援助することで「よいことをなす」という意図をもつ。クライエントの成長と発達にコミットメントする。

③　非有害性（nonmaleficence）：「とにかく危害を与えない」というフレーズに集約される。不注意や意図しない場合でも危害を与えない。

④　公正（justice）：すべての人に機会と資源の均等を追求する。支援サービスの不均衡な分配を矯正する倫理的な責任を持つ。

⑤　誠実（fidelity）：約束を守ること。他者との関係において信頼に値する人間であることを指す。

⑥　正直さ（veracity）：真実を話す。クライエントが気分を害する可能

性があっても、クライエントの求めに応じて、正直にフィードバックする。

守秘義務を守ることは、当然ながら、カウンセラーの倫理全般で重視している。ただし極めて例外的に、守秘義務が解除される場合がある。以下のような場合である。ヒル（2004）は、カウンセラーとクライエントが交わすインフォームド・コンセントの文書例の中で以下の場合を示している。

① スーパーバイザーが話の内容を聞いたり、逐語録を読む可能性がある（逐語録等には個人が特定される情報は含めない）。
② クライエントが自分あるいは他人に危害を与える意図を示した場合、法律に従ってその危険性を通報する。
③ 現在あるいは過去の児童虐待あるいはネグレクト（無視）の十分な疑いがある場合、法律の定めるところにより通報する。
④ その他の裁判所の命令

以上の例外事項を記載したうえで、クライエントに録音・録画の承諾を求める文書例を示している。

なお、その他に倫理面で留意すべき事項として、下のものを挙げている。

① 限界を認めること
② クライエントにカウンセリングのプロセス（料金、期間、技法など）について伝えること
③ クライエントのニーズに焦点を当てること
④ 有害な二重関係を避けること
⑤ 自分の価値観に気づくこと
⑥ 文化に注意すること
⑦ 徳のあるやり方で振る舞うこと
⑧ 他者をきちんと気遣えるように、自分自身をいたわること

キャリアコンサルタント倫理綱領

平成28年4月1日

特定非営利活動法人キャリアコンサルティング協議会

前文

キャリアコンサルタントは、労働者の職業の選択、職業生活設計又は職業能力の開発及び向上に関する相談に応じ、助言及び指導を行うことを職務とする。キャリアコンサルタントの使命は、相談者のキャリア形成上の問題・課題の解決とキャリアの発達を支援し、もって組織および社会の発展に寄与することである。その使命を果たすための基本的な事項を「キャリアコンサルタント倫理綱領」として定める。

全てのキャリアコンサルタントは、本倫理綱領を遵守するとともに、誠実な態度と責任感をもって、その使命の遂行のために職務に励むものとする。

第1章　基本的姿勢・態度

（基本的理念）

第1条　キャリアコンサルタントは、キャリアコンサルティングを行うにあたり、人間尊重を基本理念とし、個の尊厳を侵してはならない。

2　キャリアコンサルタントは、キャリアコンサルティングが、相談者の生涯にわたる充実したキャリア形成に影響を与えることを自覚して誠実に職務を遂行しなければならない。

（品位の保持）

第2条　キャリアコンサルタントは、キャリアコンサルタントとしての品位と誇りを保持し、法律や公序良俗に反する行為をしてはならない。

（信頼の保持・醸成）

第3条　キャリアコンサルタントは、常に公正な態度をもって職務を行い、専門家としての信頼を保持しなければならない。

2　キャリアコンサルタントは、相談者を国籍・性別・年齢・宗教・信条・心身の障害・社会的身分等により差別してはならない。

3　キャリアコンサルタントは、相談者の利益をあくまでも第一義とし、研究目的や興味を優先してキャリアコンサルティングを行ってはならない。

（自己研鑽）

第4条　キャリアコンサルタントは、キャリアコンサルティングに関する知識・技能を深める、上位者からの指導を受けるなど、常に資質向上に向けて絶えざる自己研鑽に努めなければならない。

2　キャリアコンサルタントは、組織を取り巻く社会、経済、環境の動向や、教育、生活の場にも常に関心をはらい、専門家としての専門性の維持向上に努めなければならない。

3　キャリアコンサルタントは、より質の高いキャリアコンサルティングの実現に向け、他の専門家とのネットワークの構築に努めなければならない。

（守秘義務）

第５条　キャリアコンサルタントは、キャリアコンサルティングを通じて、職務上知り得た事実、資料、情報について守秘義務を負う。但し、身体・生命の危険が察知される場合、又は法律に定めのある場合等は、この限りではない。

２　キャリアコンサルタントは、キャリアコンサルティングの事例や研究の公表に際して、プライバシー保護に最大限留意し、相談者や関係者が特定されるなどの不利益が生じることがないように適切な措置をとらなければならない。

（誇示、誹謗・中傷の禁止）

第６条　キャリアコンサルタントは、自己の身分や業績を過大に誇示したり、他のキャリアコンサルタントまたは関係する個人・団体を誹謗・中傷してはならない。

第２章　職務遂行上の行動規範

（説明責任）

第７条　キャリアコンサルタントは、キャリアコンサルティングを実施するにあたり、相談者に対してキャリアコンサルティングの目的、範囲、守秘義務、その他必要な事項について十分な説明を行い、相談者の理解を得た上で職務を遂行しなければならない。

（任務の範囲）

第８条　キャリアコンサルタントは、キャリアコンサルティングを行うにあたり、自己の専門性の範囲を自覚し、専門性の範囲を超える業務の依頼を引き受けてはならない。

２　キャリアコンサルタントは、明らかに自己の能力を超える業務の依頼を引き受けてはならない。

３　キャリアコンサルタントは、必要に応じて他の分野・領域の専門家の協力を求めるなど、相談者の利益のために、最大の努力をしなければならない。

（相談者の自己決定権の尊重）

第９条　キャリアコンサルタントは、キャリアコンサルティングを実施するにあたり、相談者の自己決定権を尊重しなければならない。

（相談者との関係）

第10条　キャリアコンサルタントは、相談者との間に様々なハラスメントが起こらないように配慮しなければならない。また、キャリアコンサルタントは相談者との間において想定される問題や危険性について十分配慮してキャリアコンサルティングを行わなければならない。

２　キャリアコンサルタントは、キャリアコンサルティングを行うにあたり、相談者との多重関係を避けるよう努めなければならない。

（組織との関係）

第11条　組織との契約関係にあるキャリアコンサルタントは、キャリアコンサルティングを行うにあたり、相談者に対する支援だけでは解決できない環境の問題や、相談者の利益を損なう問題等を発見した場合には、相談者の了解を得て、組織への問題の報告・指摘・改善提案等の環境への働きかけに努めなければならない。

２　キャリアコンサルタントは、キャリアコンサルティングの契約関係にある組織等と相談者との間に利益が相反するおそれがある場合には、事実関係を明らかにした上で、相談者の了解のもとに職務の遂行に努めなければならない。

文　献

1）有田謙司　2018「労働立法における『職業の安定』と労働市場の法規制－労働権保障の実現のために」『日本労働研究雑誌697』p. 54

2）労働政策研究・研修機構　2007『労働条件決定システムの現状と方向性－手段的発言機構の整備・強化に向けて』p. 31

3）厚生労働省「職業能力開発推進者」
https://www.mhlw.go.jp/stf/seisakunitsuite/bunya/koyou_roudou/jinzaikaihatsu/suisinnsya.html

4）厚生労働省パンフレット「職業能力開発推進者には、専門的な知識·技術をもつキャリアコンサルタント等から選任しましょう！」
https://www.mhlw.go.jp/content/11800000/000369235.pdf

5）厚生労働省「事業内職業能力開発計画」
https://www.mhlw.go.jp/stf/seisakunitsuite/bunya/koyou_roudou/jinzaikaihatsu/suisinnsya.html

6）厚生労働省「事業内職業能力開発計画」作成の手引き　p. 9
https://www.mhlw.go.jp/content/11800000/0000199757.pdf

7）Hill, C. 2004 Helping skills：Facilitating exploration, insight, and action（2nd ed.）Washington, DC：APA（藤生英行監訳　岡本吉生・下村英雄・柿井俊昭訳 2014『ヘルピング・スキル－探求・洞察・行動のためのこころの援助法』金子書房）

第2章
キャリアコンサルティングの歩み

第１節　職業能力開発施策体系の整備

１．１　職業能力開発促進法の改正

キャリアコンサルティングは、その制度創設から現在に至るまでに20年の歴史を持つ。本章では、創設から現在に至るまでの歩みを、過去の職業能力開発基本計画及びキャリアコンサルティング関連の報告書で振り返る。キャリアコンサルタントとして確固たるアイデンティティを形成するに当たって、キャリアコンサルティングの歴史を共有することに意義があると考えるからである。現在のキャリアコンサルタントの活動の基盤は、先人たちの営みによって築き上げられてきたことを、今一度振り返りたい。

まず、キャリアコンサルティングの起点は、2001年職業能力開発促進法（以下、能開法）の改正に求めることができる。当時、能開法は次のような観点から改正、施行された。

① 労働者の職業能力の開発及び向上は、経済環境の変化による労働者の業務内容の変化に対する適応性を増大させ、及び円滑な再就職に資するよう労働者の職業生活設計に配慮しつつ行う。

② 必要な職業訓練等を受ける機会が確保され、必要な実務経験が行われ、これらによって習得された職業に必要な技能、知識の適正な評価を行う。

③ 事業主は、そのための情報の提供、相談その他の援助及び労働者の配

置などの雇用管理について配慮する。

④ 職業能力評価基準の整備、評価方法の充実に努め、技能検定制度について民間機関等に委託する方法等により職業能力評価の普及を図る。

技術革新の進展、産業構造の変化、労働者意識の多様化等に伴う労働移動の増加、職業能力のミスマッチの拡大等に的確に対応し、雇用のミスマッチを解消するため、今後は、職業能力開発の重点を「労働者の職業生活設計に即した自発的な職業能力開発（キャリア形成）と、これに資する職業能力評価制度の整備」に置くことが大切であると考えたことによる。

1.2 第7次職業能力開発基本計画の策定

能開法改正と相まって労働市場のインフラ整備を強力に推進したのが、2001年5月に策定された第7次職業能力開発基本計画（以下、第7次計画）である。第7次計画で推進するとした「労働市場の5つのインフラ整備」とは以下のものである。

① 労働力需給調整機能の強化
② キャリア形成の促進のための支援システムの整備
③ 職業能力を適正に評価するための基準、仕組みの整備
④ 職業能力開発に関する情報収集、提供体制の充実強化
⑤ 能力開発に必要な多様な教育訓練機会の確保

企業外にあっては「労働力需給調整機能の強化」、企業内にあっては「キャリア形成の促進のための支援システム」を整備する。そのどちらについても「職業能力を適正に評価するための基準や仕組み」が必要となる。自らの職業能力を正しく評価し、必要に応じて「職業能力開発に関する情報」を入手し、「多様な教育訓練機会」を確保し、提供する。当時、労働移動が活発化してきたという問題意識があった中、「職業能力」を軸にしたインフラを整備することで、労働市場をそれまで以上に機能させることを企図した。

キャリアコンサルティングと最も関連の深いのは、「キャリア形成の促進のための支援システムの整備」である。以下を含む。

○　キャリア形成の促進のための支援システムの整備
・キャリア・コンサルティング技法の開発
・キャリア形成に係る情報提供、相談等のための推進拠点の整備
・キャリア形成支援を担う人材育成
・企業内におけるキャリア形成支援を推進するための情報提供、相談、助成金の支給等

キャリア形成促進のための支援システムとして、キャリアコンサルティングのみならず、情報提供、相談拠点の整備、キャリア支援人材の育成、企業内キャリ支援の推進などを挙げている。いずれも第７次計画の対象期間（平成13（2001）年度～平成17（2005）年度）を超えて、その後、20年にわたるキャリアコンサルティング関連施策の基本的な方向性を示していたことがわかる。

第７次計画の本文中から、キャリアコンサルティングについて、さらに詳述した箇所を以下に抜粋する。

（イ）　キャリア・コンサルティング技法の開発

キャリア・コンサルティングにおいては、まず、労働者の職業経験やこれまでに習得した職業能力を客観的に明らかにすることが必要である。

このため、これらの事項を総合的に記述できるキャリアシートの開発及び普及を図る。なお、労働者が企業間を移動しながらキャリア形成を図ることができるようにするためには、キャリアシートの記述の客観性を高めることが重要であり、そのために必要な職業経験や技能の記述に係る用語の共通化についても調査、検討を行う。

また、キャリア・コンサルティングについて、労働者のニーズに応じた各レベルの専門家の養成やキャリア・コンサルティング技法の開発及び普及を図る。

ここで「キャリアシート」と呼ばれているのが、現在のジョブ・カードである。キャリアコンサルティングは、本来、ジョブ・カードとワンセットで考えていた施策であることはあらためて確認しておきたい。なお、「各レベルの専門家の養成」は、以前の標準キャリアコンサルタント、登録キャリアコンサルタント、現在にまで続く１級及び２級キャリアコンサルティング技能士等の各レベルのキャリアコンサルタント制度へと結実している。キャリアコンサルティング技法の開発は、直近では平成29（2017）年度及び平成30（2018）年度に行われた「労働者等のキャリア形成における課題に応じたキャリアコンサルティング技法の開発に関する調査・研究事業」として実施されている。

その他、「(ロ)　キャリア形成に関する情報提供、相談等の推進」では、労働者に対し、①業務に必要な職業能力に関する情報、②職業訓練や教育訓練に関する情報、③職業能力評価システムに関する情報等を提供し、これら情報を生かしてキャリアコンサルティングを行うべきことを示している。また、職業能力開発に係るサービス提供窓口のワンストップ化も指摘しているが、これはさまざまな曲折を経ながら、現在、「キャリア形成サポートセンター」の形で運営・運用されている。

「(ハ) 民間におけるキャリア形成支援システムの確立及び人材育成」では、民間の職業紹介機関その他の民間機関におけるキャリアコンサルティングに言及している。

「(ニ) 企業内におけるキャリア形成支援システムの確立」では、後にまで続く企業内のキャリア形成支援に関する基本的な考え方、すなわち①計画的かつ体系的に労働者のキャリア形成を支援するシステム、②企業内職業能力開発計画、③業務に必要な職業能力の客観化、④キャリアコンサルティング、⑤職業能力開発推進者、⑥教育訓練休暇の付与、労働時間面での配慮を示している。

1.3　第６次職業能力開発基本計画

直接的なキャリアコンサルティング施策の発端は第７次計画であったとしても、その前段の議論は１つ前の第６次職業能力開発基本計画（以下、第６次計画）にある。第６次計画（平成８（1996）年度～平成12（2000）年度）は、その副題「各人の個性を活かしつつ変化への対応を図る職業能力開発の実現を目指して」が示すとおり、個人主導の職業能力開発の推進を目指したものであった。

その中で、「キャリアカウンセリング」という言い方で、現在のキャリアコンサルティング施策に連なる記述がある。歴代の職業能力開発基本計画の中でも「キャリアカウンセリング」の語句が最も多い。

第６次計画で「キャリアカウンセリング」の語句を順に拾うと、以下の５点に整理できる。

①　離転職者に対するこれまでのキャリア・経験等をふまえた職業能力開発を行うためのキャリアカウンセリング
②　ホワイトカラーに対して職務内容の変化への対応、専門知識の習得支援のためのキャリアカウンセリング
③　労働者の自発的な職業能力開発のためのキャリアカウンセリング
④　若年者の離転職に関わるキャリアカウンセリング
⑤　高年齢者のためのキャリアカウンセリング

すなわち、離転職者、ホワイトカラー、労働者全般、若年者、高齢者を想定し、それぞれの職業能力開発に向けた相談支援の重要な手段として、キャリアカウンセリングが期待されていたことがわかる。

こうした基本構想のもと、ホワイトカラーの職業能力開発システムの整備として、「ビジネス・キャリア制度の活用により専門的知識の習得の支援を図るとともに、キャリアカウンセリングの推進等により、ホワイトカラーの教育訓練体制の整備充実を図る」ことを挙げている。第６次計画は、従来、ブルーカラーに偏りがちであった公共職業訓練に対して、ホワイトカラー向けの職業訓練を用意するという問題意識が明白である。ビジネス・キャリア制度は、特に事務系職業に就く労働者を対象に「段階的かつ計画的な自らの職業能力の習得を支援するとともに」「キャリアアップのための職業能力の客観的な証明を行う」ことを目的とした制度である。現在も「ビジネス・キャリア検定試験」に名称を変更して引き継がれている。

その他、第6次計画では「生涯能力開発センター（仮称）」に関する言及がある。これは第6次計画発表の翌年1997年7月に、雇用促進事業団（当時）の生涯職業能力開発促進センター（アビリティ・ガーデン）として正式に設立された（2009年3月廃止）。アビリティ・ガーデンは「ホワイトカラーが生涯を通して職業能力の開発・向上を行って高度な専門能力が身につけられるよう総合的・中核的な拠点として先導的な調査研究を行うとともに、その成果を生かした教育訓練の場の提供、各種の情報の発信及び相談援助事業の実施等のサービスを展開してきた」施設であった。

相談援助事業も実施するため、アビリティ・ガーデン開設の翌年度、1998年から「キャリアカウンセラー育成研究会」（必要性や背景、研修プログラムの検討等）、「キャリアカウンセリング手法研究会」（カウンセリング手法の開発等）の研究会が持たれた。これら報告書の内容が、後に「キャリア・コンサルティング技法等に関する調査研究報告書」（労働者のキャリア形成支援のためのキャリア・コンサルティング・マニュアル）に盛り込まれていく。

1.4　1985年の職業能力開発促進法の制定

ただし、第7次計画、第6次計画に先立つものとして、やはり日本のキャリア形成支援政策の淵源は1985年に施行された能開法に求められる。例えば、当時、能開法に基づいて設置した「職業能力開発サービスセンター」で、専門的かつ具体的な相談、指導を担当する「職業能力開発プランナー」及び情報の収集、提供を担当する「職業能力開発相談員」を配置することが求められた[1)]。

職業能力開発プランナーは「民間企業等において実際に教育訓練に従事した豊富な経験を有する者が任命されており、事業主、労働者等の要請に応じて専門的かつ具体的な相談、指導」に当たる。職業能力開発相談員は「職業能力開発行政に関する経験を有する者等が任命されており、教育訓練に関する情報の収集、提供等を担当（宮川，1986）[2)]」することが当時の刊行物に記載されている。

1980年代中頃に、職業訓練から職業能力開発へと大きな転換点を迎えた頃、併せて、職業能力開発を行ううえでのプランナー、相談員という構想が明確にあった。すでにしてこの時に、現在のキャリアコンサルティング施策にまで続くキャリア形成支援の大まかなイメージが形成されていたという見方もできる。キャリアコンサルティグは1980年代に構想され、30年以上の時を経て現在に至るという歴史的な経緯は、あらためて振り返るべきポイントを多々、含む。

第２節　キャリアコンサルティングに関する重要報告書

第７次計画の発表と同時期、後のキャリアコンサルティング施策の基盤となる報告書が相次いで公表された。ここでは、直接、キャリアコンサルティングを取り扱ったものではないが、現在及び今後のキャリアコンサルティングを考えるうえで示唆に富む特に重要な３つの報告書を見ていく。

２.１　「今後の職業能力開発の在り方研究会報告」（2000年）

2000年の「今後の職業能力開発の在り方研究会報告」（以下、「在り方研報告」）は、キャリアコンサルティングを規定した第７次計画の下敷きとなった報告である。キャリアコンサルティングの最初期の発想が示されており、それは、すなわちキャリアコンサルティング（特に企業領域）で、本来何を目指すべきとしていたかという本質が示されていることになる。

「在り方研報告」で、キャリアコンサルティングとの関わりが手厚く記されているのは、今後推進すべき職業能力開発施策として「企業内におけるキャリア形成支援」について述べている箇所である。

> ＜１＞　企業内におけるキャリア形成支援
>
> 事業主が必要とする「人材像」を労働者に提示した上で、企業のニーズと労働者の希望・適性・能力を照合し、キャリア形成の具体的方向と職業能力開発の方針を確定させること（キャリア・コンサルティング）が必要であり、こうした職務に専門的な能力を有している者を配置することが望ましい。
>
> また、行政としても、このようなシステムの整備を支援することが重要。

当初よりキャリアコンサルティングは企業内のキャリア形成支援の枠内で考えられているが、その内容は、企業のニーズと労働者の特性をすり合わせ、キャリア形成の方向性を決め、どのような能力開発をすべきかを決めることであり、そうした職務について専門能力を有している者をキャリアコンサルタントとしていた。企業内におけるキャリア形成システムにおけるキャリアコンサルティ

図表２－１　企業内におけるキャリア形成システム

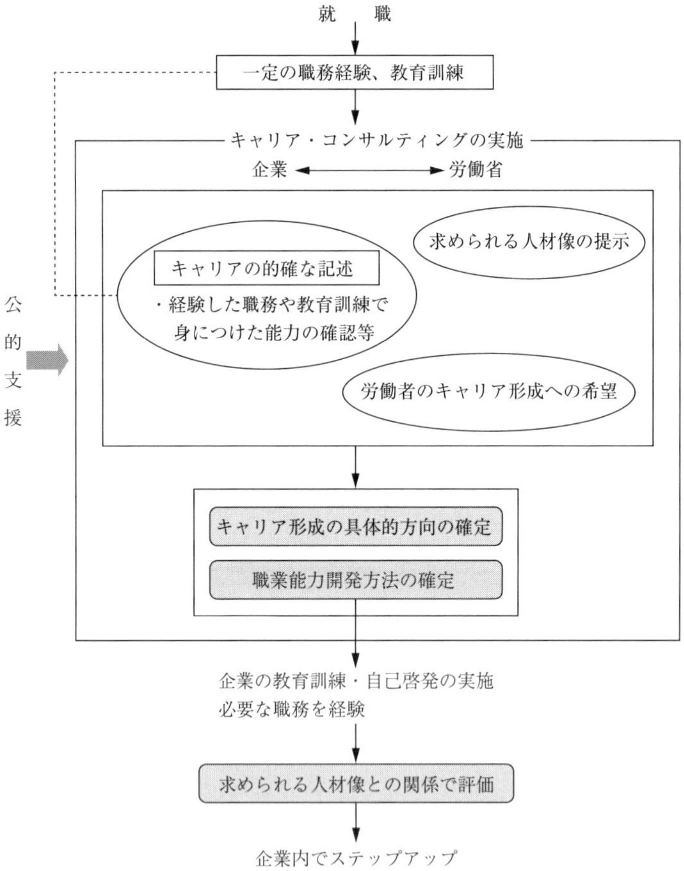

（資料出所）労働省職業能力開発局　2000「今後の職業能力開発の在り方研究会報告」

ングの位置づけについては、図2－1のとおり示されている。

「在り方研報告」では、このフローチャートとは別に、職業能力開発の流れも示しており、図表2－2のプロセスにまとめている。

これらの記述は、20年以上前の最初期のキャリアコンサルティングに関する内容でありながら、現在に通じる点を多分に含む。特に、ジョブ型の働き方の広がりとともに、企業の求める人材像と個人の特性の調整は新たな課題となっている。むしろ、当初、想定されていた企業内のキャリアコンサルティングの在り方がますます求められている現状が出来している。

図表2－2　職業能力開発の流れ

職業能力開発の在り方を検討するに当たっては、企業の職業能力開発が本来どのように行われているのかを整理しておくのが有益である。以下、参考として示すこととする。

①　「企業が求める能力」の決定
企業は、既存の経営資源、現在の技術等の状況を見つつ、ITの進歩や国際化の進展等の市場の変化に対応して、どのような事業や製品の分野を拡大・縮小するかの方向を定める経営戦略を立てる。そして、この経営戦略が定まると、それに合わせて人材ニーズが生まれ、それを満たすための人材戦略を立てる必要が生じ、そこから、「企業が求める（職業）能力」が発生する。
②　「個人が持っている能力」
1で述べたように、企業の人材育成戦略から「企業が求める能力」が決まってくるのに対し、それぞれの「個人が持っている能力」は、本人自身の資質のほか、これまでのキャリア等によって決まってくる。
③　能力を「知る」、「知らせる」仕組み
「企業が求める能力」を個人が「知る」仕組み（企業が個人に「知らせる」仕組み）と、「個人が持っている能力」を企業が「知る」仕組みとは、能力の評価という点からも能力開発の目標という点からも非常に重要である。
④　能力の評価
1で述べた「企業が求める能力」と2で述べた「個人が持っている能力」との関係で、能力の評価が行われる。また、労働者の場合には、職業でどういう能力を身につけたか及びどういう能力が不足しているかを自ら把握することが重要である。
⑤　教育訓練・自己啓発の計画
職業能力が評価されると、その結果と、キャリアについての本人の希望・考えとを総合的に考慮した上で、個人の今後のキャリアを計画するとともに、そのキャリアを実現するための教育訓練・自己啓発の計画を立てることが必要となる。
⑥　教育訓練・自己啓発の実施
5で立てられた計画に基づき、実際に、教育訓練・自己啓発が実施される。

（資料出所）　図表2－1に同じ

2.2 「キャリア形成を支援する労働市場政策研究会」報告書（2002年）

第7次計画で、職業能力開発施策の中心として労働者のキャリア形成促進が挙げられたが、その具体的な意味や広がり、いかに施策を展開するかについては十分に明確にされなかった。そうした問題意識のもと2001年11月から立ち上げられた「キャリア形成を支援する労働市場政策研究会」の報告書である。

特に注目されるのは、「今後、個人のキャリア形成支援策を進めるに当たっては、何故、自助にまで支援を行うかの論拠として以下の点が考えられる」として、たびたび問題となる個人主体のキャリア形成支援の論拠を論じている点である。以下のような点を挙げている。

・労働移動が増大する中で、雇用のセーフティーネットの観点から、個人主体のキャリア形成支援を通じて、個人の雇用可能性を高めていく必要があること。
・技術革新等により変化が常に生ずる中で、能力のミスマッチの解消を図るためには、職業ニーズの動向と個人のキャリアを定期的に摺り合わせていく仕組みが必要。
・知識社会を迎える中で、新たな付加価値を生み出すためには、個々の労働者の自立した姿勢が必要であり、個人の取組みが企業や社会の活性化に直接影響する。
・働く意識においても職業は、自己実現を図るための手段という性格が強くなっており、こうした職業上の自己実現を通じた社会貢献を支援することは、豊かな社会の目標である。

上記のポイントは、①労働移動が増大する中で個人の雇用可能性を高める必要があること、②能力のミスマッチを解消するために個人のキャリアを定期的にすり合わせる仕組みが必要であること、③知識社会で新たな付加価値を生み出すには個人の自立が必要であること、④自己実現を通じた社会貢献を支援することは豊かな社会の目標となることであると整理できる。

そのうえで「労働者個人の支援」として、「キャリア・コンサルティングの提供：公的なキャリア・コンサルティング機会の確保として、公共職業安定所や雇用・能力開発機構都道府県センターにおけるキャリア・コンサルティングを推進」が挙げられている。

その他、キャリアコンサルティングに関連する事項として重要なのは、「企業に対する支援（長期雇用型キャリア形成支援企業）」である。この時期、日本型経営の利点を生かしつつ、「成果主義、社内公募制をはじめ個人の主体性を尊重した新たな長期雇用型のキャリア支援企業モデル」を作ることが想定されていた。その具体策として、以下の取り組みがリストアップされている。

（１）　経営・人事管理の目標・方針、ポストに求められる人材要件等の内容の明確化やその従業員等への情報開示
（２）　キャリア・コンサルティング制度、キャリアルートの複線化、社内公募制の導入等キャリア形成に配慮したシステム
（３）　教育訓練休暇制度や自己啓発の仕組み

キャリアコンサルティングが、長期雇用を前提としたシステムとして考えられていたことがポイントとなる。前述の「今後の職業能力開発の在り方研究会報告」と相まって、長期的な人材育成が、企業内のキャリア支援の前提にあり、そのための方策の１つとしてキャリアコンサルティングが挙げられていた。今後の企業内キャリアコンサルティングの行く末を考えるうえでも重要である[注１）]。

注１）日本のキャリア支援の呼称を「キャリアカウンセリング」ではなく「キャリアコンサルティング」とする際の説明として、よく言われる心理療法的なニュアンスを削除するためという説明も、この報告書に現れる。「なお、アメリカにおいては、こうした個人のキャリアに係る指導・助言活動を『キャリア・カウンセリング』と呼称している。我が国においては、『カウンセリング』という用語が心理的な療法を想起させる面が強いことを考慮し、上記研究会において、労働市場における職業キャリアの方向づけに係る相談・指導・助言を表す用語としては、『キャリア・コンサルティング』を使うこととしている。」

2.3　「若者の未来のキャリアを育むために〜若年者キャリア支援政策の展開〜」（若年者キャリア支援研究会報告書）（2003年）

キャリアコンサルティング制度の初期の段階で大きなウェイトを占めたのは若年者のキャリア支援である。2000年代前半のいわゆる「フリーター・ニート問題」は、雇用・労働問題の枠を超え、大きな社会問題となった。同時期に策定された「若者自立・挑戦プラン」（2003）[注2)] に象徴されるように、国全体の取り組みとしてキャリア支援に関わる施策が質量ともに大きく推進された。

その中で、キャリア支援の専門家としてキャリアコンサルタントにも大きな期待が寄せられ、各種の施策に関わり、日本全国で展開された。キャリアコンサルティングの初期の広がりにおいて、若年者問題及びその対応としての若年者キャリア支援の意味は大きい。

この報告書は、2000年代の労働行政における若年者問題への対応を大筋で方向づけた。その内容は、現在に続く若年者のキャリア支援（学生のキャリア支援等を含む）に引き継がれているばかりか、その後対象を拡大し、一般成人全体へと波及したものもある。その重要性に鑑み、以下にその概要を示す。

若年者のキャリア形成支援のための施策として、以下の事項が挙げられた。

（1）　若年者に対する職業能力開発の充実
　イ　企業が若年者に求める能力要件の明確化
　ロ　若年向けのキャリア・コンサルティングの推進
　ハ　若年者向けの実践的な職業能力開発機会の充実
　　・日本版デュアルシステムの導入
　　・公共職業訓練
　　・民間ベースでの教育訓練
（2）　労働市場システム、教育訓練システムの全般的改革の必要性
　イ　高卒者の進路選択の仕組みの改革

注2）文部科学大臣、厚生労働大臣、経済産業大臣及び経済財政政策担当大臣の関係4閣僚を構成員とする若者自立・挑戦戦略会議によって2003年6月に発表。

ロ　職業探索期間の長期化等に対応した多様なキャリアルートの整備
ハ　労働市場インフラの整備
・需給調整機能の強化
・若年者の特性を踏まえた身近な支援窓口の整備
・能力要件の明確化と学卒・若年向け職業能力評価・公証システムの整備

上述の箇所では、若年者のキャリア支援を職業能力開発の視点から組み上げていることが示される。企業は若年者に求める能力要件を明確にし、各種の実践的な職業能力開発の機会を充実させる。その際、必要に応じてキャリアコンサルティングが受けられる体制を整える。この脈絡の中で、キャリアコンサルティングは以下のように言及されている。

（引用者注：学校段階のキャリア教育の強化とともに、）キャリア・コンサルティングを受けられる機会を確保し、労働市場における様々な情報を提供しつつ、その職業生活設計と職業選択の支援を強化する必要がある。

このためには、若年者向けのキャリア・コンサルティングを担う人材や組織を官民で積極的に育成する必要があるとともに、こうした人材・組織を活用して学生・生徒がきめ細かなキャリア・コンサルティングを受けることができる仕組みを整備するべきである。

キャリアコンサルティングを受けられる機会の確保を「労働市場における様々な情報提供」と併せて考え、職業生活設計と職業選択の支援を行うとする点は、キャリアコンサルティングの根本理念を若年者支援にスライドさせたものとして読むことができる。キャリアコンサルティングを担う人材の積極的な育成及びキャリアコンサルティングを受けられる仕組みの整備など、後のキャリアコンサルティング施策普及の礎となったのが、若年者に対するキャリア支援であったことを、あらためて見て取ることができる。

第3節 キャリアコンサルティング施策の推移

日本のキャリアコンサルティング施策は、主に当時の厚生労働省職業能力開発局、現在の人材開発統括官による「キャリア・コンサルティング研究会」で、毎年異なるテーマを扱う形で推進してきた（2016年の国家資格化以降は「キャリアコンサルタント登録制度等に関する検討会」もしくはキャリアコンサルティング協議会）。キャリアコンサルティングあるいはキャリアコンサルタントに関して、これまでにまとめた報告書は数え方によるが40本前後になる。報告書で取り上げたテーマを概観することで、キャリアコンサルティングの推移・展開を詳しく検討できる。

これら報告書は、その内容から主に４期に分類できる。

3.1　第Ｉ期　キャリアコンサルティング制度の創設・整備の時期

第Ｉ期は、2000～2005年の「キャリアコンサルティング制度の創設・整備の時期」である。2001年[注3)]にキャリアコンサルティングの具体的な内容としてマニュアル[3)]を示し、「キャリア形成のための６ステップ」などの今に続く重要概念を示した。2002年にキャリアコンサルタントの能力体系を定義し[4)]、キャリアコンサルティングに必要な能力は「キャリア・コンサルティングの社会的意義に対する理解」「キャリア・コンサルティングを行うための基本的知識・スキル」「キャリア・コンサルティングの実施過程において必要なスキル」「キャリア・コンサルティングの効果的実施に係る能力」の４つのカテゴリーで構成した。併せて資格試験の内容と試験の仕組みを整備した[5)]。2003年には導入レベルと指導レベルのキャリアコンサルタントを議論した[6)]。それによって中間にある標準レベルのキャリアコンサルタントも定義した。2004年には、キャリアコンサルタントの資質確保のサポートを行う連絡協議会の設立を提言し、2005年のキャリアコンサルティング協議会設立へとつな

注3）以下、すべて報告書の発行年をもとに記述するが、実際には報告書に至る議論はその前年から行われていることに注意。取りまとめが次の年の３月などにずれ込むため。

がる[7]。併せて2004～2005年には指導レベル[8]及び熟練レベル[9]のキャリア・コンサルタントに関する議論を詰め、捉え方次第だが後の２級及び１級キャリアコンサルティング技能士に至る下地を作る。2005年からは学校や企業への具体的な導入・展開事例に関する調査研究結果も示した[10]。

この第Ⅰ期で、現在に続くキャリアコンサルティングに関する諸制度の根幹に関わる整備が一応、終了した。キャリアコンサルティングの内容、能力体系、試験、レベル、サポートを矢継ぎ早に検討し、公表し、仕組みとして整備していった。

３.２　第Ⅱ期　制度のリフレクションと各領域への展開

第Ⅱ期は、2005～2012年の「制度のリフレクションと各領域への展開の時期」である。まず2006年に能力体系と能力評価試験の見直しを行い、併せて養成講座のあり方を整理した[11]。キャリアコンサルタントの資質確保のためにインターンシップ、研修、スーパービジョン等の取り組みを検討した[12]。また前年に引き続き企業・教育機関・地域における導入・展開事例を収集した。2007年には初の実態調査を行った[13]。実務研修事業（≒インターンシップ）・指導者養成事業（≒スーパービジョン）も前年から引き続き検討した[14]。2008年には、領域ごとの検討を行い、企業・教育機関それぞれのヒアリング調査を実施した。またキャリアコンサルタントの専門性向上に向けて議論をした[15]。2009年には、「指導レベル」のキャリア・コンサルタント、すなわち後の１級キャリアコンサルティング技能士の制度設計を検討した[16]。2010年にはジョブ・カードを活用したキャリアコンサルティング、業種・職種専門キャリアコンサルタントの可能性を検討している[17]。2011年には２度目の実態調査と、やはり２度目の能力要件の見直しを行った[18]。2012年にはリフレクションを特徴とするこの時期の議論を象徴するかのように、キャリアコンサルタント自身のキャリア形成のあり方を論じた[19]。

この第Ⅱ期の特徴は、第Ⅰ期で速成されたキャリアコンサルティングに対する振り返りと反省を行った点にある。急ぎキャリアコンサルタントの制度を作ったが、それが不十分だったという認識が基調にある。また、すでに立ち上げたキャリアコンサルティングをいかに導入・展開するかを本格的に検討し始めるのも第Ⅱ期の特徴である。制度が一応、形となり、企業、学校、需給調整機関の各領域に導入・展開する具体例を求めたのである。

なお、2000年代全般を通じて大きな課題だった若年者の就労問題対策の一環として若年向けキャリアコンサルティングを断続的に検討したのも、この時期である。2004年に「若者自立・挑戦プラン」を受けて若年者向けキャリア・コンサルティングの能力要件を検討した[20]。2008年にはニート・ひきこもりの問題も視野に入れて能力要件の見直しを行った[21]。2009年には地域若者サポートステーション等の若者自立支援機関におけるキャリアコンサルタントの役割を検討した[22]。2010年にはキャリア教育推進に関わるキャリアコンサルタント像を検討した[17]。2011年には大学等のキャリア教育におけるキャリアコンサルタントの役割を議論した[18]。これはこの年の４月から大学等設置基準にキャリアガイダンスの推進体制の整備が位置づけられたことによる。

3.3　第Ⅲ期　企業への本格的な普及推進

第Ⅲ期は、2012年から2016年頃までの「企業への普及促進が本格的に図られた時期」である。その皮切りは、2013年の「キャリア・コンサルティング研究会－中小企業におけるキャリア・コンサルティング部会」報告書[23]である。また、2015年には「キャリア・コンサルティング研究会－企業経営からみたキャリア・コンサルティングの意義や効果に関する好事例収集に係る調査研究－報告書」[24]も発刊した。この間、2013年には職業訓練機関等におけるジョブ・カードを活用したキャリアコンサルティング[25]、2014年にはジョブ・カードを交付するものに必要な能力・スキルの検討[26]、併せて３度目の実態調査[27]も行った。2016年にはセルフ・キャリアドックに関する検討が始まった[注4)]。セルフ・キャリアドックは、本章第２節で示したような初期のキャリアコンサルティングのコンセプトをリニューアルして再構成したものと見ることができる。

注4）セルフ・キャリアドック導入支援事業推進委員会は２年度にわたって行われたので、最終的な成果は2017年に、厚生労働省「『セルフ・キャリアドック』導入の方針と展開－従業員の活力を引き出し、企業の成長へとつなげるために」として公表された。

本章第１節及び第２節で述べたとおり、キャリアコンサルティングの源流は、ホワイトカラー層の職業能力開発施策にある。企業領域以外から企業領域への移行は、発展というよりはむしろ本来の姿に立ち返ったと言えよう。

企業領域への移行の直接的な契機は、2012年末から2013年にかけての政権交代及びそれに伴う大きな政策的な転回に求められる。平成年間のデフレ基調の経済に加えて、2008年９月のリーマン・ショック、2011年３月の東日本大震災と大きな危機に遭遇し、激しい落ち込みを見せた日本経済の立て直しは、当時の日本が取り組むべき喫緊の課題であった[28)]。経済の立て直しが最重要課題となり、大規模な経済財政政策がとられた。キャリアコンサルティングも広い意味では、この一連の経済立て直し政策の一環として期待された。

キャリアコンサルティングに関する具体的な言及が見られるのは、2013年12月26日開催の産業競争力会議雇用・人材分科会（第６回）で発表された「産業競争力会議雇用・人材分科会中間整理」（以下、「中間整理」）である。

〇　キャリア・コンサルティングの体制整備

・厚生労働省においてキャリア・コンサルティング技法の開発等を推進するとともに、自らの職業能力の棚卸しに基づき、キャリアアップ・キャリアチェンジを考える機会を多くの国民に提供するための方策として、まず、キャリア・コンサルタントの養成計画を平成26年年央までに策定し、確実に養成を図る。

・併せて、企業にキャリア・コンサルタントの資格を有する職業能力開発推進者を設置することや、企業外の民間人材ビジネスとの契約によりその雇用する労働者にキャリア・コンサルティングの機会を提供することについて、例えば、目標年次を定めて、一定規模以上の企業への義務付け、雇用保険二事業の助成金支給の要件化を行うこととする等、キャリア・コンサルティングの体制整備が確実に進むよう、具体的な方策を検討し、ジョブ・カードに関する検討やキャリア・コンサルタントの養成計画の進捗状況を踏まえつつ、キャリア・コンサルタントの養成計画の策定後、労使の理解を得つつ、速やかに実行に移す。（「中間整理」 p. 7）

これら「中間整理」と、その半年後に示された内容のおおむね類似する「『日本再興戦略』改訂2014」が、以後、2010年代のキャリアコンサルティング施策のグランドデザインとなる。

前記のうち、「キャリア・コンサルティング技法の開発等の推進」は、2017年度から2018年度にかけて発表した「労働者等のキャリア形成における課題に応じたキャリアコンサルティング技法の開発に関する調査・研究事業報告書」に結実した。「キャリア・コンサルタントの養成計画を策定」は、2014年7月に養成計画を立て、2024年までに（10年後までに）ほぼ倍増の10万人まで養成することを示した。「企業にキャリア・コンサルタント資格を有する職業能力開発推進者を設置」は、省令改正に伴って2019年4月1日より施行した。「雇用保険二事業の助成金支給の要件化」については、2015年度から開始した「企業内人材育成推進助成金」（2016年よりキャリア形成促進助成金に統合）が相当する。最末尾「具体的な方策」が「キャリアコンサルタント登録制度」であり、これを受けてキャリアコンサルタントの国家資格化が行われた。

3.4　第Ⅳ期　国家資格キャリアコンサルタントの再出発

2016年から現在に至るまでは、国家資格化に伴うキャリアコンサルタントの再出発の時期と位置づけられる。まず、2016年にキャリアコンサルタント登録制度創設のための検討が行われる[29)]。2018年には能力要件の3回目見直しが行われる[30)]。2019年にはキャリアコンサルタントの継続的な学びをテーマに実務経験機会の確保のほか、スーパービジョン、事例検討会、研修会・経験交流会への参加を議論した[31)]。2020年には引き続きキャリアコンサルタントの継続的な学びの促進を検討し、キャリアコンサルタントの実践力等の資質向上を議論した[32)]。さらに上で触れたとおり、各種のキャリアコンサルティング技法も2018～2019年にかけて整備した[33)34)]。

キャリアコンサルティング及びキャリアコンサルタントはここに明確に国家資格として、あらためて再スタートを切ったのであり、今後に向けた新たな礎を築いている渦中にあると言えるだろう。

なお、図表2－3に各報告書のタイトルを記載し、内容に応じていくつかの類型に分けた（表中○印が該当箇所）。併せてキャリアコンサルティングに関連する施策についても記載した。

図表2－3　キャリアコンサルティング関連報告書とその内容及び関連する施策

年度	報告書	基本制度	資質向上	能力要件	実態調査	実践での活用	特に若年	関連する施策
2000 平成(H) 12	キャリア・コンサルティング技法等に関する調査研究報告書（労働者のキャリア形成支援のためのキャリア・コンサルティング・マニュアルを作成）	○						
2001 H13	キャリア・コンサルティング実施のために必要な能力等に関する調査研究報告書(→能力体系の作成)			○				
2002 H14	キャリア・コンサルタントに係る試験のあり方に関する調査研究報告書	○						目標訓練時間 120時間
	「キャリア・コンサルティングの効果的普及のあり方に関する研究会」報告書（→指導レベル、導入レベルの検討）		○					
2003 H15	「キャリア・コンサルタントの資質確保のあり方検討会」報告書（→連絡協議会の発足）	○						若者自立挑戦プラン、ヤングジョブスポット
	「キャリア・コンサルタントの資質向上に関する研究会」報告書－指導レベルのキャリア・コンサルタントに係る調査研究		○					
	若年者向けCC研究会報告書						○	若年者向け目標追加訓練時間＋30時間
2004 H16	「CC研究会」報告書－熟練キャリア・コンサルタントに係る調査研究		○					ジョブカフェ
	「CC研究会」報告書－キャリア・コンサルティング導入・展開事例に係る調査研究					○		
2005 H17	「CC研究会」報告書－キャリア・コンサルタントの資質確保体制の整備に係る調査研究（→スーパービジョンの検討）		○					キャリコン協議会設立 若者自立塾
	「CC研究会」報告書－キャリア・コンサルティング実施のために必要な能力体系の見直し等に係る調査研究			○				目標訓練時間 130時間
	「CC研究会」報告書－キャリア・コンサルティング導入・展開事例に係る調査研究					○		

年度	報告書	基本制度	資質向上	能力要件	実態調査	実践での活用	特に若年	関連する施策
2006 H18	キャリア・コンサルティングに関する実態調査結果報告書				○			地域若者サポートステーション事業
	「CC研究会」報告書(実務研修制度の検討、実践力のあるキャリコンの明確化)					○		
2007 H19	「キャリア・コンサルタント制度のあり方に関する検討会」報告書(→技能検定)							
	「CC研究会」報告書(企業領域部会、教育機関領域部会)					○		
	「若年者向けCC研究会」報告書－若年者向けキャリア・コンサルティング実施に必要な能力要件の見直し等に係る調査研究						○	若年者向け目標追加訓練＋60時間
2008 H20	「CC研究会」報告書(→１級技能士設定に向けた検討)		○					２級キャリコン技能士検定開始、ジョブカード制度
	「若年者向けCC研究会」報告書(→サポステ振り返り)						○	
2009 H21	「CC研究会」報告書(ジョブカードを活用したキャリア・コンサルティング部会)					○		緊急人材育成支援事業(基金訓練)キャリア検診事業
	「CC研究会」報告書(キャリア教育部会)						○	
	「CC研究会」報告書(業種・職種専門キャリア・コンサルタントに係る検討)					○		
2010 H22	「CC研究会」報告書(標準レベルのキャリア・コンサルタントに求められる能力要件等に関する検討部会)			○				目標訓練時間 140時間
	「CC研究会」報告書(キャリア・コンサルティング実態調査部会)				○			
	「CC研究会」報告書(大学等キャリア教育部会)						○	キャリア教育専門人材養成事業
2011 H23	「CC研究会－キャリア・コンサルタント自身のキャリア形成のあり方部会」報告書		○					１級キャリコン技能士検定開始、求職者支援訓練
	「CC研究会－大学等キャリア教育部会」報告書						○	
2012 H24	「CC研究会－中小企業におけるキャリア・コンサルティング部会」報告書					○		キャリア支援企業表彰
	「CC研究会－職業訓練機関等におけるキャリア・コンサルティング部会」報告書					○		

年度	報告書	基本制度	資質向上	能力要件	実態調査	実践での活用	特に若年	関連する施策
2013 H25	「CC研究会－ジョブ・カードを交付する者に対する指導に必要な能力・スキル等に関する検討部会」報告書		○					
	「CC研究会－キャリア・コンサルタントが有するキャリア・コンサルティング能力の実態等に関する検討部会」報告書				○			
2014 H26	「CC研究会－企業経営からみたキャリア・コンサルティングの意義や効果に関する好事例収集に係る調査研究」報告書					○		専門実践教育訓練
2015 H27	「CC研究会」報告書（→キャリアコンサルタント登録制度（国家資格制度）の創設	○						労働者派遣法改正 新ジョブ・カード
2016 H28	（セルフ・キャリアドック導入支援事業推進委員会発足）							キャリアコンサルタント登録制度開始、グッドキャリア企業アワード
2017 H29	キャリアコンサルタントの能力要件の見直し等に関する報告書（キャリアコンサルタント登録制度等に関する検討会）			○				養成講習の時間数150時間
	労働者等のキャリア形成における課題に応じたキャリアコンサルティング技法の開発に関する調査・研究事業報告書（→若者・女性・中高年向け技法開発）					○		
	「セルフ・キャリアドック」導入の方針と展開					○		
2018 H30	キャリアコンサルタントの継続的な学びの促進に関する報告書		○					
	労働者等のキャリア形成における課題に応じたキャリアコンサルティング技法の開発に関する調査・研究事業報告書（→治療と職業生活の両立支援、就職氷河期世代の労働者支援技法）					○		
2019 令和(R) 元	キャリアコンサルタントの継続的な学びの促進等に関する報告書～キャリアコンサルティングの普及促進とそれを支えるキャリアコンサルタントの実践力等の資質向上～		○					
2020 R2	キャリアコンサルタント登録制度等に関する検討会報告書～働く環境の変化に対応できるキャリアコンサルタント	○						キャリア形成サポートセンター
	キャリアコンサルタントの実践力強化に関する調査研究事業報告書		○					

第4節　第11次職業能力開発基本計画

第6次及び第7次計画は章頭に示したとおりだが、最新の第11次の職業能力開発基本計画（令和3（2021）年度～令和7（2025）年度）も、今後のキャリアコンサルティングの展開を考えるうえで重要な内容を含む。ここではキャリアコンサルティングの歴史をまた別の視点から見るために、以下、第11次の能開基本計画を概観する。

第11次職業能力開発基本計画（以下、第11次計画）は、①新型コロナウイルス感染症の影響によるデジタル技術の社会実装や労働市場の不確実性の高まり、②人生100年時代の到来による労働者の職業人生の長期化、といった労働者を取り巻く環境の大きな変化に焦点を当てている。その中で、企業の人材育成の支援、労働者の主体的なキャリア形成を支援する人材育成戦略を基本的な方向とする。ねらいが多岐にわたっているため、キャリアコンサルティングに対する言及もかなり多い。

中でも最も中心となるのは「労働者の自律的・主体的なキャリア形成支援」である。ここに「キャリアコンサルティングの推進」が掲げられている。

2　労働者の自律的・主体的なキャリア形成支援

（1）　キャリアコンサルティングの推進

日本型の雇用慣行が徐々に変化するとともに、急速なデジタル化の進展や労働市場の不確実性の高まり、人生100年時代の到来による職業人生の長期化等により、労働者に求められる能力も変化していく。このため、労働者は、日々の業務を通じて職業能力の向上を図るとともに、企業任せにするのではなく、若年期から自身の職業能力開発の必要性を継続的に意識しながら、時代のニーズに即したリスキリングやスキルアップを図っていく必要がある。これを支援するため、国や企業においては、労働者がキャリアコンサルティング等を通じて定期的に自身の能力開発の目標や身に付けるべき知識・能力・スキルを確認することができる機会を整備することが重要である。

こうした方向性を踏まえ、以下のような施策を講ずる。

①　キャリア形成サポートセンターの整備等を通じて、企業へのセルフ・キャリアドックの導入支援や、夜間・休日、オンラインで利用できる環境等の労働者個人がジョブ・カードを活用したキャリアコンサルティングを利用しやすい環境の整備を更に推進する。

②　キャリアコンサルティングの推進に当たっては、産業界・企業における理解が不可欠であり、その理解を促す取組を推進する。

③　ジョブ・カードは、キャリアコンサルティングの過程で有効活用できるツールであり、デジタル技術の進展を踏まえ、利便性の向上を図るとともに、企業が従業員に対して行うキャリア支援の場面（キャリアコンサルティングやキャリア研修等の場面）における活用を促すなど、更なる普及を推進する。

④　キャリアコンサルタントについて、平成28年の国家資格化以降、量の確保と資質の維持・向上を図ってきたが、今後は労働力需給調整の場面や職業訓練の場面における支援等の活動領域に応じた専門性を深めることや、豊富なキャリアコンサルティング経験を持つキャリアコンサルタントによる指導を受けることなど、実践力の向上に向けた取組を推進する。

⑤　キャリアコンサルタントに寄せられる相談内容の複雑化・高度化に対応するため、キャリアコンサルタントに必要な知識・技能を身に付ける機会を確保するとともに、専門家や専門機関に関する情報提供や講習の実施等により、産業医や保健師等関連領域の専門家に適切につなぐための知識・能力の習得や専門家等とのネットワーク作りを促進する。

⑥　企業に関わるキャリアコンサルタントについては、労働者のキャリア意識の形成や職業生活を通じたキャリアプランの作成を支援することに加え、当該企業における人材育成の取組の改善や組織課題の解決に向けた提案を行うなど、キャリアコンサルティングを通じて得られた知見を当該企業の関連する制度やその運用、さらには組織活性化による生産性向上に活かすための専門性の向上を図る。

⑦　場所を問わずキャリアコンサルティングの機会を提供できるよう、オンラインを活用したキャリアコンサルティングを推進する。

キャリアコンサルティングに対する言及が多側面にわたっているが、要点を箇条書きにまとめると以下のとおりである。

① キャリア形成サポートセンターの整備（セルフ・キャリアドックの導入支援、夜間・休日・オンライン等の労働者個人がジョブ・カードを活用したキャリアコンサルティングを利用しやすい環境の整備）
② キャリアコンサルティングに対する産業界・企業の理解促進
③ ジョブ・カードの利便性向上及び活用促進
④ キャリアコンサルタントの活動領域に応じた専門性の深化、経験豊富なキャリアコンサルタントによる指導等の実践力向上に向けた取り組み推進
⑤ キャリアコンサルティングの相談内容の複雑化・高度化への対応（必要な知識・技能習得の機会の確保、産業医や保健師等関連領域の専門家とのネットワーク作りの促進）
⑥ 企業に関わるキャリアコンサルタント
⑦ オンラインを活用したキャリアコンサルティングの推進

⑥の企業に関わるキャリアコンサルタントに関する記述が込み入っており、キャリアコンサルティングを通じて得た知見を、企業の制度やその運用、組織活性化による生産性向上に生かすことを求めている。そして、そのための専門性向上を指摘している。その具体的な方策として、（1）労働者のキャリア意識形成や職業生活を通じたキャリアプランの作成支援と（2）人材育成の取り組み改善や組織課題の解決に向けた提案を挙げている。

その他、上記と重複しない内容では、①離職者向け訓練におけるキャリアコンサルティング、②キャリアコンサルティング等で活用できる職業能力診断ツールの開発と日本版O－NETとの連携、③非正規雇用労働者に対する企業内におけるキャリアコンサルティングの実施促進、④マザーズハローワーク等における子育て中の女性、母子家庭の母等に対するキャリアコンサルティングの実施、⑤若者及び中高年齢者のキャリア形成支援のためセルフ・キャリアドック

やオンラインを活用したキャリアコンサルティングの推進を挙げている。

文　献

1）労働省　1985　能発第210号「職業訓練法の一部を改正する法律の施行について」
2）宮川知雄　1986『解説職業能力開発促進法－未来を拓く人材開発』日刊労働通信社　p. 163
3）厚生労働省職業能力開発局　2001「キャリア・コンサルティング技法等に関する調査研究報告書」
4）厚生労働省職業能力開発局　2002「キャリア・コンサルティング実施のために必要な能力等に関する調査研究報告書」
5）厚生労働省職業能力開発局　2002「キャリア・コンサルタントに係る試験のあり方に関する調査研究報告書」
6）厚生労働省　2003「『キャリア・コンサルティングの効果的普及のあり方に関する研究会』報告書」中央職業能力開発協会
7）厚生労働省　2004「『キャリア・コンサルタントの資質確保のあり方検討会』報告書」中央職業能力開発協会
8）厚生労働省　2004「『キャリア・コンサルタントの資質向上に関する研究会』報告書－指導レベルのキャリア・コンサルタントに係る調査研究」中央職業能力開発協会
9）厚生労働省　2005「『キャリア・コンサルティング研究会』報告書－熟練キャリア・コンサルタントに係る調査研究」中央職業能力開発協会
10）厚生労働省　2005「『キャリア・コンサルティング研究会』報告書－キャリア・コンサルティング導入・展開事例に係る調査研究」中央職業能力開発協会
11）厚生労働省　2006「『キャリア・コンサルティング研究会』報告書－キャリア・コンサルティング実施のために必要な能力体系の見直し等に係る調査研究」
12）厚生労働省　2006「『キャリア・コンサルティング研究会』報告書－キャリア・コンサルタントの資質確保体制の整備に係る調査研究」中央職業能力開発協会
13）厚生労働省　2007「キャリア・コンサルティングに関する実態調査結果報告書」キャリア・コンサルティング協議会
14）厚生労働省　2007「『キャリア・コンサルティング研究会』報告書」中央職業能力開発協会
15）厚生労働省　2008「『キャリア・コンサルティング研究会』報告書」中央職業能

力開発協会
16）厚生労働省　2009「『キャリア・コンサルティング研究会』報告書」中央職業能力開発協会
17）厚生労働省　2010「『キャリア・コンサルティング研究会』報告書」中央職業能力開発協会
18）厚生労働省　2011「『キャリア・コンサルティング研究会』報告書」三菱UFJリサーチ&コンサルティング
19）厚生労働省　2012「『キャリア・コンサルティング研究会－キャリア・コンサルタント自身のキャリア形成のあり方部会』報告書」三菱UFJリサーチ&コンサルティング
20）厚生労働省　2004「若年者向けキャリア・コンサルティング研究会報告書」中央職業能力開発協会
21）厚生労働省　2008「若年者向けキャリア・コンサルティング研究会報告書－若年者向けキャリア・コンサルティング実施に必要な能力要件の見直し等に係る調査研究」中央職業能力開発協会
22）厚生労働省　2009「若年者向けキャリア・コンサルティング研究会報告書」中央職業能力開発協会
23）厚生労働省　2013「『キャリア・コンサルティング研究会－中小企業におけるキャリア・コンサルティング部会』報告書」三菱UFJリサーチ&コンサルティング
24）厚生労働省　2015「『キャリア・コンサルティング研究会』－企業経営からみたキャリア・コンサルティングの意義や効果に関する好事例収集に係る調査研究－報告書」三菱UFJリサーチ&コンサルティング
25）厚生労働省　2013「『キャリア・コンサルティング研究会　職業訓練機関等におけるキャリア・コンサルティング部会』報告書」三菱UFJリサーチ&コンサルティング
26）厚生労働省　2014「『キャリア・コンサルティング研究会－ジョブ・カードを交付する者に対する指導に必要な能力・スキル等に関する検討部会』報告書」三菱UFJリサーチ&コンサルティング
27）厚生労働省　2014「『キャリア・コンサルティング研究会－キャリア・コンサルタントが有するキャリア・コンサルティング能力の実態等に関する検討部会』報告書」三菱UFJリサーチ&コンサルティング
28）内閣府　2019「安倍政権6年間の経済財政政策の成果と課題」
https://www5.cao.go.jp/keizai-shimon/kaigi/minutes/2019/0118/shiryo_01.pdf
29）厚生労働省　2016「『キャリア・コンサルティング研究会』報告書」三菱UFJリサーチ&コンサルティング
30）厚生労働省　2018「キャリアコンサルタントの能力要件の見直し等に関する報

告書（キャリアコンサルタント登録制度等に関する検討会）」
31）厚生労働省　2019「キャリアコンサルタントの継続的な学びの促進に関する報告書」
32）厚生労働省　2020「キャリアコンサルタントの継続的な学びの促進等に関する報告書－キャリアコンサルティングの普及促進とそれを支えるキャリアコンサルタントの実践力等の資質向上」
33）厚生労働省　2018「労働者等のキャリア形成における課題に応じたキャリアコンサルティング技法の開発に関する調査・研究事業報告書」特定非営利活動法人キャリアコンサルティング協議会
34）厚生労働省　2019「労働者等のキャリア形成における課題に応じたキャリアコンサルティング技法の開発に関する調査・研究事業報告書」日本生産性本部

第3章
キャリアコンサルティングの諸理論

第1節　キャリアの定義

1.1　キャリアの定義

「キャリア」（career）という用語は、一般には経歴、履歴またはその人の専門職業、仕事などの意味に使われる。しかし、使用する人や研究者によってさまざまである。これまでの心理学などの知見によれば、次のようなキャリアの定義が挙げられている。

- 人が生涯を通じて関わる一連の労働や余暇を含むライフスタイル
- 役割統合（role integration）に影響を与え、かつ相互に関連する現象としての労働、教育、家族などの選択に当たって個人を援助することに含まれる包括的概念
- 人が生涯に行う労働と余暇の全体
- 自分が何をするか、自分をどう見るかを結びつける現象的、行動的概念。それは社会的環境、将来計画、能力や特性などとの関連で、自己をどう見るかを規定する。

これらが、どちらかというと個人の職業選択、キャリア発達を重視したものであるのに対して、組織や社会学的な視点を重視した定義がある。それは次のようなものである。

・仕事に関連した経験と活動に結びついた一連の自覚的態度と行動（career）
・個人が時間と空間に従って進む組織化ないしパターン化された経路（career path）
・会社や組織において階級の上昇を示すものとしての外的キャリア（external career）、自己のキャリア形成がその人の自己概念を構成するという内的キャリア（internal career）
・事業所内のある職業の上向移動の機会（career ladder）
・事業所内のある職業の上向移動と水平移動のすべての機会（career lattice）

また、仕事内容の区分の仕方によって分ける「仕事を分業化する場合の最低の単位としての課業（task）」「1人が分担する課業の集まりである職位（position）」「内容と責任の程度が同一である職位の集まりである職務（job）」「内容と責任の程度が相当程度共通し、関連性の強い職務の集まりである職種（job title）」なども、キャリアそのもの、またはキャリアの一部を構成する概念である。

仕事内容ばかりではなく、その個人にとって仕事の持つ意味、目的によって、「ある目的のために行う努力（work）」「肉体労働、苦痛を伴う労働（labor）」「最も一般的な意味での職業（occupation）」「その人が心理的に自分の職業というアイデンティティを持つ天職（vocation）」「専門職業（profession）」などの概念がある。

職業を産業と区別する立場からは、産業が「経済活動の場所的単位」なのに対し、職業とは「生計維持のために何らかの報酬を得ることを目的とする継続的な人間活動。あるいは、一定の社会的分担もしくは社会的役割の継続的遂行」と定義されている。

以上、いろいろなキャリアの定義を概観し、かつ一般的概念により分類した。

これらの中で、今日、我が国において求められているキャリアの概念を考えるに当たって参考になるものとして、1950年代アメリカで「職業からキャリアへの転換」の推進者の1人であったスーパーがさまざまな論文・書籍で指摘したキャリアに関する記述がある。これらの中から、筆者（木村）が重要だと考えるのは以下の事項である。なぜならば、これらがキャリアという用語が持っている最も基本的な要素とその広がりをよく示していると思うからである。以下の定義である。

① 人生を構成する一連の出来事
② 自己発達の全体の中で、労働への個人の関与として表現される職業と、人生の他の役割の連鎖
③ 青年期から引退期にいたる報酬、無報酬の一連の地位
④ それには学生、雇用者、年金生活者などの役割や、副業、家族、市民の役割も含まれる。

なお、キャリアをどのように定義するにせよ、それらに共通する含意をどう考えるかが重要である。私（木村）は以下のことが含意されていると考える。

① 個人の人生の中で内的にも外的にも、何らかの意味で発達的な要素を含む仕事（職業的）移動である。
② 個人の生涯にわたって継続するものである。
③ その中心となるものは個人にふさわしい人間的成長や自己実現である。

また、職業や進路を「キャリア」と呼ぶ場合は、単なる表現の変更ではなく概念の変更を意味していることにも留意する必要がある。すなわち、それは、以下の諸点を背景としている。

① この分野の諸科学（心理学、社会学、教育学、経営学など）の発展
② 個性の尊重、その育成・伸長に重点を置く教育理念
③ 人生の各段階における進路や職業選択の意味の変化
④ 個人の自己実現志向
⑤ 学習社会の到来などの学校、企業、社会の社会的・経済的な変化

1.2　キャリアガイダンスの定義

キャリアガイダンス（career guidance）とは、キャリアに関するガイダンスである。ガイダンスはもともとアメリカで発達した。1950年代までの代表的な定義は、NVGA[注1)] 1937年定義であり、「個人が１つの職業を選び、それに向かう準備をし、その生活に入り、かつその生活において進歩するように、個人を援助する過程である」である。

この定義に初めて今日的なキャリアの概念を導入したのはスーパー（Super, 1951）[1)]の「職業指導の再定義」である。そこでは「職業指導とは、個人が自分自身と職業の世界における自分の役割について、統合され、かつ妥当な映像を発展させ、また受容すること、この概念を現実に照らして吟味すること、及び自分自身にとっても満足であり、社会にとっても利益あるように、自己概念を現実に転ずることを援助する過程である」と定義されている。

その後、アメリカ社会では、ガイダンスからカウンセリング心理学の独立、教育の分野におけるキャリア教育、さらに包括的なキャリアカウンセリングへと発展した。そのことがそれぞれの時代に応じて、我が国の教育、職業行政、企業の能力開発に大きな影響を与えてきた。

したがって、ガイダンスという用語も使用する人の分野、目的、時代などによって多様であり、キャリアと同じように一律に定義することはできない。しかし、キャリア形成の支援という機能に視点を当てれば、「個人が職業やキャリアを選び、準備し、就職し、その中で効果的に機能するよう援助するプロセスであり、それは個人の発達に応じて生涯を通じて繰り返され、継続される」と定義するのが明快かつ包括的であり、キャリアガイダンスが機能している現実にも合っているのではないかと考える。

キャリアガイダンスとは、キャリアに関する自己理解、計画の策定、キャリアに関する情報の収集と理解、啓発的経験、意思決定とその実行、選択したキャリアへの適応という１つのプロセスであり、それが生涯にわたるキャリア形成

注１）NVGA = National Vocational Guidance Association　全米職業指導協会。現在の NCDA = National Career Development Association　全米キャリア発達協会。

に応じて繰り返される。また、キャリアガイダンスには、キャリアに関する諸問題やコンフリクトについて、個人または集団に対して働きかけ、援助する多様な諸活動が含まれる。そして、2000年代に入り、働く人に対するキャリアガイダンスの必要性が急速に高まり、我が国雇用政策の一環として広く行われるようになったキャリアガイダンスがキャリアコンサルティングである。

1.3　キャリアカウンセリングの定義

アメリカにおいても1960年代末までは、キャリアカウンセリングという用語はほとんど使われないか、あるいは職業指導、職業カウンセリングと同義語として使われていた。1960年代末以降、前記のスーパーの職業指導の再定義やカウンセリング心理学の確立などによって「職業」から「キャリア」へと、従来の職業指導と職業カウンセリングの転換が進んだ。

このような背景の中で、全米職業指導協会（NVGA）は、職業及びキャリアカウンセリングの定義と活動分野について1980年代に次のような見解を発表した。「職業及びキャリアカウンセリングは、職業、キャリア、生涯にわたるキャリア（life career）、キャリアの意思決定、キャリア計画その他のキャリア開発に関する諸問題やコンフリクトについて、資格を持つ専門家が個人または集団に対して働きかけ、援助する諸活動である」[2)]。この定義には「どれを選ぶか、個人と職業のマッチング」から、「選択し、発達する個人」への転換と、カウンセラーが必要とする資質までよく表現されている。

1.4　キャリア理論の意義

ここまでキャリア、キャリアガイダンス、キャリアカウンセリングの定義について見てきた。上に示した各種の定義は、実際には、キャリア理論の変遷と密接に関連している。

次節以降に示すとおり、キャリアガイダンス、キャリアカウンセリングの営みは、パーソンズが職業選択・職業指導を理論的に定式化したことに端を発する。職探しを伴う「将来どう生きていくか」という問題は、古来より、家族や親類縁者、友人のような私的な人間関係で話し合われてきた。キャリアの支援は身近な人間の経験則で行っていた。

それに対して、パーソンズが切り開いたのは、他人である専門家が一定の専門性を根拠に専門的な支援を提供することである。そのため、単なる親切心や同情心に基づく私的な見解以上の理論的な根拠を必要とした。そこでパーソンズは職業選択とその支援について執筆を行い、死後、ブルームフィールドなどの協力者によって出版された。パーソンズの職業指導は、パーソンズの考えを理論として書き留めたことによって確立した。こうした成り立ちからいって、キャリアの支援とは本来、理論的な営みである。一定の考え方、一定の進め方に定式化された手順に沿って支援を提供することが重要となる。その際、多様なクライエントに適切な支援を提供するには、多様なキャリア理論とその変遷をたどることが有益である。さまざまなクライエントとその支援を考える際の視点を豊かにするものとして、キャリアのさまざまな考え方に触れたい。

以下、本章では、代表的なキャリア理論を「特性因子論」「キャリア発達理論」「ナラティブアプローチ・キャリア構築理論」「意思決定理論・学習理論・自己効力感」「多文化・社会正義論」の５つの大まかなグループに分けて示す。

第２節　特性因子論

２.１　パーソンズの職業選択理論

職業指導の創始者とも言われるパーソンズ（Parsons, F.）は、その著書『職業の選択』[3)]の中で、後に特性因子理論と言われ職業指導に決定的な影響を与える理論の原型と言うべき次の見解を示した。

① 自分自身、自己の適性、能力、興味、希望、資質、限界、その他の諸特性を明確に理解すること

② さまざまな職業や仕事に関して、その仕事に求められる資質、成功の条件、有利な点と不利な点、報酬、就職の機会、将来性などについての知識を得ること

③ 上記の２つの関係について、合理的な推論を行いマッチングすること

賢明な職業選択は、この3つのステップを踏むことによって行われる。これらの課題を達成する方法として、以下の7つが必要となる。

① 個人資料の記述
② 自己分析
③ 選択と意思決定
④ カウンセラーによる分析
⑤ 職業についての概観と展望
⑥ 推論とアドバイス
⑦ 選択した職業への適合のための援助

この理論は、「人間には個人差があり、職業には職業差がある。両者をうまく合致することが可能であり、そのことが良い職業選択や職業適応である」とするもので、マッチングの理論とも呼ばれる。しかし、以下の批判もある。

① 雄ネジと雌ネジが、ピッタリと合う適合関係を、あまりにも重視すること（「ペグの理論」とも呼ばれる）
② 人と職業との関係を、ある時点で固定的、静的にとらえ過ぎていること。両者のダイナミックな関係や発達のプロセスへの考慮が足りないこと
③ 現実の職業選択は、必ずしも「合理的な推論」によって行われるとは限らず、情緒的、無意識的というような「合理的」とは言い難い要素によって左右されていることに対する考慮が足りないこと

にもかかわらず、この理論は現在に至るまで、さまざまな形でキャリアガイダンスの方法論に計り知れない貢献をもたらした。現在、キャリアガイダンスにおいて有効に使用されている手法の大部分は、この理論を基礎としている。

2.2 ウィリアムソンの特性因子カウンセリング

パーソンズの特性因子論を発展させて、1930年代に特性因子カウンセリングとして理論化したのがウィリアムソン（Williamson, E. G.）である。

この理論の基本は「人と職業のマッチング」である。差異心理学に理論的背

景を置き、「人はすべて異なる。この個人の差異性は測定でき、複数のパターンで示すことができる。それは職業についても同じである」という立場に立つ。診断すべき問題は、職業やキャリア選択に関する問題すべてであるが、特に、無選択、不確かな選択、間違った選択、興味と適性のズレなどを問題とする。

ウィリアムソンの特性因子カウンセリングは次の６段階を経て行われる[4)]。

① 分析：主観的・客観的方法を用いて、適性・興味・価値観などクライエントに関する多くの情報を集める。

② 総合：クライエントの特性を明確にするため、情報を比較・検討し、要約する。

③ 診断：クライエントの目立った特徴と問題点を叙述し、個人の特徴と職業や進路の諸条件を比較し、問題の原因を見つける。

④ 予後：問題から予想される結果と適応の可能性を判断し、クライエントが選択可能な行動や適応をクライエントに示唆する。

⑤ 処置（狭義のカウンセリング）：現在及び将来において望ましい適応状況を得るために何をすべきか、クライエントと協力的に話し合う。

⑥ 追指導：新たな問題が生じた場合に、上記のステップを繰り返す。

特性因子カウンセリングは、カウンセリング、テストの実施と解釈、職業情報の利用の３本柱によって構成され、それが一体となって行われる。その際、テストの実施と解釈は、行動計画の立案の段階で助言、説得、説明という形で行われる。カウンセラーは、専門的知識や技術を駆使し、権威を持って結果を解釈し、結論を引き出しそれをクライエントに伝えるのである。また、職業情報は、①選択すべき対象の内容の確認、複数の選択肢の比較、②不適切な選択の検証、③意思決定に積極的に参加させるという機能を果たす。

特性因子カウンセリングはカウンセリングの源流の１つとして発生し、その後、多くのテストや職業情報などのツールを開発し、学校進路指導や職業指導に多大の貢献をした。限られた時間・回数で、具体的な結果を求める職業選択あるいはキャリア支援では中核的アプローチであることに変わりはない。今日でも、特性因子カウンセリングは、キャリアカウンセリングの中心である。

2.3　人－環境適合と職場適応理論

とかく静的・固定的だと批判されがちであった特性因子論に、双方向的・主体的な考え方を導入したのが人－環境適合（P－E fit）理論である。この理論では、人は自分の環境を選び、作り上げることができるとした。そして、おおむね以下の前提を立てた（Su, Murdock & Rounds, 2015[5]、Rounds & Tracey, 1990[6]）。

① 人は、自分の特性を行動的に顕在化させる環境を求め、生み出す（例：人を支配したがる人は、リーダーシップのある地位を求める等）。
② 人が自分の職場環境にどの程度適合するかは、重要な結果をもたらす（例：満足度、パフォーマンス、圧力、生産性、離職率など。すなわち、よい適合とよい結果が関連づけられた）。
③ 人－環境適合（P－E fit）は、人が自分の環境を形成し、環境が人を形成する相互的で継続的なプロセスである。

人－環境適合（P－E fit）理論の代表的なものに、ダウィスとロフキスト（Dawis & Lofquist, 1984）[7]の職場適応理論（Theory of Work Adjustment：TWA）がある。この理論では、「満足感（satisfaction）」と「充足度（satisfactoriness）」を分ける。前者は人のニーズが環境に満たされている程度であり、後者は環境のニーズ（≒職場のニーズ）を人が満たしている程度を示す。両者ともに適合度（correspondence、すなわちfit）が高い場合に、人は満足感を感じ、職場は要求水準を満たしていると考える。したがって、適合度が高いほど在職期間が長くなると予測される。つまり、人は退職せず、職場も解雇しない。これは後続の研究でも実証されている。

職場適応理論はダイナミックなプロセスとして想定されている。個人は、人－環境適合（P－E fit）を高めるために環境に働きかけたり、自分のニーズを低めたりする。その際、次の4つの要因がある。

①　柔軟性（flexibility：不適合を許容する能力）
②　活動性（activeness：環境への働きかけ）
③　反応性（reactiveness：自分の側の対処）
④　忍耐（perseverance：調整行動を持続できる時間）

職場適応理論は古い理論だが、特性因子論の１つとして次に示すホランドの理論と同様、重視されてきた理論であり、その後さまざまな理論の発展があり、かつ現在でも実証研究などが積み重ねられている。

2.4　ホランドの理論

ホランド（Holland, J. L.）は、職業選択やキャリア発達の要因として、個人の行動のスタイルや人格類型に着目する。その意味で心理学の長い伝統に基づく人格類型論の流れをくむ理論である。人間は、個人的特性と環境との相互作用の結果としてできあがるものであり、人は社会的・環境的課題に取り組む独自の方法を身につけるという。

また、個人と環境を同一の６類型にまとめ、個人と環境との類型が同一であることによって、調和的相互作用がより安定した職業選択、より高い職業達成などをもたらすとしている。理論の骨子は次のとおりである[8)]。

①　現代の文化圏では、多くの人々のパーソナリティは、６類型に分けられる。それは現実的、研究的、芸術的、社会的、企業的、慣習的である。
②　同様に、われわれが生活する環境も、上記の６類型に分けられる。
③　個人は、自分の役割や能力を発揮し、価値観や態度を表現し、かつ自分にあった役割や課題を引き受けさせてくれる環境を探し求めている。
④　個人の行動は、その人のパーソナリティと環境の特徴との相互作用によって決定される。

要するに、この理論は「同じ類型に属する人と環境の調和的相互作用が、より安定した職業選択、より高い職業適応をもたらす」として、職業興味の６類型、その組み合わせと実際の職業分類の関係を明らかにした。

特に、ホランドは単なる研究にとどまらず、この理論に基づいてキャリアガイダンスのための具体的な用具を開発した。それは日本にも導入され、「職業レディネス・テスト」「VPI職業興味検査」「OHBYカード」などで職業興味の6類型が用いられている。6類型は、以下のとおりである[9)10)]。

R　現実的職業領域（Realistic）：機械や物体を対象とする具体的で実際的な仕事や活動の領域（例：技術者、機械オペレーター）

I　研究的職業領域（Investigative）：研究や調査のような研究的、探索的な仕事や活動の領域（例：研究者、学者）

A　芸術的職業領域（Artistic）：音楽、美術、文学等を対象とする仕事や活動の領域（例：ミュージシャン、デザイナー）

S　社会的職業領域（Social）：人と接したり、人に奉仕したりする仕事や活動の領域（例：教員、販売員）

E　企業的職業領域（Enterprising）：企画・立案したり、組織の運営や経営等の仕事や活動の領域（例：放送ディレクター、会社経営者）

C　慣習的職業領域（Conventional）：定まった方式や規則を重視し、それに従って行う仕事や活動の領域（例：事務員、会計士）

職業興味を表す際、興味の高い順に3つ並べて表現する。これをスリーレターコードと言う。例えば、芸術的領域に対する興味が最も高く、次いで社会的領域、研究的領域が高い人がいた場合、その人の職業興味を「ASI」と表す。

また、ホランドの6類型RIASECは一般に6角形の図に示されるが（図表3－1参照）、その際、次の5つの概念も重要である。

①　計測性（calculus）：6類型の関連性は距離で表現できる。隣にある領域は類似の興味を示し、対角線上にある領域は正反対の興味を示す。

②　一貫性（consistency）：隣接する領域に興味を示す場合、職業興味の一貫性が高い。例えば、現実的（R）は研究的（I）や慣習的（C）の

隣にあるので、これらに興味が示されれば、職業興味は一貫している。

③　分化（differentiation）：ある領域に興味があり、他の領域には興味がない場合、職業興味が分化している。全領域に興味を示す場合、興味を絞り切れていないという意味で、職業興味は分化していない。

④　アイデンティティ（identity）：自分の興味、目標、資質を明確に理解し、自分の興味を表現すべく、どの程度、明確な全体像を持っているかを表す。一貫性・分化の概念と密接に関連する。

⑤　一致（congruence）：人と環境の領域がどの程度、一致しているかを示す。社会的職業領域に興味がある人は、人と接したり、社会的・対人的な問題を取り扱う環境と一致する。

パーソンズ、ウィリアムソン、ダウィスとロフキスト、ホランドの理論は、いずれも人と環境の一致を重視したという点で共通している。基本的には、キャリアコンサルティングとは人と環境の一致を目指すものであり、その点、これらの理論の重要性は、いささかも衰えていない。

図表3－1　ホランドの6角形

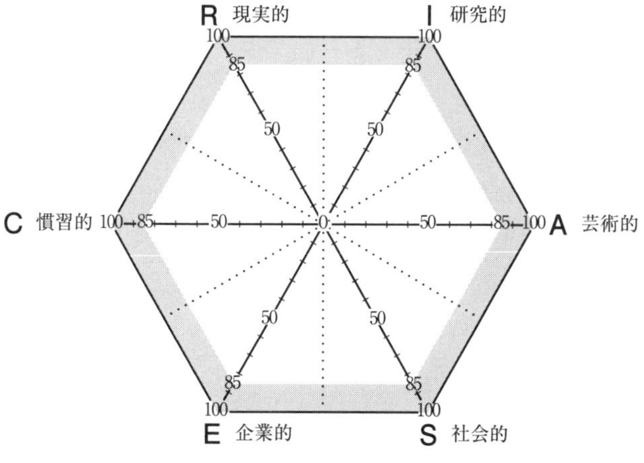

（資料出所）雇用問題研究会　2013「職業レディネス・テスト（VRT）の今日的意義と大学・短大での活用」p. 11

第３節 キャリア発達理論

3.1 ギンズバーグの職業発達理論

職業発達理論の基本は、個人のキャリア発達過程に応じた課題解決を支援することがキャリアガイダンスの目的であるという点である。キャリアは若年、中年、高年と人生の各段階を通じて継続的・発達的に形成される。この理論の登場によって、キャリアガイダンスは「人生を、どう生きるか」という大きな命題に取り組み、その範囲を拡大することになった。

職業選択には長い年月を通しての発達過程が見られることに着目し、それを理論化した最初の人はギンズバーグら（Ginzbergほか, 1951）[11]と言われる。1947年にニューヨークの中流白人家庭出身の64名の男子に対する面接調査の結果をもとに、職業発達のプロセスを「空想期」（10歳以下）、「試行期」（11～18歳）、「現実期」（18～20歳代初期）に分けた。このうち試行期は、さらに「興味」「能力」「価値」「移行」の各段階に分け、現実期は「探索」「結晶」「特殊化」の段階に分けた。また各人は自分の衝動や欲求を職業名に「翻訳」すると見るのが適切だとした[12]。彼らは以下の３点を指摘した。

① 職業選択は、少なくとも６～７年にわたるが、典型的にはもっと長期、10年以上にわたるプロセスである（プロセス）。

② 青年期における１つ１つの決定は、その時点までの本人の経験と関係しているし、その決定は次々と将来に対して影響するのだから、意思決定のプロセスは、基本的には後戻りがきかない（非可逆性）。

③ 職業選択は、一連の主観的要因が雇用機会と現実の諸制約とバランスをとることを含むのだから、職業選択の結晶化は、妥協という性質を持たざるを得ない（妥協）。

ギンズバーグの最初の理論は1950年代に構築されたが、その後改定され、プロセス、非可逆性、妥協という最初の概念の修正が行われた。ただし、「職業選択は、生涯にわたる意思決定のプロセスである。それゆえ、個人は、変化するキャリア目標と職業の世界の現実との適合をどのようにするか、繰り返し再評価することになる」という発達的観点は変わっていない。

3.2　スーパーの職業的発達理論

1950年代以降、職業発達理論を現在のような形に完成させた最も代表的な理論は、スーパー（Super, D. E.）の理論である。スーパーは多産な研究者であり、キャリア心理学に対する貢献は計り知れない。膨大な研究のゆえにその全体像は捉えにくいが、おおむね、①自己概念の発達、②ライフステージと発達課題、③キャリアの幅と豊かさの3つに大きく分けられる（Salomone, 1996）[13)]。

まず「自己概念の発達」であるが、スーパーはビューラー（Buehler, Ch.）の生活段階、ハヴィガースト（Havighurst, R.）の発達課題、ミラーとフォーム（Miller, D. C. & Form, W. H.）の仕事経歴からみた人生段階、ギンズバーグの発達理論などそれまでの発達理論を整理した。そのうえで1953年に理論の主軸となるべき10の命題を示し、後に1957年には12の命題に改定した。この12の命題が日本では最も知られている（図表3－2参照）。

上記の命題も踏まえると、スーパーの基本的な考え方は次に集約される。

① 個人は多様な可能性を持っており、さまざまな職業に向かうことができる。

② 職業発達は、個人の全人的な発達の1つの側面であり、他の知的発達、情緒的発達、社会的発達などと同様、発達の一般原則に従うものである。

③ 職業的発達の中核となるのは自己概念である。職業的発達過程は、自己概念を発達させ、それを職業を通して実現していくことを目指した漸進的、継続的、非可逆的なプロセスであり、かつ妥協と統合の過程である。

次に「ライフステージと発達課題」であるが、スーパーのキャリア発達理論は、当時隆盛だったシャーロッテ・ビューラーの発達心理学に大きな影響を受

図表3－2　スーパーの12の命題

①　職業的発達は、前進的・継続的で、一般的には不可逆なプロセスである。
②　職業的発達は、秩序だっていてパターン化された予測可能なプロセスである。
③　職業的発達は、ダイナミックなプロセスである。
④　自己概念は、青年期以前に形成され始め、青年期により明確化し、かつ青年期に職業的な用語に翻訳される。
⑤　現実的な要因（個人の現実や社会の現実）は、青年初期から成人期にかけて年齢を経るにつれて、職業選択で重要になる。
⑥　親または親がわりの保護者との同一化は、適切な役割観の発達、各役割間の調和、職業に関する計画や出来事で果たす役割の理解と関連する。
⑦　ある職業から別の職業への垂直移動の方向や速さは、知能、家柄、出世欲、価値観、興味、対人スキル、経済の需給状況と関連する。
⑧　個人が参入する職業の領域は、その人の興味、価値観、欲求、親または親がわりの保護者の役割モデルとの同一化、地域のリソース、教育水準とその質、地域の職業の構造・動向・意識と関連する。
⑨　職業にはそれぞれ求められる能力・興味・性格に関する特徴的なパターンがあるが、その職業に就ける個人の多様性には幅があり、逆に、個人が就ける職業の多様性にも幅がある。
⑩　職業や人生の満足感は、自分の能力・興味・価値観・性格の適切なはけ口を、どのくらい仕事の中に見つけられるかによる。
⑪　職業から得られる満足感は、自己概念をどのくらい満たしてきたかに比例する。
⑫　職業は、多くの男性・女性にとって、その人の人格を構成する焦点となる。ただし、この焦点がむしろ本質的ではなく、付帯的なもので、まったく無いこともあり、社会的な活動や家庭のような他の焦点が中心となる人もいる。

（資料出所）　Super, D. E., & Bachrach, P. B. 1957 Scientific careers and vocational development theory：A review, a critique and some recommendations. NY：Columbia University Pressより新たに訳出

けた。ビューラーは、人生を「成長（0～15歳）」「探索（15～25歳）」「確立（25～40歳）」「維持（40～65歳）」「衰退（65歳以上）」の5つのライフステージに分けた。スーパーはこれを踏襲した。図表3－3にスーパーのライフステージを示す（Phillips, 2015）[14)]。

「キャリアの幅と豊かさ」について、スーパーは、自らのキャリア概念を生涯にわたって拡張し続けた。特に「ライフ・キャリアレインボー」と言われる考え方を提示してキャリアの幅と豊かさを示した。「人は、生涯において9つの大きな役割（子供、学生、余暇人、市民、労働者、配偶者、家庭人、親、年

図表３－３　スーパーのキャリア発達段階

成長期（～14歳）
身体的・認知的・社会的・情緒的な発達の他、観察やロールモデルを通じて仕事の世界を学び始める、さまざまな職業の真似をして遊ぶ、自分の興味や能力を理解し始めることが期待される。これらの課題をうまくこなすことで初期の職業的自己概念を確立し、将来に対する現実的な方向感を持つ。
探求期（14歳～24歳）
初期の自己意識を形成し、それを仕事の世界で実現できるか否かを試す。明確で安定した職業上の自己概念を構築し（「結晶化」）、その自己概念をどう職業で表現できるかを考え、最終的に実際の職業選択を行う。特に重要なのは、自己概念と職業概念の発達、仕事の世界に関する情報収集、職業選択に必要な態度とスキルの発達である。この段階の課題をうまくこなした若者は、計画性があり、仕事の世界の知識を持ちうまく決断できる。また、自分が選んだ職業に就くために必要なステップを踏むことができる。
確立期（25歳～44歳）
当初の暫定的な職業へのコミットメントを安定したキャリアパターンに変換することが必要となる。確固たるコミットメントを持って自分の職業に定着し、能力を発揮し、自分の選択した分野が適切だったことを確認する。その後、労働者として職業上の地位を確立し、自分の分野で前進する。この段階の課題をうまくこなした人は、安定した自己概念を反映した意味ある成功したキャリアパターンを確立する。
維持期（45歳～65歳）
自分の成果を維持する。ただし、確立段階にある自分より若い同僚の成功も考慮し、自分のさらなる昇進の機会が限られる可能性を考える。この段階の課題をうまくこなした人は、積極的に仕事の活動を維持・更新し、経験や知識を若い同僚に伝えるメンターの役割を担い、自己概念を実現するアイデアを仕事以外にも移し始める。
離脱期（初期のスーパーでは衰退期）（65歳～）
リタイアを伴う年齢であり、現役の労働力としての参加を減速させ、退出するという課題がある。職業後の活動について考え、計画し、最終的にはそれを実行することが求められる。この段階を成功する人は、自分の自己概念を完全に実現するために趣味的（avocational）な活動をする。

金生活者）を演ずる。この役割を演ずる舞台は家庭、地域、学校、職場で１つのこともあるし、複数のこともある。いずれにしても、この役割を演ずる中で個人は他人から見られる自分の役割を再構成していく」という概念を示した。

後に、スーパーは、マキシサイクル（maxicycle）とミニサイクル（minicycle）の概念を提唱した（Super, 1990）[15)]。人生全体の発達段階をマキシサイクルとしたとき、各年代のそれぞれに「成長」「探求」「確立」「維持」「離脱」のミニサイクルがある。これはスーパーの晩年、より複雑なキャリアをたどるようになった実社会のキャリア環境を反映した結果である。マキシサイクルとミニサイクルの関係が端的に現れるのが、以下の表である（図表３－５参照）。各年代にそれぞれミニサイクルがあり、対応する発達課題がある。

図表３－４　スーパーのライフ・キャリアレインボー：図式的なライフスペースにおける９つのライフロール[注2)]

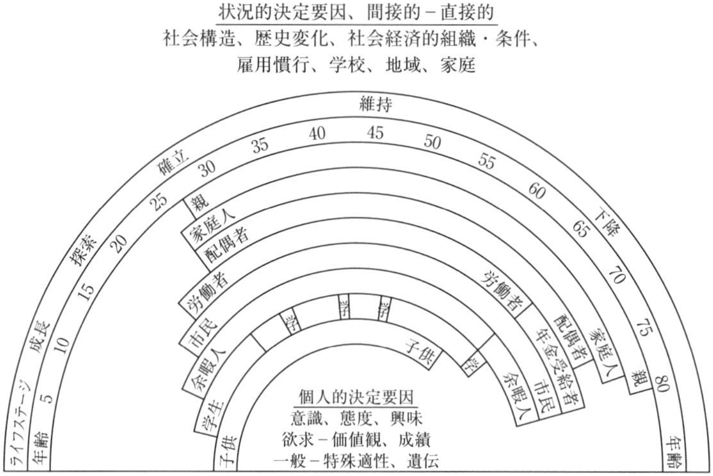

（資料出所）Super, D. E. 1980 A life-span, life-space approach to career development. Journal of Vocational Behavior, 16（pp. 282－298）p. 289

図表３－５　各年代別のミニサイクル

	青年期 14～25歳	成人前期 25～45歳	成人中期 45～65歳	成人後期 65歳以上
成　長	現実的な 自己概念をもつ	他者との関わり方を 学ぶ	自分の限界を 受け入れる	非職業的な 役割を作る
探　索	さまざまな機会に ついて学習する	希望する仕事の 機会を見つける	取り組むべき新たな 問題を見つける	良い老後の場所を 見つける
確　立	自分が選んだ分野で スタートを切る	定職に就く	新たなスキルを 身につける	ずっと やりたかったことをやる
維　持	目下の職業選択で 良いか確認する	職業上の地位を 確保する	競争で 自分の立場を守る	楽しめることを 維持する
衰　退	趣味の時間を 減らす	スポーツへの参加を 減らす	本質的で重要な 活動に集中する	仕事の時間を 減らす

（資料出所）Super, D. E. 1990 A life-span, life-space approach to career development. In D. Brown & L. Brooks（Eds.）, Career choice and development：Applying contemporary theories to practice（2nd ed.）（pp. 197－261）, San Francisco, CA：Jossey-Bass

注２）ほぼ初出のライフ・キャリアレインボーを参照して（厳密には1976年IAEVGでのセミナーが初出）、日本語訳した以外はおおむね原典に忠実に作図。なお、各役割が白黒の濃淡で塗分けられるのは1980年代中盤以降、「下降」または「衰退」が「解放」または「離脱」のように言い換えられるのは1990年前後から。

3.3　ゴットフレッドソンの制限妥協理論

子供のキャリア発達については、リンダ・ゴットフレッドソンの制限妥協理論が知られている（L. Gottfredson, 1981）[16)]。スーパーは、理論的な関心を生涯にわたるキャリア発達に向けた後は、子供のキャリア発達について十分な理論化を行わなかった。ゴットフレッドソンの理論はその間隙を埋めるものとして、諸外国のキャリアカウンセリングの教科書でよく紹介される。他の発達心理学的な知見と整合的であるため、海外の研究者に受け入れられている。

その理論的な骨格は、以下の年齢別の発達段階にある[17)]。

３～５歳（就学前）　サイズとパワー
６～８歳（小学生）　性役割
９～13歳（中学生）　社会的評価（プレステッジ：威信）
14歳以上（高校生以上）　内的な固有の自己（職業興味など）

この理論によれば、子供は（キャリア発達理論が想定するように）自分の興味や関心によって職業を考えるわけではない。むしろ、自分が考慮すべき選択肢を排除（制限）するように職業を考える。その際、職業を排除する基準には発達的なプロセスがある。

３～５歳の「サイズとパワー」の段階では、サイズが大きく力が強いものに憧れ、そうでないものを排除する。すなわち、大人の職業や行動を良いものとし、それを真似たいと思い、やってみたいと考える[注3)]。

次いで、６～８歳の「性役割」の段階では、性別によって制限する。例えば、希望する職業を聞かれたとき、男の子はケーキ屋さんや花屋さんといった職業を自分が考慮すべき選択肢から外す。自分は男だから自分と関係ないと判断する。逆に女の子はサッカー選手やトラック運転手などを選択肢から外す[注4)]。

注３）Gottfredson（1996）によれば、それ以前は、動物（うさぎちゃん）、空想上のキャラクター（おひめさま）、無生物（岩）になりたいと言う。成長するにつれて客観的な認知が可能になり、「対象の永続性」を獲得するに至って、大人が果たす役割を「職業」とみなすようになる。

図表３－６　仕事と自己の適合性の認識に応じた志望の制約

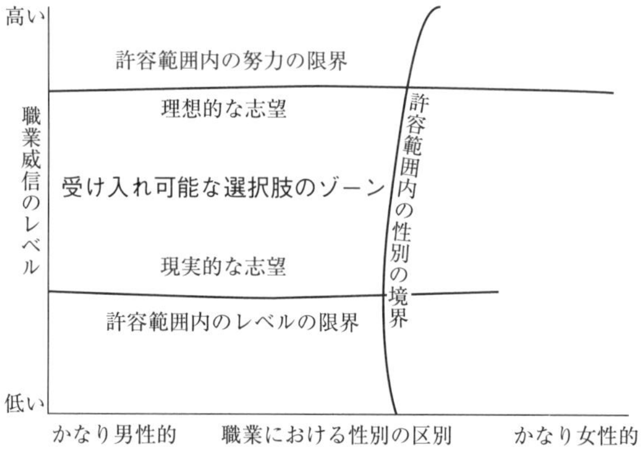

（資料出所）　文献17）p. 188をもとに日本語に訳してあらためて作成

9～13歳の「社会的評価」の段階では職業威信の制約が加わる。職業威信とは世間の人々の職業に対する漠然とした「良い－悪い」の評価である。この年頃から、大人社会では暗黙に職業に序列があり、職業と社会階層を示す具体的なシンボル（服装、振る舞い、持ち物など）と収入・教育水準が結びついていることを敏感に感じ取る。また、職業の序列と自分の能力や適性を結びつけて考える。自分と合ったプレステッジの職業を希望するようになる。

こうして、「自分が達成できることに天井と床の感覚を持ち始める（Gottfredson, 1996　p. 193）」。そして、14歳以降、青年期に至って、性別と職業威信で区分けされた範囲内から、職業興味などの「内的な固有の自己」の基準で職業を選ぶ（図表３－６参照）。自己概念の成熟に伴って、この段階で自分は何が好きなのか、自分は何をやりたいのかを考えることが中心となる。

しかしながら、この段階での選択は、すでに発達過程で希望職業が制約を受けているため、何らかの妥協を含む。この妥協について、ゴットフレッドソン

注４）Gottfredson（1996）によれば、この年頃に物事を単純な見た目や外見などのわかりやすい手がかりによる二分法で考えるようになるため（cf. ピアジェの具体的操作期）、職業と性別は結びついているという認識を獲得する。

は、①発達段階の早い順から自己概念の中心に組み込まれたもの、すなわち性別、威信、職業興味等の順で妥協しにくい、②最も良い選択肢を選ぶのではなく、十分なもの（good enough）を選ぶ、③十分でない（not good enough）選択肢は選ばない（≒決めない、引き伸ばす）といった原則などを示している。

なお、こうした発達傾向には当然、問題がある。本来この理論は、ジェンダーの問題に関心を持つゴッドフレッドソンが、職業に伴う差別がなぜ発達過程で内面化されるのかを説明しようとした理論だった点に留意したい。

第４節　ナラティブアプローチ・キャリア構築理論

４.１　スーパーの主題外挿法（Thematic－Extrapolation Method：TEM）

スーパーは、現在のナラティブアプローチ・キャリア構築理論にも影響を与えた。1954年に発表した主題外挿法（TEM）がその源である[18)]。主題外挿法（TEM）とは、過去の職歴などのデータを解釈してその人のテーマ（主題）を抽出し、そのテーマと典型的なキャリアパターンを照らし合わせて、将来を「外挿法」で予測する手法である。「外挿」とは数学の用語で、あるデータの傾向を延長してデータのない部分も予測することである。つまり、学校を卒業して就職し、10年ぐらい一貫してその仕事に就いている人がいたとすれば、この人物のテーマ（主題）は「安定」であろうと想定される。このテーマと、例えば典型的な「安定的キャリアパターン」を重ね合わせれば、この人物は今後、おそらくは一貫して同じ仕事で働いていくだろうと予測できる。

スーパーはこの考え方の前提について、次の有名な言葉を述べている。

> 個人が将来何をしたいかを理解する１つの方法は、過去に何をしたかを理解することである。そして、過去に何をしたかを理解する１つの方法は、出来事のつらなりや人格の発達について分析し、繰り返しみられるテーマや内在する傾向を確かめることである。

スーパーの「キャリアパターン研究（CPS）」は上記の考え方に役立てるた

めに実施されたものである。1951年当時、ニューヨーク州の地方小都市に住んでいた第8学年（中学2年生）138人、第9学年（中学3年生）142人を20年間、35歳になるまで追跡するという計画であった。スーパーは、こうした研究を蓄積することで、いくつものキャリアパターンを類型化したいと考えた。キャリアパターンの類型をいくつも用意しておくことで、個人のキャリアを予測できると考えたのである。

実際には主題外挿法そのものは、キャリアカウンセリングに定着しなかった。しかし、過去を理解することで将来を予測するという根本的な発想は、以後の発達的アプローチ全般に共通する前提となる。

4.2　ジェプセンのストーリーとしてのキャリアカウンセリング

スーパーの主題外挿法（TEM）に影響を受けたジェプセン（Jepsen, D. A.）は、よりクライエントとカウンセラーの間の協働を重視した。すなわち、スーパー同様、「生活史の中に内在する傾向」（テーマ）を重視するが、将来の予測に当たっては「個性記述的アプローチ」を採用した。つまり、これまでの生活の中に現れたテーマが、その人の中でどのように展開していくかを重視した。こうして、ジェプセンは、「ストーリー（物語）」としてのキャリアという捉え方に行きつく。ジェプセンは次のように述べる。

> 物語は常に時間的な側面、すなわち始まりから終わりまでの変化を伴う。語り手としてのクライエントは、時間的連続性の中で、場面、目標、活動、個性を関係づける。

ジェプセンによれば、キャリアはノンフィクションの仕事経験小説であり、小説や物語と共通するいくつかの要素で構成される[19)]。

> ①　キャリアには、著者がいる。
> ②　キャリアは、時の経過とともに進展する。
> ③　キャリアは、ある場所を舞台として展開する。

④　キャリアには、主役と脇役が登場する。
⑤　キャリアには、筋書きがある。筋書きには、問題の発生、解決方策、主役の行動という3つの要素が必要である。
⑥　キャリアには、いかんともしがたい障壁、重大な事故が必ず伴う。

すなわち、ジェプセンは、初期のスーパーが重視したキャリアパターンの類型というものを持ち出さずとも、クライエントのキャリアを小説や物語のように聞き、そのストーリーを手がかりとすることで、ある程度まで十分なキャリアカウンセリングを行い得ると考えたのである。

4.3　コクランのナラティブアプローチ

コクラン（Cochran, L.）のナラティブアプローチでは、物語（ナラティブ）ということに加えて「意味」を強調する。コクランは次のように述べる[20)]。

キャリアカウンセリングは、あるキャリアの筋書きの中でどのような主人公を演じるかに関心を持つ。適切な雇用とは、単にマッチングするだけでなく、あるドラマの中で、あるキャラクターを演じることができる適切な乗り物のことでもある。

そのうえで、キャリアカウンセリングの課題は、「人々が意味あるキャリア・ナラティブを構築し、実行するのを支援すること」である。伝統的なキャリアカウンセリングが「マッチング」を重視したとすれば、「エンプロットメント」＝プロット（筋書き）を作ることを重視する。

物語が「意味」にとって重要になるのは、以下の3つの理由からである。

①　物語は時間的な構造を提供し、始まり、中間点、終わりを全体の中に統合する。
②　物語は、不定形に広がる各要素あるいは要素群を全体へと位置づける統合的な構造である。

> ③　物語の筋書きには意味がある。それは、目的に向かって無意味にさまようことではなく、自分がどんな人間なのか、他人がどんな存在なのか、世界がどんなものか、物事はどのように機能し、何かが達成されるかについての暗黙に抱いている信念を統合する。

上記②については、次のようにも述べている。

> キャリアカウンセリングで、理解とは、「大量の関連する事実と無関係な事実」をふるいにかけ、「一貫した意味のパターン」を導き出すことであり、将来の目標や適応に関連して、その人の長所と短所を理解することである。

つまり、物語があることによって、関連するさまざまな出来事、エピソード、特性、特徴その他諸々の要素が１つに統合される。

コクランは、キャリアカウンセリングにおけるナラティブアプローチの具体的な技法としては、主に質的アセスメントを勧めている。例えば、以下の技法を挙げている（第６章第４節も参照のこと）。

- 職業カードソート：カードを分類するなどの作業を通じてキャリアの意味やテーマを探る
- ライフ・ライン：縦軸に＋－、横軸に年齢の用紙にこれまでの人生の浮き沈みを線で描く
- ライフ・チャプター：自分の人生を自伝のように捉えて、章に分けてタイトルをつける
- 評価グリッド法とラダリング：ケリー（Kelly, 1955）[21)]のパーソナル・コンストラクト理論に基づき、ある対象（例えば職業など）を評価させ、その判断基準をたずねる面接技法。抽象度を上げたり下げたりする（ラダリング）ことで、価値構造を明らかにする
- 描画法：何らかのテーマ（例えば「私は誰？」「何になりたい？」など）で絵やシンボルを書かせ、その意味や解釈を問う

・エピソード、ことわざ、モットー：クライエントの現状を表すエピソードや、関連することわざ、信奉するモットーなどを聞く
・成功体験：過去の成功体験を聞く
・ロールモデル：クライエントのロールモデルを聞く
・アーリーリコレクション（初期の回想）：幼い頃の記憶を聞く
・ガイデッド・ファンタジー：教示に基づいて想像する（例えば、社会人としての１日など）

4.4　ブロットのストーリード・アプローチ

海外では、ナラティブアプローチの代表的な理論として、ブロット（Brott, P. E.）のストーリード・アプローチ[22)]が、よく紹介される。ブロットは、ストーリー（物語）に着目し、そこに織り込まれた意味を重視する。具体的な手法として質的アセスメントを用いる点では、他のナラティブアプローチと類似する。ただし、クライエントとカウンセラーが「協働して人生のストーリーの意味を明らかにしていく」点を、より強調するのが特徴である。

ストーリード・アプローチでは、「共構築（co-construction）」「脱構築（deconstruction）」「構築（construction）」というストーリー展開（story development）を、クライエントとカウンセラーが協働して行い、クライエントの世界を探求する。

・共構築：クライエントと協働してライフ・ストーリーに織り込まれた意味を明らかにする。
・脱構築：ライフ・ストーリーに他者の視点が入り込む余地を開き、異なる観点を確認し、ストーリーのとらえ方の余地を広げる。
・構築：クライエントの未来の章を再著述する。自尊心と能力に基づいた新しくより生産的なストーリーの構築である。

ストーリード・アプローチは、このようなストーリー展開を通じて、クライエントの人生の意味に基づいた未来像を形成する。概して、ナラティブアプローチ、キャリア構築理論では、クライエントとカウンセラーの協力関係を強調す

るが、特に重視したのがブロットのストーリード・アプローチだと言えよう。

4.5　サヴィカスのキャリア構築理論

(1)　キャリア・アダプタビリティ

現在、ナラティブ・構築理論系のキャリア理論の中では、サヴィカス（Savickas, M. L.）のキャリア構築理論が最もよく知られている。まず重要なのは、初期のサヴィカスの中心概念である「キャリア・アダプタビリティ（キャリア適応性）」である。

キャリア・アダプタビリティは、「繰り返される職業選択、職業の変遷、仕事上のトラウマに対処するための個人のレディネスとリソース（準備と資源）」と定義される。目まぐるしく環境が変化する時代には、いかなる環境にあっても新しい状況に合わせて適応し、キャリアを作り上げていく能力が重要となる。キャリア・アダプタビリティの下位概念は「関心（concern）」「コントロール（control）」「好奇心（curiosity）」「自信（confidence）」の4つである。キャリアに関心を持ち、コントロールし、好奇心を持ち、自信を持っている人は、環境の変化や移行に対応し、現在の職業世界の特徴である変化し続ける状況に適応する可能性が高い。

- 関心：どの程度、将来について考え、キャリアの計画や準備に関与しているか。
- コントロール：どの程度、自分のキャリアを構築し管理することに責任を感じているか。
- 好奇心：どの程度、職業の世界を探求し、入職要件、仕事内容、報酬などについて情報を得ようとしているか。
- 自信：どの程度、自分の考えと現実の認識に基づいてキャリアを決定し、実行する能力があると信じているか。

従来、人（person）と環境（environment）の適合性（P－E fit）を論じる際には、PやEを細かく論じることが多かった。しかし、サヴィカスによれば、人と環境の適合性は静的でも固定的でも客観的にあるものでもない。むしろ、人々の解釈や理解によるものであり、容易に変化しうる動的なもの、その意味で主観的なものである。サヴィカスは「キャリア構築理論では、有名なＰ－Ｅシンボルの『人』でも『環境』でもなく、ダッシュ（－）に焦点を当てる」[23]と述べる。ＰとＥが完全にフィットすることはなく、継続的にＰとＥに対する意味づけや解釈を変化させながら、次第に両者を近づけていくことでキャリアを作り上げることを重視する。

（2） ライフデザイン

2010年以降のサヴィカスは「ライフデザイン」[24]という言葉で、自らのキャリアカウンセリングの具体的な実践を論じる。その際、サヴィカスは「自分の内面にすでに存在する自己を実現する」[25]という考え方を批判する。「クライエントはすでに存在する自己を表現するために言葉を選ぶのではない。むしろ、クライエントは言葉を選んで自己を構成し、自己概念を形成する」[23]。こうして「人は自己を語るときに自己を構成する」[23]という考え方から、サヴィカスの理論は、ストーリーやナラティブを重視する考え方へと収斂していく。サヴィカスの「ライフデザイン」では、以下の介入を基本とする[26]。

① 小さなストーリーを通じてキャリアを構築する。
② これらのストーリーを脱構築して、アイデンティティ・ナラティヴあるいはライフ・ポートレートとなる語りを再構築する。
③ 現実の世界で次の行動のエピソードへとつながる意図を共構築する。

「アイデンティティ・ナラティブ」と「ライフ・ポートレート」が日本語にしにくいが、おおむね前者は普通に言うところの「アイデンティティ」だが、さらにストーリー・物語の意味が含まれる。後者は「人生の全体像」の意味でよいが、将来像、未来のイメージのニュアンスが強い[注5]。まずキャリアを語り、その語りをいろいろな見方から見直し、その結果、次なる新たなキャリアのストーリー、将来像を共に作り上げ、現実の行動へ移す。「構築」→「脱構築」→「再構築」→「共構築」を経て「行動」へ至るのがサヴィカスのライフデザイン・カウンセリングの基本のプロセスである。

(3) キャリア構築インタビュー(CCI)

最初の「小さなストーリー」、すなわちキャリアを考える際の手がかりにするために用いられるのが、「キャリア構築インタビュー(career construction interview:CCI)」である。キャリア構築インタビュー(CCI)には特徴的な5つの質問がある。以下の5つの質問である[注6)]。

① 「少年/少女時代に誰に憧れ、尊敬していましたか。その人のことについて話してください」
② 「何の雑誌をいつも読んでいますか? いつも見ているテレビ番組はありますか?」
③ 「今、本や映画で好きなストーリーは何ですか? そのストーリーを教えてください」
④ 「あなたの大好きな名言・格言は何ですか」
⑤ 「幼い頃の思い出は何ですか? 3歳から6歳までに起きたことについて3つのストーリーを聞かせてください」

これらは、サヴィカスによって、それぞれ意味づけされている。①でロールモデルを取り出し、自己概念を記述する形容詞を特定する。②で興味がある環境や活動を特定する。③で転機の結果を想定するために用いるストーリーを理解する。④で自分自身に与える忠告を知る。⑤で転機の問題をどの視点から見ているかを理解するなどである。ただし、いずれも解釈は難しく、5つの質問

注5)日本キャリア開発センター監訳、乙須敏紀訳 2015『サビカス キャリア・カウンセリング理論－〈自己構成〉によるライフデザインアプローチ』福村出版には「用語集」があり、「アイデンティティ・ナラティブ」は「ナラティブ・アイデンティティ」と同じであり、「内面化され深化するライフ・ストーリーのことで、青年期後半に発達し始め、人生に意味と目的を付与する」、「ライフ・ポートレート」は「クライエントの捉われ、自己概念、お気に入りの場、支配的な台本、自己への助言を、職業上の筋書やキャリア・テーマ、キャラクター・アークの1つの描写へと体系化するマクロナラティブ」と説明されている。

注6)CCIで用いるいわゆる「5つの質問」には、サヴィカス自身によって公開された複数のバージョンの質問及びその日本語訳があるが、ここでは文献25)のp.33より引用。

の理論背景、解釈に当たっての留意点等を学んだうえで使用することが望ましい。

４.６　VUCAとナラティブアプローチ・キャリア構築理論

本節で紹介したナラティブアプローチ・キャリア構築理論の共通点は、構築論的・物語論的・構成論的という３点であり、以下の特徴を持つ（下村, 2015）[27]。

・自分のキャリアは自分で作り上げることを重視→構築論的
・自分のキャリアを１つの物語であるかのように考える→物語論的
・広い意味での「他者」とともに考える→構成論的

これらの特徴を併せ持つ理論群を「ポストモダン・アプローチ」と総称することもある（McMahon, 2017[28]；Busacca & Rehfuss, 2017[29]）。すべて理論的な前提は共通しており、不安定（Volatility）で不確実（Uncertainty）で複雑（Complexity）で曖昧（Ambiguity）なVUCAと呼ばれるこの時代は、キャリアを取り巻く環境も常にめまぐるしく変化することを前提とする。

このような状況では、安定的で静的で固定的な一時点での人と職業のマッチングを念頭に置いた理論では対応できない。そこで提起されたのが、不安定で動的で流動的な時代に即した理論群である。現在、社会の側に引かれた道筋・ルート・キャリアは有効な指針となりえない。また、それを前提とした検査や情報に頼り切ることもできない。社会に用意された大きな「物語」に寄り掛かることなく、自分でキャリアを作り上げるべく、キャリアを１つの物語として捉え、自分で自分と職業とを重ね合わせていく必要がある。その際、独りよがりにならないように、広く他人とともに考えることが重要となる。

多様なキャリア支援がある中で、その中心にあるのは何なのかを考えたとき、やはり広い意味でカウンセラーとクライエントが接し、言葉でコミュニケーションをし、その対話の中から何らかの意味や価値を取り出すのが重要となる。ナラティブアプローチ・キャリア構築理論には、こういう問題意識が根底にある。

第5節 意思決定理論・学習理論・自己効力感

5.1 意思決定理論

職業選択は職業に関する意思決定の連鎖的なプロセスであるとする立場がある。意思決定理論と呼ばれる理論で、代表的な論者の1人はジェラット(Gelatt, H. B., 1962)[30)]である。ジェラットは、経済学における投資戦略理論を意思決定に応用して、連続的意思決定モデルを提唱した。それによれば意思決定は、一般に次のようなプロセスを踏んで行われる。

① 予期システム：選択可能な行動とその結果の予想を行う。自分の客観的な評価と選択肢がマッチするかを予測する。

② 価値システム：予測される結果がどれぐらい自分にとって望ましいかを評価する。

③ 基準（決定）システム：可能な選択肢を目的や目標に照らし合わせて評価し、決定基準に合っているものを選択する（図表3－7）。

また、ヒルトン(Hilton, T. J., 1962)[31)]は、フェスティンガー（Festinger, L.）の認知的不協和理論を意思決定プロセスに応用して、キャリア意思決定モデルを提唱した。これは、意思決定は、個人が持つ自己概念や希望、期待、職業観等の「前提」と外界からの情報との間に生じた不協和（不一致）の解消だとするものである。不協和が生じた際、個人の「前提」を修正可能であれば、修正する。修正が難しければ他の選択肢を検討する。不協和が解消されるまで「前提」の検討、情報探索、選択肢の検討が繰り返される（図表3－8）。

現代的なキャリア意思決定理論は、ピーターソン・サンプソン・レンツ・リアドン(Peterson, Sampson, Lenz & Reardon, 1996)の認知的情報処理アプローチである[32)]。この理論では、キャリアを決定する者が自己理解と職業理解を行った後、情報収集を行い、評価し、チェックするという「CASVEサイクル」を繰り返して最適なキャリアへ向かうというモデルを立てる。CASVEとは、伝達Communication、分析Analysis、統合Synthesis、価値Value、実行Execution

図表３－７　ジェラットの連続的意思決定モデル

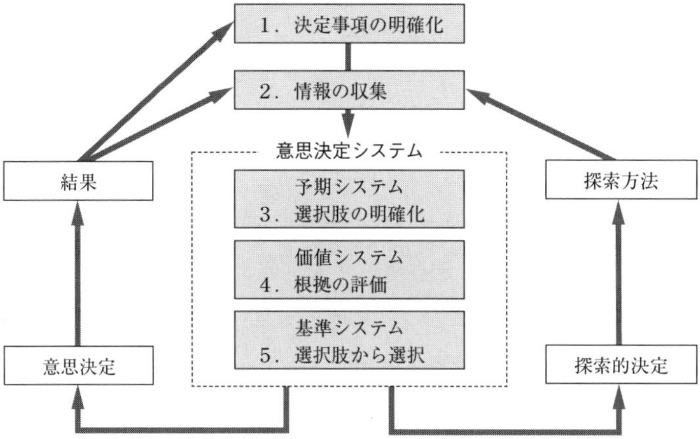

（資料出所）新目真紀　2016「キャリア意思決定理論」労働政策研究・研修機構編『新時代のキャリアコンサルティング』pp. 34－37

図表３－８　ヒルトンの意思決定モデル

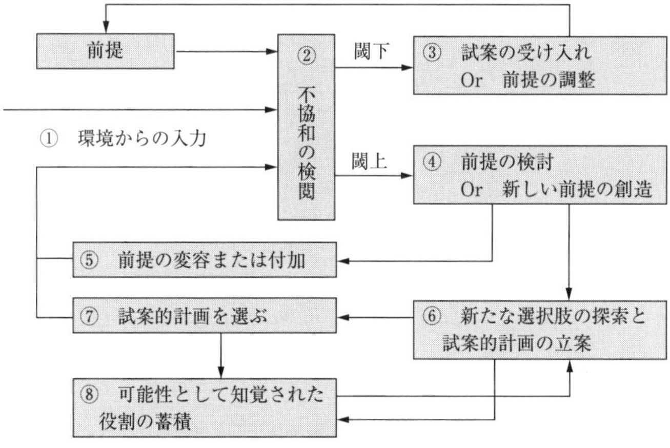

（資料出所）図表３－７に同じ

を表し、おおむね以下の内容を示す（図表3－9）。

クライエントの立場から記した場合のバージョンもあり、以下のプロセスをたどることで望ましい最適な意思決定に至る。

- 伝達（Communication）：自分が選択する必要性と自分は良い選択ができるということを知る。
- 分析（Analysis）：自分自身と自分の選択肢を知る。
- 統合（Synthesis）：自分の選択肢のリストを広げたり、狭めたりする。
- 価値（Value）：職業、仕事、学校を選択する。
- 実行（Execution）：自分の選択を実行に移す。

CASVEサイクルのプロセスをたどるに当たって、ピーターソンらの認知的情報処理理論では、①下段に「知識領域」（自己知識、選択肢の知識の2つの知識を含む）、②中段に「意思決定スキル領域」（一般的な情報処理スキル＝CASVEサイクル）、③上段に「実行処理領域」（メタ認知）をピラミッド状に図示したモデルもある。そして、下段の知識そのものもさることながら、それ

図表3－9　ピーターソンらの認知的情報処理アプローチ

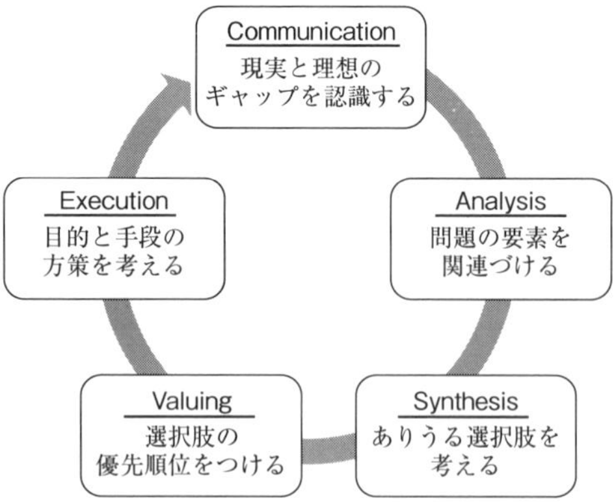

（資料出所）図表3－7に同じ

を活用するための意思決定スキル、さらには、その意思決定を何のために行うのかというメタ認知を重視する。実際のキャリア支援では、自己理解や職業理解を促すだけでは不十分である。それをどう活用するか、何のために活用するかという認知的な情報処理を強調したのである。

5.2　社会的学習理論

社会的学習理論は、「職業選択は、学習の結果である」というものである。人間の発達を人間の内的条件の変化として捉えるよりも、外的な刺激－強化による社会的学習のプロセスとして捉える。例えば、クランボルツ（Krumboltz, J. D., 1979、1996）[33)34)]は、職業選択行動は学習の結果であって、過去に起こった出来事と将来起こるかもしれない出来事を結びつけて解釈した結果であるとし、そのプロセスに影響を及ぼす要因を４つ挙げた。

①　生得的に持っている資質や能力（人種、性、身体条件、性格、知能など）
②　環境条件や出来事（求人数、雇用・訓練機会、企業の採用、労働条件、労働市場など）
③　学習経験（個人がやってみて得られた経験＝道具的経験、他人を観察することによって得られた経験＝連合的経験）
④　課題アプローチスキル（問題解決能力、労働習慣、精神的構えなど）

職業選択では、実際には「解決できる方法があるのにそれを学習しない」「不適切な選択肢を学習している」「能力がないと思い込んで苦痛や不安を感じて何もしない」など未学習や誤った信念や思い込みが、職業選択を困難にしている場合が多い。このように、実際の学習経験によって職業行動を説明しようとするのが社会的学習理論である。

特に、学習経験によって得られた課題アプローチスキルを繰り返し試してみた結果を見ることで、やがてより一般的な自己記述、すなわち自己概念が形成される。この過程を、「自己観察汎化（self-observation generalization）」と呼び、クランボルツの社会的学習理論の重要概念の１つである。「汎化」とは、一度確立した刺激と反応の組み合わせが類似の他の刺激や反応でも生じることで、人間の学習の基本原理である。自己観察汎化によって獲得された自己概念をもとに、次なる学習経験や課題アプローチが生まれる。こうして学習経験－課題アプローチ－自己観察汎化を繰り返すことで、後の職業選択や職業行動にとって適切な（または不適切な）行動が習得される。

社会的学習理論と意思決定理論との関連は、クランボルツの「キャリア意思決定とは学習されたスキルのことである」[35]という言葉に示される。クランボルツは、キャリア意思決定をうまく行うには、そこに至る意思決定スキルが重要だと考えた。そして、そのスキルは学ぶ必要があり、また実際に学べると考えた。そのため、意思決定スキルの学習支援の研究などを手掛けた。こうした問題意識は他のキャリア意思決定理論と共通であり、したがって、社会的学習理論と意思決定理論は基本的には同じアプローチだとみなされている。

なお、こうした考え方には、意思決定に至る学習プロセスを重視するというクランボルツの根本的な発想が見られる。むしろどういう場合に最も学習の機会が得られるのかという視点から、後のハップンスタンス重視の理論が生まれてくることとなる。

5.3　プランド・ハップンスタンス理論

クランボルツ（Krumboltz, J. D.）らは、晩年、プランド・ハップンスタンス理論（planned happenstance theory）[36]を提唱した。人のキャリアは偶然の出来事によって左右される。本人も予想しなかったことで興味が喚起され、学ぶ機会が得られ、成長する。したがって、偶然に出会う機会を増やし、それを自分のキャリア形成に取り込み、その準備をするのが大切であるとする。偶然の出来事をキャリアに取り込むための５つの資質というものもあり、好奇心（curiosity）、粘り強さ（persistence）、柔軟さ（flexibility）、楽観性（optimism）、リスクテイキング（risk taking）だとした。従来の研究では、人のキャリアに影響を与える偶然の出来事とは、ほとんどの場合、人との出会いである（下村、菰田, 2008）[37]。上司・先輩・同僚、学校の先生、家族、友人や恋人など、日頃、接する身の回りの人を挙げた先行研究が多い。

ただし、本来クランボルツは、スキナー箱などを用いた学習心理学の知見をカウンセリングに応用した研究者として出発した。スキナー箱とは、ネズミの学習実験に使う箱型の実験装置である。箱の中のネズミは、いくつかあるレバーを押して試行錯誤するうちに、やがて餌が出るレバーを学習する。クランボルツのキャリア論には、この学習の発想が根強い。

最終的に、クランボルツは自身が提唱した学習理論とハップンスタンス（偶然性）を統合したハップンスタンス・ラーニング理論（Happenstance Learning Theory；Krumboltz, 2009）[38]へと発展させ、以下の４つの命題を提起している。

① キャリアカウンセリングの目的は、クライエントが満足のいくキャリアと個人生活を実現する行動を学べるように支援することであり、１つのキャリアを決定することではない。
② アセスメントは、個人的な特性と職業的な特性を一致させるためではなく、学習を刺激するために使用する。
③ クライエントは、予定外の有益な出来事を生み出す方法として、探索的な行動をとることを学ぶようにする。
④ カウンセリングの成功は、クライエントがカウンセリングセッションの外の現実の世界で何を成し遂げたかによって評価される。

クランボルツは、与えられた機会を試すことで、新たな学習の機会が得られること、そして、学習の結果、キャリアが良い方向に向かうことを、生涯にわたって主張し続けたと言えるだろう。

5.4　社会的学習理論から自己効力感理論、社会的認知理論へ

社会的学習は「期待」の概念と密接な関連がある。込み入った学習心理学の議論があるが、社会的学習が成り立つに当たって、そもそも先行要因としての期待あるいは認知の役割が大きいことは、トールマンの新行動主義以来、ロッターの期待理論など、心理学史上、繰り返し指摘されてきた。社会的学習理論で知られるバンデューラの自己効力感理論も同様の文脈に位置する。

バンデューラのキャリア心理学への影響は、社会的学習理論そのものよりは自己効力感理論のほうが大きい注7)。まずバンデューラは「期待」を「結果予期」と「効力予期」に分ける。結果予期は「ある行動が特定の結果をもたらすという評価（p. 193）」、効力予期は「結果を出すために必要な行動をうまく行えるという確信（p. 193）」である。自分に認知された効力予期、すなわち自分はある行動をうまく行えるという予期が「自己効力感」である。自己効力感を高める以下の「４つの情報源」も知られている（Bandura, 1977）[39]。

① 遂行行動の達成：自分の力でやり遂げた経験
② 代理的経験：他者の行動を見聞きして学ぶ経験。モデリング
③ 言語的説得：言葉で示唆されたり、励まされたり、認められること
④ 情動的喚起：自分の情動に気づき、心身ともに落ち着かせること

バンデューラの自己効力感理論は、テイラーとベッツ（Taylor & Betz）[40]のキャリア意思決定自己効力感尺度（Career Decision-Making Self-Efficacy Scale：CDMSE）の研究を経由してキャリア研究に持ち込まれた（浦上, 1993ほか）[41]。CDMSEの尺度を用いた研究は国内外で多く行われたが、現在は、それら研究をさらに発展させたレント、ブラウンとハケット（Lent, Brown & Hacket, 1994）[42] の「社会認知的キャリア理論（Social Cognitive Career Theory：SCCT）」に集約されている。図に示したとおり、ここまで本節で登場した各種の概念（学習経験、４つの情報源、自己効力感、結果予期、目標達成、行動、環境的要因）が統合されたモデルである。現在、キャリア心理学で、社会的学習から自己効力感を論じる際には、このSCCTモデルが中心となる。近年のキャリア心理学におけるグランド・セオリーの最も代表的なものである。

注７）なお、バンデューラ（Bandura, A., 1982）は、「偶然は予測されずに起こるが、いったん起こると予定されていたことと同じように、通常の連鎖の中に組み込まれて、人間の選択行動に影響を与える」とした。この機会遭遇理論（chance encounter theory）は、「個人が、あることを選択できるかどうかを規定する主な要因は、機会に出会うかどうかである」とする理論である。この理論も日本では古くより紹介されている。実際の生活では、機会に恵まれるかどうかが重要な決定要因となることは疑う余地もない。

図表3－10　レントらのSCCTモデル

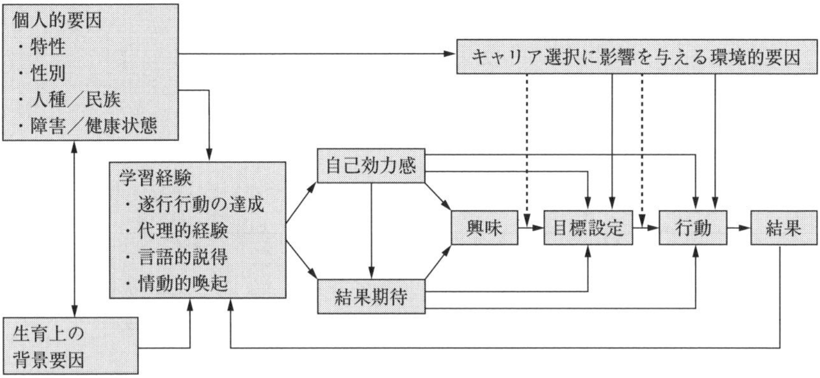

（資料出所）文献42）をもとに作図した高橋浩　2015「キャリア自己効力感①バンデューラの４つの情報源」より引用

第６節　多文化・社会正義論

6.1　多文化キャリアカウンセリング論

キャリアカウンセリング研究で「多文化（multi-cultural）」「社会正義（social justice）」に対する関心が高まっている背景は３つに整理できる。

第一に、アメリカなどの先進各国で国内の人種構成が多様になり、文字どおり多文化となった。第二に、先進各国の人口動態と軌を一にする形で、1990年代頃から、伝統的なキャリア発達理論が批判された。例えば、リチャードソン（Richardson, M. S. U, 1993）[43]は、スーパーのキャリア発達理論は、あくまで「白人男性中流階級」を対象としたものだと批判した。第三に、そうした批判は各方面に波及した。90年代のキャリア発達研究は、さまざまな対象層へと議論が細分化していった。外国人、移民、ホームレス、ワーキングプア、福祉受給者、受刑者・出所者、薬物依存症者など、社会の多数派による主流の文化と異なる少数派、周辺層、マイノリティの文化を持つ人々のキャリア発達論が盛んに論じられた。

非主流の文化、少数派の考え方や価値観は、社会の中心的な文化から理解されにくいことも多い。そのため、多文化キャリアカウンセリング論では、それぞれの文化に即したキャリア支援を考える必要性を説く。

例えば、欧米人とアジア人ではキャリア観が異なるという主張は、レオンら（Leong & Gupta, 2008）の多文化キャリアカウンセリング論で繰り返し実証的に検討してきた[44]。アジア系は集団主義的な世界観を持っているので、個人主義的なヨーロッパ系と違った形でキャリアの問題を認識する。そのため、アジア系は、キャリアの問題を単に個人的な問題と考えない。結果的に、ヨーロッパ系の文化が主流の社会に生きるアジア系は、社会全体の個人主義的な価値観と、自らの集団重視の価値観との間で葛藤を経験する。

同様にフアド（Fouad, N.）[45]は異文化キャリアアセスメント論を主張した。これは、キャリア支援で使用するアセスメントは、暗黙にアメリカ白人の主流文化を前提としているという批判である。一般的なキャリア理論はアメリカ白人の主流の考え方に偏っており、合理的・論理的・直線的な問題解決や長期的な目標設定を強調しすぎる。そのためアメリカのマイノリティは、アセスメントの結果、どうしてもキャリア意識が低く判定されやすくなることを示した。

6.2 フアドとビンガムのCACCモデル

これらの議論をもとにしたフアドとビンガム（Fouad & Bingham, 1995）[46]の「文化的に適切なキャリアカウンセリング（Culturally Appropriate Career Counseling：CACC）」モデルが、外国のキャリアカウンセリングの教科書でよく紹介される。多文化キャリアカウンセリングの視点から、社会の非主流、少数派のクライエントに、文化に配慮したキャリアカウンセリングを行う際のプロセス・モデルである。具体的には、以下のプロセスをたどる。

① クライエントと文化的に適切な関係を築く。
② キャリアの課題を特定する。
③ 文化的な要因の影響を評価する。
④ 適切な目標とプロセスを設定する。
⑤ 文化的に適切な介入支援を決定する。
⑥ 文化的に適切な意思決定を行う。

⑦　計画を実行しフォローする。

フアドが特に重視するのは、クライエントの文化をカウンセラー自身はどう考えているのかという「メタ認知」である。キャリアカウンセリングを提供する側のものの見方、つまり自分自身の内にある「バイアス」を十分に意識することが多文化キャリア支援の基礎となることはLGBTのキャリアカウンセリング研究の第一人者であるポープも強調している（Popeほか，2004）[47]。

6.3　ナンシー・アーサーのCICCモデル

ナンシー・アーサー（Arthur，2019）[48]の「文化を取り入れたキャリアカウンセリングモデル（Culture-Infused Career Counseling：CICC）」モデルは、CICCの４つの領域を示している。

①　自分の文化的アイデンティティを知る。
②　他者の文化的アイデンティティを知る。
③　作業同盟に対する文化的な影響を理解する。
④　文化的に対応した社会的に公平なキャリア支援を行う。

ここでも、まずキャリアカウンセラー自身の文化的なアイデンティティ（他の文化に対する自身の偏見やバイアス等も含めて）を自覚する必要を説く。そのうえで、可能な限り、さまざまな文化のアイデンティティを知る。「作業同盟」[注８）49)]とはカウンセリングの専門用語でカウンセラー・クライエントの協働関係である。この協働関係を作る際に文化的な影響があることを意識する。こうしてクライエントの文化に応じ、かつ社会的に公平なキャリア支援を行う。多数派と異なる文化を持つ少数派・マイノリティは、社会的に不利益を被る層でもある。したがって、社会的に公平な視点を持って支援に当たる必要がある。

注８）「作業同盟」は、カウンセリングの①目標の合意、②課題の割当（何をするか）、③絆の構築（いわゆる関係構築）の３つからなる。

概して、多文化キャリアカウンセリングは、カウンセリングの初期段階における「文化」の影響を重視する。レオンとハートゥング（Leong & Hartung, 1997）[50]の「異文化カウンセリングの統合的連続概念枠組み」[注9]は、①クライエントの職業的な問題を認識する、②キャリアサービスの探索・利用を支援する、③キャリア問題の評価をする、④キャリア支援を実行する、⑤キャリア支援を終了する､の一連のフレームワークである。その中で重要なのは①と②で、特に「文化」が大きな影響を与える。職業的な問題がクライエントの「文化」によって生じていること、またキャリアサービスの利用が「文化」によって阻害されていることに留意する必要がある。

6.4　日本における多文化キャリアカウンセリングの必要性

多文化キャリアカウンセリング論を、日本ではどう受け止めるべきか。

まず、日本も他の先進国と同様、外国人が増加している。昭和の頃は60～70万人で推移していた外国人登録者数はバブル期の1990年に100万人を突破して以降、急増した。2020年には288.5万人に達している。また、外国人労働者数は2021年現在、173万人である。国籍はベトナム45万人（26%）、中国40万人（23%）、フィリピン19万人（11%）となっている[51]。

LGBTについては、電通ダイバーシティ・ラボの調査[52]がある。2020年12月に全国20～59歳60,000名を対象に調査を行い､LGBTQ＋層に該当する人は8.9%（2018年調査と変わらず）､「LGBT」という言葉を知っている割合は80.1%（2018年調査68.5%）であった。

さらに貧困については、2018年の貧困線（等価可処分所得の中央値の半分）は127万円であり､「相対的貧困率」（貧困線に満たない世帯員の割合）は15.4%だった｡「子どもの貧困率」は13.5%だが、中でもひとり親の世帯の子どもの貧困率は48.1%となる。生活意識が「苦しい」とした世帯は54.4%だった[53]。

以上、外国人、LGBT及び多様なセクシュアリティ、貧困など、多文化キャ

注9）この異文化カウンセリングの統合的連続概念枠組み（Integrative-Sequential Conceptual Framework for Cross-Cultural Career Counseling）も多文化キャリアカウンセリングの文献で多く引用される。

リカウンセリング論で多く論じられる属性別に日本の現状を概観した。日本も、他の先進国と同様、ある程度まで多文化の国になりつつあると考えることができる。こうした日本の社会状況は、直接キャリアカウンセリングに大きな影響を与えると言えよう。

6.5　キャリアカウンセリングの目標

多文化キャリアカウンセリング論を、一歩進めたのが社会正義のキャリアカウンセリング論である（下村, 2020）[54)]。社会正義のキャリアカウンセリング論でよく引用されるのは、OECDのキャリアガイダンスの3つの目的である。OECDはキャリアガイダンスの目標や目的を幅広く捉える。キャリアガイダンスは、労働市場をより効果的に機能させることで経済的な効率性を支えることを目標とする（labour market goals）。キャリアガイダンスで十分に情報提供を行い、考える機会を提供することで、労働需給のミスマッチが是正され、人的な資本は効率的に分配される。同じ意味で教育訓練のミスマッチを防ぐことも重要な目標である（lifelong learning goals）。労働市場参入に向けて各人は各種の教育訓練の機会を選択できる。その際、得意分野や興味のある分野で教育訓練を受けたほうが効果が上がる見込みが高い。

OECDのキャリアガイダンス論は、こうした労働及び教育面でのミスマッチ解消の延長線上に、社会的な平等や社会的な包摂を推進する社会正義（social justice またはsocial equity）の視点を強調する（OECD, 2004）[55)]。

- 労働市場（labour market goals）：労働市場をより効果的に機能させる。
- 教育訓練（lifelong learning goals）：教育訓練のミスマッチを防ぐ。
- 社会正義（social justice またはsocial equity）：社会的な平等や社会的な包摂を推進する。

また、こうした考え方の延長線上で、OECD、世界銀行、ILOは、キャリアガイダンスに社会的な平等や社会的な包摂、さらには貧困、格差、犯罪の防止などの役割を期待する。

・キャリアガイダンスは平等という目標に貢献しうる（OECD, 2004）。
・キャリアガイダンスは自分の人生を自分で決める権利を促進するものであり、民主主義社会の重要な政策手段となる（World Bank, 2004）[56]。
・（キャリアガイダンスは）周辺的でリスクの高い対象層の教育、訓練、雇用への再統合を促す。排除された対象層を、一般的な訓練プログラムや労働市場サービスに統合する（ILO, 2006）[57]。

6.6　キャリアガイダンスの４つのイデオロギー

社会正義のキャリアガイダンス論に大きな影響を与えた研究者はワッツ（Watts, A. G.）である。中でも、これまで多く引用されてきたのは「キャリアガイダンスの４つのイデオロギー」の図式である（図表３－11）。この図式は、キャリアガイダンスのイデオロギーを「社会に焦点がある－個人に焦点がある」×「変革を目指す－現状維持を目指す」の軸で４つに分ける。

歴史的に最も古いのは、左下のコンサバティブ（社会統制）である。社会に焦点がある現状維持のアプローチである。社会のニーズを満たすために人を適職にはめ込んでいく。いわゆる適材適所論である。

次にリベラル（非指示的）が登場する。個人の自由を認め、人は自分の可能性を追求するべきだと考える。自己実現論をベースに個人の自由を尊重する点でリベラルであり、本人の可能性を信じる点で非指示的である。おおむねキャリア発達理論がここに該当する。

その次が、プログレッシブ（個人的変化）である。個人に焦点を当てる点で、リベラルと似るが、個人の変革はどこまでも可能だと考える点で異なる。現状に満足することなく、個人の能力を高めようとする。いわゆる自己啓発本やそこで展開されるキャリア論として、現在でも優勢な考え方である。ただ、この考え方こそが、新自由主義的で自己責任論だと批判されやすい。

ワッツが重視したのはラディカル（社会変革）である。現状維持ではなく変化を求める点でプログレッシブに似ているが、変化の対象が個人ではなく社会である点が異なる。個人を対象とするのではなく社会に働きかけ、社会をより良いものにすることで問題を解決する。キャリアガイダンスには大きい社会問

図表3－11　キャリアガイダンスの4つのイデオロギー

	社会に焦点	個人に焦点
変　革	ラディカル （社会変革）	プログレッシブ （個人的変化）
現状維持	コンサバティブ （社会統制）	リベラル （非指示的）

（資料出所）　Watts, A. G. 1996 Socio-political ideologies in guidance. In A. G. Watts, B. Law, J. Killeen, J. M. Kidd, & R. Hawthorn（Eds.）, Rethinking Careers Education and Guidance：Theory, Policy and Practice. London, UK：Routledge（pp. 352－355）

題の解決を促し、社会をより良いものへと変革する機能があることをワッツは強調する。

6.7　ブルースティンの社会正義論

アメリカの社会正義論で最も重要な研究者はブルースティン（Blustein, D. L.）である。ブルースティンにとってキャリア支援で最も重要な要因は「社会階層」である。労働者階級や貧困層では特に問題になり、社会階層は「最もパーニシャス（pernicious：致命的、有害）」な影響を与える。

ブルースティンの研究「忘れられた半分の声：学校から職業への移行における社会階層の役割」（Blusteinほか, 2002）[58]は、社会正義のキャリアカウンセリング論で多く引用される。

この研究では、上位の階層の若者、下位の階層の若者それぞれに対するインタビューを行った。そして、インタビューで語られた言葉をもとに、キャリア意識等が社会階層によってまったく異なることを示した。例えば、「職業の意味」を問うと、アッパーの若者は、「自分の能力に合った仕事というのがあって、それをやること。自分がやりたいキャリアの領域があり、自分の最大限の能力を活かすこと。それが自分にとっては成功だと思う」と話す。それに対して、ローワーの若者は、「お金だと思う。浅はかだけど、お金は大きな部分を占める」「重要なのはお金。それこそ自分がここから出かけて、お金を稼ぎたいと思う理由」と話す。アッパーな若者にとっては自分の能力に合った仕事をすることが重要であるが、ローワーな若者は、仕事をする理由はお金だと考える。

ブルースティンによれば、アッパーな若者は従来からのキャリア発達理論が対象としてきた層だが、ローワーな若者は「忘れられた半分」であり、その声を重視する必要がある。貧困・格差等の社会の問題でキャリアが阻害され、限定されるのであれば、そこに問題意識を持つ必要がある。

具体的な実践としてブルースティンが想定しているのは、多文化キャリアカウンセリングと同様、クライエントの文化背景に配慮して協力関係を作り、目標設定をすることである。また、以下の諸点も指摘している（Blustein, 2015）[59)]。

- ・スキル開発「クライエントの現在のスキルや将来の教育・訓練計画の可能性を評価することは、キャリア支援で一般に行われているが、貧困層のクライエントの場合には、この視点が特に重要である（p. 250）」
- ・構造化されたグループ支援「同じような問題に直面している他の人々を手助けすることは孤独感や孤立感を軽減するのに役立つ（p. 250）」
- ・メンタルヘルスとキャリアの統合「貧困その他の社会からの疎外に悩むクライエントは、複数のストレス要因に直面していることが多く、精神的な健康に問題を抱えている（p. 251）」
- ・批判的意識「クライエントに自分が置かれた文脈の要因を自覚させることで、クライエントに力を与え、自責の念を減らし、最適な形で自立性を高めることができる（p. 251）」

社会的な問題で不利益を被る可能性のある（あるいはすでに被っている）クライエントを手厚く支援し、自らキャリアを選択する幅を広げるべく支援するのが、社会正義のキャリアカウンセリングである。

6.8　社会正義フレームワーク

米国カウンセリング学会（ACA）では、カウンセラーが「社会正義」を取り扱う際に求められる能力を「ACAアドボカシー・コンピテンシー：カウン

図表３－12　ACAのアドボカシー・コンピテンシー：
カウンセラーのための社会正義フレームワーク

	クライエント	組　織	公共空間
一緒に行動する Acting with	クライエントのエンパワメント Client Empowerment	組織間の連携 Community Collaboration	情報発信 Public Information
代わりに行動する Acting on behalf	クライエントのアドボカシー Client Advocacy	システムに対するアドボカシー Systems Advocacy	社会的・政策的なアドボカシー Social／Political Advocacy

（資料出所）　Ratts, M. J., Toporek, R. L., & Lewis, J. A.（Eds.）2010 ACA advocacy competencies : A social justice framework for counselors. American Counseling Association（pp. 14－16）より要所を要約しつつ抜粋・引用。日本の実情に合わせた説明・解説については、文献54）（下村，2020）も参照のこと

セラーのための社会正義フレームワーク」にまとめている（図表３－12）。

社会正義フレームワークの特徴は２つある。１つは社会正義のカウンセリングを「クライエント」「組織」「公共空間」の３つのフィールドで整理した点である。もう１つは、３つのフィールドのそれぞれについて、クライエントと「一緒に行動する」、クライエントの「代わりに行動する」の２種類の行動を示した点である。この３つのフィールド×２つの行動による合計６つの活動が、社会正義のカウンセリングでなすべきこととなる。

「アドボカシー」が日本語に訳しにくい言葉だが、辞書では「弁護、支持、鼓吹、唱道」としている。日本のカウンセリング研究では「弁護、代弁、擁護、唱道、唱導、具申」などと訳されてきた。キャリアコンサルティングで用いる言葉では「環境への働きかけ」に近い。ここではクライエントの代わりにクライエントの代弁者となって問題解決をすることをアドボカシーとする。

内容は、それぞれ次のとおりである。

・クライエントのエンパワメント：クライエントと協力して行うアドボカシー。クライエントに自分に影響する外的要因を認識できるよう支援する。クライエントがセルフアドボカシー（自分で主張する）に必要なスキルを身につけられるようサポートする。

・クライエントのアドボカシー：クライエントのために効果的に交渉する。クライエント自身による問題解決が適切な場合と、クライエントに代わってアドボカシーを行うことが適切な場合を見極める。
・組織間の連携：特定の組織、集団、コミュニティと協力して、直面している問題や制度上の障害を明らかにする。ある組織で生じた問題を別の組織に知らせたり、ある組織と別の組織を結びつけるよう支援する。
・システムに対するアドボカシー：個人がシステムに変化を起こせる立場にない場合に行う。アドボカシーの対象は、特定のクライエントの障壁となっている組織の方針や手順等である。現状を変えようと主張する過程で抵抗にあうので、事前に計画を立てデータ等を提供する。
・情報発信：一般の人々の意識を高める。広報活動を効果的に行うマルチメディアの資料作成スキルと、その具体的な手法を理解する。関連する利害関係者と協力したり、同じ問題に取り組む他の専門家と協力する。
・社会的・政治的なアドボカシー：政策や法律上の制約や不公平に直面したクライエントのために行動する。クライエント集団を代表してアドボカシーを行い、差別や不利益等に対処するための政策の変更を目指す。

6.9 米国カウンセリング学会倫理綱領

米国カウンセリング学会の倫理綱領[60]にも、社会正義への関心の高さがはっきりと現れている。この倫理綱領の冒頭、前文には次の５項目がある。

1. 生涯を通じた人の発達を促進する。
2. 多様性を尊重し、多文化的なアプローチをとり、人の価値、尊厳、可能性、独自性をその社会文化的背景の中で支える。
3. 社会正義を促進する（promoting social justice）。
4. 誠実なカウンセラー＝クライエント関係を守る。
5. 適切で倫理的な方法で実践を行う。

３つめに「社会正義を促進する」とある。すなわち、アメリカのカウンセラー全員が守るべき倫理綱領の冒頭３つめに掲げられている。人の発達≒成長を考え、多様性を尊重し、そのうえで社会正義を進めることが出てくる。

米国カウンセリング学会では「社会正義」の定義もある。

（社会正義とは）クライエント、学生、カウンセラー、家庭、地域、学校、職場、政府、その他の社会や組織に悪影響を及ぼす抑圧や不正を終結させるべく、あらゆる人々、集団の公正を促進すること。

この定義のポイントは、「社会や組織に悪影響を及ぼす抑圧や不正を終結させる」という点にある。抑圧や不正が、社会全体、組織全体にまで悪い影響を及ぼすほどに拡大した場合には、キャリアカウンセリングに限らず、カウンセリングの領域全体で、その是正を心がける必要がある。

文　献

１）Super, D. E. 1951 Vocational adjustment：Implementing a self-concept. Occupations, 30（pp. 88－92）
２）Herr, E. L., & Cramer, S. H. 1988 Career guidance and counseling through the life span：Systematic approaches（3rd ed.）. Scott, Foresman & Co., p. 12
３）Parsons, F. 1909 Choosing a vocation. Garrett Park, MD：Garrett Park Press（Reprint, 1989）
４）Williamson, E. G. 1939 How to counsel students. New York：McGraw-Hill
５）Su, R., Murdock, C., & Rounds, J. 2015 Person-environment fit. In P. J. Hartung, M. L. Savickas, & W. B. Walsh（Eds.）, APA handbooks in psychology. APA handbook of career intervention, Vol. 1：Foundations（pp. 81－98）. American Psychological Association
６）Rounds, J. B., & Tracey, T. J. 1990 From trait-and-factor to person-environment fit counseling：Theory and process. In W. B. Walsh & S. H. Osipow（Eds.）, Career counseling：Contemporary topics in vocational psychology（pp. 1－44）. Lawrence Erlbaum Associates, Inc.

7）Dawis, R.V., & Lofquist L. H. 1984 A psychological theory of work adjustment. Minneapolis：University of Minnesota Press
8）Holland, J. L. 1992 Making vocational choices（2nd ed.）. Odessa, FL：Psychological Assessment Resources
9）労働政策研究・研修機構「職業レディネス・テスト」ウェブサイト
10）雇用問題研究会　2013「職業レディネス・テスト（VRT）の今日的意義と大学・短大での活用」p. 11
11）Ginzberg, E., Ginsburg, S. W., Axelrad, S., & Herma, J. L. 1951 Occupational choice：An approach to a general theory. New York, NY, USA：Columbia University Press
12）藤本喜八　1991『進路指導論』恒星社厚生閣　p. 135
13）Salomone, P. 1996 Tracing Super's theory of vocational development：A 40-year retrospective. Journal of Career Development, 22（3）（pp. 167－184）
14）Phillips, S. D. 2015 Life span career development. In P. J. Hartung, M. L. Savickas, & W. B. Walsh（Eds.）, APA handbooks in psychology, APA handbook of career intervention, Vol. 1. Foundations（pp. 99－113）, American Psychological Associationのpp. 101－102を参照
15）Super, D. E. 1990 A life-span, life-space approach to career development. In D. Brown & L. Brooks（Eds.）, Career choice and development：Applying contemporary theories to practice（2nd ed.）（pp. 197－261）, San Francisco, CA：Jossey-Bass
16）Gottfredson, L. S. 1981 Circumscription and compromise：A developmental theory of occupational aspirations. Journal of Counseling Psychology, 28（pp. 545－579）
17）Gottfredson, L. S. 1996 Gottfredson's theory of circumscriptions and compromise. In D. Brown, & L. Brooks（Eds.）, Career choice and development（3rd ed.）, San Francisco, CA：Jossey-Bass
18）以下、Jepsen, D. A. 1994 The thematic-extrapolation method：Incorporating career patterns into career counseling. The Career Development Quarterly, 43（pp. 43－54）（京免徹雄訳「主題外挿法：キャリアカウンセリングとキャリアパターンの統合」仙﨑武・下村英雄編訳　2013『D・E・スーパーの生涯と理論－キャリアガイダンス・カウンセリングの世界的泰斗のすべて』図書文化社）より抜粋・引用
19）Jepsen, D. A.　2005「児童・生徒・若者を社会に対応できる大人に育成するには」『労働政策フォーラム　キャリア教育に求められるもの　講演録』労働政策研究・研修機構
https://www.jil.go.jp/event/ro_forum/giji/20050318/kicho.html

20）Cochran, L. 1997 Career counseling：A narrative approach. Thousand Oaks, CA：Sage Publications

21）Kelly, G. 1955 The psychology of personal constructs. New York：Norton

22）Brott, P.E. 2001 The storied approach：A postmodern perspective for career counseling. The Career Development Quarterly, 49（4）（pp. 304－313）ここでは、ブロットを紹介した高橋浩　2015「キャリア・カウンセリングにおけるナラティブ・アプローチ」渡部昌平編著『社会構成主義キャリア・カウンセリングの理論と実際－ナラティブ、質的アセスメントの活用』福村出版より抜粋・引用して紹介

23）Savickas, M. L. 2005 The theory and practice of career construction. In S. D. Brown & R. W. Lent（Eds.）, Career development and counseling：Putting theory and research to work（pp. 42－70）John Wiley & Sons, Inc., p. 45

24）Savickas, M. L. 2012 Life design：A paradigm for career intervention in the 21st century. Journal of Counseling & Development, 90（1）（pp. 13－19）

25）文献24）の日本語訳が含まれる、日本キャリア開発研究センター監修、水野修次郎監訳　2016『サビカス　ライフデザイン・カウンセリング・マニュアル－キャリア・カウンセリング理論と実践』遠見書房　p. 83

26）文献24）から新たに訳出

27）下村英雄　2015「コンストラクション系のキャリア理論の根底に流れる問題意識と思想」渡部昌平編著『社会構成主義キャリア・カウンセリングの理論と実践－ナラティブ、質的アセスメントの活用』（pp. 10－43）福村出版

28）McMahon, M.（Ed.）. 2017 Career counselling：Constructivist approaches（2nd ed.）. Abingdon, Oxon：Routledge

29）Busacca, L. A., & Rehfuss, M. C.（Eds.）2017 Postmodern career counselling：A handbook of culture, context and cases（pp. 23－36）. Alexandria, VA：American Counseling Association

30）Gelatt, H. B. 1962 Decision making. A conceptual frame of reference for counseling. Journal of Counseling Psychology, 9（pp. 240－245）
なお、本節の記述及び図は、新目真紀　2016「キャリア意思決定理論」労働政策研究・研修機構（編）『新時代のキャリアコンサルティング』pp. 34－37より引用

31）Hilton, T. L. 1962 Career decision-making. Journal of Counseling Psychology, 9（pp. 291－298）

32）Peterson, G. W., Sampson, J. P., Lenz, J. G. & Reardon, R. C. 1996 A cognitive information processing approach to career problem solving and decision making. In D. Brown, L. Brooks & Associates (eds.) Career Choice and Development（3rd ed.）. San Francisco, CA：Jossey-Bass Publishers
なお、当該箇所の記述は、輕部雄輝　2016「認知的情報処理理論」労働政策研究・

研修機構編『新時代のキャリアコンサルティング』pp. 54－57より引用

33）Krumboltz, J. D. 1979 A social learning theory of career choice. In A. M. Mitchell, G. B. Jones, & J. D. Krumboltz（Eds.）, Social learning theory and career decision making. Cranston, RI：Carroll Press

34）Krumboltz, J. D. 1996 A learning theory of career counseling. In M. L. Savickas & W. Bruce Walsh（Eds.）, Handbook of career counseling theory and practice（pp. 55－80）. Palo Alto, CA：Davies-Black

35）Krumboltz, J. D., Mitchell, A., & Gelatt, H. G. 1975 Applications of social learning theory of career selection. Focus on Guidance, 8（pp. 1－16）

36）Mitchell, K. E., Levin, A., Krumboltz, J. D. 1999 Planned happenstance：Constructing unexpected career opportunities. Journal of Counseling & Development, 77（pp. 115－124）

37）下村英雄・菰田孝行　2008「キャリア心理学における偶発理論－運が人生に与える影響をどのように考えるか」『心理学評論』50（pp. 384－401）

38）Krumboltz, J. D. 2009 The Happenstance Learning Theory. Journal of Career Assessment, 17（pp. 135－154）

39）Bandura, A. 1977 Self-efficacy：Toward a unifying theory of behavioral change, Psychological Review, 84（2）（pp. 191－215）

40）Taylor, K. M., & Betz, N. E. 1983 Applications of self-efficacy theory to the understanding and treatment of career indecision. Journal of Vocational Behavior, 22（pp. 63－81）

41）浦上昌則　1993「進路選択行動についての心理学的考察：自己効力理論を用いて」『進路指導研究』14（pp. 52－56）日本キャリア教育学会

42）Lent, R. W., Brown, S. D., & Hackett, G. 1994 Toward a unifying social cognitive theory of career and academic interest, choice, and performance. Journal of Vocational Behavior, 45（1）（pp. 79－122）

43）Richardson, M. S. 1993 Work in people's lives：A location for counseling psychologists. Journal of Counseling Psychology, 40（pp. 425－433）

44）Leong, F. T. L., & Gupta, A. 2008 Theories in cross-cultural contexts. In J.A. Athanasou, & R. Van Esbroeck（eds.）International Handbook of Career Guidance（pp. 227－245）, New York：Springer

45）Fouad, N. A. 1993 Cross-cultural vocational assessment. The Career Development Quarterly, 42（1）（pp. 4－13）

46）Fouad, N. A., & Bingham, R. 1995 Career counseling with racial/ethnic minorities. In W. B. Walsh & S.H. Osipow（Eds.）Handbook of Vocational Psychology（2nd ed.）（pp. 331－366）. Hillsdale, NJ：Erlbaum

47）Pope, M., Barret, B., Szymanski, D. M., Chung, Y. B., Singaravelu, H., McLean, R., & Sanabria, S. 2004 Culturally appropriate career counseling with gay and lesbian clients. The Career Development Quarterly, 53（pp. 158－177）
48）Arthur, N. 2019 Culture-infused career counselling：Connecting culture and social justice in career practices. In N. Arthur, R. Neault, & McMahon（Eds.）, Career theories and models at work：Ideas for practice. Toronto, ON：CERIC
49）Bordin, E. S. 1979 The generalizability of the psychoanalytic concept of the working alliance. Psychotherapy, 16（pp. 252－260）
50）Leong, F. T. L., & Hartung, P. J. 1997 Career assessment with culturally different clients：Proposing an integrative-sequential conceptual framework for cross-cultural career counseling research and practice. Journal of Career Assessment, 5（pp. 183－202）
51）厚生労働省職業安定局外国人雇用対策課　2021「『外国人雇用状況』の届出状況まとめ（令和3年10月末現在）」
52）電通　2021「電通、『LGBTQ+調査2020』を実施」（ニュースリリース）
https://www.dentsu.co.jp/news/sp/release/2021/0408-010364.html
53）厚生労働省　2020「2019年国民生活基礎調査の概況」
54）下村英雄　2020『社会正義のキャリア支援－個人の支援から個を取り巻く社会に広がる支援へ』図書文化社
55）OECD 2004 Career guidance and public policy：Bridging the gap. Paris：OECD
56）World Bank 2004 Public policies for career development：Case study and emerging issues for designing career information and guidance systems in development and transition economics. Washington, DC：World Bank
57）ILO 2006 Career guidance：A resource handbook for low-and middle-income countries. Genova, ILO
58）Blustein, D. L., Chaves, A. P., Diemer, M. A., Gallagher, L. A., Marshall, K. G., Sirin, S., & Bhati, K. S. 2002 Voices of the forgotten half：The role of social class in the school-to-work transition. Journal of Counseling Psychology, 49（3）（pp. 311－323）
59）Blustein, D. L., Kozan, S., Connors-Kellgren, A., & Rand, B. 2015 Social class and career intervention. In P. J. Hartung, M. L. Savickas, & W. B. Walsh（Eds.）, APA handbooks in psychology. APA handbook of career intervention, Vol. 1. Foundations（pp. 243－257）. American Psychological Association
60）American Counseling Association 2014 2014 ACA code of ethics.
https://www.counseling.org/Resources/aca-code-of-ethics.pdf

第4章 キャリアコンサルティングの基本的態度とアプローチ

第1節　キャリアカウンセリングに必要な基本的態度

今日、キャリアコンサルティングの実践に当たって、多くのカウンセリング理論や手法があるが、そのうちどれが最も成功するか、一般にどれが有効かという検討や論争はあまり行われない。カウンセリングが成功したかどうかは、それぞれのクライエント、持っている問題、クライエントが求めるものなどによるからである。

したがって、キャリアコンサルティングに必要な基本的態度・アプローチは何かを明らかにすることは容易ではない。カウンセリングをどう定義するかによって異なるからである。

そこで、キャリアカウンセリングが、その他の広く行われているカウンセリングとどこが違うのか、キャリアカウンセリングの各分野において共通するその特徴は何かが問題となる。キャリアカウンセリングの特徴を要約すると、その要点は次のとおりであると私（木村）は考える。

① カウンセリングの目的が、問題行動の除去や治療ではなく、個人のより良い適応と成長、個人の発達を援助することに重点を置く。
② 進路の選択、職業選択、キャリア・ルート決定など具体的目標達成を目指して、カウンセリングを行う。
③ カウンセリングは、さまざまな理論や手法を使用する。特定の理論や

手法だけにとらわれない。

④　カウンセリングが、自己理解、職業理解、啓発的経験、方策の決定と実行（進路・職業の選択・決定と実行など）、フォローアップ（職場定着など）のガイダンスと一体となって行われる。これは、カウンセリングを含めて一般に「キャリアガイダンスの６分野」と呼ばれている。

⑤　カウンセリング・モデルとしては、システマティック・アプローチをとる。また、カウンセリング・アプローチとしては折衷的である。

⑥　カウンセリングのみでなく、コンサルテーション（Consultation）、関係者の協力（Coordination）、教育（Education）の機能を重視する。

⑦　キャリアカウンセリングの実践に当たっては、学校教育、職業紹介機関、及び職業能力開発機関において、それぞれの法律に基づき行われている。したがって、個人のキャリア形成を人生を通じて一貫して支援するという観点から、これらの関係機関が密接な連携をする必要がある。

以上のようなキャリアカウンセリングの特徴は、カウンセリングの関係者に一般に受け入れられている。その証拠に、キャリアカウンセリングは一般に「育てるカウンセリング」「開発的カウンセリング」「折衷的カウンセリング」の代表的カウンセリングの１つとして位置づけられることが多い。

一方で、キャリアカウンセリングのこのような側面を重視するあまり、あらゆるカウンセリングの基本である「言語的及び非言語的コミュニケーションを通して、カウンセラーとクライエント（１人または複数の）がダイナミックな相互作用を行使する人間関係」という側面を軽視する風潮も否定できない。ここでいうような人間関係には単に「人の話を聴く」以上のものを含んではいるが、端的に言えばいわゆる「人の話を聴く」だけではキャリアの問題は解決しないという考え方で、この点だけ取れば私（木村）もまったく同感である。

しかし、カウンセリングの側面に限って言えば、キャリアカウンセリングもカウンセリングである以上、その原理・原則やカウンセラーに必要とされる基本的な態度、知識、スキルなどは一般のカウンセリングと同様であることを特に強調しておきたい。キャリアカウンセラーも「人の話を聴く」ことができなければカウンセラーとは言えないし、キャリアカウンセリングも「人の話を聴く」ことから始まる。ただ、「人の話を聴く」だけでキャリアカウンセリングは終わらないということである。

今日、カウンセリングが行われる分野を越えて、カウンセラーが持たなければならない共通の知識、技術には、永年の研究や成功した実践事例などにより関係者の間で共通した認識がある。また、カウンセリングが成功するかどうかは、そのカウンセラーの理論、知識、技術よりもそのカウンセラーの基本的態度によるということも一般的にあらゆるカウンセラーに受け入れられている。その基本的態度は、一般に次の３点と考えられる。

① カウンセラーは、クライエントに対して無条件の肯定的関心を持つこと。一般に、受容的態度という言葉によって代表的に表現される。
② カウンセラーは、クライエントの内的世界を共感的に理解し、それを相手に伝えること。一般に、共感的理解という言葉で代表的に表現される。
③ カウンセラーはクライエントとの関係において、心理的に安定しており、ありのままの自分を受容していること。一般に、自己一致、または純粋性という言葉によって表現される。

ロジャース（Rogers, C. R.）によって提唱された来談者中心カウンセリングは、今日、独自の人格理論と治療理論を持つ体系的理論として確立しているだけでなく、多くのカウンセリングや心理療法に取り入れられている。上記の３つのあらゆるカウンセラーに必要な基本的態度は、ロジャースのいう「受容的態度」「共感的理解」「自己一致または純粋性」の３つの条件と極めて近いものである。この観点に立てば、キャリアカウンセラーもカウンセラーとして共通の基本的態度を身につけていなければならない。そのうえで、自己理解、職業理解、啓発的経験、方策の決定と実行、フォローアップをガイダンスとカウンセリングとして行う理論、知識、技術を持たなければならないということになる。しかし、実際にはこのすべてを高い専門性を持って行うことができるキャリアカウンセラーはそう多くはないであろう。１人ひとりのキャリアカウンセラーは、このうちのどれを専門としているかを自覚し、できる分野を担当する。できないところ、またはしてはならないことはほかにリファーすることが基本的態度でもある、と私（木村）は日頃考えている。

第２節　キャリアカウンセリングに必要な基本的スキル

2.1　キャリアカウンセリングに必要な基本的スキル

2002年４月、厚生労働省による「キャリア・コンサルティング実施のために必要な能力等に関する調査研究」報告書は、キャリアコンサルティングを行うための基本的スキルとして次の６項目を指摘している。これらの基本となっていることは、カウンセラーの３つの基本的態度と深く関連している。

キャリアコンサルティングは、働く人に対するキャリアカウンセリングそのものである。カウンセリングを実際に行うという点に立って、國分康孝の提唱するカウンセリング・プロセス、及びマイクロ・カウンセリングの考え方を組み込んで、キャリアコンサルティングにおけるキャリアカウンセリングは何をするのかを構成し直すと次のようになる（第14章「キャリアコンサルティングの技法」も参照のこと）。

①　基本的スキル：そのカウンセラーはどんなカウンセリング観、理論に立つのか。カウンセリングをどう定義するのか。カウンセラーとしての基本的態度を身につけているか。クライエントが、真に自己を理解するためには、カウンセリング・スキルなど基本的なスキルが重要であることなどを認識することである。

②　キャリア・シートの作成指導：キャリア・シートの意義を理解し、作成するための知識を持ち、キャリア・シートを作成することができるか。

③　カウンセリング・スキル：受容、繰り返し（言い換え）、明確化、支持、質問、かかわり技法（はげまし、言い換え、要約、感情の反映、意味の反映）、応答技法（事柄への応答、感情への応答、意味への応答）、カウンセリン

グ関係の樹立、問題の把握など、クライエントとカウンセラーのコミュニケーションを確立するためのスキルを知っているか。それを使えるか。

④　グループ・カウンセリング：グループ・カウンセリング、グループ・エンカウンター、構成的グループ・エンカウンター、グループ・ガイダンスなど、グループ・ワークに関する理論と実際を知っているか。実際に行うことができるか。

⑤　相談過程全体のマネジメント・スキル：クライエントが、いまカウンセリング・プロセスのどの段階にいるかを常に把握し、その段階に応じた適切なカウンセリングができるか。具体的には、（a）問題をつかむ（視線、表情、ジェスチャー、声の質·量、など）、処置（リファー、ケースワーク、スーパービジョン、コンサルテーション、具申など）ができること、（b）意識化技法（意味、問題、目標、感情の意識化）、手ほどき技法（目標の明確化、行動計画の作成、スケジュールと強化法の設定、行動化の準備）ができること、（c）目標の設定、方策の選択と実行、結果の評価ができること。

⑥　自己研鑽·スーパーバイズ：さまざまな機会を捉えた学習を継続する能力。スーパーバイザーから実践的助言、指導を受ける必要を認識する能力。

2.2　キャリアカウンセリングに必要な実践上の能力

キャリアコンサルティングは、単に現在の個人を対象にするばかりではなく、人生を通じて発達する個人、社会の変化に対応する個人、その個人の所属する社会や組織から影響を受け、かつ社会や組織に貢献する個人を対象とする。そのためには、単にキャリアコンサルタントとしての基本的態度を持ち、キャリアカウンセリングの基本的スキルを持っているだけでは不十分である。

結局、トータルとしてキャリアコンサルタントはどんな実践上の知識、スキルを持っていなければならないのか。熟練レベルのキャリアコンサルタントに求められる能力に即して実践として具体化すると次のように要約できる。

①　一般カウンセリング（general counseling）

・カウンセリング一般に関する理論､知識(いわゆるカウンセリング・スキル)
・キャリア発達に関して個人を効果的に援助するスキル(キャリアコンサルティングの実施過程に必要なスキル)
・キャリア発達に関連する内的、外的要因を認識させるスキル（キャリアコンサルティングの社会的意義の理解、組織への対応など）

②　情報（information）

・雇用、労働市場、求人事業所と労働条件、能力開発に関する情報等と情報源に関する知識、収集のためのスキル
・キャリア、キャリアコンサルティングに関する基本的概念の知識、定義
・職業選択、キャリア発達、意思決定の理論とスキル
・職業やキャリア情報の収集、蓄積、検索、クライエントに提供する戦略・方法に関する知識とスキル（コンピュータによるキャリアガイダンス支援を含む）
・特別な支援を必要とする人に対するキャリアコンサルティングに関する知識、スキル（障害者、一部の女性、高齢者など）

③　個人とグループの評価（individual/group assessment）

・適性・能力、興味、価値観、パーソナリティに関する評価スキルと測定に関する知識
・個人と職業をそれぞれ評価し、それに対するキャリア支援プログラムの有効性を評価する知識、スキル
・個人とグループに関する評価データを収集、蓄積、検索、解釈し、それをクライエントに伝える能力

④　管理・運営（management/administration）

・キャリアコンサルティングのニーズの把握、目標の設定、計画の作成、具体的方策の設定、それらの評価に関する知識、スキル
・キャリアコンサルティングを実践するに当たっての管理､及びリーダーシップを有効に行うための知識、スキル
・計画や方策を行うための予算、スケジュール、運営、結果の評価、関係部門への報告などの知識、スキル

⑤　実施（implementation）

・プログラムの決定、採用、計画変更に関する知識、スキル

・プログラム実施に影響する個人的、環境的障害についての知識、スキル

・キャリアコンサルティングの実施に当たって対外的交渉を行う能力

・多様かつ包括的資源センターを構築し、利用させる能力

・多様なパイロット・プログラムを実践する能力

⑥　コンサルテーション（consultation）

・コンサルテーションに関する戦略、モデルを構築する能力

・関連する専門機関等の個人、組織等をクライエントに紹介する能力

・キャリアコンサルティングの費用と効果のデータをクライエントに提供する能力

2.3　キャリアカウンセリングの各アプローチ

キャリアカウンセリングもカウンセリングである以上、そのよって立つ理論は、カウンセリングの一般理論と基本とするところは同様である。過去、カウンセリングにはさまざまな理論が提唱され、それに基づく技法が開発されてきた。これらの理論をそのアプローチの仕方によって大別すると、①感情的アプローチ、②認知的アプローチ、③行動的アプローチ、④発達的アプローチ、⑤包括的・折衷的アプローチの５つに分類される。

クライエントが目的を達成したり、自己実現するのを援助する過程で、感情的アプローチは感情の果たす役割を重視し、認知的アプローチは思考過程を強調し、概念やビリーフが感情や行動に及ぼす影響を重視する。行動的アプローチは目標達成における行動、及び社会的・環境的要因を重視する。もちろん、人は感情を持ち、思考し、行動し、かつ成長・発達する。この点を重視するのが発達的アプローチである。そして、これらの理論のどれか１つだけに限定しないのが包括的・折衷的アプローチである。

以下、次節では上記の５つの分類により、キャリアカウンセリングの立場からその特徴を概観する。

第３節　感情的アプローチ

3.1　基本的な考え方

感情的アプローチに共通する基本的人間観は、以下のとおりである。

① 人は、自分自身の感情に真に触れれば、十全に発達し、自己実現することができる。
② 人は、自分の感情や考えを自由に表現し、それを確かめ、それによって自分の経験と感情を呼び戻すような人間関係を求めるものである。
③ 人は、この感情や経験が自分自身のアイデンティティ（identity）の基盤となったとき、自己実現を目指して機能できる。

このアプローチでは、状況や環境そのものよりは「クライエント自身の、現在の見方や感じ方」を問題とする。このことから、カウンセリングの実施に当たっては次を重視する。

① 「今、ここに」に集中する。
② 想像や知的理解ではなく、「現実」を経験する。
③ 全感覚を用いて、「自己」、「自分自身の価値」に気づいていく。
④ 自分の感情、思考、行動に責任を持つ。
⑤ カウンセリングの重点は、１対１の「人間関係の質」を高めることに置かれる。

感情的アプローチをその理論や手法の中心とするものには、来談者中心カウンセリング、精神分析的カウンセリング、ゲシュタルト療法的カウンセリング、フォーカシングのほか、ヒューマニスティック・カウンセリングがある。

3.2　来談者中心カウンセリング

感情的アプローチの代表は、ロジャース（Rogers, C. R.）とその共同研究者たちによって展開された来談者中心カウンセリングである。

その基本的な視点は、人は自分を中心とする主観的な知覚の世界、すなわち「現象的な場」に生きており、個人の行動は外界からの刺激によって規定されるのではなく、その個人の受け取り方や意味づけによって規定されるとする。また、パーソナリティの基本要素は自己概念と経験であるとし、その構造を3つの領域に分けた。領域Ⅰは「自己一致」の状態で、自己概念と経験が一致している状態である。領域Ⅱは「歪曲された部分」で、自己概念のうち経験と一致しない部分である。領域Ⅲは「拒否された部分」で、経験のうち自己概念と一致しない部分である。領域Ⅱと領域Ⅲは、いずれも自己概念と経験が不一致を起こしており不適応状態にある。クライエントの自己概念と経験が一致する方向へ援助するのが、カウンセリングの役割であるという。

ロジャースは、この観点から来談者中心カウンセリングにおけるカウンセラーの基本的態度として、次の3点を挙げ、これは今日あらゆるカウンセリングの基礎として確立している。

① カウンセラーは、クライエントに対して無条件の肯定的関心を持つこと（受容的態度）
② カウンセラーは、クライエントの内的世界を共感的に理解し、それを相手に伝えること（共感的理解）
③ カウンセラーは、クライエントとの関係において、心理的に安定しており、ありのままの自分を受容していること（自己一致または誠実な態度）

カウンセリング技法としては、クライエントに自由に感情を表現させ、現実を経験させることに尽きるが、具体的には、受容、繰り返し、感情の反映、明確化、非指示的リード、及び要約などの技法が使われる。

キャリアカウンセリングとの関係から見ると、来談者中心カウンセリングによるキャリアカウンセリングという特定のカウンセリングがあるわけではない。ロジャースの関心は、人間の感情的適応とその機能にあり、特に職業問題には触れていない。職業問題も取り扱わないわけではないが、個人の生活の１つの領域として焦点を当てるにすぎない。「クライエントが感情的に真に適応できれば、キャリアカウンセリングを特別に受けなくとも、自動的に職業の問題も解決できる」という立場と考えられる。カウンセリングを行った結果どんな成果を期待するかというと、「クライエントが、前よりももっと自己一致し、自己体験により自分を開くようになり、防衛的でなくなること、すなわち自我の再構成」である。カウンセリング・プロセスを進める中で、クライエントが内的問題を解決すれば、その段階で、ある局面に生きている新しい感情を経験しており、その感情に照らして自分が誰であり、何を望んでいるか、自分はどうあるべきか知っているということになる。

キャリアカウンセリングが重視するテストに関して言えば、「クライエントが欲すれば、欲しているテストを行うことを否定はしない。しかし、そのテストが提供する情報が、クライエントの自己概念の中で統合されるのであれば、テストは役に立つ」ということになる。職業情報の提供についても同じで、情報を提供することによってクライエントを説得したり、操作したりするのではなく、その人にとって個人的意味を持つ客観的現象と同じように、欲求や価値観との関連の中で理解され、探索されることが中心となる。

もっとも、最近の来談者中心カウンセリングは、単にロジャースの理論によるだけではなく、他のカウンセリング・アプローチを取り込む形で幅を広げ、多様化している。

第４節　認知的アプローチ

4.1　基本的な考え方

認知的アプローチの基本的考え方は、以下の２点である。

① 人の感情は、思考（合理的、認知的プロセス）によって影響を受ける。
② 人は、合理的な思考プロセスに従っているとき目標は達成される。問題が起きるのは、非合理的な思考によって考えたり行動するときである。

認知的アプローチの特徴は、問題解決、意思決定の方法をとることである。

① 問題を明言し、それが自分の問題であることを認識し、受け入れる。
② 可能な解決方法を選定し、評価し、選択する。
③ 問題の解決策を実行し、その結果を評価する。
④ その解決策を、他の問題にも一般化する。

すなわち、カウンセラーは、将来出会うであろう問題に対処できるように、クライエントに意思決定のスキルを学ばせるのである。その特徴は、クライエントの情緒的な混乱を低減するために、その考え方や意味づけの仕方を変更させるように、認知的に働きかけることである。

認知的アプローチには論理療法、認知療法、現実療法などがある。

4.2 論理療法

エリス（Ellis, A.）によって提唱された心理療法である。理性感情療法、合理情動療法などの訳語もあるが、Rational-Emotive-Behavioral Therapyの頭文字をとってREBTとも呼ばれる。

論理療法では、人間の感情（C：Consequence）は、それに先行する出来事（A：Activating Event）によって直接引き起こされるのではなく、その出来事をどう受け止めるかという信念（B：Belief）によって生じると考える。すなわち、不快な感情は、非論理的信念（Irrational Belief）によってもたらされるのだから、それをはっきりさせて反論（D：Discriminant and Dispute）を加えれば、その結果、論理的な信念が獲得され、不快な感情を低減でき、そのときに効果（E：Effect）がもたらされるという。例えば、「すべての人に愛されなければならない」と考える（非論理的ビリーフ）から、人に愛されない事態が生じると不安になるので、「すべての人に愛されるに越したことはない」（論理的ビリーフ）に修正すればよい。

カウンセリングは、一般に次のようなプロセスをとる。

① ABCDE理論やカウンセリングの効果を、クライエントに説明する。
② 問題を明言し、目標を設定する（A）。
③ イラショナル・ビリーフを見つける（B）。
④ 結果（感情など）を特定する（C）。
⑤ イラショナル・ビリーフの非論理性、非現実性を明らかにする（D）。
⑥ このような方法で、問題に対処するのを支援する（E）。

イラショナル・ビリーフの修正法には、反論説得法（何事も完全にやり遂げなければならない根拠は何か）、新しい哲学への置き換え（完璧な解決などは、そうあるものではない）、記録用紙の使用（イラショナル・ビリーフを、実際に言葉に出して書き出してみる）、などいろいろある。現在、論理療法は教育、産業などの場面で広く使用されている。

論理療法を支える哲学は「人は、起こった出来事や体験によって惑乱するのではなく、その受け止め方によって惑乱するのだ」ということである。人の受け止め方は、その人の評価の仕方、価値体系、すなわち人生哲学によってもたらされる。論理療法は、人生のすべての問題を取り扱う。

論理療法を支える哲学は、1つは「人生を生きることは大変だが、それでも何とか工夫して、楽しく生きる」という哲学で、責任ある快楽主義と呼ばれる。もう1つはヒューマニズムである。人間の「この世に生を受けた以上、何とか論理的、合理的に、誰もが納得する生き方を効率よく実践しよう」というものである。人生の主要な部分は、何らかの意味で「働くこと」に関係している。その意味で論理療法的カウンセリングは、キャリアカウンセリングの哲学や手法と極めて近いと考えられる。

論理療法は、特にテストや職業情報には触れていない。しかし、そのカウンセリング・プロセスや指示的な側面、評価の重視などは、キャリアカウンセリングの特徴と共通のものである。

そのほか、「人間の病理的（神経症）行動は、誤って学習した考え方、イメージ、記憶に基づいている」と考えるベック（Beck, A. T.）によって開発された認知療法、「現実に直面させ、無責任を退け、価値判断に基づき、より良い行動を考えて、実行する」というグラッサー（Glasser, W.）の現実療法も、論理療法と同様、そのカウンセリング・プロセスや手法は、キャリアカウンセリングと共通するアプローチである。

第5節　行動的アプローチ

5.1　基本的考え方

行動的アプローチの基本的な考え方は、

① カウンセラーが対象とするのはクライエントの行動である。感情や思考は、行動から推測されたものにすぎない。
② パーソナリティの変容は、環境の影響、それに対する個人の反応及び報酬と罰によって説明できる。
③ 個人の病的症状や問題行動は、不適切な行動の学習、適切な行動の未学習、及び環境による不適切な刺激と強化によって起こされる。

というものである。

そして、カウンセリングのポイントは、次の点に置かれる。

① 問題の原因、問題解決を妨げている「クライエントの行動」を発見する。
② 不適切な反応を引き起こしている「状況」を明らかにする。
③ それを正確に、系統的に観察し、理解し、整理記録する。
④ 弛緩訓練、脱感作、自己主張訓練などの訓練によって、不適切な行動を除去する。
⑤ ある行動が、将来どのような影響を及ぼすか見極める。

行動的アプローチには、系統的脱感作などの各種の行動療法、主張訓練などがある。

５.２　系統的脱感作

行動療法の代表は系統的脱感作である。これは弛緩訓練によって不安反応を制止し、段階的に不安反応を除去する方法で、ウォルピ（Wolpe, J.）によって開発された。

系統的脱感作は、逆制止という原理に基づいている。一般に、人は恐怖や不安が著しいとリラックスできない。逆に十分にリラックスしていると恐怖や不安が起こりにくい。このように同時には両立しにくい反応によって、他方の反応を起こらなくすることを「逆制止」という。逆制止を反復することによって、恐怖心を引き起こす対象と恐怖反応との結びつきを弱める治療法が系統的脱感作である。

具体的には、恐怖階層表の作成→弛緩訓練→脱感作の順で行われる。まず、クライエントが恐怖心を覚える対象や場面をリストアップし、それを０～100の点数（SUD：自覚的障害単位）で評価させる。次に漸進的弛緩法などによって心身のリラクセーションを行う。次に先に作成した恐怖階層表の最も恐怖度の低い対象・場面を想起させ、どの程度恐怖心があったかを述べさせる。恐怖心があればまたリラクセーションを行い、恐怖がなくなるまで繰り返す。こうして順次恐怖度の高い対象や場面へと脱感作を行う。

５.３　主張訓練（assertion）

対人場面で、正当な自己主張や自己表現ができるようにする訓練で、アサーション訓練とも呼ばれる。ポイントは、対人場面で過度の不安により不適応状態にあるのか、社会的スキルの欠如により自己主張や自己表現ができないのかを明確にして、訓練を行うことである。

主張訓練の進め方は、対人不安の除去を主目的とする場合は系統的脱感作とほとんど同じである。スキル形成の場合は、一般に主張性の査定→訓練プログラムの作成→訓練の実施のプロセスで行われる。まず、面接での質問や各種の主張性検査によってクライエントの主張性の程度、質、問題などが評価される。次に、得られた資料に基づいて訓練プログラムが作成される。このプログラムにはモデリング、行動リハーサル、ホームワークなどの要素が含まれる。最後に、このプログラムを通常は小グループで訓練者の指示のもとに、モデルの提示、実際に演じるリハーサル、良い点・悪い点の討議とフィードバックなどによって実行する。これをあらかじめ予定された場面や問題から、日常の生活場面へと展開する。

最近の行動的アプローチの特徴は、人間の行動に及ぼす要因として、認知を重視するようになり、認知行動療法とも呼ばれる。論理療法などは、「認知の変容を通して行動の変容を図る」という点で、認知行動療法である。イメージを利用した技法、ストレス免疫訓練、問題解決療法などがある。

系統的脱感作や主張訓練などの行動的アプローチによるキャリアカウンセリングの診断は、行動上の問題、特に職業選択における不安が主なテーマとなる。例えば、職業的未決定は、単に情報不足などによる単純なものか、それとも長期的な不安によるのか、目標の欠如、非現実性、選択上の葛藤などが問題なのかを判断する。

カウンセリング・プロセスは、それが職業に関係しているかどうかにかかわりなく、まず、意思決定に伴う不安の除去から始まる。一般的に、反射的条件づけ（レスポンデント条件づけ）が手段として使われる。クライエントが不安から解放されれば、次に道具的学習（オペラント条件づけ）が起こる。職業情報の検索や収集などである。クライエントの未決定が、単に「自分が何をしたいのかわからない。職業を知らない」などの単純な要因によるのであれば、カウンセリングは直ちに第２段階（道具的学習）から行われる。

行動的アプローチによるカウンセリングの成果は、それが職業やキャリアの問題であろうとなかろうと、①不安または不適応行動の除去、あるいは軽減、②意思決定スキルの習得、③問題を予防する行動変容、が起こることである。

行動的キャリアカウンセリングにおいては、いわゆる古典的なテスト（適性、興味、パーソナリティなど）はあまり使わない。人間の理解には、行動そのものの客観的な指標が集められる。テストの得点は、行動における個人差を測定はするが、個人と環境の相互作用を説明はしていないと考える。一方、職業情報の提供は、古くから極めて重視しており、1960年代から各種の「キャリア探索のための道具（problem-solving career kits）」が行動的アプローチの観点から開発されてきた。今日のCACGS（Computer Assisted Career Guidance System）の発展に貢献した。

第６節　発達的アプローチ

発達的カウンセリングは、クライエントの職業的発達を助け、促進することを目的としている。具体的には、カウンセリングによって職業選択の一貫性、現実性、選択能力、態度などの職業的行動が、より成熟するように支援することである。発達的カウンセリングの基本的考え方は、職業発達理論に基礎を置いている。要約すると次のようなものである。

①　人間は、目標を設定し、選択し、決断し、自分の行動と未来に対して責任を持つことができる存在である。
②　職業的発達の中核となるものは、自己概念である。職業的発達の過程は、自己概念を発達させ、それを職業を通して実現することを目指す漸進的、継続的、非可逆的なプロセスであり、妥協と統合のプロセスである。

一定の時間的経過の中で問題の解決を期待することでもあるので、カウンセリングの手法として独自のものがあるわけではないが、クライツ（Crites, J. O.）によれば一般的には次の手順で進められる。

①　非指示的に、問題の探索、自己概念の描写をする。
②　指示的に、話題を設定する。
③　自己受容と洞察のために、非指示的に感情の反映と明確化を行う。
④　現実吟味のために、テスト、職業情報などのデータを指示的に探索する。
⑤　現実吟味のプロセスで起こった感情や態度を、非指示的に探索し、それに働きかける。

⑥　意思決定を援助するため、非指示的に、選択肢を考えさせる。

発達的カウンセリングは、スーパーによって構築された職業発達理論をカウンセリングとして展開するものである点で、キャリアカウンセリングそのものである。特に、発達的カウンセリングは、特性因子理論と来談者中心理論を基礎として、同時に発達理論の影響を受けている。その点で包括的・折衷的アプローチである。

カウンセリング・プロセスは、上記のように指示と非指示を循環して行うが、これを発達の観点から見れば、①クライエントがどの発達段階にあるか評価する、②未発達の場合は、方向づけと探索に専念する、③特定の職業を選択できるまで発達していれば、情報を収集し、調査し、理解させる、④現実吟味が済んだら、意思決定を支援する、ということにある。

すなわち、カウンセリング・プロセスは、職業選択の方向づけと準備から始まって、意思決定と現実吟味へと発展するのである。

テストの使用と解釈については、テストがカウンセリングの一部として行われる。したがってテストを排除はしない。しかし、クライエントがテストを行うことに参加し、テストを受け入れ、クライエントにとって必要な事項を得られることが条件である。また、いろいろなテストを探索的にやるのではなく、そのクライエントに必要なものを集中的に行う。

発達的カウンセリングでは、個人が実際の職業経験の中から得られたキャリアパターンに関する情報が重視される。入門職業、熟練・半熟練・非熟練職業、入門職業から正規職業に至る職業移動の傾向、転職に影響する職業と個人の要因、職業や産業への入りやすさなどが中心的職業情報である。

第７節　包括的・折衷的アプローチ

カウンセリングの感情的、認知的、行動的、発達的アプローチについて述べた。

では、キャリアカウンセリングに最もふさわしいアプローチはどれか。結論を言えば、キャリアカウンセリングは、その理論や手法を来談者中心とか、行動主義だとか、認知的だとかとは特定はしない。ある理論だけにとらわれないという点では「理論から解放されている」と言える。その意味では、包括的・折衷的アプローチであると言える。キャリアカウンセリングの包括的・折衷的アプローチは次のように要約できる。

① 人は自分自身の目標を把握し、意思決定することができる。
② 環境の影響は大きく、キャリアの選択に当たって十分に考慮に入れる必要がある。人は、自分が思っている以上に環境を管理できる。
③ 人は、新しい、かつより良い感情的、認知的、行動的方法を学ぶことができる。
④ カウンセラーは教示しないが、クライエントが行動変容するのを援助するために、学習経験を提供したり、助言したりする。
⑤ カウンセラーは、クライエントが目標を達成するのを援助するために、幅広い資源と方策を用いる。
⑥ クライエントの進歩を監査し、カウンセリング・プロセスを評価することがカウンセリングの中の一部として組み込まれている。

キャリアカウンセリングにおいても、カウンセラーとクライエントとの間に「温かい人間関係」がなければ、カウンセリングは成立しない。その点では感情を重視する。しかし、キャリアカウンセリングにおいては、来談者との間に「質の高い人間関係」が成立し、来談者が「良い心の状態になった」だけでは問題は解決しない。「就職する」「自分の適職を見つける」などというような具体的目標を達成しなければ、一般的にはカウンセリングは終わらない。その点からは意思決定、学習、自己管理などの認知的、行動的アプローチを重視する。また、キャリアに関するカウンセリングだから発達的人間観に立つことは当然のことである。

キャリアカウンセリングが折衷的アプローチをとるのは、単にいろいろなアプローチの良いところだけを取っているということではなく、キャリアに関するカウンセリングとしてそれ自体正当なことであり、目的と現実にかなっているからである。

キャリアカウンセリングといえども、カウンセリングである以上、カウンセラーとクライエントとの間に真の意味のカウンセリング関係が成立しなければ、カウンセリングそのものが成り立たない。認知的アプローチは方策の決定の中に見られるし、行動的アプローチは学習方策に見られる。また、キャリアカウンセリングは多く、時間の制約を受けた、目標志向的な場面で行われるという現実的な側面も関係している。

キャリアカウンセリングが、その他のカウンセリングとどこが違うのか。その特徴をまとめる。

キャリアカウンセリングもカウンセリングである以上、その原理・原則やカウンセラーに必要とされる基本的な態度、技能などは一般のカウンセリングと同じである。すなわち、以下の事項はキャリアカウンセラーにとっても基本的な必要条件である。

①　カウンセリングに不可欠なものは、「温かい信頼に満ちた人間関係」である。
②　カウンセラーは、受容、共感的理解、自己一致などの基本的態度を身につけなければならない。
③　カウンセラーは、主として言語によるコミュニケーションの技能を身につけなければならない。

しかし、キャリアカウンセリングは単に「人間関係の質」を高め、クライエントを生き生きとするにとどまらず、具体的目標達成を援助するために包括的・折衷的アプローチをとることは前述した。

このような観点から、アメリカのカウンセリング心理学者ハー（Herr, E. L., 1988）[1)]は、キャリアカウンセリングの定義の中で、その特徴を次のようにまとめている。

① 大部分は、言語によるプロセスである。
② その中でカウンセラーとクライエント（１人または複数の）とが、ダイナミックな相互作用を行う。
③ カウンセラーは、さまざまな行動的レパートリーを使用する。
④ カウンセラーは、自分の行動に責任を持つカウンセリーが自己理解を深め、「良い」意思決定という形で行動がとれるようになることを援助する。

まさにキャリアカウンセリングの本質を言い尽くしていると私（木村）は考える。

第８節　より良いキャリアコンサルティングのために

2001年発刊の「労働者のキャリア形成支援のためのキャリアコンサルティング・マニュアル」には、現在にも通じる重要な事項が記されている。その中から、キャリアカウンセリングに関する説明として特に重要である「よりよいキャリアコンサルティングを行うための留意点」と「より良い相談を行うためには」を一部修正して引用した。他章（特に第14章）で取り上げた内容と重複する箇所もあるが、木村周のキャリアコンサルティング論の中心を占めるものとして重視したい。なお、抜粋に当たって、より一般性をもたせるために、原文の「従業員」を「クライエント」に変更した。また、文末を「ですます調」から「である調」に改めた。

8.1　より良いキャリアコンサルティングを行うための留意点

（1） 相談の目的は、クライエントのよりよい適応と成長、個人の発達を援助すること、すなわち「育てるための相談」である。クライエント本人の成長する能力という潜在的な力を信頼し、本人が主体的に行うキャリア形成を援助者が側面的に支援する過程であるということを意味する。
（2） 職業・職務の選択、今後のキャリア形成の方向の決定、手段の決定など具体的な目標決定を重視する。

（3）　相談やキャリア選択のプロセスがシステマティックに進められる必要がある。すなわち、自己理解、仕事理解、啓発的経験、意思決定、方策の実行、職務への適応といった各ステップを明確にしながら相談を進め、相談が現在どの時点にあるのかを労働者と確認しながら進める必要がある。

（4）　キャリアコンサルティングが本人の主体性を重視した育てるための相談であることから、企業内だけでなく他の社会的な資源を活用することが効果的である。このためには、相談担当者が社会一般の情報や各種の相談機関等の各分野で行われている相談の内容を知るとともに、それらの機関との連携を十分に図っていくことが必要となる。

（5）　クライエントが安心して、また積極的に相談できるような環境整備が重要である。例えば、クライエントが企業内で相談するに当たって、企業側に知られたくない事情（例えば、昇進などに影響する個人的状況、職場の中での不満等）があるかもしれない。したがって、キャリアコンサルティングを円滑に実施するためには、キャリアコンサルティングの結果がどのように利用されるのかについて明確なルールを決めておく。必要に応じて企業側から一歩距離を置いた外部の専門家の活用も検討するなどの配慮が必要である。

8.2　より良い相談を行うには

より良い相談を行うための留意点を以下に示す。これらに共通することとして、「まず、人の話しが聴ける」というスタンスが最も基本的で最も重要なことであることは言うまでもない。

（1）　クライエントとの間での心理的な関係（ラポート）の確立：相談は静かで、友好的な雰囲気の中で「暖かい信頼に満ちた関係」を作り維持することが大切である。このためには、言語的技法（受容、繰り返し、言い換え、明確化、支持、質問）や非言語的技法（視線、表情、ジェスチャー、声の質・量、席の取り方、言葉遣い、服装・身だしなみ）などの基本的技法や受容、共感的理解、自己一致などの基本的態度を身につけることが求められる。

（2）　クライエントの期待についての認識：クライエントが期待するものは、

多様である。キャリアコンサルティングの開始に当たっては、クライエントが何を求めているのかについて、十分に理解する必要がある。しかし、相談担当者の最終的課題は「問題」の所在を明らかにすることではなく、クライエント自らが、どのようにしたら自分の希望を実現できるのかを認識することを援助することにある。相談担当者は、できないことを約束してはならない。相談担当者ができることを伝えるべきである。

（３）　クライエントの感情についての認識：相談において、感情は重要な役割を果たす。

（４）　クライエント自身がキャリアコンサルティングの過程に責任を持つようにさせる。相談は、クライエントの主体性を重視したクライエントとの共同作業である。相談担当者は、クライエントに対してこのことを明確にしておく必要がある。そのためには、次回までにお互いにやることを「約束」することも、時には必要となる。

（５）　相談の過程を不必要に延ばすことなく終結すること：相談はできるだけ友好的に、しかも手早く終了する。終了に当たっては、進展したこと、目標、同意したことを相互で確認する。

（６）　相談の成果を評価すること：相談に対する評価は、相談担当者自身の自己評価、同僚やスーパーバイザー（上級者）による評価及びクライエント自身による評価の３種類がある。その方法として、一般的には観察、面接記録の検討、ビデオ・テープによるものなどがある。

（７）　プライバシーの保持：クライエントのプライバシー（家庭環境等）に接する機会が多いが、職務上知り得た事柄を人に洩らしてはならない。良かれと思う言動であっても、本人の意思を確認せずに行われている場合には、プライバシーの侵害になる。キャリアコンサルティングを行う場合には、価値観や職業人生における（否定的な面も含めた）さまざまな経験等、より私的な情報に踏み込むことも多いので、守秘義務についてはさらに慎重でなければならない。

文　献

1）Herr, E. L., & Cramer, S. H. 1988 Career guidance and counseling through the life span：Systematic approaches. New York：Harper Collins Publishers

第５章
自己理解の意義と内容

第１節　自己理解の意義

進路や職業、あるいは将来のキャリアを合理的に選択し、それを実践していくためには、その個人が、進路や職業、企業内のキャリア・ルートの内容を知り、選び、それを遂行していく主体である「自分自身」について、理解することがまず第一歩である。また、キャリアコンサルタントは、これらの個人が適切な自己理解ができるように助言・援助しなければならない。

個人が自分自身を理解するための諸活動が「自己理解」であり、キャリアコンサルタントがその対象に応じて行うクライエントを理解することは自己理解を支援することである。すなわち、自己理解とは、自分自身のあるがままを知る個人の行為である。

それは具体的には次のような特徴を持っている。

① 自分自身を分析し、さらに統合するという手続きをとる。ここで分析とは、自分をいくつかの視点から見つめ、各視点ごとに観察された自分の特徴を描写することであり、統合とは、分析された自分の特徴をもう一度全体としてまとめて描写することによって、それまで漠然としていた自分の像が明らかになり、自分の言葉で説明できるようになる。

② 自分を描写する言葉や方法は、客観的でなければならない。客観的とは、自分を描写する言葉や内容が、他人にも自分と同じように理解して

もらえる性質を持っていることをいう。要するに、自分にしか通じない言葉や内容であってはならない。

③ 自己理解には、自己の個性について知るだけでなく、自己と環境との関係、つまり、環境の中の自己について知ることも含まれる。学校や雇用・失業状況、企業の中のその個人の置かれた状況などの環境理解が自己理解を進め、また自己理解が環境の理解を促進する。

④ 自己理解は、包括的かつ継続的に行われなければならない。個人は、生涯の長い期間にわたって職業活動に従事し、キャリアを形成する。その間自己とキャリアとの関係は絶えず変化し、選択が繰り返される。

第2節 自己理解の内容

2.1 人と職業のマッチング

どのような点について自己理解をするのか。それは目的、対象、ガイダンス、カウンセリングの各段階でさまざまである。キャリアガイダンスやキャリアカウンセリングの分野で、最も古く、職業との関係で個人の特性を概念化したのは、職業的発達理論を発表する以前のスーパー（Super, D. E., 1949）[1)]である。スーパーは、「人と職業とのふさわしさを規定する条件」として「職業的適合性」という概念を提出した。

この概念に基づいて、キャリアガイダンスやキャリアコンサルティングの世界で多くの職業適性、性格、職業興味、価値観、態度などに関する各種のテスト、チェックリスト、検査、調査がアメリカなどで開発され、我が国にも導入されて、現在に至っている。

一般に、「人と職業のマッチング」に関係する個人の自己理解に必要な要素としては、次のようなものが挙げられている。

① 潜在的な能力（職業適性など）
② 獲得された能力（専門知識、技術、技能など）

図表５－１　スーパーの職業適合性

- 職業的適合性 vocational fitness
  - 能力 ability
    - 適性 aptitude
      - 知能
      - 空間知覚
      - 知能の早さ・正確さ
      - 精神運動機能
      - 未開発のもの
    - 技量 proficiency
      - 学習 achievement
      - 技能 skills
  - パーソナリティ personality
    - 適応 adjustment
      - 欲求 needs
      - 特質 traits
    - 価値観 value
    - 興味 interests
    - 態度 attitude

（資料出所）厚生労働省労働研修所　2002「職業能力・適性とその評価・測定」p. 3

③　受けた教育・訓練
④　個人的特性（適性、興味、パーソナリティ、価値観など）
⑤　余暇活動・その他の生活活動
⑥　個人をめぐる諸条件（企業の条件、家族環境、地域条件など）

2.2　最近の職業能力観－エンプロイアビリティ（employability）

産業、就業構造の変化、技術革新の急激な進展、高水準の労働移動と失業、労働者の意識の変化などに対し、最近、職業能力についてエンプロイアビリティという言葉が使われる。

エンプロイアビリティは、もともとアメリカにおいては企業のダウンサイジングの影響に対する個人と企業の社会的契約として、ヨーロッパではEUや欧州委員会の雇用政策を新たに発展させるための具体的手段として1980年代から問題とされてきた。

エンプロイアビリティにおいては職業能力はどう捉えられているか。

日経連（現・日本経団連）は、エンプロイアビリティ＝「労働移動を可能にする能力」（A）＋「当該企業の中で発揮され、継続的に雇用されることを可能にする能力」（B）と定義している[2]。そのうえで、AとBの関係と、労働者の持つ職業能力が、「企業による支援、および仕事を通じて身につけた能力」か、「自助努力により身につけた能力」かを検討し、それによって、企業と個人の新たな関係を構築することを提案している（図表5－2）。

厚生労働省「エンプロイアビリティの判断基準に関する研究会」は、エンプロイアビリティの構造と内容を検討する中で、労働者個人の職業能力を次のように捉えている。

①　職務遂行に必要となる特定の知識・技能などの顕在的なもの
②　協調性、積極性等職務遂行に当たり、各個人が保持している思考特性や行動特性に係るもの
③　動機、人柄、性格、信念、価値観等の潜在的な個人的特性に関するもの

このうち、①は顕在的で「見える部分」であり、③は潜在的で「見えない部分」である。②は態度として「見える部分」に属するが、潜在的な個人属性とのつながりが強い。

そして、①の知識・技能は主としてOff－JTやOJT等の職業訓練や教育訓練によってなされ、評価も可能であるが、一方、②の経験によって裏打ちされた判断力、洞察力、さらには思考特性、行動特性は、職業上のキャリアを積むことによって自己啓発的に身につくもので、それを測定するためには実績評価、コンサルティング手法の応用、あるいはシミュレーションゲームのような新たな評価方法が必要であると指摘している。また、③の動機、人柄、性格などの潜在的な個人特性は、もって生まれたもののうえに、幼児期からの生活や教育によってつくられたもので、そもそも特定の能力開発や能力評価になじむかどうか問題だと指摘している（図表5－3）[3]。

しかし、現実の採用選考、人事考課等においては、これらの3つの能力が密接不可分、一体となって評価されている。スキル以外の態度、考え方、性格、

図表５－２　「エンプロイアビリティの確立をめざして」の全体像

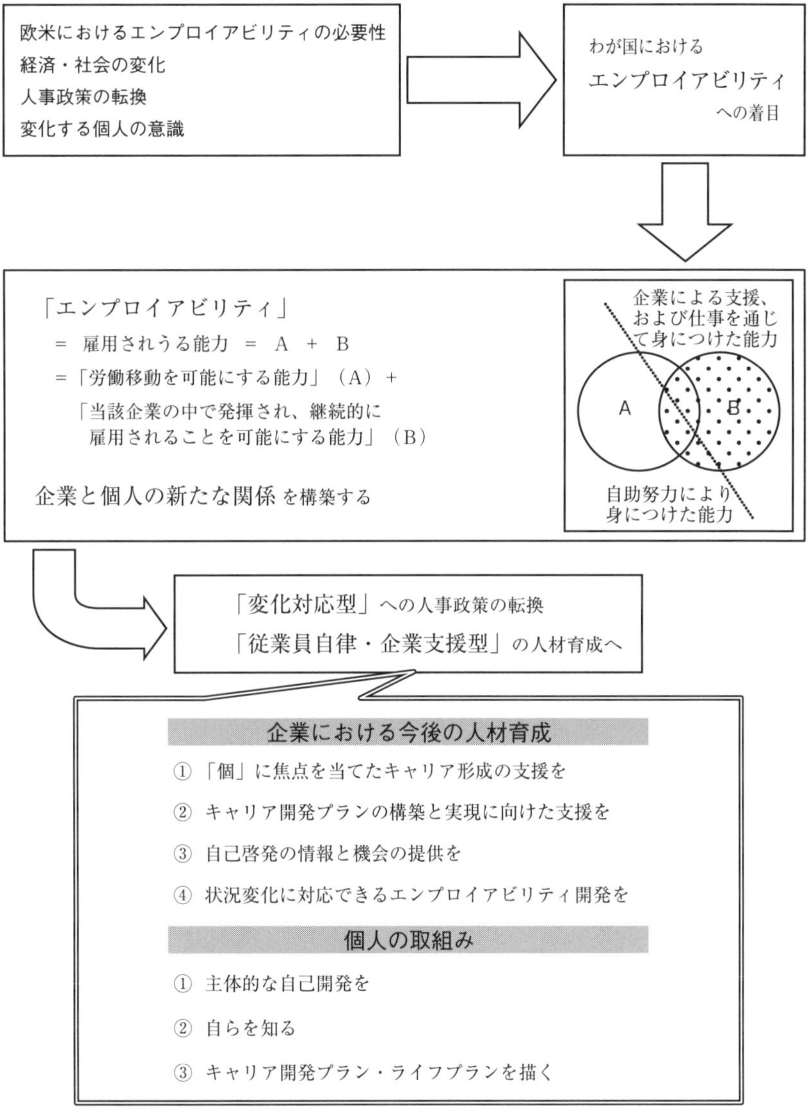

（資料出所）日本経営者団体連盟　1999「エンプロイアビリティの確立をめざして」前文

図表5－3　エンプロイアビリティの構造と内容

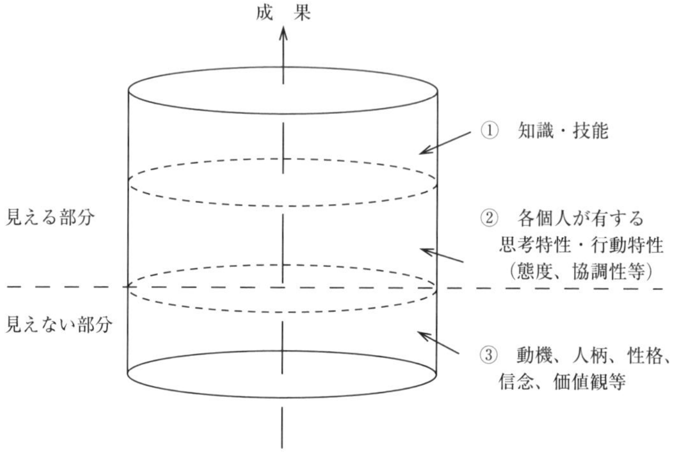

（資料出所）厚生労働省　2001「エンプロイアビリティの判断基準等に関する調査研究報告書」
p. 3

これまでの経験や評判などが採用や人事評価における重要な要素であることも事実である。自己啓発、変化対応、労働市場価値を含んだ職業能力の総合的な評価基準や方法の開発が、個人、企業の両サイドから求められている。

第3節　自己理解の方法

自己理解の方法には、観察法、検査法、面接法などがある。キャリアガイダンスやキャリアコンサルティングでは、伝統的に、客観的、科学的な自己理解のために、各種の検査、調査が開発され、利用されてきた。

3.1　観察法

観察法には、大別して以下の3つがある。

①　自然的観察法（日常の自然に起こる事象をあるがままに観察し、記録する方法）

②　用具的観察法（検査、調査等を用いて観察し、記録する方法）
③　実験的観察法（場面・状況を設定し、または条件を統制したり、変化させて観察し、記録する方法）

自己理解の基本は、まず「自分自身に気づく」ことであり、他人に観察してもらうことである。そのためには組織的、計画的、継続的な自他の観察が必要である。また、観察が一面的、一方的にならないようにするためには、次のことに注意する必要がある。

①　一部の特徴や印象で全体を判断する傾向（ハロー効果）に幻惑されないようにする。
②　ある特徴があるのだから、この特徴もあるはずであるとする傾向（包装効果あるいは論理的過誤）に陥らないようにする。
③　意識的、無意識的に甘く判断しがちになる（寛容効果）ことを避ける。
④　先入観やステレオタイプで個人を見ない。
⑤　できるだけ科学的、論理的に観察し、それを記録する。

3.2　検査法

キャリアガイダンスやキャリアコンサルティングで使用される検査には、大別して、以下の３つがある。

①　能力的側面を理解するための検査（知能検査、適性検査、学力検査など）
②　パーソナリティの側面を理解するための検査（性格検査、興味検査、進路適性検査など）
③　価値観、態度、志向性などの側面を理解するための検査（職業レディネス・テスト、キャリア・アンカー・テストなど）

また、個々の特性を検査するものと、いくつかの検査を組み合わせたバッテリー方式のものとがある。いろいろな検査が開発されて、我が国でも市販されている。企業で行われる生涯設計プログラムや、ストレス・チェックリストなども、広い意味での検査・調査に入る。また、コンピュータを使った総合的なコンピュータ支援キャリアガイダンス・システム（Computer Assisted Career Guidance System：CACGS）が開発され、広く利用されている。

一般に検査の実施に当たっては、次のことに留意する必要がある。

① 検査の限界を十分に認識し、目的と対象に応じた妥当性・信頼性の高い検査を選定すること。
② 対象者にあらかじめ検査の目的を十分に理解させること。
③ 手引などに定められた条件を正確に守って実施すること。
④ 結果の解釈は対象者の１つの側面を表しているにすぎないので、決して拡大解釈をしないこと。
⑤ 結果のフィードバックを必ず行うこと。実施対象者の自己理解と発達を促すように行うこと。
⑥ 今後の指導のために記録、整理、保管すること。

3.3　面接法

進路相談、職業相談、キャリアガイダンスやキャリアコンサルティングなどの面接場面で、直接理解する方法である。その方法は、カウンセリングの一般の原則、方法と同様である。

自己理解のための面接には、大別してキャリアカウンセリング型と評定面接型があるが、　この２つの面接はどこが異なるのかをハーほか（Herr & Cramer, 1988）[4)]は、図表５－４のようにまとめている。われわれはこの表からキャリアガイダンスやキャリアコンサルティングのカウンセリングにおける自己理解の方法の特徴を極めて明確に理解することができよう。

図表５－４　キャリアカウンセリングと評定面接：類似点と差異

要　素	キャリアカウンセリング	評定面接
焦　点	自己キャリアに関し個人を援助する。	組織にとっての従業員の潜在的価値を決定する。
時間の単位	短期から長期まで	即時
情　報	組織より個人が情報を得る。	個人より組織が情報を得る。
方向性	個人＞組織	組織＞個人
形　式	・キャリアの経路(キャリアパス) ・および方向づけ（ラダー） ・職務要件 ・組織の方略	・過去の業績の査定 ・潜在能力の評価 ・承認能力の立証 ・標準の成績との比較
風　潮	支配的、非脅迫的	中立的、脅迫的またはときおり援助的（開発的）
結　果	・個人が目標、手段、熟練、論理を確立し、キャリアの次の段階に至る援助をする。 ・目的となる職務がどこに関わっているかなど、その人のキャリアの方向に沿って個人の発達要求を確立するために要求の分析をする。	伝統的アプローチ ・雇用または解雇 ・昇進または移動の勧告 開発的アプローチ ・有用なキャリアに関する情報を提供する。 ・職務の目的を達成するための手段を案出する。

（資料出所）　Herr, E. L., & Cramer, S. H., 1988, Career guidance and counseling through the life span：Systematic approaches（3rd ed.）, Glenview, IL：Scott, Foresman and Co.

第４節　測定と評価

４.１　測定と評価の考え方

教育、職業指導、能力開発などの場面で行われるキャリアガイダンスやキャリアコンサルティングにおいては、ある基準に基づいて個人を比較、判断するプロセスが必要である。これが「測定」と「評価」である。

個人特性を数値という客観的な基準に基づいて記述する手続きを「測定」という。また、測定された１つの数値が、一定の基準に照らしてどの程度の水準にあるかを比較し、位置づけるのが「評価」である。

測定と評価は、本来数学や統計学的知識、手法を必要とするものであるが、人文、社会科学の中でも心理学は最も早くから数量的分析法を採用し、研究と実践に活用してきた。各分野で開発、使用されている心理テストは、ほとんどが「測定と評価」の考え方と手順に沿って、科学的な測定用具として開発されているものである。すなわち、良い心理テストは、統計的な手順を踏んで作成され、標準化を通してテストが客観的な基準で（客観性）、正確に（信頼性）、測りたい特性を正しく測定しているか（妥当性）を、すべて備えたものである。

一方、断片性、一時性、間接性という短所と限界もあるので、利用、活用に当たっては、この点を十分注意しなければならない。

4.2　テストの妥当性、信頼性

妥当性とは、「このテストで何が測られるか」を表す概念である。妥当性には、大きく分けて次の3つがある。

① 内容的妥当性：そのテストの測定内容、質問が測定したいと考えている対象を正しく測定しているか（例えば、学力テストで、学習した内容をまんべんなくカバーしているか）。

② 基準関連妥当性：すでに確立された基準（基準測度）に対して、その基準との一致度を検討して判定される妥当性（将来の行動の予測がどの程度できるか＝予測妥当性、テストAとテストBの相関はどれほどあるか＝併存的妥当性）。

③ 構成概念妥当性：テスト結果が、心理学的構成概念をどの程度測定しているか（例えば、一般知能という構成概念があるとして、そのテストがどれだけそれを測定しているか、心理学的諸理論から推論するしかない）。

テストの信頼性とは、テスト結果の正確性を表す概念である。個人のテスト結果が首尾一貫していて、日によって、その時の条件によって違わないかという指標である。

テストの信頼性は、信頼性係数（一般にCronbachのα《アルファ》係数と呼ばれる）として表示される。信頼性は一般に次の方法により求める。

① 再検査法：あるテストを２回以上、同一の対象者に実施し、その結果の相関係数を求める。
② 平行テスト：形式、内容ともに同じと見られるテストを同一の対象者に実施し、２つのテストの相関係数を求める。
③ 折半法：１つのテストを等質に２組に分け、同時に行ったと考えて平行テスト法により相関係数を求める。

４.３　その他の統計的知識、手法、質的分析

（１）　測定誤差

キャリアガイダンスやキャリアコンサルティングにおいて、テストを作成したり、実施し、結果の解釈をするためには、そのほかにいくつかの統計的知識、手法の理解が必要である。

信頼性を十分に検討したテストを使用しても、テスト得点は測定しようとする個人の特性以外のいろいろな要因によって影響を受ける。測定誤差は、測定対象以外の影響が検査結果に及ぼす、避けることの難しい測定上の誤差である。

このことから、テスト結果に測定誤差が入っていることを前提とすると、

テストの得点＝真の得点＋測定誤差

という式によって表される。得られた得点と、真の得点との間には、得られた得点が「真の得点」の±１標準偏差の範囲内にある確率は約68％、±２標準偏差の範囲内にある確率は約95％という関係が統計的に明らかになっている。そこで、得られた得点から、「真の得点」を類推することになる。

心理テストでは、このような考えから多くの場合、「真の得点」を取りうる範囲を示していることが多い。

（２）　標準得点とパーセンタイル順位

あるテストを非常に多くの人に実施すると、その結果は平均を真ん中にした山型をした分布を形づくる。これを正規分布という。正規分布では、平均からの距離と分布曲線の囲む面積との間に、一定の関係があることがわかっている

(図表５－５)。

この関係を利用して、テストの得点を集団の中で個人が占める位置を表す数値に換算することができる。このようにして換算された数値が「標準得点」である。標準得点の求め方は、一般に

(粗点－テストの平均値) ／テストの標準偏差×20＋100

として計算する。このようにして換算した得点の平均は100、標準偏差は20である。標準得点化することによって、いろいろなテストを相互に比較、総合することが可能となる。

パーセンタイル順位とは、100人中テスト得点の低い方から並べたら何番目に当たるかを示す数字である。得点の分布が正規分布とは言えない場合などによく用いられる。

(３)　相関係数

２つの変数の間の関係の強さを表す指数の１つである。通常、相関係数とい

図表５－５　GATB の適性能得点と正規分布

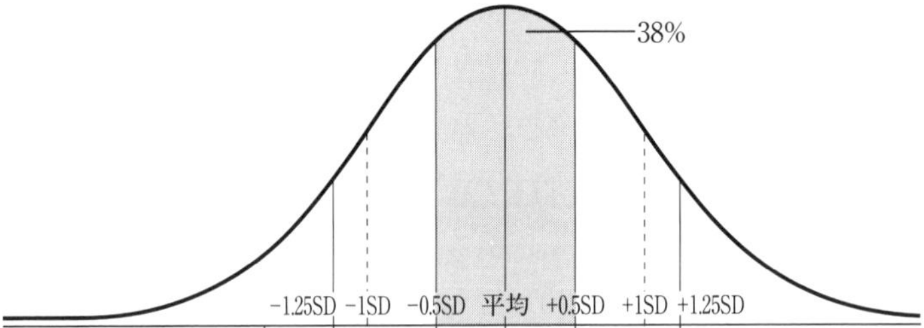

適性能得点	75 80 90 100 110 120 125					
評価段階	E	D	C	©	B	A
分配比（%）	11	20	19	19	20	11

正規分布図

(資料出所) 厚生労働省　2016『厚生労働省編一般職業適性検査　手引』改訂２版　雇用問題研究会　p. 59

う場合は、ピアソン（Pearson, K.）の積率相関係数を指し、その値が＋１の場合は正の完全相関、－１の場合は負の完全相関があるという。０は相関がない。相関係数の二乗は、全分散のうち回帰によって説明できる分散の割合で、説明率という。例えば、相関係数が0.8の場合は、説明率は0.64となり、全分散の64％は回帰によって説明できるということを示している。

（４）　因子分析

因子分析は、いくつかの測定された測定値の間に見られる構造を、できるだけ少ない数の共通説明変数で記述するために工夫された統計的分析方法である。

因子分析は、変数間にある関係を生じさせている「共通因子」があることを前提として、その変数間の関係を成り立たせている「共通因子」を見つけだそうとする。そして、変数と因子との関係で変数間の関係を説明しようとする分析方法である。

共通性の推定、因子数、因子軸の回転（抽出した因子を意味がわかるように回転する）などによって、因子負荷量、因子得点、寄与率などが算出される。因子分析の具体的計算は各種のソフトウェアによりコンピュータが行うが、分析者は因子の抽出法、因子の数、回転の方法など、データの性質、分析目的に応じた選択と入力を行わなければならない。

（５）　多変量解析

複雑な人間行動は、１つの変数と他の１つの変数との関係だけで成り立っているわけではない。これらの相互関係を１つ１つ確かめることは容易ではない。そこで、ある統計的なモデルを立てて（多くは線形一次モデル）、それぞれの変数の相互関係を同時に分析し、各変数と他の変数間の相互依存関係を分析する方法が多変量解析である。コンピュータの発展によって、近年盛んに用いられるようになった。

多変量解析には、測定値によって説明される変数（従属変数）や関係を説明する変数（独立変数）が量的変数か質的変数かによって、重回帰分析、主成分分析、クラスター分析、パス解析などいろいろな方法がある。実際の計算等は、統計ソフトを使用して行うが、キャリアに関する本格的心理学研究には必須の分析法である。

（6）　質的分析

自己理解の方法には観察法、検査法、面接法があるが、その結果の分析方法には一般に量的分析と質的分析がある。「量的分析」は対象を数量的な指標で調査、測定し、現象を統計的に処理して、記述したり、問題の焦点や仮説を検証する方法である。

しかし、キャリアガイダンスやキャリアコンサルティングの対象には、例えば体験やその時の人間の心の動きのように数量化できない、またはしにくい事象がある。このような数量化できない、またはできにくい事象を分析する方法が「質的分析」である。方法としては、対象の語り、記述、現象の描写などの文章表現を分析して、研究対象やフィールドの記述、記録を構造化して行い、事実の発見や仮説の検討を行う。

質的研究は、キャリアガイダンスやキャリアコンサルティングの世界でも事例研究、ケース逐語記録分析、構造化された面接、フィールド・スタディーなど古くから行われてきた。最近、価値観、ライフスタイル、社会階層の多様化などを背景として、多変量解析など統計学的な手法だけで演繹的に個々の事象を説明する効率や決定率も十分ではなくなってきている。マスを対象として統計的に処理し、平均からの偏差を中心とする分析だけでは満たされない部分をカバーする研究法が「質的分析」である。

「質的分析」にもいろいろあるが、最近2つの有力な方法が使われている。1つは「解釈学的現象学による分析」であり、もう1つは「グラウンデド・セオリー」である。前者は現象学に基礎を置き、「現象の見えているものとその見え方を明らかにして、対象の意識の内容と構造を詳細に記述し、経験の質的意味」を明らかにする方法である。後者は、現象の記述と概念とを繰り返し重ね合わせ、データと概念との関係を発見して、理論的枠組みに統合しながら解釈していく方法である。いずれも具体的手法も発表されている。

また最近、キャリアカウンセリングやキャリアコンサルティングの世界で「ナラティブアプローチ」（Jepsen, D. A.）[注] が注目されている。「キャリアは、ノ

注）第3章第4節「ナラティブアプローチ・キャリア構築理論」参照のこと。

ンフィクションの仕事経験小説である」という観点に立って、対象のライフヒストリーを語ってもらい､それを一定の構成要素によって解釈する方法である。これも「質的分析」の１つである。

第５節　現代的なアセスメントの考え方

キャリアガイダンス・キャリアカウンセリングの歴史は、すなわちツールを用いた「アセスメント」の歴史である。1930年代にウィリアムソンによって初めて定式化されたカウンセリングのプロセスは、適切にテスト・検査を用いて学生・生徒の相談に乗る手順を定めたカウンセリングであった。人と職業を結びつけるに当たり、何らかのツールを用いて、その結果を１つの材料とする重要性は、現在のキャリアコンサルティングに至るまで引き継がれている。

一方で、キャリアカウンセリングの歴史は、テストを実施してその結果を伝えるだけの「テスト＆テル（test & tell）」に対する批判の歴史でもあった。ロジャースの非指示的カウンセリングの論敵の１つは、明確にウィリアムソンのカウンセリングであった。そして、ロジャースの影響を受けたキャリアカウンセリングもクライエント自身の自己表現・自己表出を重視した。アセスメントは、それを妨げるとされることがあった。

こうした経緯を経て､現在､キャリアカウンセリング全般でコンストラクティブ・ナラティブなアプローチへと転換している中、アセスメントの現代的な意味づけも変わりつつある。

例えば、ボーゲン（Borgen, F）[5)]は、次のように述べる。

> カウンセリングの場で行われるアセスメントは、理想的にはダイナミックなプロセスである。クライエントとカウンセラーの対話を促し、双方が持つ専門的な視点を融合させていく。共に物語を構築するが、多くの場合、その物語は進行中であり、暫定的であり、不完全である。(p. 438)

つまり、アセスメントを静的・固定的・確定的なものと捉え、その結果を絶対視するのではなく、むしろ力動的・流動的・暫定的と捉える。クライエントとカウンセラーの話し合いの中で変化するのが前提であり、その変化の主体はクライエントであると考える。これが、現代的なアセスメント観である。

アンダーセンとヴァンディー（Andersen, P., & Vandehey, M.）[6]は、テストをするべきかしないべきかを考えるに当たって、アセスメントは以下の点で有用だとする。

① クライエントとカウンセラーに共通の言語を提供する。
② クライエントの自己評価を検証するために使える。
③ 若くて経験の浅いクライエントのキャリアを広げることができる。

キャリアカウンセリングの中に、アセスメントをいかに取り込むかに関して、かつてのアセスメントの考え方ではクライエントが評価される側という従属的な立場に置かれてしまう。そのため、ヒーリー（Healy, C. C.）[7]は、クライエントの成長・発達を促すにはクライエントを協力者とする必要があるとして、次の７ステップを示した。

① 協力的な関係を維持する。
② アセスメントにおけるクライエントの役割について話す（≒クライエントに主体性があることを言う）。
③ 標準化されたテストとアセスメントの原理と目的を説明する。
④ インテークインタビューからクライエントのニーズを特定する。
⑤ 適切なアセスメントを選択する。
⑥ クライエントの問題をあらためて検討し、クライエントの問題を特定する。
⑦ 目標を設定する。

現代のアセスメントでは、クライエントの自己理解の手助けをするという目的も強調される。例えば、ズンカー（Zunker, V. G.）[8]は、自己理解の重要な目標として、効果的な自己観察（self-observation：≒振り返り）の方法を学ぶことを挙げる。具体的に何をどのように理解することが自己理解なのかが明確でない場合がある。したがって、現在及び過去の経験を振り返ったり、適切にアセスメントを用いて、自己理解の観点を伝える。

例えば、ズンカーは、ある学生が「なぜ地学を専攻したのか」と聞かれて、「友達がやっていたから」と答えた例を挙げる。自分の進路の志望理由は重要な事項であったことを認識した彼は、自分の興味と能力に基づいたキャリア選択を開始する準備ができた。

クライエントは、自己観察によって自分をモニターすることを勧められる。自分の行動を自己評価したり、自己観察したり、モニターするクライエントは、焦点となる行動について意識を持ち、その頻度や影響についてより具体的な情報を得ることができる。

自己観察を通じた自己評価は、自己認識を高め、その成長を拡大するための方向性を示すことに焦点を当てるべきである。

したがって、アンダーセンとヴァンディーは、テスト・検査・ツールの使用について次の指摘をしている。

・カウンセラーによる結果の解釈がカウンセリングを支配する可能性があるが、クライエントの探求を助けるためにアセスメントを用いることができる。
・情報はクライエントが解釈し、処理しなければならない。
・どのような情報が有用かあるいは正しいかについては、最終的にはクライエントが判断する。
・結果を肯定または否定するために、クライエントに例を挙げてもらう。
・特性（例：外向性）が仕事でどのように見えるかをクライエントに想像させる。

またブラウン[9)]は、ツール利用の注意点を以下にまとめている。

・クライエントの検査に対するモチベーション、個人的な問題や家族の問題、病気、言語その他の条件など、結果に影響を与えた特別な要因がないか注意する。
・ツールの概要、目的、尺度の意味、スコアの表示方法を説明する。
・結果の理解度を確認し、併せて結果に同意するかどうかを確認する。
・スコアをカウンセラーが解釈するか、あるいはクライエントが自分で解釈できるようにする。
・アセスメントの結果と相談で得られた情報（不満や満足の原因、好き嫌い、能力に関する情報など）を比較する。結果は、現実と一致するか。

さらにブラウンは、ツール・検査・アセスメントに伴う問題に、個別に対応する必要があると指摘する。内容を日本の文脈に沿った形で解釈して、まとめると以下のとおりである。

・総じて平板な結果で値が低い場合→実体験からなのか、十分に考えていないからか。訓練や学習可能性を考えているか。差別を恐れているか（自分を○○なくせにと思っていないか）、自尊心が低くなっていないか。メンタルヘルスの問題はないか。家族その他の集団との軋轢はないか。
・結果から得られた選択肢が多すぎる場合→なぜ絞り切れないのか。本当に何でもできるのか。ネガティブに反応するのに抵抗を感じるのか（どの職業もできると言わなければならないと感じている）。
・家族や集団との葛藤→（外国や外国人が）文化的な問題がないか。家族か集団の規範・ルール・空気・雰囲気を過度に重視していないか。
・悪いニュース→例えば、希望していた職業に対して検査結果が悪い場合（低い点数の場合）、Tinsley and Bradley（1988）[10]は、テストやインベントリーの結果を「最後の言葉（last word）」として見ないことを提案。

キャリアコンサルタント側では、アセスメントによって、クライエント情報を収集する。クライエント情報には以下のものがある。

・クライエントの来訪理由
・クライエントが自分をどのように見せ、あなたとどう接しているか。
・クライエントのモチベーション、自尊心、自己効力感
・クライエントの仕事に対する意識、仕事の経験など
・クライエントの仕事以外の重要な役割(キャリアは主たる役割ではなく、目的を達成するための手段にすぎないかもしれないため)
・家族や仲間のサポート
・クライエントが過去にどのように厳しい決断をしてきたか。
・身体的機能：睡眠、食事、運動、アルコール・薬物の使用、趣味など

上記の注意点を念頭に置きつつ、ある時はアセスメントを行い、ある時は自己観察を促し、クライエントとともに、クライエントの自己理解を支援することが重要となる。

文　献

１）Super, D. E., & Crites, J. O. 1949 Appraising vocational fitness：By means of psychological tests. New York：Harper & Brothers
ただし、日本では、1949年版のリバイズ版であるSuper, D. E., & Crites, J. O., 1962, Appraising vocational fitness：By means of psychological tests, Revised Edition. New York：Harper & Rowをもとにした日本職業指導協会編　1969「第２部職業適合性の研究」『職業指導研究セミナー報告書』の図が知られてきた。
２）日経連教育特別委員会　1999「エンプロイアビリティの確立をめざして」日本経営者団体連盟（前文）
３）厚生労働省　2001「エンプロイアビリティの判断基準等に関する調査研究報告書」
４）Herr, E.L., & Cramer, S. H. 1988 Career guidance and counseling through the life span：Systematic approaches（3rd ed.）. Glenview, IL：Scott, Foresman and Co.
５）Borgen, F. 1995 Leading edges of vocational psychology：Diversity and vitality. In W. B. Walsh & S. H. Osipow（Eds.）, Handbook of vocational Psychology Theory, Research and Practice（2nd ed.）（pp. 427－442）. Mahwah,

NJ：Lawrence Erlbaum Associates

6）Anderson, P., & Vandehey, M. 2012 Career counseling and development in a global economy（2nd ed.）. Belmont, CA：Brooks/Cole

7）Healy, C. C. 1990 Reforming career appraisals to meet the needs of clients in the 1990s. The Counseling Psychologist, 18（pp. 214－216）

8）Zunker, V.G. 2006 Career counseling：A holistic approach（7th ed.）. Pacific Grove, CA：Brooks/Cole

9）Brown, D. 2007 Testing and assessment in career development. In D. Brown（Ed.）. Career information, career counseling, and career development（pp. 137－176）. Boston, MA：Pearson Education, p. 170

10）Tinsley, H. E. A., & Bradley, R. W. 1988 Interpretation of psychometric instruments in career counseling. In J. T. Kapes & M. M. Mastie（Eds.）, A counselor's guide to career assessment instruments（2nd ed.）（pp. 37－46）. Alexandria, Virginia：National Career Development Association

第６章
自己理解のプロセス

第１節　自己理解のプロセス

キャリアガイダンスやキャリアコンサルティングの第一歩は「自己理解」である。クライエントの自己理解を支援するに当たっては、まずカウンセラーは、「何のために、どんな内容を、どのようにして」自己理解するのかをクライエントと共有しなければならない。すなわち、

①　キャリアガイダンスにおける自己理解の意味（何のために）
②　自己理解の内容（何を）
③　自己理解の方法（どのようにして）
④　測定と評価（どう測るのか）

を、一定のプロセスに沿って行うことである。

以下、自己理解の実際の要点を述べる。

1.1　現在の自分を描いてみる

自己理解の第一歩は、現在の自分を描いてみることである。職業やキャリアの選択、決定、形成は、「自分を知り、自己を拡大しながら、それを職業に結びつけていくこと」とも言われる。

現在の自分を描く最も良い方法は、自己紹介文を書いてみることだろう。将

来の夢、生き方・信念、長所・短所、能力・適性、学校で学んだこと、過去の経験、趣味、家族や友人などの自分に対する見方など、要するに現在の自分を表現してみることである。その場合、どこをアピールしたいのかを十分に表現することである。

自分を描く場合、最も大切なことは、現在の自分の肯定的な部分をチェックしてみることである。人間は誰でも長所と短所を持っている。それが個性的だということである。個性的な人生を送るために、自分の肯定的な面を探してみる必要がある。積極的か、人から頼りにされているか、失敗を恐れないほうかなど、自己イメージについて自分でチェックしたり、他人に観察・評価してもらうのもよい。肯定的な面で、必要なときに自分をどれだけ主張できるかは、個性的な人生を送るうえで欠かすことができない。

もちろん、誰にでも否定的な面はある。しかし、欠点や弱さも含めてそれが「その人らしさ」であり、個性なのだ。それらの否定的な面がどこから来たのか、その原因を知って、自分自身の見方や考え方を持っていればよいのである。

1.2　自分の個性を吟味する

自己理解の次のステップは、自分の能力・適性、興味、価値観、経験などを、より深く明らかにしてみることである。人間の得手・不得手、好き・嫌い、何に価値を置くかなどは、人それぞれで、これらの点を職業との関連で明らかにすることである。

以下、内容別にその意味や把握の方法について考えてみる。

(1)　能力・適性

一般に、職業に関連する能力・適性とは、ある職業に従事して、その職業が要求するさまざまな側面を十分にやりこなす能力をいう。能力には、ある人が潜在的に持っている比較的変化の少ない狭い意味の適性（潜在能力）、学習などによって習熟された学力、技術・技能、経験（習熟能力）、さらには集中力、協調性、決断力など職業生活の中で次第に形成されていく総合的能力などいろいろある。まだ発見されていない能力もあるかもしれない。産業社会の変化によって求められる能力も変わる。エンプロイアビリティ（employability）、コンピテンシー（competency）などはそれに当たる。

したがって、できるだけ多角的に能力を知る必要がある。誰もが長所と短所を持っているのだから、長所を発見し、伸ばすようにガイダンスすることが大切である。

職業選択などのキャリアガイダンスに関連して最も基本的な能力は、一般職業適性と呼ばれる。それは一般に知的能力（G：General intelligence）、言語能力（V：Verbal aptitude）、数理能力（N：Numerical aptitude）、書記的知覚（Q：Clerical perception）空間判断力（S：Spatial aptitude）、形態知覚（P：Form perception）、運動共応（K：Motor coordination）、指先の器用さ（F：Finger dexterity）、手腕の器用さ（M：Manual dexterity）の９性能から成り立っている（図表６－１）。

これらの性能の組み合わせと、適性職業群（OAP：Occupational Aptitude Pattern）を比較することにより、職業への適応性を把握して、職業選択のための情報を得ることができる。厚生労働省編一般職業適性検査（GATB：General Aptitude Test Battery）はその代表的なテストである。

図表６－１　GATBの検査と適性能との関係

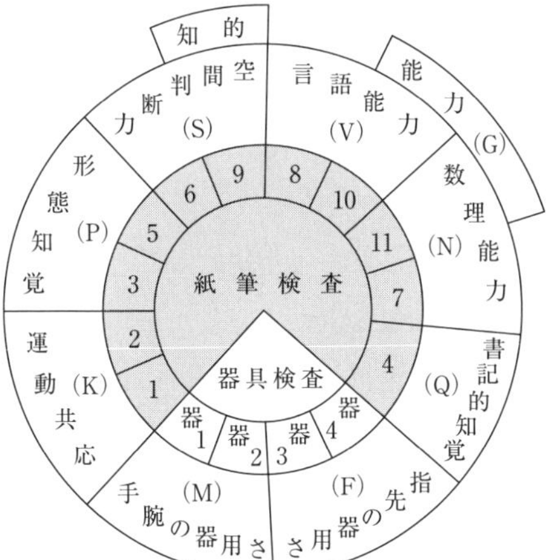

（資料出所）厚生労働省　2016『厚生労働省編一般職業適性検査　手引』改訂２版　雇用問題研究会　p. 11

(2)　興味・パーソナリティ

自分の興味を知るには、趣味、余暇活動、学生時代のクラブ活動、友人、これまでの仕事経験、仕事以外の地域活動やボランティア活動などを振り返ってみるのがよい。

ホランド（Holland, J. L.）は、「人間のパーソナリティは6つに分けられ、環境も同じ6つに分類される。人間の行動はパーソナリティの表出行動そのものだから、職業選択に当たっても、できるだけ同じ類型になるようにしたほうが成功の度合いが高まる」という考えを理論化した（第3章第2節参照）。この興味と環境における6つの類型は、現実的（R：Realistic）、研究的（I：Investigative）、芸術的（A：Artistic）、社会的（S：Social）、企業的（E：Enterprising）、慣習的（C：Conventional）である。

また、その人の職業的志向性が、データ志向（具体的な数字やデータを扱う活動－D）、対人志向（人間を対象とした活動－P）、対物志向（物を対象とした活動－T）のどれにより多く向いているのかを理解することも必要である。

これらの職業興味、職業に関連する志向性、パーソナリティなどを知るための手がかりを得る検査として、最も代表的な職業興味検査はVPI職業興味検査（大学生以上成人用）であるが、そこで測定している興味、パーソナリティ傾向の内容は図表6－2のとおりである。

そのほか職業レディネス・テスト（中・高・大学生用）、キャリア・インサイトなどがよく使われている。

(3)　価値観

人は、価値を認められないことを永く続けることはできないだろう。職業選択に当たって何により多く価値を置いているかを知り、できるだけその価値観を満たすことのできる職業を選択したほうがよい。例えば、クライエントが「他人への奉仕」に価値を置いているとすれば、医療・保健や福祉・社会サービス、あるいは教師などの教育、専門サービスの中から、職業の探索を始めるのがよい。また、職業的志向性では対人志向（P）の中から職業を探したらよい。

ところで、職業価値観はその人のライフスタイルと密接に関連する。価値というと一般的には名声、権力、財力、健康、家族、人間性、社会的接触、創造

図表６－２　VPI職業興味検査が測定する尺度の内容

職業興味の６領域

領域名	内容
現実的興味領域 （Realistic：Ｒ領域と略す）	機械や物体を対象とする具体的で実際的な仕事や活動の領域
研究的興味領域 （Investigative：Ｉ領域と略す）	研究や調査のような研究的、探索的な仕事や活動の領域
芸術的興味領域 （Artistic：Ａ領域と略す）	音楽、芸術、文学等を対象とするような仕事や活動の領域
社会的興味領域 （Social：Ｓ領域と略す）	人と接したり、人に奉仕したりする仕事や活動の領域
企業的興味領域 （Enterprising：Ｅ領域と略す）	企画・立案したり、組織の運営や経営等の仕事や活動の領域
慣習的興味領域 （Conventional：Ｃ領域と略す）	定まった方式や規則、習慣を重視したり、それに従って行うような仕事や活動の領域

５つの傾向尺度の名称とその内容

傾向尺度の名称	内容
自己統制尺度 （Self－Control：Co尺度）	自己の衝動的な行為や考えをどの程度統制しているかを示す。
男性－女性傾向尺度 （Masculinity－Feminity：Mf尺度）	伝統的な性役割にどの程度こだわっているかを示す。
地位志向尺度 （Status：St尺度）	社会的威信や名声、地位や権力をどの程度重視するかを示す。
稀有反応尺度 （Infrequency：Inf尺度）	職業に対する見方がどの程度ユニークであるかを示す。
黙従反応尺度 （Acquiescence：Ac尺度）	どの程度幅広くさまざまな職業に関心を持っているかを示す。

（資料出所）　労働政策研究・研修機構「VPI職業興味検査」
https://www.jil.go.jp/institute/seika/tools/VPI.html

的な生活、宗教などが挙げられる。これらはその人のライフスタイルを大きく規定する。シャイン（Schein, E. H.）はキャリアの選択を規定する価値的な能力としてキャリア・アンカーという概念を提案し[1)]、実証的研究によって最近は次の８つにまとめている（第９章第３節参照）。それは、①専門・職能別コンピタンス、②全般管理コンピタンス、③自律・独立、④保障・安定、⑤起業家的創造性、⑥奉仕・社会貢献、⑦純粋な挑戦、⑧生活様式の８つである。

働くこととの関連での価値観としては、よく仕事・会社・余暇の重視、職場における行動特性などが使われる。後に本章第３節で紹介するキャリア・インサイトでは、価値観の３つのカテゴリー、職場における行動特性を図表６－３のように規定している。

さらにわれわれが実際に職業やキャリアを選ぶとなると、働く場所、時間の自由さ、勤務形態（正規か、非正規かなど）、結婚・出産と勤務継続などさらに多くの人生や働くことについての価値観が関連してくる。キャリアコンサルティングの過程で必要に応じて必要な検査、調査をクライエントとの合意に基づいて行うのがよい。価値観検査としてはそのほかモラール・サーベイ、進路成熟度尺度、職業レディネス尺度、職業発達尺度などいろいろなものが開発されている。学生用を別にすれば一般に市販されているものは少ないが、いくつかを参考にしてチェックリストを自分で作ってみるのも良い方法である。

図表６－３　キャリア・インサイトの価値観と行動特性

価値観の３つのカテゴリー（ECコース）

仕事重視	会社重視	環境重視
達成感 仕事の内容 社会への奉仕や貢献 成果を反映した処遇 処遇の公平さ 資格取得の必要性 学問と仕事の関連性 独立や自営の可能性 仕事の継続性	企業の将来性 雇用の安定性 企業ブランド 企業規模 賃金	勤務地の限定 昼間の勤務 休日のとりやすさ 育児・介護休暇の制度化 物理的化学的環境 職場の対人関係 福利厚生等の充実

職場における行動特性

1	個人プレー	VS	チームプレー
2	保　　守	VS	革　　新
3	自　由　人	VS	組　織　人
4	フォロアー	VS	リーダー
5	スペシャリスト	VS	ジェネラリスト
6	マイペース	VS	負けず嫌い

（資料出所）　労働政策研究・研修機構　2014『キャリア・インサイト　利用の手引』雇用問題研究会

（4）　過去の経験

現在の自分は、過去のさまざまな経験が土台になってつくられている。過去にその人に影響を及ぼした人や出来事を整理して、それによって自己理解を深めることができる。影響を受けた人や出来事を、職業や仕事の面から分析するわけだが、特にキャリアガイダンスやキャリアコンサルティングにおいては、すでにある程度の職業経験を前提にしたキャリア形成支援や能力開発に重点を置く場合には、過去にその人が実際にやってきた仕事の内容が最も重要である。それも単なる履歴ではなく、どこで、どんな仕事をどのくらいしたかという職務経験が大切である。「この仕事には自信がある」「誰から一生を左右するような影響を受けたか、その内容は」などというように具体的にわかることが必要である。そのためにはそれを書き出してみるのが最も基本で、そのフォーマットを概して「キャリア・シート」と呼ぶ。

過去の経験は、一般に職務経歴書、その個人のアピールポイントなどとしてまとめられる。その内容は職業経験、知識・技能、その他の個人的特質（希望、自信など）の３点を適切に表現することである。キャリアに関する自己理解のためには不可欠のものなので、官民それぞれで中高年、女性、専門職業などの対象別に多くの様式が開発されている。ハローワークが窓口において職業紹介のために使用する職務経歴書、民間の職業紹介機関等が使用するキャリア・シートなどいろいろあり、それぞれの特徴を生かして使用すればよい。

1.3　キャリア・シート作成による自己理解

過去の経験を振り返り、個人の適性・能力、興味、価値観、経験などを吟味し、それを描き、キャリア・プランを立てることによって自己理解を促進するための方法の１つに「履歴書」「キャリア・シート」「職務経歴書」などの作成がある。

「履歴書」は、進学、就職、結婚など人生の主要な節目や社会生活のいろいろな場面で使われる「自己紹介文」である。キャリア形成は「自己を知ることで始まり、自己を拡大しながら進むプロセスである」とも言われる。適切で、相手にアピールするような履歴書を正確、丁寧かつ積極的、個性的に書けることは、その個人が十分に自己理解ができていることが前提となる。良い履歴書を書けるようになることは、キャリアガイダンスの重要な領域の1つである。

キャリアガイダンスやキャリアコンサルティングにおいて、履歴書以上にキャリア、職業、仕事など働くことと密接に関連した形で自己理解を促進するものは「キャリア・シート」「職務経歴書」の作成である。「キャリア・シート」や「職務経歴書」の作成は、すでに職業経験を持っている個人が職務の棚卸し、能力・技能の把握、過去の職務、経験に対する評価、今後の希望や計画を、自分の過去の実績や事実に基づき分析し、取りまとめることである。キャリア形成という視点から過去、現在の自分を吟味し、キャリア・プランを立てることであり、「キャリアガイダンスにおける自己理解とは、職業や働くことに関する言葉で自己を表現できること」であるという観点に立てば、まさに自己理解の中核である。

「キャリア・シート」「職務経歴書」の様式は、各企業、官民職業紹介機関、業種・職種などでいろいろである。目的、対象にふさわしいキャリア・シートを使用して、支援するとよい。ジョブ・カードは、キャリアコンサルティングと密接につながった典型的なキャリア・シートである（詳しくは第13章第3節で取り上げる）。

なお、このようにして分析、整理された職務経歴、キャリアの内容を、いろいろな場面で要求される職務経歴書などに記述することになるが、その場合には以上のような自己分析の内容を求められる目的に応じて書くわけである。さらに、下記のような一般的な職務経歴書作成のマナーや人に読ませるための積極性が求められる。

① 相手にわかりやすく、簡潔、明快、項目を立てて書く。
② 全体の構成を練り、レイアウトにも十分配慮する。必要なら図表等も入れる。
③ 必要な項目は網羅する。職務と関連する地域活動、余暇活動、趣味等も書く。
④ 自己PRを適切に行う。

⑤　サイズはA4、横書き、１～２枚程度が基本である。
⑥　手書きの場合は、必ず黒か青のボールペンか、万年筆を使用する。
⑦　誤字脱字、ワープロ変換ミスなどがないよう見直すとともに、何回も推敲する。

第２節　キャリアコンサルティングに使用するテスト

2.1　いろいろな心理検査

キャリアガイダンスやキャリアコンサルティングに関連する心理検査は数多くあり、その測定対象、測定目的、測定方法によって分類される。必要に応じて、クライエントの同意を得て、適切に選択したうえでキャリアコンサルタント自身、または専門家が実施し、解釈し、結果とそのプロセスをクライエントに提供することが大切である。心理検査には、もともと予測（prediction）、弁別（discrimination）、監視（monitoring）、評価（evaluation）の４つの機能があるが、キャリアガイダンスやキャリアコンサルティングにおける心理検査の機能は、心理検査によって人間を順序づけたり、分類したりすることが目的ではなく、キャリアガイダンスやキャリアコンサルティングを行う場合のクライエントに関する１つの情報にすぎない。テストの結果を材料にして語り合い、考えることが重要である。

ここでは、主としてキャリアガイダンスやキャリアコンサルティングの実践に活用できる、国内で購入可能な主たる心理検査、テストの名称と出版社を挙げる。内容、実施方法等はそれぞれの手引きによられたい。手引き等を熟読し、誰でもできるものと、一定の研修を受けた者のみが実施できるものなどいろいろなので注意を要する。

（1）　知能検査

〈個　別　式〉
・田中ビネー知能検査Ⅴ（田研出版）

・WAIS－Ⅳ（日本文化科学社）

（2） 性格、パーソナリティ検査

〈質問紙法〉
・矢田部ギルフォード性格検査：YG（竹井機器工業、日本心理テスト研究所、日本・精神技術研究所）
・MMPI新日本版：Minnesota Multiphasic Personality Inventory（三京房）
・CMI健康調査表：Cornell Medical Index（三京房）
・東大式エゴグラム新版TEG３（金子書房）
・MPIモーズレイ性格検査：Maudsley Personality Inventory（誠信書房）
・MBTI：Myers-Briggs Type Indicator（JPP）
・GHQ精神健康調査票：General Health Questionnaire（日本文化科学社）
〈投 影 法〉
・ロールシャッハ・テスト：Rorschach Test（記録用紙は日本文化科学社、整理用紙は金子書房）
・TAT絵画統覚検査：Thematic Apperception Test（サクセス・ベル）
・精研式文章完成テストSCT：Sentence Completion Test（金子書房）
・P－Fスタディ：Picture Frustration Study（三京房）
〈作業検査〉
・内田クレペリン検査（日本・精神技術研究所、金子書房）

（3） 職業適性、職業興味、志向・価値観検査

・GATB厚生労働省編一般職業適性検査・ 進路指導用、 同事業所用：General Aptitude Test Battery（雇用問題研究会）
・職業レディネス・テスト［第３版］：Vocational Readiness Test（雇用問題研究会）
・VPI職業興味検査：Vocational Preference Inventory（日本文化科学社）

・SDSキャリア自己診断テスト：The Self Directed Search（日本文化科学社）

（４）　職務行動、職業ストレス検査

・OSI職業ストレス検査：Occupational Stress Inventory（雇用問題研究会）
・快適職場調査（ソフト面）（中央労働災害防止協会）

２.２　キャリアガイダンス、キャリアコンサルティングに直接使用される代表的なテスト

いろいろな心理検査や尺度について述べたが、ここでは、キャリアガイダンスやキャリアコンサルティングに直接使用される公的研究機関によって開発された職業適性、職業興味、職業的指向性に関する検査、テストについて概要を述べる。

（１）　厚生労働省編一般職業適性検査（GATB：General Aptitude Test Battery）

厚生労働省編一般職業適性検査（GATB）は、米国労働省が1934年から10年間にわたる大規模な研究に基づき開発した。我が国労働省が日本の実状に合うように翻案し、所定のテスト作成の手続きを経て、1952年に公表、以来ほぼ15年おきに改訂し、学校進路指導、求職者の職業指導、事業所用として広く活用されてきた職業適性検査の原点である。適性能の考え方、検査法、問題形式などは現在、他のほとんどの適性検査に導入されている。

仕事を遂行するうえで必要な９性能を測定することにより、潜在的な能力面から見た適職領域を探索する。

検査の構成は、15の下位検査（11種の紙筆検査、４種の器具検査）からなる。測定される９性能、検査の構造は本章第１節に述べた（図表６－１）。適性能の組み合わせで探索できる13職業探索領域と40適性職業群が設定されている。検査は時間制限法による最大能力測定検査である。対象は、中学以上45歳未満。結果はプロフィールで提示され、適性職業群が対比できるようになっている（図表６－４、６－５）。

図表6－4　GATBの結果記録票

検査名	粗点	換算点 G	V	N	Q	S	P	K	F	M
1	96							45		
2	43							37		
3	22						65			
4	40				92					
5	16						45			
6	13					60				
7	14			44						
8	18		61							
9	18	34				52				
10	20	25	28							
11	10	42		47						
器1	111	(32)	(43)	(36)						34
器2	81	(22)	(27)	(32)						61
器3	33								39	
器4	29								48	
		G	V	N	Q	S	P	K	F	M
適性能得点		101	89	91	92	112	110	82	87	95
評価段階		Ⓒ	D	C	C	B	B	D	D	C
（加算評価段階）		+8 109 (Ⓒ)	+8 97 (C)	+8 99 (C)	+8 100 (Ⓒ)	+10 122 (B)	+10 120 (B)	+10 92 (C)	+12 99 (C)	+12 107 (Ⓒ)

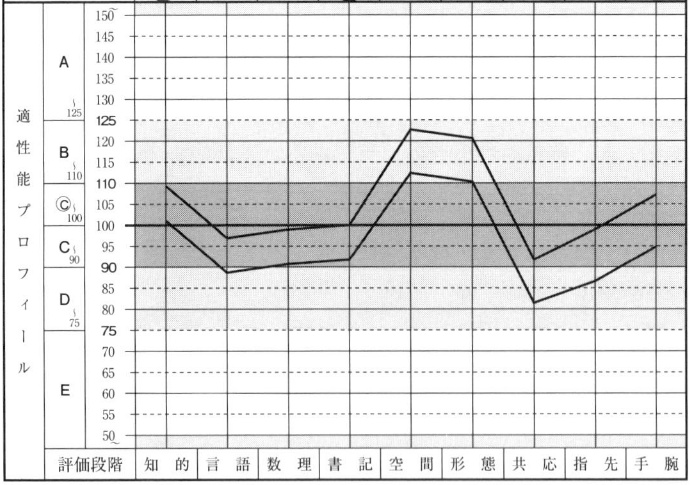

（資料出所）厚生労働省　2016『厚生労働省編一般職業適性検査　手引』改訂2版　雇用問題研究会　p. 56

図表６－５　GATBの適性職業群整理票

番号	18	氏名	○○○男

適性職業群整理票

職業領域	適性職業群	照合結果	G	V	N	Q	S	P	K	F	M
			©（©）	D（C）	C（C）	C（©）	B（B）	B（B）	D（C）	D（C）	C（©）
1 農林漁業	(1) 動植物の採取，飼育，栽培	Ⓗ m L									E
	(2) 動物管理，水産養殖，園芸	Ⓗ m L	D E	E							
2 運搬，加工，組立の簡易技能	(3) 身体作業	Ⓗ m L							E		E
	(4) 手腕作業	Ⓗ m L						E			E
	(5) 機械操作	Ⓗ m L							E	E	E
	(6) 加工，組立	Ⓗ m L						D E	E		E
3 加工，組立，造形の熟練技能	(7) 建設，設備工事	Ⓗ m L					E	E			E
	(8) 切削加工，造形	Ⓗ m L					D E	D E			E
	(9) 手工技能	H ⓜ L					D E	D E		D E	
	(10) 製図関連	Ⓗ m L			D E		D E	D E			
4 保守管理	(11) 機械，装置の運転看視	Ⓗ m L	D E			D E					E
	(12) 機械設備の保守管理	Ⓗ m L	D E			D E					D E
5 運転，操縦	(13) 据付機関，建設機械運転	Ⓗ m L					E	E			E
	(14) 車両等の運転	Ⓗ m L	E			E					E
	(15) 航空機，船舶の操縦	H m Ⓛ	© C D E		© C D E		C D E				
6 工学，技術	(16) 測定，分析	Ⓗ m L			D E		D E	D E			
	(17) 工学，技術の開発応用	H m Ⓛ	© C D E		© C D E		C D E				
7 学術研究，医療，法務	(18) 自然科学系の研究	H m Ⓛ	B © C D E		B © C D E		C D E				
	(19) 診断，治療	H m Ⓛ	B © C D E		B © C D E		C D E				
	(20) 人文科学系の研究	H m Ⓛ	B © C D E	B © C D E	C D E						
	(21) 法務，財務等	H m Ⓛ	B © C D E	B © C D E	C D E						
8 教育関係	(22) 教習，訓練，指導	H m Ⓛ	C D E	C D E		C D E					
	(23) 教育，指導	H m Ⓛ	© C D E	© C D E		C D E					
9 コミュニケーション	(24) デザイン，写真	Ⓗ m L					D E	D E			
	(25) 通信	H ⓜ L	D E			D E			D E		
	(26) 著述，編集，報道	H m Ⓛ	© C D E	© C D E		C D E					
10 社会福祉	(27) 介護サービス	Ⓗ m L	E								E
	(28) 養護，看護，保健医療	Ⓗ m L	C D E			D E					D E
	(29) 相談助言	H m Ⓛ	© C D E	C D E	C D E						
11 販売，サービス	(30) 販売	Ⓗ m L	E		E	E					
	(31) 理容，美容	Ⓗ m L					E	E			E
	(32) 個人サービス	Ⓗ m L	E			E					
	(33) 専門技術的な販売	H m Ⓛ	© C D E		C D E		C D E				
12 警備，保安	(34) 警備，巡視	Ⓗ m L	E			E					
	(35) 警察，保安	Ⓗ m L	E			D E					E
13 事務関係	(36) 簡易事務	Ⓗ m L				E			E		
	(37) 事務機器操作	H ⓜ L	E			D E			D E		
	(38) 一般事務	H ⓜ L	D E	D E		D E					
	(39) 経理，会計	H ⓜ L	D E		D E	C D E					
	(40) 専門企画	H m Ⓛ	© C D E	C D E	C D E						

照合結果　H：基準を満たしている　m：基準をほぼ満たしている　L：基準を満たしていない

（資料出所）厚生労働省　2016『厚生労働省編一般職業適性検査　手引』改訂２版　雇用問題研究会　p. 57

職業適性は、キャリアガイダンスやキャリアコンサルティングで最も重要な要素である。また、適性職業群は、それ自体「職業の地図」として職業の全体像を提示している職業情報でもある。キャリアガイダンスに直接活用されるよう、「結果の見方・生かし方」なども工夫されている。

（２）　職業レディネス・テスト（VRT：Vocational Readiness Test）

職業レディネスとは、「個人の根底にあって、将来の職業選択に影響を与える心理的な構え」で、その中には態度的な側面と能力的な側面とが含まれる。本テストは、職業レディネスの基礎的志向性、職業興味、職務遂行の自信度の３側面を捉える。

検査の構成は、Ａ検査（仕事内容への興味）、Ｂ検査（日常の生活行動や意識）、Ｃ検査（仕事内容への自信度）の３部からなる。

Ａ、Ｃ検査は、現実的、研究的、芸術的、社会的、企業的、慣習的の６領域別に、Ｂ検査は、対情報関係志向、対人関係志向、対物関係志向別に標準得点とプロフィールが示される。

結果は、仕事に対する基礎的志向性、個人の興味、自信度の強い職業領域、弱い領域を探索するのに使われる（図表６－６）。

ＶＲＴの職業志向性をカードに置き換え、カードを分類することで、職業への興味や自信を調べることができる「ＶＲＴカード」も開発、活用されている。

（３）　VPI職業興味検査（VPI：Vocational Preference Inventory）

アメリカの心理学者ホランド（Holland, J. L.）によって開発されたVPI日本版である。日本版の開発に当たっては、ホランド理論の日本人への適応性のほかさまざまな基礎的研究が行われ、その結果が反映されている。

160個の職業を提示し、それぞれの職業に対する興味、関心の有無を回答させることにより、６種類の興味領域と５種の傾向尺度に対する個人の特性を測定する。興味領域は現実的、研究的、芸術的、社会的、企業的、慣習的の６領域である。傾向尺度は自己統制、男性－女性傾向、地位志向、希有反応、黙従反応の５種類である（本章第１節参照）。

採点用紙を用いて自己採点を行い、11尺度の粗点をパーセンタイル順位に換算し、プロフィール化することによって、結果の整理を行う。「結果の見方・

図表6－6　職業レディネス・テスト結果の表示

興味と自信のプロフィール

領　域	標準得点 A検査	標準得点 C検査
R　現実的領域	72	18
I　研究的領域	97	89
A　芸術的領域	86	73
S　社会的領域	35	42
E　企業的領域	90	54
C　慣習的領域	65	86

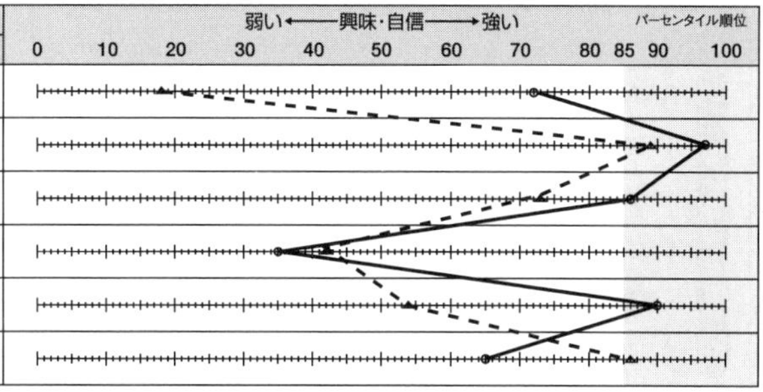

基礎的志向性のプロフィール

基礎的志向性	標準得点
D　対情報志向	90
P　対人志向	18
T　対物志向	96

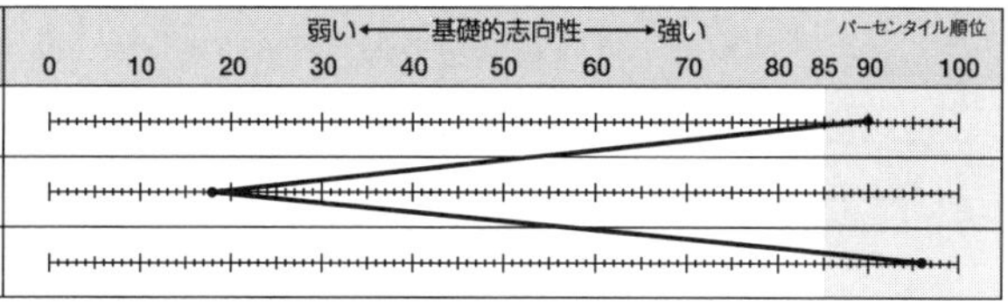

（資料出所）労働政策研究・研修機構　2006『職業レディネス・テスト［第3版］結果の見方・生かし方』雇用問題研究会

生かし方」を用いて自己の興味や傾向と職業を関連づけながら自己理解を深めることができるように作られている。結果は、職業興味、傾向がプロフィールと六角形で示されるようになっている（図表6－7）。

図表6－7 優れた業績を示すセールスマンのVPIの結果

■興味領域尺度プロフィール

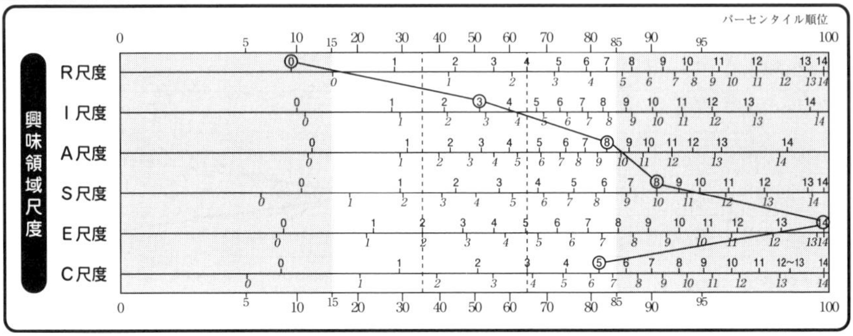

■興味パターン

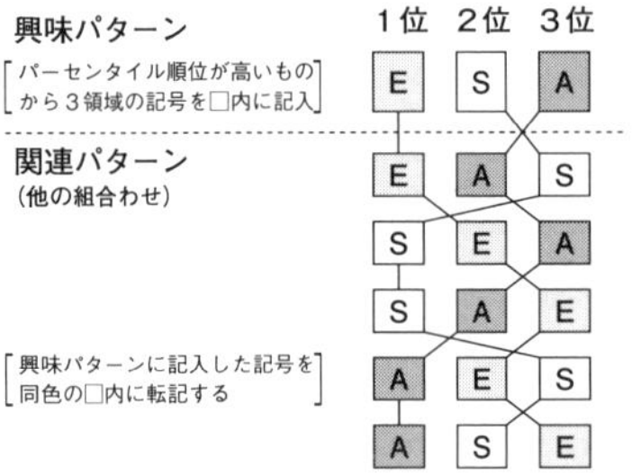

■興味の六角形

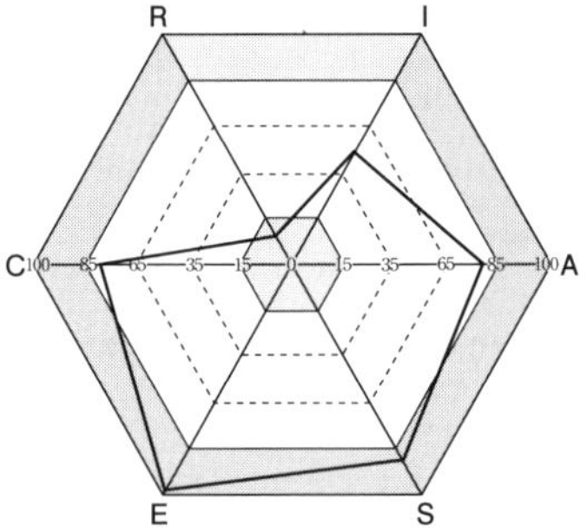

[各領域のパーセンタイル順位をグラフ内に記入し、線で結ぶ]

■傾向尺度プロフィール

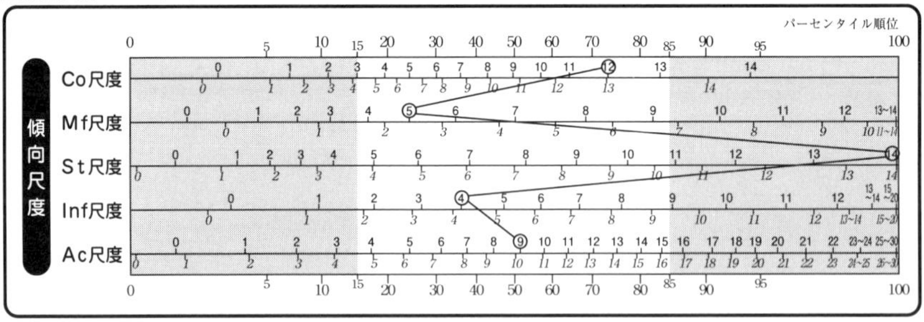

（資料出所）労働政策研究・研修機構　2002『VPI職業興味検査［第3版］手引』日本文化科学社
p. 21

第３節　パソコンを使用した職業ガイダンスシステム－キャリア・インサイト

パソコンを使って各種のテストを受けたり、職業情報を検索したりする「コンピュータ支援ガイダンス・システム」の活用が世界的傾向であるが、我が国でも開発が進み、「キャリア・インサイト」（労働政策研究・研修機構）などが、公的職業ガイダンス・センターなどで広く活用されている。

キャリア・インサイト（2013年公表）は、総合的なコンピュータ支援型キャリアガイダンス・システム（CACGS：Computer Assisted Career Guidance System）の１つである。日本で最初に開発されたCACGSである「In★Sites2000」を基盤とした若年者用の「キャリア・インサイト」（18～35歳未満の若年求職者対象。2004年公表）と、中高齢者用の「キャリア・インサイトMC（ミッド・キャリア）」（30代後半以降の職業経験者対象。2007年公表）の２つが統合されたシステムである。若年層も中高年齢層も双方、適切なシステムを選択して使用することができる[2)]。

キャリア・インサイトは以下の４つの機能からなる。

・適性評価機能（適性診断コーナー）
・職業情報の検索機能（職業情報コーナー）
・適性と職業との照合機能（総合評価コーナー）
・キャリアプランニング機能（キャリアプランニングコーナー）

システムでは、オープニング画面でECコース（若者向け）かMCコース（中高年齢者向け）を選択する。コースごとに「メインメニュー」があり、そこに全体の構造が示されている。メインメニューには、「適性診断コーナー」「職業情報コーナー」「総合評価コーナー」「キャリアプランニングコーナー」が用意されていて、目的に応じて利用できるようになっている[3)]。

（1）　適性診断コーナー

「能力」「興味」「価値観」「行動特性」の４つのアセスメントツールが利用できる。設問に回答すると、それぞれの特性についてプロフィールが作成され、コメントとともに表示される。

・能力の評価：「リーダーシップ」「ボランティア＆サポート」「プランニング」「スポーツ＆エクササイズ」「リサーチ＆アナライズ」「コンピュート＆アカウント」「ハンドメイキング」「アート＆クリエイト」の８つの側面について自信が測定され、結果がプロフィールと解説で示される。
・興味の評価：「職業レディネス・テスト」などと同様、職業興味の６領域の考え方（現実的領域、研究的領域、芸術的領域、社会的領域、企業的領域、慣習的領域）でプロフィールが作成される。
・価値観の評価：職業を選択するときに、どのような条件を重視しているのか、希望する働き方や職業のタイプはどのようなものかを調べられる。
・行動特性の評価：シミュレーション（ECのみ）と性格・傾向チェックという２つの評価ツールがある。シミュレーションでは、企業就職後４年目を想定し、会社内で起こるさまざまな場面でどう行動するかを回答し、行動特性の傾向を調べる。性格・傾向チェックは、基礎的な性格特性・思考特徴、好きな職場イメージ、得意とする対人関係業務等を調べる。

どの評価も結果のプロフィールが示され、「能力の評価」「興味の評価」についてはおおむね474個の職業データベースとの照合が行われ、適職リストが作成される。

（2）　総合評価コーナー

能力と興味の２つの適性を総合的にみた場合の個人の特徴と職業とのマッチングが実施される。興味の６領域毎に、特に関連の高い２つの能力の評価のレベルを示す表を作成し、興味と能力の両面から見たときの各人の特徴を記述する。その結果に基づいて、満足リスト、チャレンジリスト、条件付きリストという３種類の観点から適職のリストが作成される。

（3）　職業情報コーナー

474の職業について、仕事の分野、関連する能力、興味、資格等からそれぞれ検索できる。個別職業としては、仕事の内容のほか、関連する能力、興味、

図表６－８　キャリア・インサイトの内容

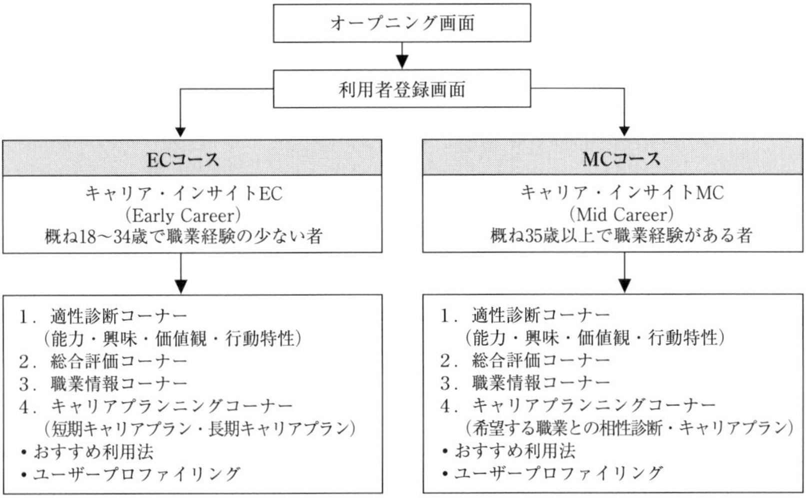

（資料出所）労働政策研究・研修機構　2014『キャリア・インサイト　利用の手引』雇用問題研究会 p. 11

資格等についての情報が提供される。

（４）　キャリアプランニングコーナー

ECでは、短期キャリアプランと長期キャリアプランに分かれる。短期キャリアプランには、「希望する職業との相性診断」と「就職準備度チェックリスト」の２つのパーツがある。MCでは、「希望する職業との相性診断」とECの「長期キャリアプラン」に当たる「キャリアプラン」の２つの機能で構成される。

（５）　ユーザープロファイリング

システムの各機能を使ったか、その結果から何がわかったかを利用者自身が振り返ってガイダンスを締めくくるためのコーナーである。

キャリア・インサイトは、利用者自身による適性評価、多面的な適性診断、一連のキャリアガイダンスの機能を装備しており、この種のシステムの中では学問的基礎を持ち、多くの研究成果に支えられた良いシステムの１つである。学校進路指導や大学生の就職指導には是非利用したいガイダンスツールである。

第4節　質的アセスメント

4.1　量的アセスメントと質的アセスメント

現代的なアセスメント論では、クライエントの自己理解を深めるに当たって、クライエント自身の解釈、納得感、意味づけを、カウンセラーとの対話の中で考えていくことを重視する。したがって、必ずしも量的なアセスメントばかりではなく、質的なアセスメントも有力なツールとなる。

量的アセスメントは、質問項目に回答を求め、得点を算出し、何らかの個人特性を数値として量的に把握する。いわゆる通常の検査やツールである。

それに対して、質的アセスメントは、検査やテストを使って数字で「量的」診断を下すのではなく、クライエント自身の考え方を「質的」に引き出そうとする。クライエント自身が自分なりの枠組みで解釈し、表出し、自分で自由に考えを深められるような形で考えられているツール・ワーク・手法と定義できる。

具体的には、職業カードソート技法、ライフライン法、描画法、自由記述法、SCT、20答法、キャリアジェノグラム（職業家系図)、アーリーリコレクション（幼い頃の思い出の想起)、ガイデッドファンタジー技法（想像法・イメージ法)、「理想の１日」技法など、多数のものがある。

これらは多かれ少なかれ、全国各地のキャリアガイダンス、キャリアコンサルティング、キャリアカウンセリング、キャリア教育の実践で行われてきたものであり、実践面での活用が先行しているのが特徴である。裏を返せば、それら実践場面で行われてきたワークや課題をすべて「質的アセスメント」の名称でくくり、ここにクライエントとカウンセラーとの広い意味での対話・会話の意義などを付け加えることで、その意味や目的を拡張し、拡大し、再評価した面がある。

単にテストを実施し、結果を解釈し、フィードバックし、方向性を決める「単純で機械的なカウンセリング」（Krumboltz & Henderson, 2002)[4] に対する批判を背景に「量的に検査者が診断を下す」スタイルから「質的に協力者（カウンセラー）が支援を提供する」スタイルへと移行している。

４.２　OHBYカード

カード式職業情報ツールOHBYカードは、カードを使ったキャリアガイダンス・ツールで、48枚のカードを使ってさまざまな作業を行うことによって、自己理解や職業理解を進めるツールである。2008年、労働政策研究・研修機構が開発、公表した。その特徴は以下の４点である[5]。

①　カードの取り扱いが容易であること。
②　文字、絵、写真の３つの側面から職業理解を容易に進められること。
③　児童・生徒、若年者、中高年齢者など多様な目的、対象者に使用できること。
④　職業理解と自己理解を同時に進められること。

公表以来、若年者支援機関をはじめ各所でパソコンを使わずにできる職業ガイダンス・ツールとして広く活用されている。

OHBYカードは、その目的と対象者によってトランプと同じようにさまざまな使い方ができる。標準的手続きは、以下のとおりである。

図表６－９　OHBYカードの活用

カードをよく切って、絵や写真の方を見ながら、
３つのグループに分類します。

第1セッション「分類」、第2セッション「選択しない」、第3セッション「選択する」の3つのセッションにより作業を行う。

第1セッションでは、48枚のカードを、自分の興味、関心によって「選択する」「選択しない」「考え中」の3つの山に分ける。

次に第2セッションでは、「選択しない」の山に分類されたカードを、その職業を選ばなかった理由、絵や写真を見てさらに小グループに分ける。小グループに分けられたカードを裏返しして共通する職業の特徴、選択しない理由などを考える。

最後に第3セッションでは、「選択する」のカードを、最も好きなものから順番に5職業を選び出し順位をつける。カードを裏返し、高い順位をつけた職業の内容、その理由などを考える。「選択する」の山を色ごとに分類し、枚数を数える。「職業興味（VPI）解説」に照らし合わせてどの領域の職業だったかを確認する。

以上はOHBYカードの標準手続きであるが、この前後にいろいろな課題やワークシートを差し挟むことによって、さまざまな目的のキャリアガイダンスができる。

4.3 VRTカード

VRTカードは、標準化された心理テスト「職業レディネス・テスト」の一部を簡便にできるよう、カードにしたものである。また、VRTカードでは、質問項目がカードに印刷されているので、カードソート方式の持つ特徴を生かすガイダンス手法を取り込んでいる。

VRTカードが、「職業レディネス・テスト」と同程度の信頼性、妥当性を測定できるかを検証したところ、職業興味タイプはほぼ同一レベルの測定ができることが確認されている。

VRTカードの持つ特徴は、次のとおりである[6]。

① 職業興味、職務遂行の自信を簡便に測定できる。

利用者がカードを読んで職業興味の分類を行う場合、平均実施時間は3分、

図表6－10　VRT カードの内容

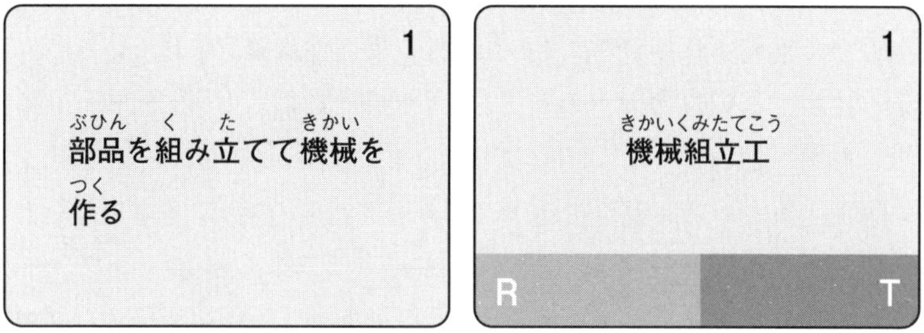

おもて　　　　　　うら

実施者が読み上げて行う場合でも10分程度でできる。職業興味や自信の程度を、カードの分類という作業で行うので、机があればどこでもできる。カードの分類後、カードの記録を残さなくても簡単に結果の整理ができる。

②　いろいろな活用方法を適用できる。

利用者個人が分類して結果を検討するほかに、教師、生徒、カウンセラーなどが対話しながら使ったり、生徒同士がテスターとなって交代で実施することもできる。興味や自信を測定するという本来の使用目的のほかに、相互のコミュニケーション、グループワークなど、より広い目的に多様な使用ができる。

③　利用者に無用な圧迫感を与えない。

紙と鉛筆を使う典型的な心理検査では、とかくテストを受けるという印象が強く、抵抗感を与える場合がある。VRTカードでは、カードを分類するという作業で行うので、一般に紙筆検査よりは心理的な緊張感は少ない。実施後、結果の整理や説明においても、実施者は対象者と会話を進め、温かい雰囲気の中で行うことができる。

④　「職業レディネス・テスト」の信頼性、妥当性が保たれている。

「職業レディネス・テスト」は、正式な標準化の手続きを踏んで作成され、永年の実証的データを背景に作成、使用されてきた。

また、検査の下位尺度であるＡ検査（職業興味）、Ｃ検査（職務遂行の自信度）は、世界的にさまざまな実証研究が行われているホランド（Holland, J. L.）理論に基づいて構成されており、その信頼性、妥当性は確認されている。

なお、使用するVRTカードのセットは、興味（自信）カード54枚、分類カード６枚、結果・記録シートA4サイズ表裏１枚、結果・整理シートA3サイズ１枚から構成されている。使用法は『VRTカード利用の手引』を参照願いたい。

以上、キャリアガイダンスやキャリアコンサルティングにおける自己理解に使用されるテストについて概観した。自己理解のためにどのテストをどのように使うかは、あくまでもその使用目的によるし、クライエントの了承を得て行うことが大切である。また、テストの使用に当たって共通して留意すべきことはすでに述べた。テストはあくまでも自己理解の道具にすぎないことを、もう一度強調しておきたい。

文　献

１）Schein, E. H. 1978 Career Dynamics：Matching Individual and Organizational Needs. Reading, MA：Addison-Wesley

２）深町珠由　2020「コンピュータ・キャリア支援システム（キャリア・インサイト）」日本キャリア教育学会編『キャリア教育概説』日本キャリア教育学会　p. 138

３）労働政策研究・研修機構「キャリア・インサイト（統合版）」
https://www.jil.go.jp/institute/seika/careerinsites/index.html

４）Krumboltz, J. D., & Henderson, S. J. 2002 A learning theory for career counselors. In S. G. Niles（Ed.）, Adult career development：Concepts, issues and practices（3rd ed.）（pp. 41 − 58）. Tulsa, OK：National Career Development Association

５）労働政策研究・研修機構「OHBYカード」
https://www.jil.go.jp/institute/seika/ohby/index.html

６）労働政策研究・研修機構「VRTカード」
https://www.jil.go.jp/institute/seika/vrtcard/index.html

第７章
職業理解の意義と内容

第１節　職業理解の意義

人は知らないことについて興味を持つことはできない。キャリアコンサルティングで重要なことは、できるだけ多くの職業やキャリア情報を個人に提供し、個人はそれを的確に理解し、吟味して進路選択やキャリア形成に活用することである。職業理解という観点からキャリアや職業の選択の手順を整理すると次のようになる。

① 自分の興味や関心、適性を明らかにして、どのような人生を送りたいかを決める。職業に就く目的を明確にする。
② 産業や職業について、幅広く情報を集め、理解を深める。
③ 希望する職業の内容について吟味する。
④ 自分の興味、関心、適性及び希望などとの関わりについて吟味する。
⑤ その職業に就くための教育機関や職業能力開発機関、具体的求人事業所、職場内の配置先等を選択し、その条件や内容を調べる。
⑥ 選択した教育機関、能力開発機関、事業所に応募し、採用選考を受ける。

職業理解を促すための資料・ツールとして、これまでさまざまな職業情報が収集されてきた。職業情報には、一般に次の内容が含まれる。

①　仕事の責任と内容
②　作業環境と条件
③　従事者の資格・要件
④　社会的、心理的要因
⑤　入職のための必要条件
⑥　その他の特別な必要条件
⑦　入職の方法
⑧　賃金その他の手当
⑨　昇進の可能性
⑩　雇用の見通し
⑪　経験や探索の機会
⑫　関連職業
⑬　教育、訓練の資源
⑭　追加情報の資源

上記の内容を中心に職業について調べ、整理し、提供する。これが職業理解の大原則となる。以下、職業理解に当たって基礎となる事項を見ていく。

第２節　職業の理解

2.1　職業の定義

職業理解とは、職業、産業、事業所、雇用・経済・社会状況を理解することである。しかし、キャリア選択で最終的に判断基準にするのは「仕事そのもの」すなわち職業である。そこでキャリアガイダンスでは、一般に以上のような職業、産業、雇用・経済・社会全般にわたる理解を職業理解と総称する。

職業とは、「生計維持のために何らかの報酬を得ることを目的とする継続的な人間活動」あるいは「一定の社会的分担もしくは社会的役割の継続的遂行」と定義される。これは、かつて労働省編職業分類に職業の一般的な定義として記載されていたもので、現在でも事実上の職業の定義の１つとみなされる。上記定義に続けて、さらに「ある活動が職業分類上の「職業」として扱われるためには、次の要件が含まれていなくてはならないことを示している」として、①収入を得るという経済的意義があること、②継続的な活動であること、③公共の福利に反するものでないこと、④個人がその自由意志に基づいて選択し、従事していることが挙げられている。

2.2　職業分類

職業を理解する第一歩は、どのような職業が、どのような関係を持って存在するのか、その全体像をできるだけ幅広く理解することである。その最も基礎となる情報は厚生労働省編職業分類[1)]である。職業安定法第15条により職業分類表が初めて編成されたのは1953年である。仕事の内容と責任の類似性を基本に置き、技能度（技能、半技能、単純技能）の分類を大分類に据えた。収録職業数は34,300にのぼった。その後、1965年、1986年、1999年の改訂を経て現行の2011年分類に至る。現行の厚生労働省編職業分類では大分類11、中分類73、小分類369、細分類（代表職業名）892に分類されている。この職業分類は、もっぱら職業指導を行うための分類だが、日本標準職業分類等との整合性、職業構造の変化等を反映し、累次の改訂を行いつつ、今日に至っている。2022年３月現在、改定の作業が進んでおり、より新しい分類が近日中に公開される（大分類15、中分類99、小分類440で細分類は廃止。マッチングの観点から項目名、分け方を見直す）。

厚生労働省編職業分類における「職業」の定義は、2011年第４回改訂時点では、次のとおりである。「この職業分類における職業とは、職務・職位・課業によって構成される概念であり、職務の内容である仕事や課せられた責任を遂行するために必要な知識・技能などの共通性または類似性によってまとめられた一群の職務をいう」[2)]。ここで「職務」「職位」「課業」とは、本来、職務分析の用語であり、後に詳述する。

図表７－１　厚生労働省編職業分類の構造と例

分類段階	分類符号	項目数	例
大分類	アルファベット大文字で表記	11（9）	E サービスの職業
中分類	２桁数字で表記	73（80）	39 飲食物調理の職業
小分類	３桁数字で表記	369（379）	391 調理人
細分類	５桁数字で表記	892（2167）	391－01 日本料理調理人

（資料出所）　労働政策研究・研修機構　2015「厚生労働省編職業分類」『労働政策研究報告書 No.176 職務構造に関する研究Ⅱ－５万人の就業者Web職業動向調査より、現状、変化、能力、生活のデータ分析』p. 2

職業を分類するに当たっては、職務の類似性のほか、職業紹介業務における求人・求職の取扱件数などに基づき、社会的にどの程度需給がある職業かを考慮して定める。職務の類似性を判断する際に考慮する点は、次のとおりである。

① 仕事の遂行に必要とされる知識または技能
② 事業所またはその他の組織の中で果たす役割
③ 生産される財または提供されるサービスの種類
④ 作業者が扱う道具・機械器具・設備・原材料の種類
⑤ 作業に従事する場所及び環境
⑥ 仕事に必要とされる資格または免許の種類

なお、「日本標準職業分類」は行政管理庁が1960年にILO国際標準分類に沿って作成・公表したもので、国勢調査をはじめ各種の統計の表象はこれに準拠して行われている。厚生労働省編職業分類は、この日本標準職業分類に準拠している。

ただし、職業の定義は異なる。日本標準職業分類における職業の定義は次のとおりである。「職業分類において職業とは、個人が行う仕事で、報酬を伴うか又は報酬を目的とするものをいう」[3)]。報酬を伴うか否かが重要であるが、家業に従事している家族従業者は報酬の有無によらず職業とみなされる。ボランティア活動のような無休の奉仕活動は職業に当たらないとしている。違法行為及び公序良俗に反する行為並びに受刑者の行う仕事も、職業とみなされないとしている。分類表の構成は、厚生労働省編と原則的に共通だが、大分類12、中分類74、小分類329の３段階分類であり、若干異なる。職業の分類の記述は上述の厚生労働省編職業分類のものと共通である。

日本標準職業分類は統計法に基づく統計基準として設定されており、公的統計において職業別統計をまとめるときはこれを使用しなければならない。一方、厚生労働省編職業分類は、職業紹介事業等に利用されるが、大分類、中分類、小分類は日本標準職業分類に準拠して設定されている。

２.３　職業辞典

職業情報として、最も基本的で歴史が古いのは労働省による『職業辞典』である。『職業辞典』とは、職業安定行政職業分類とその職業ごとの内容を記述した辞典である。1950年に編纂に着手し３年にわたる調査、分類、解説等の作業によって1953年に完成した。第１部：職業分類、第２部：職業解説の構成となっており、この第１部が独立したものが、上述の労働省（現・厚生労働省）編職業分類である。その後、1957年に刊行された『職業小辞典』は、約4,800の代表職業名について仕事内容の詳細な解説を写真を付して解説した。また、昭和40（1965）年代には職業分類の全面改訂により『職業辞典』が再刊行された。1989年には、1986年の職業分類の改訂に合わせて集約職業名1,287職業すべてについての職業解説『この仕事はなにをするの』（日本労働研究・研修機構）が刊行された。その後も、1999年直近の国勢調査分類に基づき職業分類の改訂が行われ、それをまとめた『職業レファレンスブック』（日本労働研究・研修機構）が公表された。

２.４　各種職業指導用情報資料

そのほか、職業安定行政では古くから主として学生・生徒の職業指導のための情報資料の開発作成にも継続的に取り組んできた。

まず1956年に始められた『職業指導用カラースライド』は、「われらの職業」「私たちは就職する」「個性と職業」「就職１年生」など11集に及んだ。また、1963年から５年間ほどに作成された『産業職業図鑑』は生産工程、作業系統と職種を関連づけて図解することを主眼としたユニークな情報資料である。1969年には職業研究所が発足した。職業研究は、職業適性、職業紹介の３つの主要研究分野の１つであったが、その最初の研究成果が1974年『新時代の職業』である。1960年に入って技術革新や第三次産業の発展によって登場した多くの先端職業の解説書である。コンピュータ、金属加工、装置産業、営業販売、対事業所サービス、レジャー産業、生活基盤保全の７つの職業分野、その中の先端職業65職業について仕事の内容、所要の学歴・訓練・経験、重視される特性・能力、身体要件と作業環境、現状と将来の５項目の解説をしたものである。この流れは、その後1977～1979年にかけて職業情報シリーズ『職場としごと』全30巻となって完成することになる。

職業情報の開発で最も大規模な事業は、『職業ハンドブック』の開発と活用である。労働省と職業研究所が一体となって職業ハンドブック作成事業が1980年度から開始された。その結果1983年度までに合計31分冊、242職種の『職業ハンドブック』が完成した。1985年には、全１冊・総集編、1997年には300職種に拡大し、CD－ROM化されパソコンで利用できるようになり、改善を繰り返したが、現在は更新されていない。『職業ハンドブック』は米国労働省の『職業展望ハンドブック』（Occupational Outlook Handbook）を参考としつつも永年にわたるわが国の職業研究の成果を踏まえ、独自の調査内容に乗った本格的な職業情報であった。

2006年、職業情報の探索機能と適性診断機能を併せ持った総合職業情報システム「キャリアマトリックス」が開発されたが、その後、事業仕分けにより2010年廃止された。また2003年、「私のしごと館」設立と関連し、職業を紹介したビデオ「しごとライブラリー」やインターネットで職業情報や映像を見られる「ジョブジョブワールド」が開発され、各地のハローワークなどで活用されたが、2010年に「私のしごと館」は閉鎖された。

2.5　職業情報の変遷

以上、主に厚生労働省（労働省）関連の職業研究と職業情報について概観した。図表７－２にその開発の変遷を図示した。一見して、職業情報はその改廃が激しい。これは職業情報が持つ特徴の１つでもある。職業情報では情報更新とメンテナンスの問題がよく指摘される。しかし、ほとんどの場合、メンテナンスするのではなく、新しいツールへと作り変えられる。その主因は、情報機器やメディアの発達である。情報機器やメディアの進展とともに、その時代の最新の情報機器やメディア上で活用可能なものへと作り変えられる。いわば職業情報の変遷とは、情報機器やメディアの変遷とも言えるのである。

図表７－２　職業研究・職業情報の開発の系譜概要

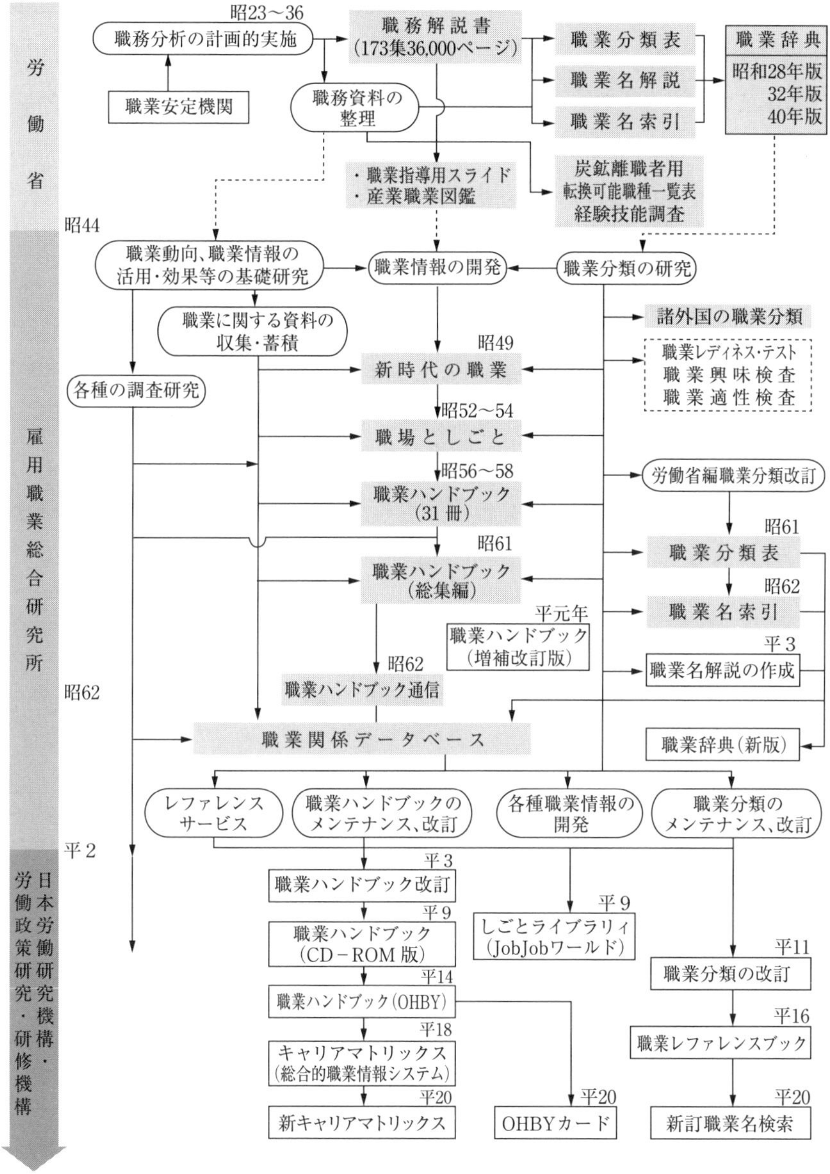

（資料出所）木村周「わが国職業紹介・職業指導の系譜－その過去、現在、未来」一般財団法人日本職業協会　http://shokugyo-kyokai.or.jp/shiryou/shokugyo/03-5.html

第3節　産業・事業所の理解

3.1　産業の理解

職業はいろいろな産業の中に存在する。したがって、職業と並んで産業の世界を理解することも大切である。われわれが職業を選択する場合、調理人などの仕事の内容から選ぶ場合と、サービス業などの業種すなわち産業から選択する場合と両方があるからである。

産業とは、「財又はサービスの生産と供給において類似した経済活動を統合したものであり、実際上は、同種の経済活動を営む事業所の総合体」と定義される（総務省日本標準産業分類）。すなわち、産業とは一定の場所（事業所）で行われる経済活動であって、職業が仕事を通じた人間活動であることと対比される。日本標準産業分類[4]では、この経済活動を大分類（製造業など20分類）、中分類（食料品製造業など99分類）、小分類（畜産食料品製造業など530分類）、細分類（肉加工品製造業など1,460分類）に分類している。

3.2　事業所の理解

職業、産業を検討したら最後は具体的な勤務先事業所を選択することになる。

事業所の何を調べたらよいか。それが事業所情報である。一般に次の項目と言われている。

① 地理的条件（地元か、他地域かなど）
② 事業所の形態（民間か、公務かなど）
③ 企業規模（大企業か、中小・中堅企業かなど）
④ 業種（製造、商社、金融、サービスなど）
⑤ 勤務形態（勤務時間、週休制、正規・非正規など）
⑥ 経済的条件（賃金、昇給など）
⑦ 企業の将来性、成長性など
⑧ 職業自体の専門性（必要な資格、専攻など）
⑨ 職務の内容

⑩　福利厚生（労働・社会保険、財産形成、医療、保養施設など）
⑪　業界内での評価、評判

３.３　労働市場その他の関連情報の理解

キャリアコンサルティングにおいて職業、産業、事業所情報は基本の３情報であるが､キャリアの選択のためにはそれだけでは十分ではない。その他のキャリア関連情報も必要である。一般に次のようなものがある。

①　職業に関する基本的な考え方（職業とは何か、働くことの意義、人生設計の立て方、職業生活や社会生活の仕方など）
②　職業に関連した自己の個人的特性（職業との関連での自分の興味、適性、価値観、希望など）
③　雇用、労働市場に関する情報（産業構造、経済状況、景況、労働力人口、労働力需給状況、求人・求職・就職状況など）
④　職業に就くための手段・方法（能力開発・職業訓練の方法や資源、職業紹介・職業指導を受ける方法や資源、労働力需給システム、就職活動のルール、履歴書・職務経歴書・キャリア・シート、アピールポイントの書き方、面接の受け方など）
⑤　就職促進のための各種の援助・助成制度（雇用調整助成、雇用保険、職業能力開発、自己啓発のための援助助成、高齢者・障害者のための就職援助助成、女性のための再就職援助助成、ベンチャー企業など起業家のための助成、失業なき労働移動支援、育児・介護休業のための支援など）
⑥　職場適応に関する情報（職場定着のための人事・労務管理と方法、労働条件管理のあり方、労働安全衛生対策、心と身体の健康維持対策、職場における心の健康づくり、快適職場づくりなど）

図表７－３に一覧にまとめたので、参照されたい。

図表７－３　職業情報の種類

<table>
<tr><th>情報区分</th><th>情報内容</th></tr>
<tr><td>職業に関する基本的な考え方に関する情報</td><td>・職業とは何か
・働く意義
・人生設計について
・社会生活の方法</td></tr>
<tr><td colspan="2">例）職業／就職に関するガイドブック、勤労観・職業観に関する各種調査結果、経験者の事例、職業講話</td></tr>
<tr><td>個人理解を促進するための情報</td><td>・職業適性検査等の各種検査の種類、内容、検査方法</td></tr>
<tr><td colspan="2">例）適性検査等一覧表、各種検査のマニュアル、パンフレット</td></tr>
<tr><td>職業世界に関するもの</td><td>・職業別の労働条件の特徴、
・仕事の内容・参入のための各種の条件（学歴、資格、試験）
・職業選択の方法</td></tr>
<tr><td colspan="2">例）job tag（日本版O－NET）、職業ハンドブック、職業ガイダンスビデオ、資格試験ガイドブック</td></tr>
<tr><td>産業・経済に関するもの</td><td>・産業の種類、産業の特徴、将来性、雇用見込み
・産業の好・不況、景気の動向</td></tr>
<tr><td colspan="2">例）新聞記事、管内の事業所・事業主団体が提供するデータ、業界紙等
日銀、経産局等の機関が提供するデータ
国等の産業関連統計（景気動向指数（内閣府）、労働経済動向調査（厚生労働省）</td></tr>
<tr><td>労働市場の動向・雇用失業状況に関するもの</td><td>・求人求職・就職状況、産業別・職業別就職状況
・県内、安定所管内など地域の職業の種類と職業構造</td></tr>
<tr><td colspan="2">例）人口・労働力人口・雇用者数・失業者数に関する統計（国勢調査、労働力調査（総務省））
求人求職件数・求人倍率・就職件数に関する統計（職業安定業務統計（厚生労働省）・公共職業安定所のデータ）
新規学卒者の労働市場の状況に関する統計（職業安定業務統計、新規学卒者の求職動向調査（厚生労働省）、学校基本調査（文部科学省））
地域の労働市場に関して都道府県労働局、公共職業安定所が公表した年報・月報</td></tr>
<tr><td>雇用条件・求人条件に関するもの</td><td>・賃金、手当、昇給、労働時間、休日
・その他の雇用条件</td></tr>
<tr><td colspan="2">例）賃金に関する統計（毎月勤労統計調査、賃金構造基本統計調査（厚生労働省））
労働時間、休日に関する統計（毎月勤労統計調査、賃金労働時間制度等総合調査（厚生労働省）
公共職業安定所の求人・求職条件別就職・未就職状況データ</td></tr>
<tr><td>職業能力開発に関するもの</td><td>・公共職業訓練の体系、科目、訓練期間、施設等
・民間の教育訓練の科目、訓練期間、施設等
・職業能力開発援助、助成制度
・求職者支援訓練に関する情報</td></tr>
<tr><td colspan="2">例）公共職業訓練施設の募集要項・施設案内等、民間の学校案内・募集要綱、訓練関係給付金支給要領</td></tr>
<tr><td>就職促進に関連する援助・助成制度に関するもの</td><td>・就職促進措置、特別雇用対策に関する情報
・身元保証制度、就職資金に関する情報
・移転資金、移転就職者用宿舎等の各種援護業務に関する情報</td></tr>
<tr><td colspan="2">例）各種給付金等支給便覧等</td></tr>
</table>

職業紹介サービスや相談サービスに関するもの	・公共職業安定所の業務、求職の方法、施設 ・民間の労働力需給調整サービス（民営職業紹介、情報誌） ・カウンセリングサービス、社会福祉制度
例）各機関のパンフレット等	
就職活動に関するもの	・学卒者の就職日程 ・会社訪問の仕方 ・面接の受け方
例）就職関係ガイドブック・経験者の事例	
職場適応に関するもの	・労働者に対する福利厚生制度の内容と活用方法 ・社会保険制度や公共福祉施設 ・移転就職者のための他地域の住宅、生活関連情報 ・職場適応の方法
例）福利厚生制度　覧 都道府県労働局が発行する移転就職者用（または学卒者用）就職受け入れガイド・パンフレット、就職講話	

（資料出所）　労働政策研究・研修機構　2014「職業指導の理論と実際」pp. 70－71

第４節　職業情報のための分析手法

４.１　職務分析

職業情報を作成するためには、職業などのデータを収集し、調査分析しなければならない。職業を分析する際、最も基本となる方法が職務分析である。

「職務分析」とは、「特定の職務について、観察と面接により、職務に含まれている仕事の内容と責任（職務の作業内容）、職務を実施するに当たって要求される能力（職務遂行要件）を調査、分析して、その結果を一定の様式に記述すること」である。

「職務（job）」とは「主要な、または特徴的な課業（task）と、それに伴う責任が同一の職位（position）の集まり」をいう。職業の分析は、分析の対象をどこに置くかによっていろいろに分かれる。一般に、仕事は、その最小の単位から一定のまとまりまで次のように分かれる。

①　動作（motion）：作業活動を構成する最小の身体的、精神的単位
②　要素作業（element）：作業として一定のまとまりを持った動作
③　課業（task）：作業を行うに当たって論理的、必然的に必要な一定の

まとまりを持った要素作業

④　職位（position）：１人の労働者に割り当てられた複数の課業の全体。地位とも言われる。

⑤　職務（job）：主要な、または特徴的な課業とそれに伴う責任が同一である一群の職位

⑥　職種（job title）：仕事の内容が相当の共通性があり、関連性が強い一群の職務

⑦　職掌（job group）：事業所内の職種を、一定の基準に応じてまとめた一群の職種

職務分析の内容は、「職務の作業内容」と「職務遂行要件」であるが、具体的には次のとおりである。

「職務の作業内容」は、①その職務の一連の作業手順、及び一連の作業周期、②他の職務との関係、差異、③職務の困難度、責任の程度、④本質的（中心的）な作業と付随的な作業、⑤取り扱う機械、器具、材料等。

「職務遂行要件」は、①遂行するのに最低必要な条件、②成功するために有利な条件、③職務が労働者に及ぼす精神的、身体的負荷、④労働者に影響を及ぼす作業環境。

分析の方法は、「作業中の職務在籍者を観察し、その労働者、監督者、その職務に詳しい関係者に面接して、それを一定の法則に従って記述すること」である。記述は、次の「５Ｗ１Ｈ＋Ｓの法則」によって行う。

①　何を（What）：作業者は何をしているか。

②　なぜ（Why）：何のためにそれをするのか。直近上位の目的がわかるように書く。

③　誰が（Who）：作業者自身である。作業者の職務と混同しないように書く。

④　どこで（Where）：作業の場所、環境条件など

⑤　いつ（When）：作業の時間配分、勤務時間の構成、１日、１週、１

カ月のサイクルや変化など

⑥　いかに（How）：そのやり方はどうするのか。時間、動作研究のように1つ1つの動作を細かく記述するのではない。

⑦　技能度(Skill)：その難しさはどの程度か。職務の行う仕事全体の中で、各課業の技能度を相対評価する。

これらを一定の様式に記述する。厚生労働省方式職務分析の「職務記述票」は次のとおりである。職務分析を行う場合は、このほか、事業所全体の中のこの職務の関係についても把握する（図表7－4）。

職務分析は、戦後、我が国が今日の基盤を作った時代から、従業員の採用、配置、異動、賃金制度の設定、業績評価などの分野で広く行われてきた。職業紹介の分野では「人と職業のマッチング」に必要な技法の1つとして位置づけられ、求人・求職受理の場面等で必要な職務の捉え方の技法として活用されてきた。最近は、2021年2月から「同一労働同一賃金」への対応が中小企業にも求められることになったことに伴い、その対応の一助としてあらためて職務分析（職務評価）の手法が注目されている。正社員とパートタイム・有期雇用労働者との間で基本給のバランスがとれているかを確認するのに有効である(厚生労働省「職務分析・職務評価活用サポート特設サイト」より)。職務分析の意義と目的はあらためて見直される必要がある。

4.2　Webによる職業情報収集

職業情報は、従来、「職務分析」によって情報収集し、職務の共通要素として、職業情報を編集してきた。しかし、従来の職務分析手法は、訓練された職務分析者（ジョブ・アナリスト）が事業所を訪問し、膨大な職務分析を行うことが出発点となる。そのため、米国でも実施が困難となり、広く職業情報を集める方法としては、現在、すでに行われていない。

そこで、昨今ではWeb上で職業情報を収集する。国内で何百万というWebモニターを有する調査会社があり、細かく職業を特定し、実際の就業者からデータを収集できるようになった。また前提として、特定の層のみならず、PCが

図表7－4　職務記述票

（その1）　　　　　　　　　　　　　　　　　　　　H　・　・　作成

①　事業所名 （規模）	（　　　人）	③事業所協力者 氏　　名	
②　所在地 （電話）	(☎　　　)　　－	④作成者氏名	
⑤　ふりがな 職　務　名	（事業所で呼ばれている名称を書く）	※職業分類番号	
⑥　ふりがな 職務の別名		⑦職務の属する 部門、工程名	
⑧ 職務の概要 ・どういう目的で、何をするのか			
⑨ 職務を構成する各作業の具体的内容 ・どのような作業を ・どのような注意を払いながら ・どのように処理するのか			
《D　P　T》	労働者が従事している職務に関連のある機能に○をつける		

データ（Data）	人（Person）	物（Thing）
0　総合する	0　専門的助言をする	0　据え付け・調整する
1　調整する	1　交渉する	1　精密作業をする
2　分析する	2　教授する	2　操作・調節する
3　編集する	3　監督する	3　運転・操縦する
4　計算する	4　楽しませる	4　手作業をする
5　記入する	5　説得する	5　監視する
6　比較する	6　話す・合図する	6　材料を出し入れする
7	7　サービスする	7　運搬する
8	8　指示を受ける・手助けする	

（その2）

《責　　任》	〔職務を遂行するに当たっての労働者の責任、事業主から要求・期待されている作業目標など〕		
⑩　使用する主な装置、機械、道具、作業、マニュアルなど		⑪　原材料、製　品、取扱い事項サービスの種類	
⑫　職務を遂行するうえで労働者として必要な条件	a 所要学歴	不問、中学、高校、短大、高専、大学、 その他（　　　　　　） 専攻など〔　　　　　　〕	
	b 免許資格	要・否　〔具体的には　　　　　〕	
	c 必要とする職務経験		
	d 必要とする訓練等		
	e 重視される特性・能力 ・最低の条件か有利になる条件かを区別する ・身体的要件についても	該当するものを選び○で囲む 適性能…知能、言語、数理、書記的知覚、空間、形態、共応、指先、手先 気　質…管理、独創、説得、直観、客観、社交、定型、緊迫、精密、多様 興　味…現実的、研究的、社会的、慣習的、企業的、芸術的	
⑬　環境条件			
⑭　他職務との関　連 ・一般的な移動経路を ・知識・技術の関連を中心に	〈職務名を記入してください〉	〈上向移動の際の条件〉	

（資料出所）厚生労働省労働研修所　2002「職務分析」pp. 36－37

広く普及し、また、安定したネット回線を定額制等により廉価に利用できる環境になっていることも大きい（労働政策研究・研修機構，2015）[5]。

例えば、企業訪問と職務分析の実施の困難性に対処するため、職業情報収集は従来の文書記述方式を維持しつつも、新たに「Web職務免許資格調査」が取り入れられている（松本，2009[6]、労働政策研究・研修機構，2010[7]）。具体的には次のような手順で行われる。

① Web調査会社３社のデータベースを利用して、調査モニター（277万人）を募集しWeb調査に応募してもらう。

② 応募した調査モニターの中から、キャリアマトリックスが取り上げる職業（700職業）を選択する。

③ 取り上げられた職業についている職業人（１職業50人）を指定して、次の事項をWeb上で情報の提供を受ける。

・課業の選択と追加（自由記述）、平均20×500職業、合計約１万課業

・スキル、知識、仕事環境、それぞれを５段階で評価

・保有免許・資格の選択と追加（自由記述）

・労働者属性別（年齢、性別、学歴、訓練歴、収入など）の職務内容

このような「Web職務免許資格調査」によって、従来の企業、労働者個人へのヒアリングを中心とした職業調査では不可能であった広範、公平、かつ信頼性の高い職務内容の把握が可能となった。以後、労働政策研究・研修機構（2012）[8]ではWeb調査を用いて職業ごとの就業者の興味、価値観、スキル、知識、仕事環境等の情報を収集した。さらに、職業の類似性等についても分析を行っている（労働政策研究・研修機構，2014）[9]。

一国をカバーする多数の職業について、大量の職業情報をどのようにして収集、分析するかはどの国でも大きな課題である。１つ１つの職務について多くの企業を訪問し、労働者に面接して情報を集める職務分析の方式には限界がある。それに変わる通信方式が内外で検討されている。

4.3　職務構造分析

職務構造分析とは、人と職業を結びつける基盤として職業情報を捉え、これを客観的な数値として分析し、また、職業移動の面から分析するなど、多面的な尺度を設定して体系的に職務構造を分析する手法である。例えば、2012年労働政策研究・研修機構が、永年にわたり収集してきたコンピュータWeb上の大量の職務情報をもとに新たな分析によって公表した。分析の概要は、次の2点である[8)]。

①「Web職務分析システム」により収集してきた2万名以上のデータを分析し、職業を構成する各種次元を検討し、その次元によって、職業間の関係を人との関係を含めて明らかにした。

②「Web免許資格調査」で収集した5万名以上のデータを用いて、職業間の移動の実態を明らかにした。

具体的に職業理解をする要点は、下記のとおりである。

① 職業興味については、ホランド（Holland, J. L.）の研究に基づくRIASECについて、また職業価値観に関しては「達成感」「成長」「社会的地位」「人間関係」「自律性」「労働条件」の7因子別に、職業興味と価値観に関して601職業の基準値が得られた。

② 仕事環境について、因子分析したところ、「座り作業」「他者との関わり」「屋外作業」「影響度・責任」「流れ作業」の5因子が抽出された。

③ 職務の遂行に必要なスキルに関しては、「基盤」「数理」「テクニカル」「ヒューマン」「コンピュータ」「モノ等管理」の6因子が抽出された。

④ 職務遂行に必要な知識に関しては、「科学・技術」「芸術・人文学」「医療」「ビジネス・経営」「語学」「土木・警備」「化学・生物学」の7因子が抽出された。

⑤ 課業の文字から単語を抽出し、その頻度に基づいて因子分析したところ「店頭販売」以下27因子が得られた。これによって職業を一定のか

たまりとすることができた。

⑥　職業移動は、「継続」「流入」「流出」で整理し、職業分類の妥当性を確認するとともに、移動の特徴を明らかにした。

⑦　上記のスキル、知識、仕事環境、職業興味、価値観で合計30因子になる。その間の相関関係を調べた。

以上のような「職務構造分析」が職業理解のための貴重な情報であるのは、601職業について合計30因子を組み込んだ「職業ごとの基準値」が示されていることである。それによって、職業間の関係を数的に見ることができる。それぞれの職業はどの程度近く、または離れているか。転職や職種転換、職業能力開発を考えるときの基礎データを提供している[10]。

第５節　職業理解のための情報

5.1　情報の一般的原則

キャリアコンサルティングにおける情報は、一般に次のような役割、特徴を持っているとき有効なものとなる。それは、進路情報、職業情報、事業所情報、事業所内のキャリア情報、再就職情報などの情報の種類、若年者、中高年などのクライエントの種類、キャリアコンサルティングの目的などのいかんにかかわらず共通している。ハー（Herr, E. L.）らは、キャリアガイダンスにおける情報の特質を次のようにまとめている[11]。

①　個人の意思決定を強力に動機づける「燃料」となるものであること。

②　情報には正確で、最新で、意思決定に関係のあるものもあれば、そうでないものもある。キャリアガイダンスやコンサルティングを実践するとき、情報の主な役割は、クライエントが求めている情報が何かを確認し、その情報がどこで得られるか決定し、獲得した情報が正確で、最新であることを保障し、その情報をクライエントの行動の基礎としてどのように使うかを計画させることである。

③　単に情報を利用することは、その情報を効果的に利用したり、使用することとは異なる。
④　情報伝達のシステムは、印刷情報からシミュレーション、コンピュータ支援キャリアガイダンス・システム（CACGS：Computer Assisted Career Guidance System）のような、より個人と情報の相互作用を伴った、より個別的なものへと発展している。
⑤　計画的で、効果的な行動をもたらすためには、クライエントが情報を獲得できるように支援するだけではなく、その情報が、そのクライエントの能力、興味、価値観などの個人特性の理解に応用できるよう支援することが含まれなければならない。

情報に関するこのような特徴は、われわれがキャリアコンサルティングを実践するに当たって情報をどのように捉え、クライエントの情報探索をどう支援し、どう情報提供を行えばよいかに答えているように思える。情報がクライエントにとって有効であるためには、「それが個人を動機づけ、良い情報であり、それが効果的に利用されており、多様な媒体や活用方法で利用でき、クライエントの自己理解や行動変容をもたらしている」ことであると要約できよう。一言で言えば、キャリアコンサルティングの実践において、情報に関わるときは常にこの観点から検討すればよいということになる。

5.2　職業情報の評価

では、職業情報に限って、一般にどんな情報が「良い情報」と言えるのか。ここではNCDA（アメリカキャリア発達協会）のガイドラインに基づいて木村周が整理したものを概観しておこう[12)]。

①　情報は正確で、最新で、偏らないこと
②　情報の形式は、明快、簡潔、興味を引くこと
③　情報で使用する用語は、対象となる利用者にふさわしいものであること

④　バイアスを与えず、ステレオタイプでないこと。性、人種、宗教から自由であること

⑤　情報の使用する図表などは、最新で、固定的でないこと

⑥　情報の時点が明示されており、常時更新されていること

⑦　誰にも、どこでも信頼性があること

職業理解のためにはこのような職業情報が基本であるが、そのほかにも一般には次のような情報が必要とされている。

①　職業そのものに関するもの（仕事の内容、参入条件、労働条件など）

②　職業を取り巻く環境に関するもの（産業・経済の状況、労働市場・求人求職状況、求人条件・労働条件、就職方法・援助助成措置など）

③　職業に就くための手段、方法に関するもの（職業能力開発、就職促進のための援助、助成、職業紹介・相談サービスなど）

④　職場定着に関するもの（福利厚生、社会保険など）

文　献

1）労働政策研究・研修機構　2011「第4回改訂厚生労働省編職業分類　職業分類表－改訂の経緯とその内容」

2）文献1）に同じ　p. 19

3）総務省「日本標準職業分類（平成21年12月統計基準設定）日本標準職業分類一般原則」
https://www.soumu.go.jp/toukei_toukatsu/index/seido/shokgyou/gen_h21.htm

4）総務省「日本標準産業分類（平成25年10月改訂）日本標準産業分類の一般原則」
https://www.soumu.go.jp/toukei_toukatsu/index/seido/sangyo/H25index.htm

5）松本真作　2015「第1章　本報告のねらいと概要」『労働政策研究報告書No.176　職務構造に関する研究Ⅱ－5万人の就業者Web職業動向調査より、現状、変化、能力、生活のデータ分析』労働政策研究・研修機構　主にpp. 6－7より

6）松本真作　2009「新キャリアマトリックス－研究開発とその機能」『第37回労働

政策フォーラム　総合的職業情報データベース『キャリアマトリックス』の新展開〜若年のキャリア形成と企業における人材活用の支援に向けて〜』（配布資料）
７）労働政策研究・研修機構　2010『労働政策研究報告書No.121　我が国における職業に関する資格の分析－Web免許資格調査から』
８）労働政策研究・研修機構　2012『労働政策研究報告書No.146　職務構造に関する研究－職業の数値解析と職業移動からの検討』
９）労働政策研究・研修機構　2014『資料シリーズNo.130　職業相関表－２万人のデータからみた職業の類似性』
10）労働政策研究・研修機構　2012『労働政策研究報告書No.146　職務構造に関する研究－職業の数値解析と職業移動からの検討』も参照のこと
https://www.jil.go.jp/institute/reports/2012/0146.html
11）Herr, E. L., Cramer, S. H., & Niles, S. G. 2004 Career guidance and counseling through the lifespan：Systematic approaches（6th ed.）. Boston：Allyn & Bacon p. 567
12）文献11）p. 571も参照のこと

第8章
職業理解のプロセス

第1節　職業情報伝達のタイプ

職業理解は、クライエントが自分の欲求や願望に合いそうないくつかの情報を集め、その職業について理解を深め、それがその人の個性に合っているか現実吟味を行うことである。この場合、新たな問題は、いかにして広く情報を集め、職業について理解するかである。キャリアコンサルティングにおける情報は、歴史的には印刷物や視聴覚教材から、シミュレーションやコンピュータシステムによる情報検索などの相互作用的、個人的な媒体へと発展してきた。産業・職業社会の急激かつ構造的な変化に伴い、情報は大量化、多様化、精密化を迫られている。それに対応するため、今後、情報提供の方法は、広範なマルチメディアによる情報の提供、分散した情報システム、利用者に対する多様な対応、キャリア情報の開発と活用などの方向に向かうと考えられている。

（1）　印刷物・出版物

最も伝統的で、基本的な情報媒体である。印刷・出版情報は、一般に体系的な完成物としてできた情報なので、クライエントやコンサルタントは手軽に利用できる利点がある。一方、内容を最新のものにするために時間と労力を必要とする。そのため利用者は常時、官民の定期刊行物、リーフレット、インターネット情報等で内容を更新する必要がある。

（2）　視聴覚情報

映像と音声による情報の提供であり、伝統的な印刷情報よりは、クライエントに直接訴えるものとして広く使われている。研究によれば、一般に印刷情報のみの場合よりは、クライエントを動機づけるとされている。過去、最も大規模な職業ビデオは「私のしごと館」映像ライブラリー（雇用・能力開発機構、当時）で、600余の職業について、仕事の内容（何かな)、その職業に就いている人へのインタビュー（なるほど)、その仕事への入職条件（なるには）の３部構成で情報が映像化されていた。職業のビデオライブラリーとして本格的な情報だったが、現在は終了している。このほか、各地の公共職業安定所や関係団体、各種公的団体や民間企業も視聴覚情報を作成している。NHKをはじめとする報道媒体が提供する映像番組には、職業情報そのものであるものが数多くある。

（３）　シミュレーションによる情報

現実の人生局面における職業やキャリアは、実際に事前にやってみることはできない。そこで実体験の代替としてある条件下でやってみるのがシミュレーションによる情報提供である。「ライフキャリア・ゲーム」(Boocock, 1966)[1]が最古のものとして知られており、将来の人生、教育や就職機会、仕事、余暇などをゲームとして体験する(深町, 2006)[2]。具体的プログラムとしては「キャリアシミュレーションプログラム」(労働政策研究・研修機構, 2011)[3]がある。就業経験のない大学生等や若年者向けに開発された就職後の職業生活のイメージを伝えるためのグループワーク用の教材であり、社会生活で直面しやすい困難場面への関心を高め、その対処策について考えを深めることができる。

（４）　職業人への面接、実習、体験学習による情報

職場訪問、OB・OG訪問、１日体験入学、職場実習、アルバイト、インターンシップなど、実際にやってみることは最大の情報源である。また、具体的実践は、例えば企業が行うジョブ・ローテーション、ハローワークの職場適応訓練、大学生に対するインターンシップ、トライアル雇用などが、その具体的展開の例である。広くは各種のグループ体験、体系化された授業に組み込まれた体験学習（アルバイト、夏期実習など）も典型的な体験学習である。

（５）　コンピュータ支援システムによる情報（Computer Assisted Career Guidance System：CACGS）

1970年代以降、世界的に活用されている情報媒体である。アメリカやカナダではDISCOVERやCHOICESなどの大規模なコンピュータ支援システムが開発され、求職者や学生のガイダンスに積極的に活用された。CACGSに関する目下の問題は、コンピュータを使用したキャリアコンサルティングに関するキャリアコンサルタントの訓練が不十分なことなどである。急速に技術革新、IT化が進む中、キャリアコンサルティングにおけるIT技術、キャリアコンサルタントの役割、技術利用のための教育、技術利用に当たってのキャリアコンサルタントの倫理等が問われる。職業ガイダンスを主目的としたCACGSとしては、「職業ハンドブックCD－ROM版」、中高生用の「職業ハンドブックOHBY」、総合的職業情報データベース「キャリアマトリックス」(いずれも労働政策研究・研修機構）等が過去に存在したが、現在廃止されている。

現在、この領域は進展が著しく、オンラインの相談も一般的になりつつある中、コンピュータ上の職業情報をいかに考え、いかに取り扱うか、そのためのトレーニングをどうするかが新たな課題になっている。特に、CACGSの主だった機能は、ICTが高度に発展し、日常生活で一般化した今、さらなる進化を遂げている。上記、過去に存在したCACGSが廃止された背景には、スタンドアロンで稼働するシステムの時代からインターネットの時代へと移ったこともある。

そこで、次節では、各国のインターネット上の職業情報（職業情報データベース）について見ていく。

第2節　欧米の職業情報

2.1　O*NET（Occupational Information Network）

O*NETは、アメリカ労働省で開発され、活用されているインターネットとパソコンで利用できる職業情報データベースである。1998年、従来の紙媒体の職業辞典DOT（Dictionary of Occupational Titles）に代わる職業情報ツールとして公開された。2000年からはWeb上で「O*NET OnLine」が提供されている（鎌倉，2020）[4]。米国における最も主要な職業情報の情報源であり、無料で公開されている。この情報を利用したさまざまなアプリケーションがあり、数百万人に利用されている。

O*NETは、アメリカ連邦統計局による標準職業分類（SOC：Standard Occupational Classification）に準拠している。この標準職業分類の2018年版とO*NETを連結した2019年版O*NET－SOC分類（The O*NET-SOC Taxonomy）には1016個の職業名が含まれており、うち923個のデータがO*NETに掲載されている。最新の分類では、サイバーセキュリティに関連する４つの職業（侵入テスト担当者、情報セキュリティ・エンジニア、デジタルフォレンジック分析者、ブロックチェーン・エンジニア）が付加された。

O*NETに掲載されている情報内容は、図表８－１のコンテンツモデルに集約して示されている。

図では上が労働者（人）に関する情報、下が職務（仕事）に関する情報を表し、横軸は左が職業横断的情報を右が職業固有情報を表す。従来、職業情報を「人－仕事」の軸で捉えることが一般的に行われてきたが、それに加えて、「職

図表８－１　O＊NET コンテンツモデル

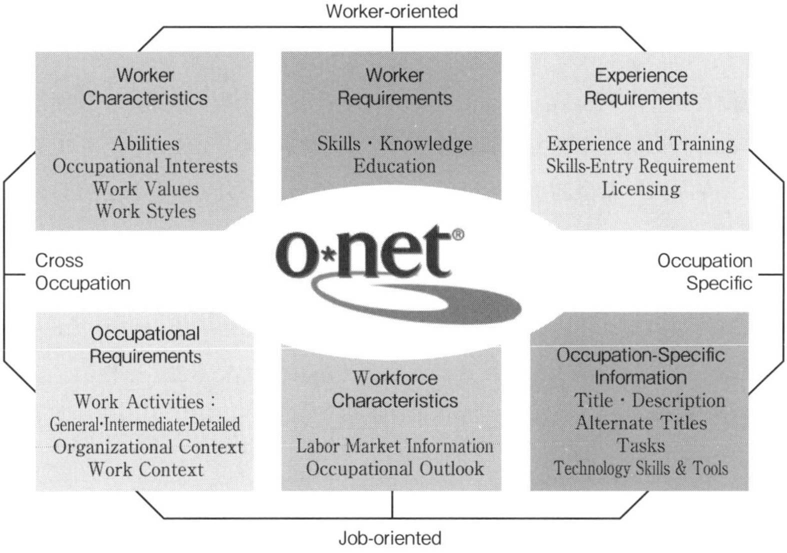

（資料出所）アメリカ労働省「O＊NETリソースセンター」https://www.onetcenter.org/

業横断的－職業固有的」の軸によって職業を把握していこうとする。概して、個々の職業を超えて共通する横断的な側面と、個別の職業に固有の具体的で詳細な側面の両面から職業を捉える点が重要である。

以下、O*NETの詳細について解説している「O*NETリソースセンター」[5)]の解説に基づいて紹介する。

(1) 労働者特性（Worker Characteristics）：仕事への取り組み方や、仕事に関連する知識やスキルの習得方法に影響を与える個人の永続的な資質。従来は「能力」が一般的だったが、最近の研究成果から、職業興味や職業価値観、ワークスタイルも含められている。

・能力：パフォーマンスに影響を与える個人の永続的な属性
・職業興味：職場環境の好み。Holland（1985、1997）の性格タイプと職場環境のモデルに基づく。
・職業価値観：人の満足に重要な特定のニーズからなる仕事の総合的な側面。職場適応理論（Dawis & Lofquist, 1984）に基づく。
・ワークスタイル：仕事をうまくこなすことに影響を与える個人的特性

(2) 労働者要件（Worker Requirements）：仕事に関連する知識や技能など、仕事の遂行に関する個人の属性を表す。一般的には「スキル」として知られる。スキルは「基礎的なスキル」と「機能横断的なスキル」に分けられる。

・基礎スキル：学習や知識の習得を容易にするための能力
・横断的スキル：仕事横断的な活動を円滑に行うための能力
・知識：一般的な領域に適用される原理や事実で構成される要件
・教育：仕事を行うのに必要な事前の教育経験

(3) 経験要件（Experience Requirements）：過去の仕事経験に関連する要件、および特定の仕事経験と明らかに関連する要件。資格、免許、訓練に関するデータ、職業に必要な経験、就職や昇進に当たって必要な認証、望ましい教育訓練、必要な見習い経験など。

・経験とトレーニング
・基礎スキル（応募条件）
・横断的スキル（入社要件）
・ライセンス

(4)　職務要件（Occupational Requirements）：職業で必要となる活動に関する情報。O*NETでは「一般化された作業活動」（GWA）と「詳細な作業活動」（DWA）に分けて、複数の職業で共通する職務と、より具体的な職務の両面で記述する。仕事の物理的、社会的、構造的な文脈に関する記述も含む。

・一般化された仕事活動（Generalized Work Activities）：非常に多くの職業に共通して見られる作業活動
・中間的仕事活動（Intermediate Work Activities）：多くの職業に共通して見られる作業活動
・詳細仕事活動（Detailed Work Activities）：少数から中程度の数の職種で実施される特定の作業活動
・組織の文脈：人々がどのように仕事をするかに影響を与える組織の特性
・仕事の文脈：仕事の性質に影響を与える物理的及び社会的要因

(5)　労働力特性（Workforce Characteristics）：報酬と賃金のデータ、雇用の見通し、産業規模の情報。

・労働市場情報
・職業の現在の労働力特性
・職業の将来的な労働力の展望

(6)　職業固有情報（Occupation-Specific Information）：ある職業に適用される要素の包括的なセット。労働者が職場で使用する機械、設備、ツール、ソフトウェア、情報技術。仕事に関連する知識、スキル、タスクなどの要件を含み、他の領域と重なる面も多い。

・職業名	・職務記述	・職業の別名
・課業（タスク）	・技術スキル	・ツール

O*NETのデータ収集は、次の２段階で行われる。①対象職業の労働者を雇用していると想定される企業を無作為に抽出し、②それら企業から、対象職業の労働者を無作為に抽出する。こうして抽出された労働者にサンプル調査を実施し、数百項目にわたる回答に基づいてデータを収集する。調査票には、背景15項目、教育訓練６項目、知識66項目、仕事84項目、仕事の環境57項目、ワークスタイル16項目のほか、追加質問として、能力104項目、スキル70項目がある。ただし、項目数が多いので調査票は３つに分割し、回答者はそのどれかにランダムに割り当てられ回答する。ただし、能力・スキル情報は、職業アナリストが現職者の最新情報をもとに作成する。

2.2　ESCO

ESCO（European Skills, Competences, Qualifications and Occupations[6)]：欧州スキル・能力・資格・職業）は、欧州のスキル、能力、資格、職業を多言語で分類したものである。EUの労働市場や教育・訓練に関連するスキル、能力、資格、職業を、欧州の27言語で提供している。

ESCOはスキルに焦点を当てるのが特徴である。求職者のスキルに基づいて関連性の高い仕事を提案する。スキルアップを希望する人には関連性の高いトレーニングを提案する。労働市場と教育訓練を結びつけ、人と仕事のマッチングをより容易にする。ヨーロッパ各国間の移動（モビリティ）の促進のため、スキルや職業に関する共通言語を定め、それを多言語で提供する。各種のデジタルツールを用いてオンラインで情報を提供することにも注力しており、デジタル労働市場への移行も促進している。2,942の職業、13,485のスキルを、ILO（国際労働機関）が定めるISCO（国際標準職業分類）に基づいて、分類・構造化しており、各職業の定義、説明、知識、スキル、能力を記述する。

例えば、「キャリアガイダンスアドバイザー」は以下のように記述している。

キャリアガイダンスアドバイザーは、成人や学生が教育、訓練、職業を選択する際にガイダンスとアドバイスを提供し、キャリアプランニングやキャリア探索などのキャリア管理を支援する。キャリアガイダンスアドバイザーは、将来のキャリアの選択肢を示し、利用者のカリキュラム開発を支援し、自分の志望、興味、資格について考えるのを助ける。キャリアガイダンスアドバイザーは、キャリアプランニングに関するさまざまな問題についてアドバイスを提供し、必要に応じて学習方法の提案など、生涯学習の提案を行う。また、個人の求職活動を支援することもある。

必要なスキル・能力については、以下の事項を列挙している。

訓練コースについてのアドバイス、クライエントの自己啓発の支援
コーチング、カウンセリング
カウンセリングを受けたクライエントの自己分析を促す
クライエントの現状を評価する、雇用市場へのアクセスを促進する
クライエントのニーズを把握する、アクティブ・リスニング
教育状況の把握、仕事探しの支援、キャリアカウンセリングの提供
教育資金についての情報提供、学習プログラムについての情報提供

必要なスキル・能力のうち、「キャリアカウンセリングの提供」のリンク先には、同じスキルが必須となる職業として「タレント・エージェント」が示される。この職業では、さらに「クライエントに関するデータの分析」「プロモーション活動の調整」「契約の管理」等のスキルが必要であることがわかる。また、「キャリアカウンセリングの提供」がオプションスキルになる職業には、「ビジネス講師」「大学講師」ほか、各種の教員・インストラクターがあることがわかる。

ESCOは、さまざまなステークホルダーグループや各国の専門家が、それぞれの専門性に基づいて、既存の情報源を考慮しながら、職業プロフィールの草

案を作成した。開発プロセスを通じてステークホルダーが深く関与することで、必要な専門知識がもたらされた。このことによってESCOが労働市場の現実を描写し、さまざまな経済部門での使用に適するものとした。

2.3　OOH（Handbook Outlook Occupational：職業展望ハンドブック）

アメリカのOOHは、Handbook Outlook Occupational（職業展望ハンドブック）[7)]の略であり、基本的には学生と失業者向けのものである。公的な職業情報としては、上で詳述したO*NETと並ぶものである。OOHは、第二次世界大戦後、復員してきた兵士に職業を紹介する小冊子から始まり、70年以上の歴史がある。OOHの目標は学生や求職者が知りたい情報をわかりやすく伝えることである。例えば、業務内容、雇用数、賃金水準、雇用の将来展望、就くために必要な資格・訓練、関連する団体の連絡先、類似職業などが記述されている。2010年改訂の米国職業分類に含まれた800以上の職種のうち、約750職種が入っている。OOHは２年に一度、情報を更新しており、Webサイトも出版物も新しくなる。OOHのWebサイトのトップページでは、職業の別名、フリーワード、職業の分野等で検索できる。最近の機能としてスマートフォンでも職業情報が閲覧できる。情報収集は主に文献調査と電話でのヒアリング調査である。電話で職業に関係する団体や組織、その職業の経験者に連絡する[8)]。

2.4　National Career Service

イギリスでは、2012年５月よりNational Career Service[9)]というサイトの運用を開始した。現在、このサイトは主に、①「Skills assessment」（スキルの評価・チェックを行えるページ）、②「Explore careers」（800以上の職業情報を掲載したページ）、③「Find a course」（オンライン学習や訓練のデータ掲載したページ）の３つに分かれている。「Explore careers」に掲載されている職業は、職業の分野から検索する。職業情報の内容としては、どのような仕事か、労働時間、給与と報酬、必要なスキルと向いている職業興味、関連資格、その仕事に就いてから伸ばしていく必要のある能力、関連情報等がある。「Careers adviser」を検索すると、別名として「Career consultant, career coach」が示される。「キャリア・アドバイザーは、人々が教育、トレーニング、仕事の選択肢について決断するのを支援します」と短文で職業内容が紹介され、初心者£18,000～熟達者£35,000の年収が記載されている。

第3節　日本の職業情報

3．1　job tag（日本版O－NET）

職業情報提供サイト（日本版O－NET）は、「ジョブ」（職業、仕事）、「タスク」（仕事の内容を細かく分解したもの、作業）、「スキル」（仕事をするのに必要な技術・技能）等の観点から職業情報を「見える化」し、求職者等の就職活動や企業の採用活動等を支援するWebサイトである[10)]。「未来投資戦略2017」「未来投資戦略2018」「成長戦略フォローアップ」「令和２年度革新的事業活動に関する実行計画」などの重要な政策指針に記載され、主体的なキャリア形成を支える労働市場のインフラ整備として開発された。上述の米国

図表８－２　職業情報提供サイトjob tag（日本版O－NET）でできること

機能名	機能の概要
職業検索・職業情報提供	フリーワード、職種カテゴリー、免許・資格、スキル・知識等から職業を検索する機能です。検索した職業に関する情報（職業解説・職業動画・しごと能力プロフィールなど）を見ることができます。
適職探索	職業興味検査、価値観検査、簡易版職業適性テスト（Gテスト）、しごと能力プロフィール検索、ポータブルスキル見える化ツールの自己分析ツールから適職を探すことができます。
キャリア分析	これまでの職歴等により、保有しているスキル・知識等のレベルと希望する職業で求められるスキル・知識等との類似性やギャップを照合できる機能です。
人材採用支援	求める人材の詳細なタスク・スキル等の情報を盛り込んだ職務要件シート（求人票）を作成する機能です。
人材活用シミュレーション	企業内の教育訓練・人材育成に際して、必要なスキル・知識等を明らかにすることができる機能です。
マイリスト	検索した職業や、キャリア分析・人材活用シミュレーションの結果等を保存する機能です。マイリストに保存した情報は、あとから参照したり再利用することができます。

（資料出所）　厚生労働省「職業情報提供サイト（日本版O－NET）　利用方法」
https://shigoto.mhlw.go.jp/User/howto

O*NETの日本版を目指して、日本での数値データ取得等を行って作成された。

job tag（日本版O－NET）では、約500の職業について、職業の一般的な仕事内容・作業、就業する経路、必要なスキル、都道府県単位の労働条件、求人倍率、求人賃金などを動画とデータで紹介する。具体的には、職業情報はその職業が簡便に理解できるよう、「どんな仕事（仕事の概要）」「就業するには（入職経路）」「労働条件の特徴」「しごと能力プロフィール（仕事をするのに必要なスキルや知識等の数値データ）」等を掲載する。また、職業のビジュアルなイメージをつかむことができるよう、各職業の紹介動画（各90秒程度）も掲載する。どのようなスキル・知識、学歴、興味・価値観を持った人が働いているか、どんな学歴の人が多いか、入職前に訓練や業務経験が必要かなどを知ることができる。興味・価値観などから、どのような人が働いているかといった情報も入手できる。

提供する職業情報コンテンツは、以下のとおりである。

名称・分類領域：名称、職業分類、別名
解説領域：解説文、関連団体・関連資格
数値プロフィール領域：スキル、知識、職業興味、仕事価値観、仕事の性質、学歴、入職前の訓練期間、入職前の実務経験、入職後の訓練期間
タスク領域：リード文、タスク実施率

職業興味検査や価値観検査、簡易版職業適性テスト（Gテスト）などもあり、自己分析から自分に適した職業までわかる。テーマや職種カテゴリーで検索できるほか、イメージ（地図のイラストを選択して該当する職業を提示する機能。好きな場所や勤務スタイルなどから直感的な職業検索が可能）、仕事の性質や、その他のさまざまな切り口から検索できる。また、これまでの経歴の振り返りや、現状のスキル分析もできる。例えば、これまでに経験した職業から「しごと能力プロフィール」を作成し、強み弱みを可視化することができる。「ポータブルスキル見える化ツール」では、業種や職種が変わっても強みが発揮できる持ち運び可能な能力を測定し、それを活かせる職務、職位を提示する。

さらに、企業領域での活用に当たっては、人材募集サポート、人材育成サポート、社内業務タスク管理などの各種の利用方法も用意されている。人材募集サポートでは、「人材採用支援・職務整理支援機能」を用いて採用活動の流れの確認から人材採用の準備まで、幅広く活用できる。人材育成サポートでは、「人

図表８－３　職業情報提供サイトjob tag（日本版O－NET）情報内容例
（キャリアカウンセラー／キャリアコンサルタント）その１

（資料出所）　厚生労働省「職業情報提供サイト（日本版O－NET）」
https://shigoto.mhlw.go.jp/User/Occupation/Detail/136

材活用シミュレーション機能」や「職業能力チェック」を用いて、社員一人ひとりの経歴・スキルをまとめ、人材育成に役立てられる。社内業務のタスク管理では、社内の業務状況を見える化することで、業務改善に取り組める[注1)]。

図表8－4　職業情報提供サイトjob tag（日本版O－NET）情報内容例（キャリアカウンセラー／キャリアコンサルタント）その2

就業するには？

入職にあたって、特に学歴や資格は必要とされない。ただし「キャリアコンサルタント」と名乗るには国家資格が必要である。キャリアコンサルタント試験又はキャリアコンサルティング技能検定（１級又は２級）に合格し、名簿に登録することで、キャリアコンサルタントと称することができる。

キャリアコンサルタント試験を受けるには、実務経験３年以上か、キャリアコンサルタントの養成講習を修了する必要がある。また、合格後も５年ごとに講習を受け、更新しなければならない。

キャリアコンサルティング技能検定の２級を受けるには３年以上の実務経験が必要であり、１級は２級取得から３年以上の実務経験を積むか、８年以上の実務経験が必要である。

職業選択やそれと関連する生き方などについて相談を受け、コンサルタント的役割を果たすことから、労働市場の情報や労働関係の制度、能力開発の手法など多様な知識が求められる。職業という人生における重要な選択の一つを支援する仕事であり、相談者に寄り添い、常に適切なアドバイスができるよう自己研鑽と倫理意識が欠かせない。

経験を積み、フリーランスのキャリアカウンセラー、キャリアコンサルタントとして活動する人もいる。

掲載している職業情報について（ご意見募集など）

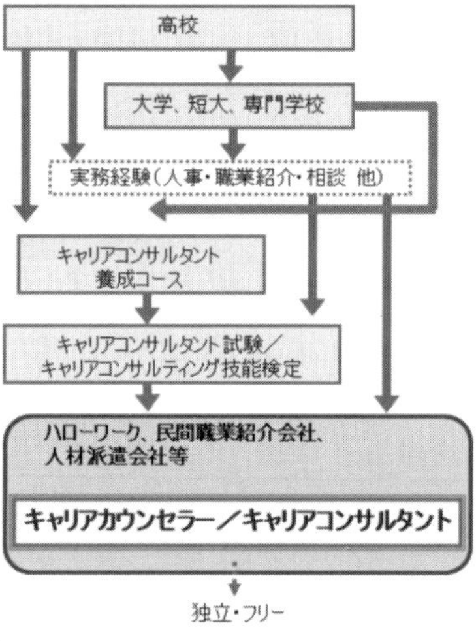

（資料出所）　図表8－3に同じ

注1）例えば、人材募集サポートとしての活用では、同種の職業の賃金データや募集に役立つデータを確認したり、募集したい職業に近い職業データをもとに求人要件を整理し、求人票のベースを作成できる。また、人材育成サポートとしての活用では、例えば、ある社員グループの平均的なスキルを、新しい仕事と比較することで不足するスキルを把握し、人材配置や教育の計画などに生かせる。社内業務タスク管理としての活用では、例えば、ある社員グループの平均的なスキルを、新しい仕事と比較することで不足するスキルを把握し、人材配置や教育の計画などに生かせる。

３.２　日本の職業情報関連サイト、書籍

情報通信技術の普及に伴い、職業情報の入手は格段に易しくなった。現在、インターネットを検索することで、数多くの職業情報民間サイトを利用することができる。多くのサイトは、500 ～600職種程度の職業について「仕事内容」「就職方法」「給料・年収」「将来性」などを詳しく掲載している。また、トップページからフリーワードで職業を検索したり、職業人のインタビューなどもよく掲載されている。公的な職業分類にとらわれない自由な職業のカテゴリーも魅力の１つであり、「エンターテインメントに関わる職業」「オフィスでおこなう職業」「モノづくりに関わる職業」などのカテゴリーで職業を探すことができる。さらに、ランキング、マップ、クイズなどのユニークなコーナーがあり、職業を楽しく検索できる工夫がなされていることが多い。

中高生向けや子供向けに特化した民間サイトも多い。職業人インタビューのほか、具体的な進学先、学校の選び方、必要な学費などを詳しく掲載している。イラストや写真付きで解説したり、読みがなをふったり、クイズを充実させるなど、ビジュアル面、エンターテインメント、読みやすさの点で工夫している。社会人向けには、求人情報・転職情報を提供する企業が、職業を紹介している。仕事内容のほか、平均年収、男女比、転職前の職種、平均年齢、残業時間、必要な資格、必要なスキル、未経験者の割合、キャリアパスなど豊富な情報を提供している。具体的な求人情報、転職情報と直接リンクしているのが特徴である。

一方、職業に関する書籍については、職業指導の歴史とともにある。そもそもパーソンズ（Parsons, F.）の名著『Choosing a vocation』[11)]では、森林官の仕事の興味がある若者に、図書館で林業に関する本のリストを作成することから始めるよう示唆する相談事例がある。パーソンズは、ある職業に興味を抱く若者には関連のある本を読むように勧めるのが常道であった。

かかる職業指導の伝統を受け継いで、日本でも戦後、当時の労働省から職業に関する書籍が多数、出版された。代表的なものに『職業辞典』（1953年）、『職業小辞典』（1957年）、『職業としごと』（1977 ～1979年）、『職業ハンドブック』（1981 ～1983年）、『この仕事はなにをするの？』（1991年）、『職業ハンドブック改訂版』（1997年）、『職業レファレンスブック』（2003年）などがある[注２)]。

そのほか、古くからよく知られた書籍に『なるにはブックス』(ぺりかん社)がある。1971年より「少年少女の夢を応援することを目的に刊行を開始し、現在150点を刊行」している。「現代社会のほとんどの職種をカバーする最大の職業ガイドシリーズ」となっている(ぺりかん社HP参照)[12]。

現在では、キャリア教育の隆盛に伴い、児童・生徒向けあるいは子供向けの職業情報関連書籍は多く公刊されている。その嚆矢は『13歳のハローワーク』(村上龍　幻冬舎, 2003)である。514職種を挿絵入りで取り上げ、仕事内容、必要な能力や経験を記載している。そのほか、子供向けの「おしごと」図鑑も数多く出版されている。大人向けには、『日本の給料&職業図鑑』(給料BANK　宝島社)の一連のシリーズがある。流麗なイラストとともに、年代別の平均給料・給与、仕事内容等の詳しい情報を掲載しているのが特徴である。

現在、職業情報は、一昔前に比べれば充実している。民間サイト及び書籍ともに子供向け・大人向けのほか、対象者の年齢、性別、興味によってさまざまなものを選びうる。逆に言えば、これら多様なツールをいかに巧みに用いるかが問われる。使用の目的やねらいを明確にして適切なツールを選ぶ必要がある。すぐに活用できる利便性があり、今後も利用機会は多い。何をしようとしているのかを意識しながら有効活用したい。

3.3　公的機関のインターネット上のサイト

現在、キャリアコンサルティングに関連する厚生労働省の政策・施策・サービス等については、おおむねインターネット上に情報サイトが開かれている。キャリアコンサルティングを行うに当たって必要な情報はおおむねそれらサイトを閲覧することで得られる。ほとんどの場合、関連する情報にリンクされており、多くの情報を得ることができる。

中でも、公的機関のインターネット上のサイトとして、最も代表的なものは、「ハローワークインターネットサービス」[13]である。「ハローワークインターネットサービス」では「仕事をお探しの方」というコーナーで、求職者に対する有

注2）詳しくは第7章第2節「職業の理解」も参照のこと。

益な情報を掲載している。主な内容は以下のとおりである。

・求人情報検索：全国のハローワークで受理した求人を検索できる。
・ハロートレーニング（職業訓練）を探す：ハローワークがあっせんする職業訓練（ハロートレーニング）についての検索ができる。
・ハローワークを利用する：自宅のパソコンで求職情報を入力（求職仮登録）してから、ハローワークで求職申込み手続きを行うことができる。
・求職者マイページを利用する：求人情報を検索する際の条件を保存したり、求人情報をお気に入りとして保存することができる。
・イベントを探す：全国のハローワークで開催する面接会やセミナー等のイベント情報を検索することができる。

各種の案内も充実しており、ハローワークで提供するさまざまなサービスに関する情報を入手できる。現在、主だったものとして以下の案内が示されている。

・新卒・既卒者、若者等へのご案内
・障害のある求職者へのご案内
・シニア世代のみなさまへのご案内
・お仕事をお探しの外国人、日系人の方へ
・子育てをしながらお仕事をお探しの方へ
・がん・肝炎・糖尿病等で療養を続けながら仕事をお探しの方へ
・農林漁業での就業を希望する方へのご案内
・ジョブ・カード活用による応募書類作成
・応募書類のつくりかた（履歴書・職務経歴書の書き方）

関係機関等の統計資料、関係文書、パンフレット、リーフレット等は、インターネットを利用した情報収集が効果を発揮する。章末に、キャリアコンサルティングと関連が深い各種の公的なサイトを表にまとめたので、活用していただきたい。

第4節 職業情報の活用

4.1 職業情報の提供に伴う課題

2000年代に入って、欧州のキャリアガイダンス論では、情報化の進展及びICTの発展に伴い、職業情報とその活用のあり方があらためて議論された。

中でも問題視されたのは、職業情報提供に当たって、利用者（生徒、クライエント、求職者など）の情報を活用する力や、本人のニーズを無視することである。「情報ダンプ（情報の山）」(Grubb, 2002[14]、ELGPN, 2007[15]) をクライエントに提供するだけでは、職業情報は有効に活用されないからである[注3)]。

特に、職業情報の議論で問題となるのは次のような場合である。①本来、情報を必要とする人が自分でそのニーズに気がついていない、②情報を活用するモチベーションが十分でない、③何が自分にとって重要な情報かがわからない、④自分の思い込みで偏った情報にしかアクセスしない、⑤アクセスしても情報を十分に判断する枠組みを持っていないなどである（Grubb, 2002)。

トリコット（Tricott, 2002)[16]は、職業情報の「ニーズは、カウンセラーと職業に関する情報を求める人とのインタビューの中で確認される」と述べる。単に職業情報を提供すれば十分ではなく、どのような情報が必要かをクライエントとのやりとりの中で明らかにすることが重要となる。

トリコット（Tricot, 2002）によって示されたOECDの職業情報活用のための報告書から、職業情報を活用するに当たっての指針、基準を示す。

① 受け手の情報ニーズを考慮すること	② 真実であること
③ 理解しやすいこと	④ 適切であること

注3）グラブ（Grubb, 2002）は、ウェブによる職業情報提供を重視する国は、「暗黙のうちに、キャリアに関するガイダンスやその他の活動ではなく、情報が最も適切であると判断しがちである」と指摘する。そのうえで「こうしたアプローチは、個人が情報を利用することに慣れていて、適切な意思決定を行うには情報だけで十分だと仮定している」と批判する。

⑤　関連性があると認識されていること　⑥　使用可能であること
⑦　受け入れ可能であること注4）

そのうえで、「利用者が何を知りたいのか、何を質問したいのかを正確に把握すること」「利用者が自分自身のニーズを理解し、自問自答するのを支援すること」「情報は正確で最新であり、偏らず差別のないものであること」「理解しやすい内容の情報を作成すること。利用者に合わせた言語レベルとメディアを適切に利用する」「利用者が何を知っているか、何を知らないか、何を知っていると思っているか、さらには利用者の誤解を知ることも必要である」「アクセス可能で扱いやすく、操作ミスや行き止まりがなく、満足感を与える情報をデザインすること」「情報のデザインに教育的なアプローチをとること。あるいは情報の使い方を教育することを追求すること」などの具体的な指針を示している。

4.2　情報と相談の関係

相談場面でいかに「職業情報」を取り扱うかについて、ガイズバースら（Gysbers, Heppner & Johnston, 2003）[17]は、クライエントの職業情報の認識によって４つの類型に分けた（図表８－５）。

通常、職業情報が足りないとされるのは右下の「情報不足」であり、知らないことが多いクライエントである。しかし、さらに３つのタイプがある。まず右上は、知っていることが多すぎて「混乱」しているクライエントである。自分が考慮すべきことを取捨選択できていないため、整理を行う必要がある。逆に、知らないことが少なすぎるクライエントも問題となる。このタイプは左下の「自己満足」のクライエントである。自分がとるべき選択肢についてすでに多くのことを知っており、それ以上の可能性を追求すべく情報を入手しようとしないクライエントである。さらに知っていることが少なすぎる左上の「未決

注４）⑥と⑦は何らかの情報システムを介して情報を提供する場合の留意点であり、⑥は常に使える状態になっていること、⑦は利用者が受け入れやすいものであることを指摘している。

図表8－5　職業情報の過不足状態別にみたクライエントの4つのタイプ

	Too Little	Too Much
知っている	未決定	混乱
知らない	自己満足	情報不足

定」のタイプもある。「情報不足」と似ているが、「情報不足」が自分で情報を判断する基準を持っているのに対して、「未決定」は知っていることが少なすぎて、そもそも情報を判断する基準に乏しい。

単に「情報不足」のクライエントは、自分で調べられる環境を整えれば、自分で情報を調べてキャリア選択を進めていくことができる。しかし、それ以外のクライエントは何らかの支援があったほうが望ましい。

ガイズバースは、さらに続けて、情報提供のあり方には大きく分けて2つのタイプがあることも指摘している（Gysbersほか，2003）。「教育的」と「動機づけ的」である。従来、情報提供と言えば、単に「教えること」にすぎないと考えられがちだった。しかし、現実には多様な情報提供がある。例えば、選択肢を限定しすぎているクライエントには「広げること」を目的に情報提供を行う。事実認識を誤っているクライエント、例えば、賃金相場からかけ離れた希望を持つクライエントに地域の相場を教えるのは「正すこと」である。

従来、十分に意識されなかったのは「動機づけ的」な情報支援である。情報を提供して「刺激すること」で本人が気づいていなかった選択肢があることを悟らせ、さらには新たな選択肢に向けて「挑戦させること」ができる。しかし、

図表8－6　職業情報の教育的機能・動機づけ的機能

教育的 Educational	動機づけ的 Motivational
・教えること To inform ・広げること To expand ・正すこと To correct	・刺激すること To stimulate ・挑戦させること To challenge ・確認すること To confirm

依然、自分が進む道に不安を感じているクライエントには、この方向で良いと「確認すること」も情報提供の機能に入る。

４.３　職業情報の提供のさまざまなあり方

ピーターソンら（2002）[18)]らは、クライエントのニーズと情報・相談のあり方について、自らのCIP理論（Cognitive Information Processing Theory）をもとにサービスデリバリーの３つのレベル論を展開した。この理論では、キャリアガイダンスサービスのデリバリー（伝達）は、①自助的キャリアサービス（self-help career services）、 ②簡易スタッフ支援サービス（brief staff-assisted services）、 ③個別ケース管理サービス（individual case-managed services）の３つに分けられる。自分で決定できるレディネス（準備状態）が十分なクライエントは、Web上での情報提供などを中心とした自助的キャリアサービスを提供する。レディネスが中程度のクライエントはスタッフが支援する簡単なサービス（セミナー、ワークショップ、少回数のグループカウンセリングなど）を提供する。レディネスが低く自分で決定することが難しいクライエントには個別カウンセリング、長期のグループカウンセリングで個々のケースを十分に管理してサービスを提供する。

これを応用して、下村（2013）[19)]は、キャリアガイダンスサービスを「情報」「ガイダンス」「相談」に分け、コストや時間、支援の程度、支援者の専門性の点から整理した。①「情報」は、多数の対象層にコストや時間をかけずに支援を提供する。最も間口の広いキャリアサービスであり、情報を提供して、自分でキャリアを作っていけるようにサービスを提供する。キャリアガイダンスへの潜在的なニーズの掘り起こしも目的とする。一方、②「相談」は、少数の対象層にコストや時間をかけて、最も深い支援を専門的なカウンセリングサービスの形で提供する。③「ガイダンス」はその中間的な位置づけであり、定期的なセミナーや講習会等を開催して、求めに応じて適切なアドバイスを与える。スタッフが介在することでキャリア支援を限定的に提供する。個別相談を要とする対象層の判別も行う。このようにキャリアガイダンスを重層的に整備することを「サービスの多層化」と呼ぶ（図表８－７参照）。必要とする対象層に

図表8－7　キャリアガイダンスにおけるサービスの多層化

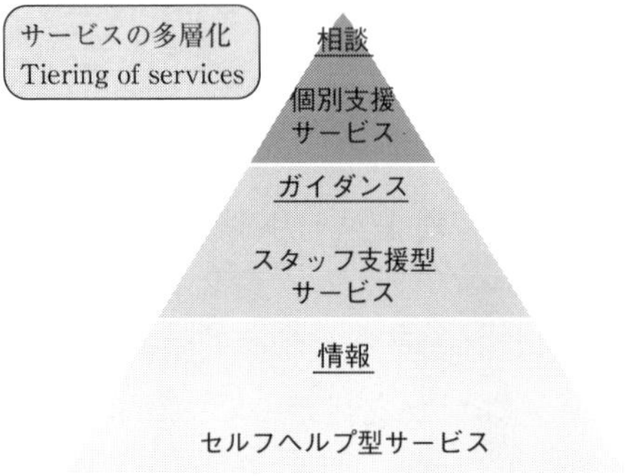

・個別支援サービスを必要とする層を少なくし、限られたリソースを集中的に投入する。
・スタッフ支援型サービスは、相談と情報によるキャリアガイダンスをつなぐ役割があり、適切なアドバイスを与え、個別支援を必要とする対象層を判別する。
・セルフヘルプ型サービスは、さまざまな情報や自記式のテストなどを用意して、対象者に自分でキャリアを切り開けるようにする。潜在的なニーズの掘り起こしも狙う。

遺漏なくサービスを提供できるように幾重にも重ねることが重要となる。

従来、職業情報論は、多くの職業に関する多くの情報を正確に収集し、提供するといったことに終始することが多かった。しかし、職業情報の提供に当たっては、クライエントの特性を十分に考慮する必要がある。特に、職業情報は整備すれば整備するほど、いわば逆説的に「相談」ニーズを掘り起こすという面がある。相談場面で「情報」をいかに用いるべきかについては、より一層の綿密な検討が必要になる。

図表8－8　キャリアコンサルティングと関連が深い各種公式サイト（2022年4月現在）

●職業紹介・職業相談・就職・転職	
ハローワークインターネットサービス	https://www.hellowork.mhlw.go.jp/index.html
求職者・求人者に対するインターネット上のハローワークのサービス	
全国ハローワークの所在案内	https://www.mhlw.go.jp/kyujin/hwmap.html
平日夜間、土曜日も利用可能な施設情報も掲載。ハローワークコールセンターの案内もあり	
マザーズハローワーク	https://www.mhlw.go.jp/kyujin/mother.html
子育てをしながら働くママ・パパを応援するため、子連れで安心して相談できる施設	
ふるさとハローワーク	https://www.mhlw.go.jp/kyujin/chiiki.html
ハローワークが設置されていない市町村で職業相談・職業紹介等を行う。国と市町村が共同で運営	
新卒応援ハローワーク	https://www.mhlw.go.jp/stf/seisakunitsuite/bunya/0000184061.html
大学・短大・高専・専修学校等の学生や、卒業後未就職者の就職を支援する専門のハローワーク	
わかものハローワーク	https://www.mhlw.go.jp/stf/seisakunitsuite/bunya/0000181329.html
正社員就職を目指す若者を対象に就職支援ナビゲーターによるきめ細かい支援を行う	
就職氷河期世代専門窓口	https://www.mhlw.go.jp/stf/seisakunitsuite/bunya/0000181329_00002.html
専門担当者がチームを結成し、就職氷河期世代の方々の安定就職を応援する	
若者雇用促進総合サイト	https://wakamono-koyou-sokushin.mhlw.go.jp/
若者雇用促進法に基づいて職場情報の提供を行う企業の情報を検索できる	
人材サービス総合サイト	https://jinzai.hellowork.mhlw.go.jp/JinzaiWeb/
労働者派遣・職業紹介の許可・届出事業一覧の他、諸制度の周知や最新情報の提供を行う	
地域若者サポートステーション	https://saposute-net.mhlw.go.jp/
働くことに踏み出したい15歳～49歳までの方等にじっくりと向き合い、「働き出す力」を引き出す	
高卒就職情報WEB提供サービス	https://koukou.gakusei.hellowork.mhlw.go.jp/
高等学校就職担当者に、全国労働局管内の求人情報を提供	
職業情報提供サイトjob tag	https://shigoto.mhlw.go.jp/User
職業の内容、就労する方法、求められるスキル、どのような人が向いているかが総合的にわかるサイト	

●高齢者・外国人・障害者の支援	
高齢者雇用の支援	https://www.jeed.go.jp/elderly/index.html
高齢者雇用に取組む事業主への相談窓口、助成金の受付、セミナーの開催等の情報を提供	
障害者職業総合センター	https://www.nivr.jeed.go.jp/index.html
障害者職業センターの運営、職業リハビリテーションの研究、技法開発、その成果の普及を行う	
地域障害者職業センター	https://www.jeed.go.jp/location/chiiki/index.html
障害者への専門的な職業リハビリテーション、事業主に障害者の雇用管理に関する援助等を実施	
障害者就業・生活支援センター	https://www.mhlw.go.jp/stf/newpage_18012.html
障害者の身近な地域において、就業面と生活面の一体的な相談・支援を行う	
国立職業リハビリテーションセンター	http://www.nvrcd.ac.jp/
障害のある方々の自立に必要な職業訓練や職業指導などを体系的に提供する	
国立障害者リハビリテーションセンター	http://www.rehab.go.jp/
障害者の自立した生活と社会参加を支援するため、各種の取り組みを行う国の組織	
発達障害情報・支援センター	http://www.rehab.go.jp/ddis/
発達障害児（者）への支援を総合的に行うことを目的とした専門的機関	
国立吉備高原職業リハビリテーションセンター	https://www.kibireha.jeed.go.jp/index.html
個々の特性・能力に応じたきめ細かな総合的な職業リハビリテーションサービスを提供	
吉備高原医療リハビリテーションセンター	https://www.kibirihah.johas.go.jp/
職業復帰を目指す方に対して職業復帰に向けてリハビリテーション医療を提供	
ハロートレーニング（障害者訓練）	https://www.mhlw.go.jp/stf/seisakunitsuite/bunya/koyou_roudou/jinzaikaihatsu/shougaisha.html
障害者職業能力開発校及び一般の公共職業能力開発校における障害者対象訓練科の設置状況	
外国人雇用対策	https://www.mhlw.go.jp/content/000603552.pdf
外国人雇用のルール、外国人の就業促進対策等に関するパンフレット	

●メンタルヘルス	
知ることからはじめよう　みんなのメンタルヘルス	https://www.mhlw.go.jp/kokoro/
こころの健康や病気、支援やサービスに関するウェブサイト	
こころの耳	https://kokoro.mhlw.go.jp/
働く人のメンタルヘルス・ポータルサイト	
こころもメンテしよう	https://www.mhlw.go.jp/kokoro/youth/
若者を支えるメンタルヘルスサイト	

●職業訓練	
ハロートレーニング（離職者訓練他）	https://www.mhlw.go.jp/hellotraining/
ハロートレーニング（離職者訓練・求職者支援訓練）をわかりやすく紹介する特設ホームページ	
ハロートレーニング（学卒者訓練）	https://www.mhlw.go.jp/stf/seisakunitsuite/bunya/koyou_roudou/jinzaikaihatsu/gakusotsusha.html
主に学校卒業者を対象に、就職に必要な職業スキルや知識を習得するための職業訓練を実施	
ハロートレーニング（在職者訓練）	https://www.mhlw.go.jp/stf/seisakunitsuite/bunya/koyou_roudou/jinzaikaihatsu/zaishokusha.html
主に在職者に、業務に必要な専門知識及び技能・技術の向上を図る短期間の職業訓練を実施	
生産性向上支援訓練	https://www.jeed.go.jp/js/jigyonushi/d-2.html
企業が生産性を向上させるために必要な知識などを習得する職業訓練	

●職業能力開発	
キャリア形成サポートセンター	https://carisapo.mhlw.go.jp/
ジョブ・カード、セルフ・キャリアドック、キャリアコンサルティングでキャリア形成と能力開発を総合的に支援	
ジョブ・カード制度総合サイト	https://jobcard.mhlw.go.jp/index.html
ジョブ・カードを利用してキャリアアップしたい人や求職活動を行いたい人をサポートするサイト	

●各種総合サイト・特設サイト・ポータルサイト	
総合労働相談コーナー	https://www.mhlw.go.jp/general/seido/chihou/kaiketu/soudan.html
職場のトラブルに関する個別相談や労働問題に関する情報提供のワンストップサービスを行う	
確かめよう労働条件	https://www.check-roudou.mhlw.go.jp/
労働条件に関する総合サイト。労働条件の悩みの解消や労務管理の改善に役立つ情報を掲載	
職場のあんぜんサイト	https://anzeninfo.mhlw.go.jp/
働く人の安全を守るために有用な情報を発信し、職場の安全活動を応援	
働き方・休み方改善ポータルサイト	https://work-holiday.mhlw.go.jp/
働き方・休み方改善のための自己診断、企業の取組事例、働き方・休み方に関する資料などを提供	
働き方改革特設サイト　支援のご案内	https://www.mhlw.go.jp/hatarakikata/
働き方改革に向けた支援に関する特設サイト	
年次有給休暇取得促進特設サイト	https://work-holiday.mhlw.go.jp/kyuuka-sokushin/
「年次有給休暇の計画的付与制度」の導入に関する特設サイト	
職場情報総合サイト「しょくばらぼ」	https://shokuba.mhlw.go.jp/
残業時間や有給休暇取得実績などの職場情報を比較・確認することができる	

<table>
<tr><td>有期契約労働者の無期転換ポータルサイト</td><td>https://muki.mhlw.go.jp/</td></tr>
<tr><td colspan="2">有期契約労働者の無期転換を円滑にサポートするためのサイト</td></tr>
<tr><td>多様な働き方の実現応援サイト</td><td>https://part-tanjikan.mhlw.go.jp/</td></tr>
<tr><td colspan="2">パートタイム・有期雇用労働や短時間正社員などの「多様な正社員制度」に関する情報を伝える</td></tr>
<tr><td>テレワーク総合ポータルサイト</td><td>https://telework.mhlw.go.jp/</td></tr>
<tr><td colspan="2">テレワークに関するさまざまな情報を、テレワーク導入を検討する企業・個人に提供</td></tr>
<tr><td>ハラスメント悩み相談室</td><td>https://harasu-soudan.mhlw.go.jp/</td></tr>
<tr><td colspan="2">職場のハラスメント（セクハラ、マタハラ、パワハラ）悩んでいる人・困っている人の相談窓口</td></tr>
<tr><td>あかるい職場応援団</td><td>https://www.no-harassment.mhlw.go.jp/</td></tr>
<tr><td colspan="2">ハラスメント裁判事例、他社の取組などハラスメント対策の総合情報サイト</td></tr>
<tr><td>女性の活躍・両立支援総合サイト</td><td>http://positive-ryouritsu.mhlw.go.jp/</td></tr>
<tr><td colspan="2">女性の活躍を推進。仕事と家庭の両立を支援</td></tr>
<tr><td>女性にやさしい職場づくりナビ</td><td>https://www.bosei-navi.mhlw.go.jp/</td></tr>
<tr><td colspan="2">妊娠中・出産後の女性労働者の母性を守るための母性健康管理制度を紹介（相談窓口あり）</td></tr>
<tr><td>仕事と育児カムバック支援サイト</td><td>http://comeback-shien.mhlw.go.jp/</td></tr>
<tr><td colspan="2">職場復帰・再就職を目指す女性のための情報提供サイト</td></tr>
<tr><td>両立支援のひろば</td><td>http://ryouritsu.mhlw.go.jp/</td></tr>
<tr><td colspan="2">仕事と家庭の両立の取組を支援する情報サイト</td></tr>
<tr><td>家庭内労働あんぜんサイト</td><td>https://kanairodo.mhlw.go.jp/</td></tr>
<tr><td colspan="2">家庭内労働者安全で健康に働けるように総合的に情報を提供するポータルサイト</td></tr>
<tr><td>ホームワーカーズウェブ</td><td>https://homeworkers.mhlw.go.jp/</td></tr>
<tr><td colspan="2">自営型テレワークに関する総合支援サイト</td></tr>
<tr><td>治療と仕事の両立支援ナビ</td><td>https://chiryoutoshigoto.mhlw.go.jp/</td></tr>
<tr><td colspan="2">事業者、支援を受ける方、医療機関・支援機関の方に役立つ情報提供を目的としたポータルサイト</td></tr>
</table>

●各種団体、その他	
(独法）高齢・障害・求職者雇用支援機構	https://www.jeed.go.jp/
高齢者の雇用確保、障害者の職業的自立の推進、求職者その他労働者の職業能力開発及び向上のために、高齢者、障害者、求職者、事業主等に総合的な支援を行う	
(独法）労働政策研究・研修機構	https://www.jil.go.jp/
労働に関する総合的な調査研究を実施し、その成果を広く提供。	
(独法）労働者健康安全機構	https://www.johas.go.jp/
勤労者医療の充実、勤労者の安全向上、産業保健の強化等の理念で労災病院群などを運営	
中央職業能力開発協会	https://www.javada.or.jp/
能力評価・キャリア形成を通じた職業キャリアの持続的発展を目的とした団体	
中央労働災害防止協会	https://www.jisha.or.jp/
事業主の労働災害防止活動を促進し、労働者の安全と健康を確保する総合的活動を行う	
(公財）産業雇用安定センター	http://www.sangyokoyo.or.jp/
人材有効活用の観点から、失業なき労働移動を目指し、再就職・出向等を無料で支援	
(公財）21世紀職業財団	https://www.jiwe.or.jp/
多様な労働者が均等な参加の機会と待遇を得て責任を担い、能力を十分に発揮できる環境を整備	
(公財）介護労働安定センター	http://www.kaigo-center.or.jp/
介護労働者の雇用管理の改善、能力の開発・向上、その他の福祉向上を図る総合的支援機関	
(公財）全国シルバー人材センター事業協会	http://www.zsjc.or.jp/
シルバー人材センターの健全な発展、定年退職者等の能力の積極的な活用を促進する事業を行う	
国家資格キャリアコンサルタントWebサイト	https://careerconsultant.mhlw.go.jp/n/index.html
キャリアコンサルタントの登録、更新	
特定非営利活動法人キャリアコンサルタント協議会登録センター	https://www.career-cc.org/
国家資格「キャリアコンサルタント」の試験機関・指定登録機関、国家検定「1級・2級キャリアコンサルティング技能検定」の指定試験機関	
一般財団法人ACCN	https://www.allccn.org/
全国のキャリアコンサルタントが交流し、互いに学び合い高め合いながら活動していく機会を創る	

文 献

1）Boocock, S. S. 1966 The Life Career Game, Personnel and Guidance Journal, 46（4）, pp. 328－334（文献２）を参照）

2）深町珠由　2006『ディスカッションペーパー06-06　キャリアシミュレーションの教育的効果に関する実験的検討』労働政策研究・研修機構

3）労働政策研究・研修機構「キャリアシミュレーションプログラム」 https://www.jil.go.jp/cgi-bin/csp/download.cgi

4）鎌倉哲史　2020「職業情報ツールの活用」日本キャリア教育学会編『新版キャリア教育概説』東洋館出版社　pp. 150－154

5）アメリカ労働省「O*NETリソースセンター」 https://www.onetcenter.org/

6）欧州委員会「欧州スキル・能力・資格・職業」 https://ec.europa.eu/esco/portal

7）アメリカ労働省労働統計局「Occupational Outlook Handbook」 https://www.bls.gov/ooh/

8）労働政策研究・研修機構　2014「補章１．米国と英仏独の政府機関による職業情報－米国労働省『職業展望ハンドブック』を中心に－」『資料シリーズNo.135 職業の現状と動向－職業動向調査（就業者Web調査）結果』

9）イギリス政府「ナショナル・キャリア・サービス」 https://nationalcareers.service.gov.uk/

10）以下の記述は、主に厚生労働省「職業情報提供サイト（日本版O－NET）」及び「職業情報提供サイト（日本版O－NET）について（概要）」「職業情報提供サイト（日本版O－NET）操作マニュアル」より引用。https://shigoto.mhlw.go.jp/User/aboutも参照のこと

11）Parsons, F. 1909 Choosing a vocation. Garrett Park, MD：Garrett Park Press（Reprint, 1989）

12）ぺりかん社　http://www.perikansha.co.jp/

13）厚生労働省職業安定局「ハローワークインターネットサービス」 https://www.hellowork.mhlw.go.jp/

14）Grubb, W. N. 2002 Who am I：The Inadequacy of career information in the information age. Paris, OECD

15）ELGPN 2007 Guidelines for policies and systems development for lifelong guidance：A reference framework for the EU and for the commission. ELGPN（European Lifelong Guidance Network）

16）Tricot, A. 2002 Improving occupational information. Paris, OECD

17）Gysbers, N. C., Heppner, M. J., & Johnston, J. A. 2003 Career counseling：

Process, issues, and techniques（2nd ed.）. Allyn & Bacon
18）Peterson, G. W., Lumsden, J. A., Sampson, J.P., Reardon, R. C., & Lenz, J. G. 2002 Using a cognitive information processing approach in career counseling with adults. In Niles, S. G.（Ed.）, Adult career development：Concepts, Issues and practices（pp. 99－117）. Tulsa, OK：NCDA
19）下村英雄　2013「職業情報とキャリアガイダンス－その政策的・理論的・実践的示唆」『ビジネス・レーバー・トレンド　2013年２月号』労働政策研究・研修機構（pp. 28－33）

第9章
キャリアコンサルティングと産業・組織心理学

第1節　ワーク・モチベーションと職務満足

組織における人間の行動、特に仕事、モチベーション、職務満足、モラール、メンタルヘルスなどとの関連でキャリアを考えるのが組織キャリアの理論である。キャリアは、職業発達理論が指摘するように生涯を通じて発達するが、その多くは企業などの組織内において形成される。この観点からみれば、キャリアとはある一定期間のうちに組織内で個人が経験する職務内容、役割、地位などの変化の系列である。この意味で、組織に関連するテーマは、すべて何らかの意味でキャリアに関連する。しかしここではキャリア形成に直接関連する産業・組織心理学理論を取り上げることとする。

モチベーションや職務満足はキャリアと密接に関連している。組織の中ではモチベーションを持って働き、何らかの職務満足が得られなければ、キャリア形成はできない。その意味からは、モチベーションと職務満足はともに重要なキャリア形成の要因である。以下、モチベーション及び職務満足に関するよく知られた理論を順に取り上げる。

マズロー（Maslow, A. H.）の欲求階層説[1)]は、人間の欲求を「生理的欲求」「安全の欲求」「愛の欲求」「自尊の欲求」「自己実現の欲求」に分類する。そして、生理的欲求が満たされると次いで安全の欲求が現れ、これが満たされると次の愛の欲求が現れる。こうした下位の生理的欲求から上位の自己実現欲求へと至る階層性があるとした。

アルダーファ（Alderfer, C. R.）は、マズローの学説を修正・発展して、生存（Existence）、関係（Relatedness）、成長（Growth）の３つに欲求を集約した[2)]。頭文字をとってERG理論と呼ばれる。高次の欲求が出現するための前提条件として低次の欲求が満たされることを想定せず、それぞれの欲求は平行して存在することもあれば、高次から低次の欲求が出現することもあるとした[3)]。

マクレランド（McClelland, D. C.）は、モチベーションを「達成動機」「権力動機」「所属動機」に分類した[4)]。達成動機は課題や目標を達成することへの動機、権力動機は他人を支配し、影響力を行使することへの動機、所属動機は他人と友好的な関係を持ち、集団の一員でいることへの動機である。後に、失敗を恐れ、第一線で活躍することを望まない「回避動機」が追加された[5)]。

なお、マクレランドは、職務上の業績を予測する行動特性・性格特性・思考パターンなどを意味する「コンピテンシー」[6)]概念を発展させ、ビジネス場面に応用した研究者としても知られる。マクレランドの共同研究者でもあるアトキンソン（Atkinson, J. W.）の達成動機理論は、達成動機の強い人は成功の可能性が中程度のときに最も目標への動機づけが高まることを明らかにした[7)]。

動機づけを「外発的」と「内発的」の２つに分けることもある。「外発的動機づけ」とは、外部から与えられる指示・命令、報酬や地位や賞賛などを得ることに対する動機づけである。「内発的動機づけ」とは、自分の意思で自発的に行動すること、自分の能力や知識を用いて目標を達成すること、好奇心に促されて興味を持って行動することに対する動機づけである。デシ（Deci, E. L.）は、内発的動機づけの重要性を強調した[8)]。特に職場においては、自分でやりがいをもって働き、困難を克服して目標を達成する内発的動機づけに働きかけることが、職場や組織を活性化し、発展させる[9)]。

アダムズ（Adams, J. S.）の公平理論[10)]では、「自分の入力（Ｉ：input）と出力（Ｏ：output）」と「他人の入力と出力」の比率に着目する。そして、「自分の入力／出力」＝「他人の入力／出力」である場合に、公平感を感じる。しかし、どちらかが大きい場合、公平でないと感じ、不満・ストレス・怒りなどを抱く。つまり、自分が労力をかけた（インプットが多い）のに報酬が少ない（アウトプットが少ない）とき、他人がさほど労力をかけていない（インプッ

図表９－１　アダムズの公平理論

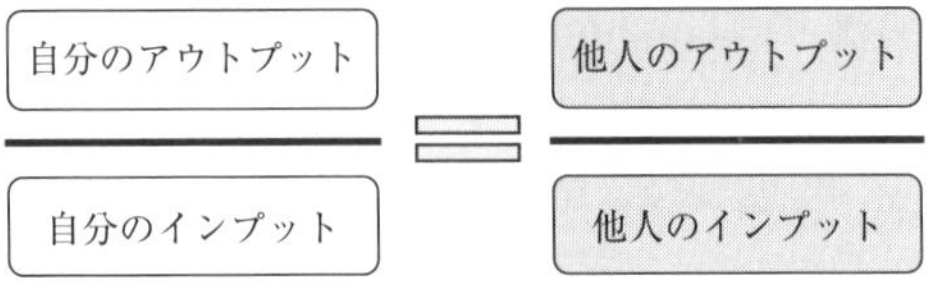

トが少ない）にもかかわらず過分な報酬をもらっている（アウトプットが多い）と知ると、過小評価されていると感じ、不公平感を抱く。インプットは、労力のほか、自分の努力、教育、経験、達成、実績などであり、アウトプットは、報酬のほか、満足感、昇進、地位、福利厚生などである。また、インプット・アウトプットの不均衡は現実であるか否かによらず、その認知・認識が問題となる点も重要である。なお、逆に自分が過大評価されている場合も均衡が崩れていると感じ、自分のインプットを減らしたり、その認知を変えたりするとされる。

第２節　職務満足の理論

職務満足の理論のうち、ハックマンとオルダム（Hackman, J. R. & Oldham, G. R.）[11]は、職務属性がどのようなメカニズムで職務満足をもたらすかを明らかにした。彼らによれば、職務の中核的次元には、①スキルの多様性、②課業の主体性、③課業の重要性、④自律性、⑤フィードバックの５つがあり、このうち①～③が仕事の有意味感を、④が成果に対する責任を、⑤が仕事の把握感をもたらす。そして、このような心理状態が職務満足、仕事への動機づけ、仕事の達成感に結びつくことを実証的に明らかにした（図表９－２）。

職務満足の要因に関する研究で最も広く知られているのは、ハーズバーグら（Herzberg, F.）[12]の理論である。それによれば、職務満足や不満足を規定する要因は２つである。１つは動機づけ要因で満足感との関係が強く、仕事の達成感、達成の承認、仕事そのもの、責任、承認、成長の可能性である。もう１つは衛生要因で不満足と関連するもので、監督の仕方、会社の政策と経営、作業条件、対人関係、賃金である。衛生要因の改善は人の不満足を減少させるが、

図表９－２　ハックマンとオルダムの職務特性理論

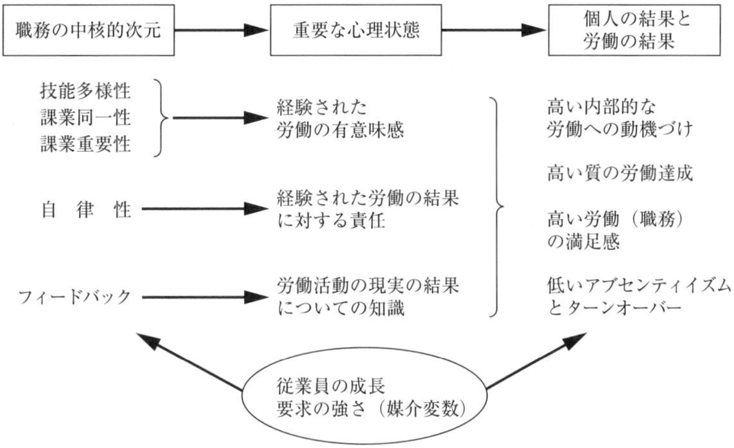

（資料出所）　岡村一成編著　1989『産業・組織心理学入門』福村出版　p. 84

職務満足は動機づけ要因の充足によって初めてもたらされる（図表９－３）。

職務満足をキャリアと直接結びつけた研究もある。ホールら（Hall, D. P. & Schneider, 1973）は、良い職業行動は満足をもたらすことを前提にして、心理的成功と失敗感に基礎を置いた組織キャリア開発モデルを提案した。彼らによれば、①自己概念、キャリア・コミットメント、自尊感情の増大は、適切なキャリア目標の達成をもたらす。②初職の職務評価、成功感が、その後数年のキャリア・コミットメント、職業的行動、成功を決める。③ある地位から他の地位への移動は、その個人の自己概念、満足、及び仕事に対する態度の顕著な変化となって完成される。

最近は、「ワーク・エンゲイジメント」に注目が集まっている。ワーク・エンゲイジメントは、島津（2014）[13]によると、「仕事に誇りややりがいを感じている」（熱意）、「仕事に熱心に取り組んでいる」（没頭）、「仕事から活力を得ていきいきとしている」（活力）の３つが揃った状態と定義される。以下、島津（2014）を引用した令和元年版「労働経済の分析」の記述をもとにワーク・エンゲイジメントと関連概念の関係を整理すると次のとおりである。

図表９－３ ハーズバーグの職務満足の２要因説
（動機づけ要因・衛生要因）

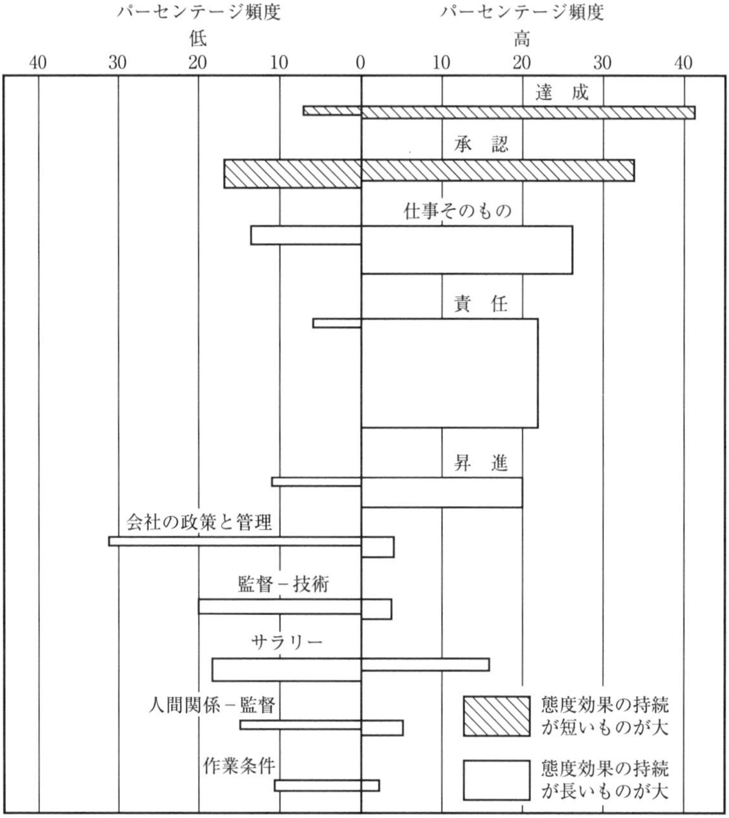

高＝高（好ましい）感情、低＝低（好ましくない）感情を表す。各因子の幅は持続度の長いものと短いものの割合を示している。例えば責任因子では長いものが短いものより非常に多いことを示している。

（資料出所） Herzberg, F., Mausner, B., & Snyderman, B. B. 1959 The motivation to work, New York：Wiley & Sons p. 81

・「バーンアウト（燃え尽き）」は「仕事に対して過度のエネルギーを費やした結果、疲弊的に抑うつ状態に至り、仕事への興味・関心や自信を低下させた状態」であり、「仕事への態度・認知」に否定的な状態であり「活動水準」は低い。

・「ワーカホリズム」は「過度に一生懸命に強迫的に働く傾向」とされ、「活動水準」が高い点がワーク・エンゲイジメントと共通しているが、「仕事への態度・認知」について否定的な状態である。

・「職務満足感」は「自分の仕事を評価してみた結果として生じる、ポジティブな情動状態」とされ、ワーク・エンゲイジメントが仕事を「しているとき」の感情や認知を指す一方、職務満足感は仕事「そのものに対する」感情や認知を指す点で差異がある。どちらも「仕事への態度・認知」について肯定的な状態であるが、後者は仕事に没頭しているわけではないため、「活動水準」が低い。

島津（2014）では、ワーク・エンゲイジメントが高い場合、生活満足度や仕事のパフォーマンスが高く、不健康の度合いが低いことも示されている。

図表９－４　ワーク・エンゲイジメントの特徴について

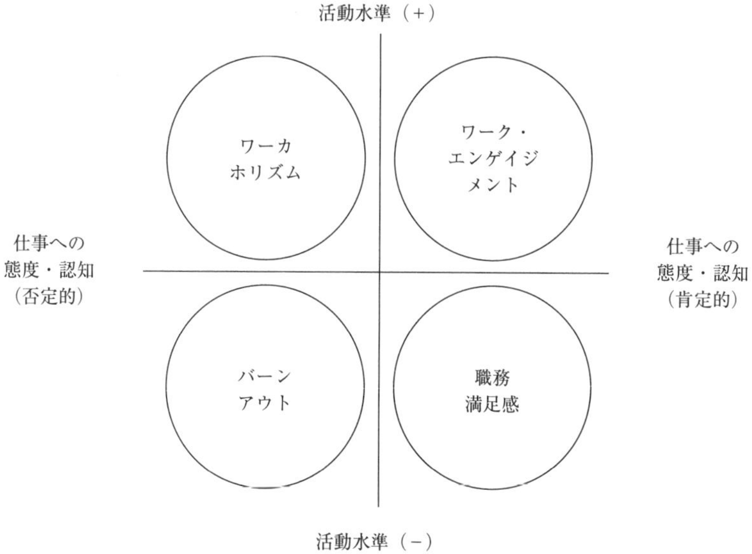

（資料出所）厚生労働省　2019「令和元年版　労働経済の分析」p. 175及び、島津明人　2014『ワーク・エンゲイジメント－ポジティブ・メンタルヘルスで活力ある毎日を』労働調査会より作成

第3節　組織内キャリアの諸次元と組織内キャリア発達

組織内キャリアが、どのような要因によって規定され、発達するかに関する理論や研究も多い。まず、シャイン（Schein, E. H.）[14]は、組織内キャリアとは、組織内の移動にほかならず、それは3次元のモデルから説明できるとした。以下のとおりである。

① 第1の次元は「機能」の軸で、この軸に沿った移動は製造→販売→マーケティングというように組織の部門間の機能的境界を移動するプロセス

図表9－5　組織の3次元モデル

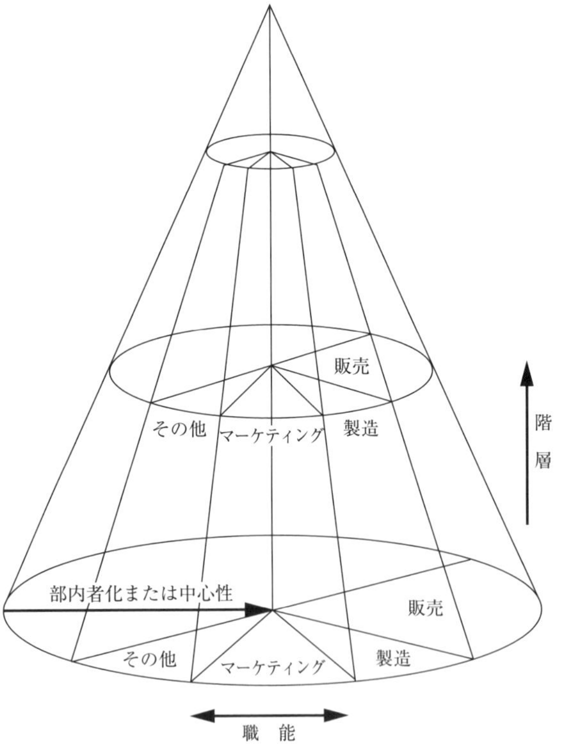

（資料出所）　E. H. シャイン著、二村敏子･三善勝代訳　1991『キャリア･ダイナミクス』白桃書房

である。企業内の配転、異動などがこれに当たる。

② 第２の次元は「地位」の軸で、見習社員→１級職→２級職→係長という変化で、縦の昇進などがこれに当たる。

③ 第３の次元は「中心性」の軸に沿った移動である。これは同一部署、同一地位内で仕事の中身が組織にとってより重要で中心的なものへ異動していく過程である。すなわち、地位、機能が同じでも、自己の重要性が中心化する傾向である。この３つの次元は必ずしも独立してはおらず相互に関連している（図表９－５参照）。

このような組織内キャリア・ダイナミクスの発達段階、発達課題を明らかにする理論が、組織内キャリア発達論である。その代表として、シャインは、組織内での人のキャリア発達段階とそのステージでの問題を、図表９－６のようにまとめている。このような組織内キャリア発達理論は、キャリアの進展に応

図表９－６　キャリア・サイクルの段階と課題

段　階	直面する一般問題	特定の課題
１．成長、空想、探究 （０～21歳） （役割：学生、大志を抱く人、求職者）	１．現実的な職業選択のための基準を開発する ２．職業についての初期の空想を実行可能な現実（的考え）に変える ３．社会経済的水準及び他の家庭環境による現実の諸制約を評価する ４．適切な教育ないし訓練を受ける ５．仕事の世界に必要な基本的習慣・技術を開発する	１．自分自身の欲求と興味、能力、価値観などを開発し発見する ２．職業について学ぶための現実的役割モデルを見つける ３．テスト、情報やカウンセリングから最大限の情報を入手する ４．キャリア選択をできるだけ広くしておけるような良い学業成績、スポーツ、趣味などを修める ５．初期の職業決定をテストするため試験的な職業経験の機会を見つける
	〈組織ないし職業への参入〉	
２．仕事の世界へのエントリー （16～25歳） （役割：スカウトされた新人、新入者）	１．労働市場に入る――キャリアの基礎となりうる初めての仕事に就く ２．実行できる正式かつ心理的な契約を、協定する ３．組織ないし職業のメンバーになる	１．仕事の探し方、応募法、就職面接の受け方を学ぶ ２．職務及び組織に関する情報の評価法を学ぶ ３．選抜・選別テストに合格する

段　　階	直面する一般問題	特定の課題
3．基本訓練 （16～25歳） （役割：被訓練者、初心者）	1．仕事及びメンバーシップの現実を知って受けるショックに対処する 2．できるだけ早く効果的なメンバーになる 3．正規の貢献メンバーとして認められるようになる	1．未経験ゆえの不安を克服し、自信を持つようにする 2．できるだけ早く、文化を解読し、「こつを知る」 3．最初の上司または訓練者、仲間とうまくやっていくことを学ぶ
4．キャリア初期の正社員資格 （17～30歳） （役割：新しいが正式のメンバー）	1．責任を引き受け、最初の正式な任務に伴う義務を首尾よく果たす 2．横断的キャリア成長の土台を築くため、専門知識、特殊技術を開発し示す 3．組織の制約・要求とを調和させる 4．当該組織ないし職業と自己の欲求と組織の制約・機会との間のより良い調和を求める	1．効果的に職務を遂行し、物事がどのように行われるかを学び、向上する 2．上司や同僚とうまくやっていく方法を学ぶ 3．助言者、支援者を見つける 4．最初の決定を、自己の才能・価値及び組織の機会・制約の点から再評価する 5．初めての仕事での成功感あるいは失敗感に対処する
5．正社員資格、キャリア中期 （25歳以後） （役割：正社員、在職権を得たメンバー、終身メンバー、監督者、管理者） （この段階にとどまる人もいよう）	1．専門を選び、ジェネラリスト及び・または管理者となる方に向かう 2．自分の選択した専門分野において学び続ける 3．組織の中で明確なアイデンティティを確立し、目立つようになる 4．自分の長期のキャリア計画を開発する	1．自分自身の意思決定に自信を持つようにする 2．自分の動機・才能・価値を慎重に評価する 3．組織及び職業の機会を慎重に評価する 4．家庭・自己・仕事へのそれぞれの関心を適切に調整する
6．キャリア中期の危機 （35～45歳）	1．自分のキャリアの再評価を行い、現状維持か、キャリアを変えるかを決める	1．自分のキャリア・アンカーを知り、評価する
	2．自分のキャリアの抱負を、中年の転機の諸側面と対比させて評価する 3．自分の生活全体において、仕事及び自分のキャリアがどれほど重要であるべきかを決める 4．他者の助言者になりたいという、自分自身の欲求を満たす	2．現在を受け入れるか、別の未来を選ぶか明確な選択を行う 3．行った選択をめぐって家族との新たな調整を達成する
7．A．非指導者役にあるキャリア後期 （40歳から引退まで） （役割：重要メンバー、経営メンバー〔多くの人々はこの段階にとどまる〕）	1．助言者になる 2．経験に基づく技術及び関心を広げ技術を深める 3．全般管理者の役割とより広範な責任を引き受ける 4．キャリアないし仕事以外での成長を求めると決めれば、影響力と手応えの減少を受け入れる	1．技術的に有能であり続けるか、あるいは経験に基づく知恵を用いるようになるか 2．対人関係技術や集団技術、監督・管理が必要な場合、どのように開発するか 3．若い人々の競争性と攻撃にどう対処するか 4．中年の危機及び家庭の空の巣問題にどう対処するか

段　階	直面する一般問題	特定の課題
7．B．指導者役にあるキャリア後期 （40歳から引退まで） （役割：全般管理者、幹部、上級パートナー、社内企業家、上級スタッフ）	〈部内者化境界線と階層境界線の通過〉	
	1．組織の現実的評価と長期的繁栄に自分の技術と才能を役だてる 2．他者の努力を統合し、広く影響を及ぼすようになる 3．主要部下を選抜し開発する	1．どのようにして、組織の繁栄に一層責任を持つようになるか 2．組織の内部及び組織・環境の境界の双方で、高度の政治的状況を処理することを学ぶ 3．キャリアに大いに関わり続けながら、家族、特に配偶者の欲求も満たすにはどうするか学ぶ
8．衰え及び離脱 （40歳から引退まで：衰えの始まる年齢は人により異なる）	1．権力、責任及び中心性の水準低下を受け入れるようになる 2．能力とモチベーションの減退に基づく新しい役割を受け入れ、開発するようになる 3．仕事が主ではない生活を送れるようになる	1．趣味、家庭、社会及び地域の活動、パートタイムの仕事などに、新たな満足源をどのようにして見つけるか 2．配偶者とより親密に暮らす方法を学ぶ 3．キャリア全体を評価し引退に備える
9．引退	〈組織ないし職業からの退出〉	
	1．ライフスタイル、役割、生活水準におけるより劇的な変化に適応する 2．蓄積した自分の経験と知恵をさまざまな上級の役割にある他者のために使う	1．常勤の仕事や組織での役割を持たずに、アイデンティティと自尊の意識をどのようにして保持するか 2．ある種の活動に、どのようにして自分の精力と能力の水準に至るまで専念し続けるか 3．自分の過去のキャリアの達成感や満足感をどのようにして得るか

（資料出所）　E. H. シャイン著、二村敏子・三善勝代訳　1991『キャリア・ダイナミクス』白桃書房（一部改変）

じて生じるさまざまな組織に関するキャリア問題（入職と適応、定着、管理職への昇進、専門職の処遇、技術の陳腐化、資格制度、中期キャリア危機、ストレス、出向・転籍、引退過程など）に目を向けさせた点で大きな意味がある。

組織内キャリアの入り口の問題としては、組織社会化とリアリティ・ショックの問題が重要である。組織社会化とは「個人が組織内役割（organizational role）を引き受けるのに必要な社会的知識や技術を獲得する過程」と定義される[15]。この過程で「一方における自分の期待・夢と、他方における組織での仕事・組織に属することが実際にどのようなものなのかのギャップ」（Schein, 1978）を感じることがリアリティ・ショックである。リアリティ・ショックに適切に対処しない場合、離職行動につながる。そのため、従来から、リアリティ・ショックの状態にある新入社員に組織の現実を学習させることで、組織適応を促す研究が進められてきた（小山，2014）[16]。

リアリティ・ショックを経験しても、組織内に新しい人間関係が形成されていれば、組織コミットメントや仕事に対する満足度の低下、転職意志の増加といった悪影響を緩和できる。すなわち、組織内の人間関係はリアリティ・ショックに大きな影響を与える（田尾，2001）[17]。この点から、組織社会化の過程における所属集団（自分が所属する集団）と準拠集団（自分が大切にし準拠している集団）の違いが重要になる。フォーマル集団に対するインフォーマル集団の重要性なども、組織社会化では重要な要因となる。

組織内キャリアの重要概念として、シャイン[18]によって提起された「キャリアアンカー」も知られている。キャリアアンカーとは、個人が選択を迫られたときに、その人が最も放棄したがらない欲求、価値観、能力（才能）などのことで、その個人の自己像の中心を示す。個人のキャリアを船に例えた場合、それをつなぎ止める錨《いかり》としての働きをするもので、キャリアの積極的定着促進要因と言える。シャインは「欲求と動因の基本的な組み合わせは、効果的なキャリアアンカーとしての役割を果たす。それはキャリアの選択に影響を与えるだけでなく、転職にも影響を与え、その個人が人生で見つけたいと思っているものを形づくり、未来の展望、関連する目標と対象の総合的な評価を特徴づける」と述べた。あるマネジメント・スクールの卒業生の調査から、次の５つのアンカーがあることを確認した。

①　管理能力（managerial competence）：対人能力、分析能力、情緒の安定などの管理的な面に価値を置く。これらの人はライン管理者として、組織の中でより責任のある役割が増大することを望む。

②　技術的、機能的能力（technical/functional competence）：自分の専門的な仕事の優秀さを通して欲求を満たす。これらの人は、特定の役割を実行すること、技術的、専門的な分野で働くことを望む。

③　安全性（security）：安全を最優先にする。これらの人は、１つの組織にいて、１つの社会的地位にとどまることを望む。

④　創造性（creativity）：何かをつくり出すことを求める。これらの人は、起業家として行動し、新しいビジネス、商品、サービスを創造することに意義を見いだす。

⑤　自律と独立（autonomy and independence）：自分の自由と独立を守ることに関心を持つ。組織を離れてコンサルタントになったり、独立することを求める。

その後、シャインは、数百人のいろいろな人々とのインタビューなどの経時的研究により、次の８つのカテゴリーに修正している[19]。

①　専門・職能別コンピタンス　②　全般管理コンピタンス
③　自律・独立　④　保障・安定　⑤　起業家的創造性
⑥　奉仕・社会貢献　⑦　純粋な挑戦　⑧　生活様式

人はさまざまな理由で組織内における自分の所在地を変えるが、その所在地によって仕事の満足、生活、役割などが変わる。その所在地にその人をつないでいるのがキャリアアンカーである。キャリアコンサルティングは、個人が自分のアンカーを認識し、自分の欲求を満たす機会を組織内に探すことを援助する。

第４節　ストレスとストレス耐性

「ストレス」という用語はさまざまに使われるが、心や体にかかる外部からの刺激である「ストレッサー（stressors）」と、心や体に生じたさまざまな反応である「ストレス反応（＝ストレイン：strain）」を分けて考えるのが一般的である[20]。

ストレス反応と環境との関係を検討した代表的な研究に、ホルムズとラー（Holmes, T. H. & Rahe, R. H.）のライフイベント研究[21]がある。ホルムズらは、日常生活において遭遇する社会的ストレッサーとして生活上の出来事43項目を選定し、その強度を数量化した社会再適応評定尺度（Social Readjustment Rating Scale）を開発している。ストレッサーとなる最も大きな出来事は「配偶者の死」であり、以下、「離婚」「夫婦別居生活」「拘留」「親族の死」「個人のけがや病気」などが続いた。職業、職務に関連するものでは、「失業」「退職・引退」「合併・組織替えなど勤め先の変化」「転勤・配置転換」「仕事上の地位（責任）の変化」「職場の上司とのトラブル」「勤務時間や労働条件の変化」などが挙げられている。

ストレスを単に生活上のイベントによるものと捉えず、個人の内的・心理的な過程が重要であるとして、心理学的なストレス研究を切り開いたのはラザルスである。ラザルスら（Lazarus, R. S.）[22]は、環境的な要因やライフイベントが、直接、ストレス反応を引き起こすのではなく、個人の「認知的評価」を経て、自分の資源を上回ったと判断されたときに心理的なストレスが引き起こされるとした[23]。認知的評価には「一次的評価」と「二次的評価」の２種類がある。一次評価は次の３種類に分類される。

① 無関係：環境からの要求が、その個人の健康や幸福にとって何の意味も持たない場合になされる評定
② 無害・肯定的：環境との関わりの結果が、肯定的、つまり良好な状態を維持し、強化すると思われる場合になされる評定
③ ストレスフル：刺激状況によって、自分の価値・目標・信念などが「危うくなっている」「脅かされている」と判断される場合になされる評定

何らかの負荷がかかったとき、上記の一次的評価がなされ、「無関係」「無害・肯定的」と評定されたときはストレスにならない。「ストレスフル」と評定されたときに心理的なストレスとなり、次の二次評価に移る。

二次的評価では、「ストレスフルな状況を処理したり、切り抜けたりするために何をすべきかを検討する過程」である。この過程は、「環境上の手がかり、先行経験による学習内容、パーソナリティ、個人資産などに基づいて、次の過程でどのようなコーピング（対処）方略の選択が可能かを評定する段階」（高橋, 2013）[24]である。

コーピング方略には、「問題焦点型コーピング」と「情動焦点型コーピング」の２つがある。問題焦点型コーピングは「問題解決に向けて情報収集する、計画を立てる、具体的に行動するなどのように、ストレッサーとなっている問題状況そのものを解決しようとする具体的な努力」を指す。一方、情動焦点型コーピングは「生起した情動を除去したり低減したりするような努力」を意味する（高橋，2013）[25]。ストレスに対処するためのコーピングには、問題そのものを解決しようとする方法と、問題から生じる感情に働きかける方法の２つの種類があることは、ストレスにどの程度耐えられるか（ストレス耐性）を高めるうえで重要な考え方である。

そのほかストレス耐性を高める方法として、①楽観主義、②自己効力感、③ソーシャルサポートなどがある。

楽観主義は、楽観的な説明スタイルのことである。セリグマン（Seligman, M. E. P）は、敗北は一時的なもので、その原因もこの場合のみに限られており、挫折は自分のせいではなく、そのときの状況とか不運とか、ほかの人々がもたらしたものだと信じる説明スタイルであると述べている[26]。悪い出来事が起きたとき、それは「一時的（unstable）」で「特異的（specific）」で「外的（external）」であると考える場合、無力感に陥ることがない。したがって、ストレス耐性を高めることにもつながる。

自己効力感（self-efficacy）は、「自分の行動で望ましい結果を生み出す能力があるという信念」と定義される（Bandura，1994[27]、Maddux, J. E.，1995[28]）。自己効力感が高い場合、人は物事をポジティブに考えることができる。また、失敗に不安を感じることなく積極的に行動できる。身体的にも精神的にも健康な状態にあり、ストレス耐性が高くなる[22]。キャリア心理学にも早くから入ってきた概念であり、別章で取り上げるとおり、キャリア自己効力感の研究が盛んになされてきた。

ソーシャルサポートもストレスと密接に関連がある概念である。厚生労働省の健康情報サイト「e－ヘルスネット」[29]では、「社会的関係の中でやりとりされる支援。健康行動の維持やストレッサーの影響を緩和する働きがある」と説明されている。家族や友人、先輩などとの人間関係を通じて提供されるサポートである。ソーシャルサポートは、以下の4つに分類される（House, 1981）[30]。

情緒的サポート：共感や愛情の提供
道具的サポート：形のある物やサービスの提供
情報的サポート：問題の解決に必要なアドバイスや情報の提供
評価的サポート：肯定的な評価の提供

小牧・田中（1993）[31]は、職場におけるソーシャルサポートの効果を検討するに当たって、①情緒的サポートは、同情、共感、配慮、信頼など、人と人との情緒的な結びつきを示すサポート、②道具的サポートは、仕事を手伝ったり、看病したり、お金を貸すなどの直接的な行為を伴うサポート、③情報的サポートは、有益な情報を与えることによるサポート、④評価的サポートは、意見に賛成したり、仕事ぶりを認めるなど、その人の考えや行為を認めるサポートと説明している。

ストレスは職場のキャリアと密接に関わっている。初職入職後の不適応、異動・昇進に対する不満、管理者の過重な責任、中期キャリアの危機、退職への不安などキャリアへの不適応は、すなわちストレス問題であると言って過言ではない。キャリアに関連するストレッサーについても、職業性ストレス、仕事ストレス、職務ストレス、組織ストレスなどさまざまな形で数多く研究されている。なお、職業性ストレスについては、別途、第12章で取り上げる。

第5節　ヒューマン・エラー

リーズン（Reason, J.）[32]は、ヒューマン・エラーを「計画された一連の精神的・肉体的活動が意図した結果を達成できず、かつ、その失敗が何らかの偶然の出来事に起因するとは考えられない場合のすべてを包括する一般的な用語」と定義する。そのうえで、リーズンは、ヒューマン・エラーを「パーソン・アプローチ」と「システム・アプローチ」に分ける。パーソン・アプローチは、個人のエラーに焦点を当てる。エラーは、物忘れ、不注意、意欲の低下、過失、無謀さなどの個人の側の要因で生じると考え、個人の望ましくない行動を防ぐアプローチである。一方、システム・アプローチは、個人が働く組織の側に焦点を当てる。どのような組織でも間違いやエラーは発生する。職場で繰り返しエラーが発生する場合は、それを引き起こす組織の問題があると考え、システムの防御を構築する。

ノーマン（Norman, D. A.）はエラーを分類した「ATSモデル（Activation-Trigger-Schema System model）」[33]を提起している。ATSモデルでは、ある行動を行うとき、トリガー（引き金）があり、それによって記憶されている行為のスキーマ（認識の枠組み）が活性化され、行動がなされる。この一連のプロセスのどこかが失敗することでエラーが引き起こされる。

① 「意図の形成段階」の失敗として起こるスリップ
② 「行為スキーマ活性化段階」の失敗として起こるスリップ
③ 「行為の実行段階」でスキーマが正しくトリガーされず起こるスリップ

中嶋（2013）[34]は、①について「眼鏡をはずそうと手を伸ばしたところで、そもそも眼鏡をしていなかったことに気づいた」、②について「会社を出るときには、調味料を買うことを覚えていたが、店で見かけた別のものを買い、帰宅してしまった」、③について「歩数を数えながらジョギングしていて挨拶され、挨拶を返さずに、数えていた歩数を答えてしまった」という例を挙げている。

また、これら実行段階での過ちである「スリップ（slip）」とは別に、計画段階でのそもそもの過ちを「ミステイク（mistake）」と呼ぶ。

図表9－7に示したリーズンの不安全行動の分類もよく知られている。まず不安全行動は「意図しない行為」と「意図した行為」に分けられる。そして、さらに「スリップ」は注意力の低下による誤り、「ラプス」は物忘れによる誤り、「ミス」はルールに関する誤り、「違反」はルール違反による誤りを示す。不安全行動とはどういうものかを詳しく考える際に有効な分類である。

さらに、システムの側の要因を説明するモデルとしては、「スイスチーズモデル」がある。これは、システムの側のさまざまな防護策を幾重にも重なる穴

図表9－7　不安全行動の分類

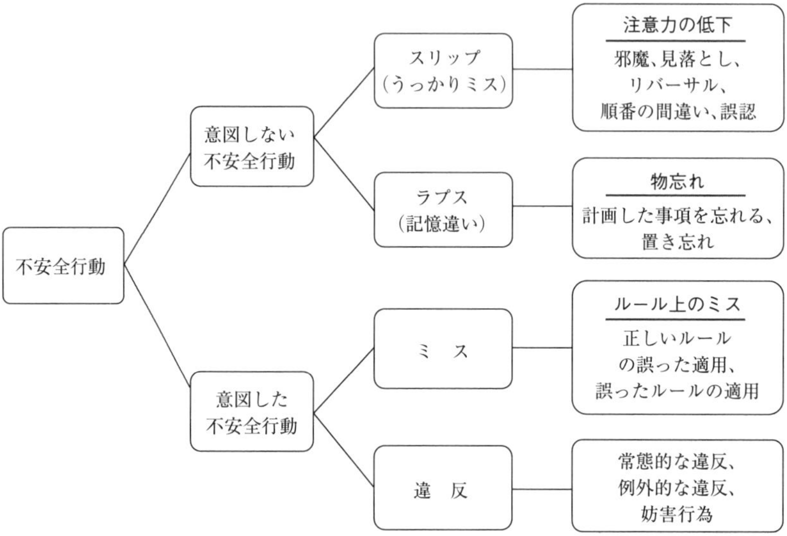

（資料出所）Reason, J., 1990, Human Error. New York：Cambridge University Pressをもとに作成

図表9－8　スイスチーズモデル

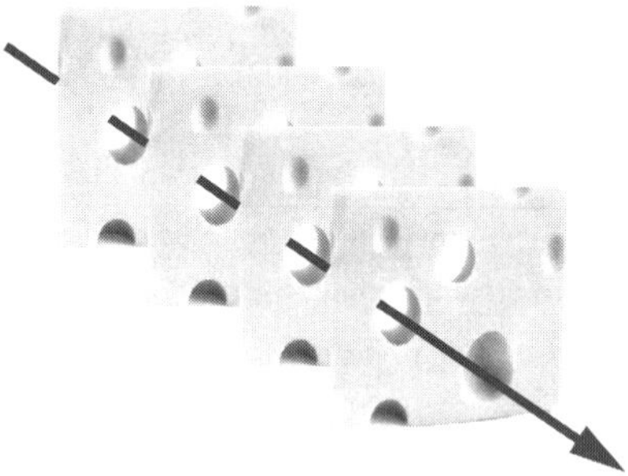

（資料出所）Reason, J. 1997 Managing the risks of organizational accidents. Aldershot, UK：Ashgate（塩見弘監訳、高野研一・佐相邦英訳　1999『組織事故』日科技連）

の空いたチーズになぞらえたものである。各層の防護（人的要因、技術的要因、組織的要因など）には、どうしても防ぎ得ない潜在的な弱点があるが、その穴が一列に並んでしまうことで、穴を通り抜け、事故が生じるというモデルである。

したがって、この穴が一列に並んでしまわないように対策を立てる。具体的には、「フールプルーフ（foolproof）」と「フェールセーフ」がある。フールプルーフとは「愚か者（fool）でも耐えうる（proof）」の意味であり、不注意な人や十分に熟達していない人が使ったとしても事故につながらないようなデザイン・設計にしておくことを言う。蓋を閉じなければ動かない洗濯機などの例が該当する。フェールセーフは「失敗（fail）しても安全（safe）」の意味であり、たとえ失敗したり間違ったとしても大事故につながらない設計・仕組みにしておくことを言う。ヒューズが代表的な例で、電気を使いすぎたときもヒューズが切れることで事故を防いでいる。

なお、日本の労働安全行政においては、伝統的に「ハインリッヒの法則」及び「ヒヤリ・ハット」の概念も重視してきた。ハインリッヒの法則とは、1件の重大事故・災害があったとすれば、その背後には、そこまでには至らない29件の事故があり、さらにその背後には330件の事故にまで至らない不安全行動またはヒヤリ・ハットがあるとする。ヒヤリ・ハットとは、仕事をしていてもう少しで怪我をするところだったというヒヤリとしたり、ハッとした経験である。このもう一歩で事故に結びつくかもしれなかったヒヤリ・ハットに着目

図表9－9　ハインリッヒの法則及びヒヤリ・ハット

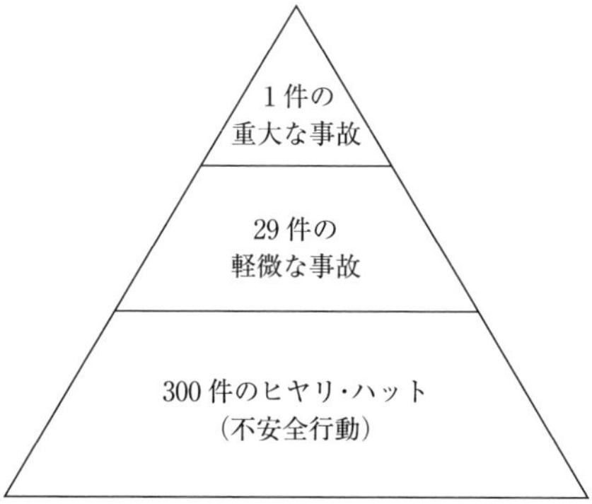

して、きちんとした報告の仕組みを作ったり、意識を高めたり、報告した労働者を責めないなどの制度を設けることで、労働災害の防止に結びつける。日本の労働安全衛生では従来から重視されてきた[35]。

リーズンは、組織の「安全文化」を重視している。安全文化の構成要素として以下の４つを指摘している[36]。

①　報告する文化：エラーや事故を隠さずに報告する。
②　正義の文化：規則違反等を放置せず、罰すべきことを適切に罰する。
③　学習する文化：過去のエラーやミスから学び、必要な対策を講じる。
④　柔軟な文化：必要に応じて組織の命令形態などを変える[37]。

究極的には、キャリアコンサルティングにおいても、上のような文化を有する組織を目指している。キャリアコンサルティングの実践にとっても示唆に富むと言えるだろう。

文　献

1）Maslow, A. H. 1943 A theory of human motivation. Psychological Review, 50（4）（pp. 370－396）

2）Alderfer, C. P. 1969 An empirical test of a new theory of human needs. Organizational Behavior & Human Performance, 4（2）（pp. 142－175）

3）労働政策研究・研修機構　2012『労働政策研究報告書No.147　中小企業における人材の採用と定着－人が集まる求人、生きいきとした職場／アイトラッキング、HRMチェックリスト他から』

4）McClelland, D. C. 1961 The achieving society. Princeton, NJ: Van Nostrand.

5）McClelland, D. C. 1987 Human Motivation. NY, Cambridge university press（梅津祐良・薗部明史・横山哲夫訳　2005『モチベーション－達成・パワー・親和・回避動機の理論と実際―』生産性出版）

6）McClelland, D. C. 1973 Testing for competence rather than for “intelligence.” American Psychologist, 28（pp. 1－14）

7）Atkinson, J. W., Bastian, J. R., Earl, R. W., & Litwin, G. H. 1960 The achievement motive, goal setting, and probability preferences. The Journal of Abnormal and Social Psychology, 60（1）（pp. 27－36）
8）Deci, E. L. 1975 Intrinsic motivation. New York：Plenum
9）渡邉祐子　2013「ワークモチベーション」高橋修編著『社会人のための産業・組織心理学入門』（pp. 65－90）産業能率大学出版部
10）Adams, J. S. 1965 Inequity in social exchange. In L. Berkowitz（Ed.）, Advances in experimental psychology（pp. 267－299）. New York：Academic Press
11）Hackman, J. R., & Oldham, G. R. 1980 Work redesign. Reading, MA：Addison-Wesley.
12）Herzberg, F., Mausner, B., & Snyderman, B. B. 1959 The motivation to work, New York：Wiley & Sons
13）島津明人　2014『ワーク・エンゲイジメント－ポジティブ・メンタルヘルスで活力ある毎日を』労働調査会
14）Schein, E. H. 1978 Career Dynamics：Matching Individual and Organizational Needs. Reading, MA：Addison-Wesley
15）Van Maanen, J. E., & Schein, E. H. 1979 Toward a theory of organizational socialization. In B. M. Staw（Ed.）, Research in Organizational Behavior, 1（pp. 209－264）Greenwich, CT：JAI Press
16）小山健太　2014「組織社会化におけるリアリティ・ショック後の認知的プロセス－保守的役割志向と変革的役割志向の異質性」『人材育成研究』9（1）（pp. 33－52）
17）田尾雅夫編　2001『組織行動の社会心理学』北大路書房
18）Schein, E. H. 1975 How “career anchors” hold executives to their career paths. Personnel, 52（3）, pp. 11－24
19）Schein, E. H. 1990 Career anchors：discovering your real values. San Francisco, CA：Jossey-Bass/Pfeiffer
20）厚生労働省「働く人のメンタルヘルス・ポータルサイト『こころの耳』」「ストレスとは」
https://kokoro.mhlw.go.jp/nowhow/nh001/
21）Holmes, T. H., & Rahe, R. H. 1967 The Social readjustment rating scale. Journal of Psychosomatic Research, 11（2）（pp. 213－218）
22）Lazarus, R. S. & Folkman, S. 1984 Stress, appraisal, and coping. New York：Spronger（本明寛・春樹豊・織田正美監訳　1991『ストレスの心理学－認知的評価と対処の研究』実務教育出版）
23）ラザラスらの心理学的ストレスモデルについては、高橋修　2013「職業性スト

レスとメンタルヘルス」高橋修編著『社会人のための産業・組織心理学入門』産業能率大学出版部を主に参照し、引用
24）文献23）に同じ　p. 275
25）文献23）に同じ　p. 292
26）Seligman, M. E. P. 1991 Learned optimism. New York：Knopf
27）Bandura, A. 1994 Self-efficacy. In V. S. Ramachaudran（Ed.）, Encyclopedia of human behavior, Vol. 4（pp. 71－81）. New York：Academic Press
28）Maddux, J. E.（Ed.）. 1995 Self-efficacy, adaptation, and adjustment：Theory, research, and application. New York：Plenum
29）厚生労働省「生活習慣病予防のための健康情報サイト『e－ヘルスネット』」https://www.e-healthnet.mhlw.go.jp/information/dictionary/exercise/ys-067.html
30）House, J. S. 1981 Work stress and social support. Reading, MA：Addison Wesley
31）小牧一裕・田中国夫　1993「職場におけるソーシャルサポートの効果」『関西学院大学社会学部紀要』67（pp. 57－67）
32）Reason, J. 1990 Human Error. New York：Cambridge University Press
33）Norman, D. A. 1981 Categorization of action slips. Psychological Review, 88（pp. 1－15）
34）中嶋励子　2013「仕事の能率と安全」高橋修編著『社会人のための産業・組織心理学入門』産業能率大学出版部
35）厚生労働省「職場のあんぜんサイト」https://anzeninfo.mhlw.go.jp/index.html
36）Reason, J. 1997 Managing the risks of organizational accidents. Aldershot, UK：Ashgate
37）申紅仙　2007「ヒューマンエラー」「組織事故と安全文化」山口裕幸・金井篤子編『よくわかる産業・組織心理学』ミネルヴァ書房

第10章
キャリアコンサルティングと人事・労務管理

第１節　人事・労務管理の目標と内容

１．１　人間関係管理としての人事・労務管理

企業経営を構成する要素は、ヒト（men）、モノ（material and machine）、カネ（money）の３M、それに情報（information）であると言われる。企業はこの４つの要素をうまくかみ合わせることによって、経営目標を達成する。しかし、経営活動の担い手はすべてヒトであるから、企業活動にとって最も重要な要素はヒトの問題、すなわち、経営における人的資源＝労働力をいかに有効に活用するかにあると言える。同時に、そのことを従業員個人の側からみれば、いかにして職業生活に適応し、職業能力を発揮し、その人らしいキャリアを形成するかということである。

このような人と経営活動との関係から、人事・労務管理を定義すると以下のように定義できよう。まず、経営におけるヒト、モノ、カネ、情報を管理するための技術や施策すべてをまとめて「経営管理」という。そのうち、ヒトに関する部分を「人事・労務管理」という。すなわち、人事・労務管理とは、「経営者が、従業員の採用から退職までの、個人の雇用に関して行う一連の自主的な管理施策」である。

人事・労務管理の対象となるヒトは、他の生産要素であるモノ、カネ、情報とは著しく異なった面を持っている。生産要素としての労働力という側面のほかに、労働の担い手としての感情や態度を持った生きた人間という側面を併せ

持っており、この生産要素としての側面と、人間としての側面を分離できない。人事・労務管理とキャリアコンサルティングとが関連するのは、このような関係があるからである。

1.2　人事・労務管理の４つの側面

管理の対象となる人間の側からみると、人事・労務管理には、次の４つの側面がある。

（1）　生産要素としての労働力の管理－雇用管理－

経営者が人を雇うのは、機械や原材料と並んで生産要素の１つとしての労働力、つまり、「働き手」として期待するからである。この場合には、働き手としての雇用労働者の能力を、いかに高いものにするかが問題となる。

経営者は、まず、職務に最も適した人間を募集し、選択し、採用することから始める。これが「採用管理」である。次に、採用した従業員を、その能力、適性に応じた職務に就かせるための合理的な管理施策が「配置管理」である。また、職務を適切に遂行するためには、職務についての知識、技能、経験などが必要である。これを計画的、組織的に行うのが「教育・訓練管理」または「能力開発管理」である。知識、技能、経験の伸長や、従業員のキャリアの進展に応じて、それに見合った職務に異動させたり、上級の職務に昇進、昇格させたりするのが「異動、昇進管理」である。また、退職や雇用関係の終了に関する管理が「退職管理」である。

以上のような募集、採用、配置、異動、昇進、教育訓練・能力開発、及び退職のような、企業が従業員を採用してから退職に至るまでの雇用に関する一連の管理施策を総称して、一般に「雇用管理」という。この場合は、生産要素の１つとしての「労働能力」の管理という意味が強い。

（2）　労働関係にある従業員の管理－労働条件管理－

従業員の労働は、どのような労働条件や作業環境のもとで働くかに規定される。また、一定時間労働すれば、心身ともに疲労するし、それが過度になれば病気や労働災害の原因ともなる。

まず、労働条件の基本である賃金の金額、構成、支払方法などに関する管理施策が「賃金管理」である。次に、従業員がゆとりのある生活を営むために必要な適正な労働時間、休憩、休日及び年次休暇などに関する管理が「労働時間管理」である。また、職場における従業員の安全と健康を確保し、快適な作業環境を形成するための管理が「安全・衛生管理」である。「安全・衛生管理」は、労働災害防止のための「安全管理」と、健康の保持、増進のための「衛生管理」とに分けて使われることもある。

このようないろいろな労働条件に関する管理が「労働条件管理」である。生産要素の１つとしての労働力の保全・維持のための管理が、その特徴である。

（３）「働きがい」を持つ人間の管理－人間関係管理－

従業員は、単に労働力として、あるいは従業員として存在するわけではない。モノやカネ、情報とは違って感情を持ち、考える力を持ち、働きがいを求める人間的存在である。また、実際に労働するに当たっては、職場の中の人間関係の中で、さまざまな感情や態度を表現する社会的な存在でもある。潜在的に優れた能力を持っていても、あるいは快適な労働条件を享受していても、その能力をどの程度発揮できるかは、この人間であるという側面によって決まる。

「人間関係管理」は、人間そのものを直接管理することに関係する狭義の「人間関係管理」と、人間性の再生産に資する「福利厚生管理」に分かれる。

「人間関係管理」には４つの側面がある。第一は、従業員が企業や職場集団への帰属意識、忠誠心すなわちモラール（morale）を高めるための「モラール管理」である。第二は、このモラールの上に立って現実に「やる気」を起こすように動機づけ（motivation）を与えるための「モチベーション管理」である。そして第三は、モラールやモチベーションを実際の労働の現場で従業員に引き起こさせる人（leader）が、従業員を組織目標達成のために努力するよう影響を与えるための「リーダーシップ管理」である。最後は、組織効率を高めるために組織を計画的に変革する「組織開発」である。「人間関係管理」には、具体的には自己申告制度、提案制度、小集団活動、カウンセリング、苦情処理制度、従業員意識調査、社内クラブ活動、組織開発などがある。

「福利厚生管理」には、「法定福利」（健康保険、厚生年金保険、労働保険など）と「法定外福利」の管理が含まれる。「法定福利」は広い意味での金銭的報酬と考えられるので、人間関係管理として重要なのは、労働条件を補完し、労働力の再生産に資するという意味で「法定外福利管理」である。法定外福利には、住宅、医療・保険の加給、食事、文化・体育・娯楽施設、慶弔、財形、私的保険への加給、自己啓発の援助などが入る。

（4） 労働の売り手としての賃労働者の管理－労使関係管理－

経営者は、従業員を生産やサービスを生み出す働き手として雇用するのだが、従業員の側からみれば、働くことによって賃金を得、それによって生計を維持する立場にある。この面からみると、従業員は労働の売り手としての賃労働者という性格を持っている。また、経営者としても、従業員は賃金を支払う人件費の支出要素という面を持っている。

このように、労使は経済的取引者として対立する関係に立っているわけで、これが「労使関係」である。労使関係には、個々の労働者と使用者の間に成り立つ個別的労使関係と、労働者の団体（労働組合）と使用者の団体（経営者団体）との間に成立する集団的労使関係がある。労働組合の有無に関係なく、経営者は、労働者が対等の立場で経営者に対応し、労使関係に無用の紛争が生じないようにする必要がある。このような労使関係の安定と円滑化のための施策が「労使関係管理」である。

以上のような人事・労務管理の全体像とその内容は、図表10－1のとおりである。

1.3 日本の企業の人事・労務管理の構造的変化と今後の課題

（1） 日本の企業の人事・労務管理の特徴

日本の企業の人事・労務管理の特徴は、1958年、アベグレンの著作『日本の経営』[1]でいわゆる「日本的雇用慣行」が指摘され、その後、OECDによる「OECD対日労働報告書」（1972）[2]によって広く人々に知られるようになり、今日に至っている。

第一に、終身雇用慣行（長期雇用制度）である。これは、主として学校卒業後直ちに採用され、その後企業内で職業訓練、能力開発を受け、職種間の移動を伴いながらキャリア形成と昇進をし、一定年齢まで雇用される慣行である。

図表10－1　人事・労務管理の全体像

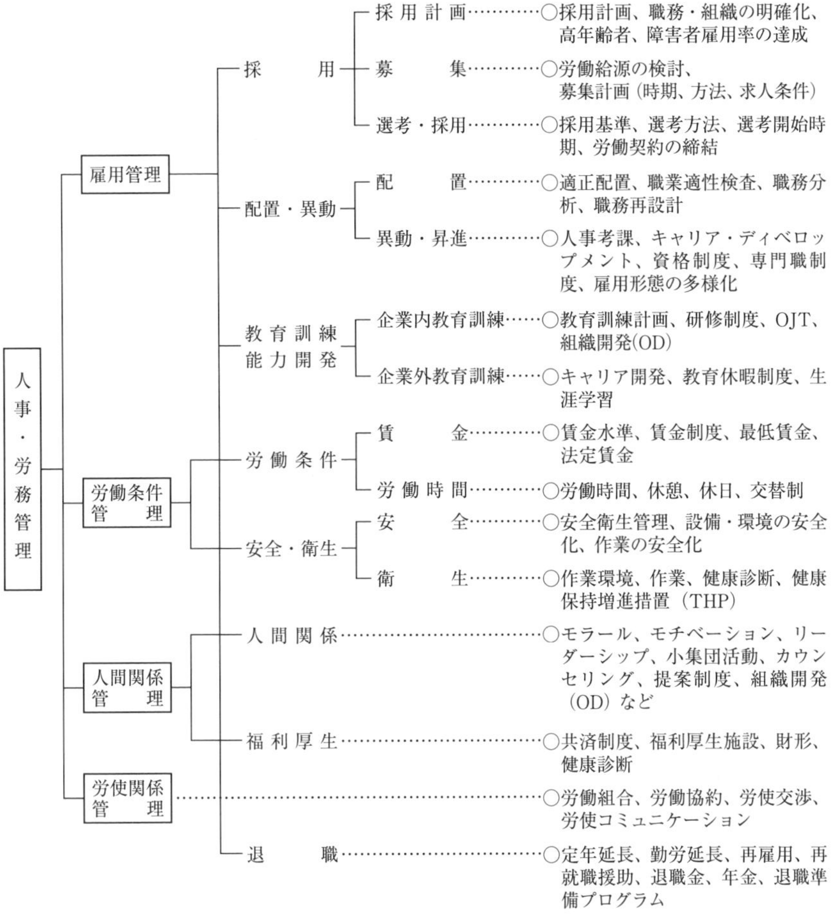

（資料出所）　木村周　1995「雇用管理の基礎知識」

このことが従業員に働く意欲を与え、まずは世帯主である男性に雇用の機会を確保してきたことは、永年にわたり、日本の企業風土をつくり上げてきた。

第二に、年功序列賃金制度である。賃金が主として労働者の勤続年数、年齢などの属人的年功要件で決定され、定期昇給制度を媒介として、勤続年数とともに上昇する賃金制度である。このことで企業は長期的視野に立った経営とそれを基本にした人事・労務管理ができた。また、景気後退があっても、できるだけ正規従業員の雇用を維持してきた。

第三に、企業別労働組合と労使協調路線である。労働組合が、主として企業別に組織されている。そのため労使が協力して企業の維持と発展に貢献することができ、組合員の経験を持つ人が昇進し、管理職や役員になって企業経営に参画する例も日常的に認められた。

第四に、新規学卒者一括採用と企業内教育・ジョブローテーションである。学生は学生時代の後半、集中的に就職活動、主に企業訪問（いわゆる就活）をして、どんな仕事をするかよりも、有名な企業への就職、「就職よりも就社」を求める。企業側も､学校教育によって培われた個性ある学生を求めるよりも、入社後最も下のランクに位置づけ、企業に合う従業員を教育する。そして順次ジョブローテーションしてキャリアを形成させる。

第五に、内部調達と内部昇進である。仕事の変更、組織体制の変更に当たって、社内における従業員の再配置を中心に行う。専門職など例外的な部分以外は、外部労働市場からの採用は行わない。このことで内部の基幹社員、幹部社員（正規社員）は確保される。

第六に、平等主義、成果主義である。職務、ポストにかかわらず「基本的には平等である」という考え方が根底にある。一般社員と役員、経営者との給与格差は世界各国と比べて小さい。一方、近年、企業経営の基本として、短期中期の成果主義が導入されてきた。成果を上げた者に報いる企業哲学である。この両者のバランスが問題となっている。

（2）　人事・労務管理を取り巻く環境の変化

このような日本の雇用慣行は、太平洋戦争後、戦後の復興、高度成長時代を通じて我が国経済を支え、『日本の挑戦』（Hedberg, 1970）[3]、『第三の大国日本』（Guillain, 1969）[4]として超経済大国となった日本の秘密を、世界各国が驚きと奇跡として認識した。

しかし、1980年代以降我が国経済の構造的な変化、経済のグローバル化、少子高齢化など、労働力需給のアンバランスなどによって、これまでの状況は一変することになる。

まず、企業の側から見ると、国内市場中心からグローバル市場への展開、少品種大量生産方式から多品種少量生産方式へ、規模の経済からスピードの経済へ、ピラミッドの組織からフラットな組織へ、モノづくり（製造業）からサービス産業への変化などである。

要約すれば、工業化社会から知識社会への流れ、それに対応する人的資源管理の展開が大きな流れとなった。

一方、働く労働者側にも、労働力人口の減少、少子高齢化、女性の職場進出、非正規従業員の増加などの傾向が進んだ。働く者の多くに、何らかの意味の雇用への不安、心身の健康、安全に対する関心が高まった。働くことの意味の変化、多様な働き方の追求、より積極的には「自分や家族のために働きたい」「働くことによって学びたい」というニーズが高まってきた。

こうした働く労働者の意識や仕事環境の変化に対して、企業の側はどう対応しようとしてきたのか。企業の側も企業と個人の相互選択、お互いの選択幅の拡大、１人ひとりに応じた個別管理、自己啓発に対する支援など、「企業の論理と個人の論理の共生」を図ろうとする傾向が現れた。この傾向は、現在の産業社会の主流には至っていないが、少なくとも建て前では否定する企業は少なく、今後における企業の人事・労務管理、特にキャリア形成支援の基本的方向を示す。具体的には次の４点である。

第一は、働く人の能力、適性、希望を実現するため、仕事、職場、勤務の仕方、処遇などについて、労働者と企業とが相互に選択し合う傾向である。したい仕事の自己申告、新しい職場の社内公募、希望を尊重する勤務地限定制、労働時間を自由に選ぶフレックスタイムや裁量労働時間制、仕事と報酬を相談して決める年俸制などは、みなこれに当たる。

第二は、人事・労務管理の個別化、多様化の傾向である。労働者を１本のタテの序列だけで位置づけるのではなく、１人ひとりの個性に応じて組織の中で棲み分けるという考え方で、必要とするメンバー全員に「それぞれところを得さしめよう」とするものである。適性によって職務と等級を決める職能資格制度、全員専門職制、コース別採用などはこれに当たる。

第三は、仕事を中心とした組織管理や能力評価、労働者の主体的な自己啓発への援助などのキャリア形成支援である。明確な仕事目標とその実績評価を話し合いで決める目標面接制、企業外にも通用する資格や能力評価、企業内外の自己啓発に対する支援と人事評価への反映、教育訓練休暇、中高年齢者に対する生涯設計プログラムなどがこれに当たる。

第四は、若年者、高齢者、女性、障害者に対する雇用対策、従業員の心身の健康に対する特別の配慮である。心とからだの健康保持増進策（total health promotion plan＝THP）、メンタルヘルス対策、心身ともに快適な職場づくりなどの企業の対応がこれに当たる。

個人と企業の間柄の変化の中で、あらゆる人が生涯を通じて人生をどう生きるか、自立した職業人であることを求められることになった。変動する産業社会の中で、働く個人も企業も、要は「自立した個の確立」を求めている。そのためにはどうしたらよいか。基本は「自分のことは自分で決め、それを自分で実践すること」に尽きる。

具体的には、次のことを実践することである。

① 進路や職業、キャリアを選ぶということは、その人の生き方、人生そのものを選ぶということであり、そのことを十分に理解すること。
② そのことを１つ１つの意思決定の中で、具体化すること。
③ それを生涯を通じて、継続して実践すること。

「自分は何をしたいのか、どのような人生を生きようとしているのか」について考えを持たない人の将来は幸福ではないことに、多くの人々が気づき始めている。

第２節 企業内キャリアコンサルティング

2.1 キャリアプランニングとキャリアマネジメント

1970年代から1980年代にかけてアメリカはリストラクチャリング、ダウンサイジング、アウトソーシングの時代を迎え、それまでの長期雇用・終身雇用を維持できなくなった。その結果、個人・組織の両面で企業内（組織内）キャリアに対する考え方が大きく変化した。そうした中、①従業員のスキルを有効活用し、②従業員の忠誠心を高め、③コミュニケーションを強化し、④従業員の定着率を高め、⑤業績評価や昇進などの人事制度に貢献したり、⑥組織目標の分類に役立てることを目的として、企業の組織的なキャリア開発プログラムに関心が持たれていった[5) 注1)]。

企業における組織的なキャリア開発は、一般に、個人レベルのアプローチであるキャリアプランニング（career planning）と組織レベルのアプローチであるキャリアマネジメント（career management）を分ける（図表10－２参照）[6)]。組織的キャリア開発（organizational career development）とは、個人のキャリアプランニングと組織のキャリアマネジメントのプロセスの相互作用である。

「キャリアプランニング」は、（１）自己、機会、制約、選択、結果を認識し、（２）キャリアに関する目標を定め、（３）キャリア目標を達成するための方向性、タイミング、一連のステップを提供するために仕事、教育、関連する発達経験をプログラムする意図的なプロセスと定義される。一方、「キャリアマネジメント」は、個人が単独でまたは組織のキャリアシステムと連携して行う、キャリアプランの準備・実施・モニタリングの継続的なプロセスと定義される。「キャリアプランニング」は、個人が、職業・組織・仕事の割り当て・自己啓発開発などを十分な情報を得たうえで選択するために行わなければならない活動である。したがって、キャリアプランニングには、個人が自分でキャリア開発を行うための自己評価、キャリア機会の評価、キャリア戦略と実行計画の作成などが含まれる。一方、「キャリアマネジメント」は、従業員の興味や能力と組織の機会とのマッチングを図るため、組織的なジョブローテーション、ポテンシャル評価、キャリアカウンセリング、研修・教育などの具体的な人的活動を指す。図表10－３に組織のキャリアマネジメントの主な内容を示した。

注１）なお、ノウデル（Knowdell, 1984；文献７））のように、企業の組織的なキャリア開発プログラムの端緒を1970年代初頭、企業に雇用機会の均等を求めた政府の規制に見る見解もある。管理職や後継者育成のための限定的なプログラムは、より早くから始まったとする見解もある（Hall, 1990；文献６））。

おおむね「自己評価ツール」「個別カウンセリング」「内部労働市場情報の交換」「組織的能力評価プロセス」「育成プログラム」に集約できる。

図表10－2　組織内キャリア開発の概念図

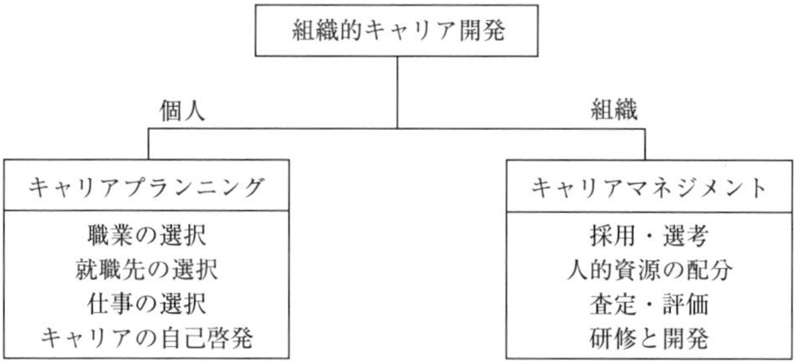

（資料出所）　Gutteridge, T. G. 1986 Organizational career development systems：The state of the practice. ln Hall, D. T. and associates, Career Development in Organization. San Francisco, CA：Jossey-Bass

図表10－3　組織的キャリアマネジメントの内容

A　自己評価ツール
　1　キャリアプランニングワークショップ
　2　キャリアワークブック
　3　プレリタイアメント・ワークショップ

B　個別カウンセリング
　1　人事スタッフ
　2　プロのカウンセラー
　　　内部
　　　外部
　3　アウトプレースメント
　4　上司またはラインマネージャー

C　内部労働市場情報の交換
　1　求人情報の掲載
　2　スキルインベントリ
　3　キャリア・ラダー／キャリア・パス・プランニング
　4　キャリア・リソース・センター
　5　その他のキャリアコミュニケーション形式

D　組織的能力評価プロセス
　1　アセスメントセンター
　2　昇進可能性予測
　3　後継者育成・継承計画
　4　心理テスト

E　育成プログラム
　1　ジョブローテーション
　2　社内人材育成プログラム
　3　社外セミナー／ワークショップ
　4　授業料の払い戻し／教育支援
　5　上司に対するキャリアカウンセリング研修
　6　デュアル・キャリア・プログラム
　7　メンタリングシステム

（資料出所）　Gutteridge, T. G., & Otte, F. L. 1983 Organizational career development：What's going on out there? Training & Development Journal, 37（2）(pp. 22－26)

2.2　キャリアマネジメントにおけるカウンセリングの位置づけ

企業内キャリアカウンセリングは、上述の組織的なキャリア開発の領域から派生して出現した。ノウデル（Knowdell, R. L.）[7)]は、1970年代に企業内のキャリアカウンセラーの役割を果たす新しい専門家が出現したとしている。

> この新しい専門家は、組織のキャリア開発プログラムを成功させるために重要な役割を担う。おおむね、彼らはキャリアカウンセラーとして、アセスメントを行い、職業情報を提供する。また、上司にキャリアコーチングのスキルを習得させる研修を担当する。キャリア開発を組織的に支援するために経営層と話すこともある。さらには、キャリア開発のマーケティングや組織内でのプロモーションなどの新たな仕事を担当する人もいる。退職した社員の再就職支援や退職前のカウンセリングを行う人もいる。

そのうえで、ノウデルは、企業内キャリアカウンセリングについて、次のように述べる[8)]。

> ただし、伝統的なロジャース主義を志向するプロのカウンセラーにとって、産業場面でのカウンセリングのモデルは異質なものに見えるかもしれない。産業界では、間接的なクライエント中心のモデルではなく、むしろ、指示的で、集中的で、短時間で行われる能動的な問題解決の形態が好まれる。

ここにパーソンズ、ウィリアムソンからロジャースを経由してスーパーが確立したキャリア心理学の系統とは若干異なる企業内キャリアカウンセラーの淵源を見ることができる。個人のキャリア目標の達成を重視するスーパーに代表されるキャリア心理学者に対して、ホールに代表される組織心理学者の問題関心は、ビジネス場面における組織的な要因を重視する。主に、仕事のパフォーマンス、組織へのコミットメント、離転職、家庭と仕事の関わり、生産性といったビジネス場面でのキャリア問題の解決に関心を抱く。

2.3　個人の視点と組織の視点の相克と統合

個人の視点と組織の視点の区別は、日本の「企業領域」におけるキャリアコンサルティングでも重要である。企業外のキャリアコンサルタントが個人の視点からある企業の従業員にキャリアコンサルティングを提供することと、企業内のキャリアコンサルタントが組織の視点から自社の従業員にキャリアコンサルティングを提供することでは立場が違い、時に正反対と言って良いほど内容が異なるからである。結果的に、企業外キャリアコンサルティングと企業内キャリアコンサルティングに大きな区別がないと考えることで議論の混乱を招く場合がある。

ただし、個人のキャリアプランニングと組織のキャリアマネジメントの区別は、最終的には「組織的キャリア開発は双方の共同プロセス」であることを指摘するためである。

例えば、ホールは、個人の側からのキャリアプランニングと組織の側からのキャリアマネジメントには視点やプロセスに違いがあるが、これらは相互に補完し合い、強化し合う関係だとする。そして、「個々の従業員が自分自身の開発計画を立てることができなければ、組織のキャリアマネジメント活動によって提示される機会に対応する準備ができない。同様に、組織的なキャリア移動の機会が利用できなければ、個人がいくらキャリア計画を立てて準備しても効果はない（p. 3）」[9]と述べる。

また、日本のキャリアコンサルティングでも、その初期には、横山哲夫らの研究グループが企業人による企業内キャリアカウンセリングを代表する立場であった。そこでは「個人と組織の共生」を重要なテーマとしていた。例えば、横山は次のように述べる[10]。

> 関心の焦点は個人と組織の共存共栄である。そのためのキャリア・ディベロップメントであり、キャリア・カウンセリングである。組織の一方通行的配慮ではなく、一人ひとりの主体的な生き方、働き方を組織の中でどこまで追求、許容、奨励できるかを考えることである。それがこれからの組織の生存と発展に直結する、キャリア・ディベロップメントの精神である。

個人は、自らのキャリアプランをいかに組織内のキャリアとして実現するのか（組織内では実現しないのか）を考える。一方、組織は、個人のキャリアプランに反映されたニーズや希望を、いかに組織内のキャリアとして吸い上げていくかを考える。個人と組織のキャリアに対する観点の違いをはっきりと認識したうえで、「個人と組織の共生」を目指すことが組織内キャリア開発の原則となる。

2.4　ラインカウンセリング

組織内（特に企業内）では、専門的な有資格者によるカウンセリングのほか、さまざまなタイプの相談支援が行われる。中でも、部下のキャリアカウンセリングを上司が行うという「ラインカウンセリング」に関心が持たれることが多い。ガッタリッジ、ホール、ノウデルなどの企業領域のキャリアカウンセリングの先駆的な研究者達も、一様に、上司－部下間のキャリアカウンセリングに言及していた。

日本の産業カウンセリング・キャリアカウンセリングでも、上司－部下間のカウンセリングは重要な位置づけを占めてきた。その一因として、日本の企業内カウンセリングは、本章第１節でも触れた日本的雇用システムの風土で検討されてきた点にある。

特に、日本のカウンセリングのあり方を日本的な組織風土との関わりで論じる議論は、むしろ昭和40年代（1965～）の古い文献に見られた。例えば、日本のカウンセリングのパイオニアの１人である伊東（1967）[11]は、専門家によるカウンセリングを「表門」からのカウンセリング、上司・管理者などの非専門家によるカウンセリングを「裏門」からのカウンセリングと呼び、日本では非専門家によるカウンセリングを重視すべきだと主張した。また、牛窪（1961）[12]も、「本質的にそれ（カウンセリング；引用者注）らしい考え方を身につけた監督者が、ほんとうにその職場のなかにとけこんでいって労務管理を行なう。こうしたところに、じつは『産業カウンセリング』の本来の意味があるのだと思う」との記述がある。

こうした議論の流れで、労働省が企業内の産業カウンセリングに注目したのは1960年代だが[13]、当時の問題意識は、管理監督者に「カウンセリング精神」を身につけてもらい、職場の人間関係全体を改善する点にあった[14]。そのための講習会も1965年から開かれており、1968年３月末で受講修了者は約800名に達した。

今後、日本型雇用システムの行く末によっては、メンバーシップ型からジョブ型への移行に伴い、よりいっそう労働移動が盛んになる可能性はある。その際、日本の企業内キャリアカウンセリングのあり方も大きく変化することが予想される。

2.5　メンタリングとコーチング

組織的なキャリア開発に淵源を持つビジネス場面における個別相談支援は、これを「キャリアカウンセリング」と称することにさまざまな問題が指摘される場合がある。日本では、守秘義務や二重関係の問題が指摘されやすく、アメリカでは相談に当たる人間の専門性や資格が問題とされやすい。そこで、キャリアカウンセリングという言葉に持ち越されるさまざまなイメージを払拭し、新たな視点からキャリアサービスを提供するために、キャリアカウンセリング類似の機能や役割を持つ個別の相談支援はさまざまに言い換えられて発展してきた。

最もよく知られているものにメンタリングとコーチングがある。

クラム（Kram, K. E.）は、メンタリングを「キャリア開発に貢献する後輩と先輩の関係（p. 161）[15]」とし、「キャリア的機能（career functions）」と「心理社会的機能（psychosocial functions）」があると述べた。キャリア的機能とは、後輩が組織内で昇進するための準備をすることであり、心理社会的機能とは、後輩の有能感を高め、自分のアイデンティティを明確にすることである[16]。キャリア的機能を果たすために、メンターは後輩が対人関係を築くのを助け、仕事のパフォーマンスに関するフィードバックを与え、サポートを提供し、能力を発揮する機会を作り、やりがいのある仕事の機会を提供する。心理社会的機能は、個人的または職業上の関心事について、適切な行動のロールモデルとなり、継続的なサポートと強化を提供し、友人としての役割を果たす。

メンタリング研究に続く職場における関係構築に関する研究も多く、キャリア支援研究における１つの潮流を形作っている。

一方、コーチングは、「部下の職務業績を改善させることを目的として、マネージャーが１対１の形で部下にフィードバックを提供し[17]、日々の関わり合いの中で、部下が有効なスキルや行動を獲得することを助けるものである[18]」[19]。以下の特徴がある[20]。

・コーチングは、質問をすることで部下の関心や回答を引き出す点に特徴がある。
・従来のコーチング研究では、上級マネージャーを対象とした「エグゼクティブ・コーチング」と、日々の業務で管理者が部下に対して行う「デベロプメンタル・コーチング」がある。
・上司によるコーチングは、部下の職務満足を高め、業績を改善させる。
・コーチング行動には「具体的指導（Guidance）」「ファシリテーション（Facilitation）」「励まし（Inspiration）」がある。
・コーチングは、ほとんどのマネージャーにとって必須のスキルであり、日々のマネジメントの中に組み込むべき活動である。

現在、キャリアカウンセリング研究では、キャリアコーチングとの理論上・実践上の接点を模索している段階である。特に、「CMC（Coaching, Mentoring & Counseling）」[21]という言葉で、「コーチング」「メンタリング」「カウンセリング」を一体的に捉えようとする考え方があり、それぞれの違いを強調するよりは、どのような場合にどのような支援が有効か検討を進めていく方向があるだろう。

そのほか、「キャリアカウンセリング」「キャリアカウンセラー」以外のさまざまな名称の心理的な支援がさまざまな専門家によって提供されている。

例えば、ホールやクラムを含む研究グループは、メンタリングとコーチングを統合した「ピア・コーチング」を提起した[22]。ピア・コーチングとは、お互いに支え合いながら学び、積極的に耳を傾け、的確な質問をする対等な関係であり、キャリアにブレークスルーをもたらす。また、イギリスやカナダなどの英語圏の先進国では、2000年代以降、企業と従業員の目標や方針のすり合わせをねらいとしたキャリアディスカッション[23]・キャリアカンバセーション[24]系の取り組みに関心が持たれた。その多くに何らかの形で公的な資金が投入され、直接・間接に政策的な支援がなされた。さらに昨今、日本ではコーチングに類似のキャリア支援が「ワン・オン・ワン」という言い方で新たに捉え直されている。例えば、厚生労働省の「働きやすく生産性の高い企業・職場表彰事例集」[25]では、受賞したヤフー株式会社の取り組みの１つとして、「週１回の上長と部下の１対１による課題解決や目標達成のためのミーティング」である「１on１ミーティング」が記載されている。

ただし、そもそも、日本における「キャリアコンサルティング」「キャリアコンサルタント」という呼称そのものが、こうした流れの一環として位置づけられる。企業内キャリアコンサルティング及び企業内キャリアコンサルタントのあり方は、一般に考えられている以上に、国や文化、またそれに付随した労働市場、雇用管理、雇用慣行などのあり方によって大きく異なる。アメリカの議論を日本の風土に適用できない場合もあれば、国や文化を超えて驚くほど類似の傾向が見られることもある。今後も引き続き検討が必要である。

第３節　日本におけるキャリア開発

3.1　キャリア開発プログラム（CDP）

日本のキャリア開発の起点は、アメリカの「キャリア開発プログラム」(CDP)が紹介された1980年頃に求めることができる。キャリア開発の目的は、①個人の潜在能力・適性を継続的に開発し、最大限に個人を成長させ、個人目標の達成を図ること、②組織が必要とする人材を現在のみならず将来にわたって“自前調達”できるよう先を見越した継続的人材育成を行い、組織目標の順調な達成を図ることの２点である（俵，1980）[26]。具体的な特徴は次のとおりである。

①　長期にわたる系統的、継続的な育成プログラムであること

②　自己啓発ベースの個別育成として進めること
③　業務経験を重視した経験＋知識（Off－JT）のプログラムであること

重視すべきは、CDPにはマグレガーのＹ理論、マズローの自己実現欲求などの人間尊重の理論的基盤があったことである。当時のCDPは、「能力・適性はひとりひとり違い、個人目標も多様であるというところから出発した、ひとりひとりの自己実現を可能にしようとする、多様でキメこまかい長期人材育成計画である」という点を強調した。

現在の目から見たとき、初期のCDPは、基本的にジョブ・ローテーションのシステムであるが、そのために必要なサブシステムとして、「キャリアパターン（異動・昇進ルート）」を明確化し、そのルートに「自己申告制」で従業員が自分で手を挙げ、その際の評価材料として「能力・適性評価制度」があり、「段階的教育訓練プログラム」がある。企業の側では異動・昇進を円滑に行うために「人事データ・システム」がある。その後の日本におけるキャリア開発の基本的な考え方はすべてこの段階で用意されていたという意味で、1980年前後のCDPには日本のキャリア開発を考えるに当たって歴史的な意義がある。

3.2　キャリア開発ワークショップ（CDW）

その後、CDPは、キャリア開発ワークショップ（CDW）[注2] のようなキャリア研修の枠組みとして受け継がれた[27)28)]。CDWの目的は、以下の３点である[29)]。

①　自己認識を深めること
②　自己のアセスメントにいどむこと
③　自己キャリアゴールとキャリアパスを明確化してみること

注２）CDWは、本来は、「キャリア研修の類の一般名称ではなく、1970年代中頃に日本でモービル石油の人事スタッフが日本人のキャリア開発はいかにあるべきかという観点から研究し、社内のキャリア開発プログラム（CDP）のコア・プログラムとして開発したものである」（小野田博之　2004「キャリア開発を支える環境」横山哲夫編著『キャリア開発／キャリアカウンセリング』生産性出版）

CDWには、当時の人材育成が、ともすれば「すべて組織のため、企業のためのようにひたすら組織の立場からのみ考え、取り組んできた」[30]という批判的な問題意識があった。そのため、「キャリア開発の根本理念は組織と個人は互いに対立するものではないという価値観の下、「組織と個人の共生」を目指す考え方から、「自己理解を深め、セルフ・アセスメントを行い、その上で自分のキャリア・ゴールとキャリア・パスを設定する」というのが大まかな流れである。キャリアコンサルティング創成期の90年代から2000年代にかけては、この「組織と個人の共生」が重視された。

「組織と個人の共生」に当たっては自己理解が先行するので、CDWではテーマを「キャリア開発における内的プロセス（内的キャリア）」とするのが特徴である。そのうえで、自己カウンセリング、グループカウンセリング、カウンセラーによるキャリアカウンセリングが同時並行で進行する[31]。主に「自己分析という個人作業を中心とした２泊３日の合宿を基本」とする（図表10－４参照）。

図表10－４　キャリア開発ワークショップのスケジュール

	第１日目	第２日目	第３日目
9：00 12：00		《自己分析Ⅰ》つづき ・欲求不満・不安 ・燃焼条件 ・パーソナル・データ ・ライフ・ダイアグラム 《マネジメントと語る》	《話し合い》 ・生きがい、働きがい 《中・長期キャリア・プラン／キャリア・パス ・分析結果の整理
	昼　食	昼　食	昼　食
13：00 18：00	《オリエンテーション》 《職場紹介》 《キャリア開発の理念》 ・キャリア開発の考え方と方法 《自己分析Ⅰ》 ・満足度	《キャリア事例の研究》 《自己分析Ⅱ》 ・キャリア指向性 ・行動特性 ・能力 ・適性	・目指す目標 ・改善必要点 ・長期プラン ・中期アクションプラン 《キャリア・カウンセリング・スキル》
	夕　食 自己学習・情報交換 〈キャリア・カウンセリング〉	夕　食 自己学習・情報交換 〈キャリア・カウンセリング〉	

（資料出所）　横山哲夫編、小川信男・今野能志・八巻甲一・横山哲夫著　1999『事例キャリア・カウンセリング』生産性出版　p. 52

CDW全体の進行は「ファシリテーター」が務めるが、①参加者１人ひとりに注意深く関わりながらプログラム中の自己分析の作業を支援する。併せて、②３日間のグループとしてのダイナミズム（参加者間の相互のやりとりなど）を促進する。ファシリテーターは夜に行われるカウンセリングも担当するが、日中、自己分析を行っていること、関係構築ができていることなどから、効果的なものになる。

3.3　産業カウンセリング

90年代までの企業内キャリアカウンセリングは、メンタルヘルスや心理相談とはっきりと区別されていない点が特徴である。

例えば、キャリアコンサルティング制度の創設以前から産業場面でのカウンセリングをリードしていた日本産業カウンセラー協会が、90年代に発刊した事例集では、メンタルヘルスその他のパーソナルなカウンセリングとキャリアカウンセリングが融合した事例が多い。日本産業カウンセラー協会の事例集には以下の事例が掲載されている[32]。

・新人定着『会社をやめたいＡ君のケース』
・職業アイデンティティー『さまざまな迷いを語ったＣさん』
・燃えつき症候群『泥沼に沈みかけた真面目人間』
・単身赴任『単身赴任余波』
・昇進『あるエリート社員の挫折』
・出向『相談したからといって、どうなるものでもない』
・職場不適応者への対応とカウンセリング
・不眠症に悩むOL
・不登校児をかかえる社員の悩み－父親としての努力を中心に－
・あるキャリアカウンセリング
・「会社を辞めたい」と繰り返し上司に申し出ている男性社員との面談

こうしたメンタルヘルスとキャリアの相談の融合は現在でも重要な課題であ

り、永年、蓄積された良質な先行事例は引き続き学んでいく必要がある。

一方、この時期、個人主導のキャリアが盛んに主張され始める。バブルの余波の残る1990年代中頃から後半に書かれたキャリア関連の書籍には、「自立」「自律」「自己責任」の言葉が踊る。この頃、成果主義的な各種の人事施策も急速に導入された。こうした時代背景をもとに「キャリア」という言葉も一般に広がりを見せる。同時に、メンタルヘルスとキャリアの相談を分離して捉える必要性が感じられ始めるのが、この時期である。

3.4　企業内キャリアコンサルティングのパイオニア

2000年代に入り、キャリアコンサルティング制度が立ち上がり、日本キャリア開発協会でCDA（キャリア・デベロップメント・アドバイザー）の養成を開始するなど、キャリアカウンセリングの基盤が形作られる。こうした動向を受けて、先進的な企業では社内にキャリアカウンセリングを専門的に行う部屋を設ける。また、この時期、企業内でキャリアの問題を取り扱う専門的な人材も増える。

この時期の企業内キャリアコンサルティングは、浅川（2019）[33]に詳しい。浅川は、企業内キャリアコンサルティングとは何かの答えとして、「『働く人がイキイキと仕事に集中できる』ように支援すること」とした。本来、上司が部下の相談相手になることが基本であり、望ましいが、それが難しい場合、専門知識を持った部署がサポートすることが企業内キャリアコンサルティングの入り口だとする。そのうえで6つの機能を指摘する。

① アンテナ機能：社員との面談を通して、その社員についてだけでなく、その社員が働いている職場の状況を知る。

② 相談機能：職場でのコミュニケーションが希薄になりがちな昨今、それを支援する立場として専門スタッフが社員の「キャリア相談」を行う。社員に安心して相談できる場と考えてもらい、同時に成長につながる一歩を踏み出す場だと理解してもらうことが重要となる。

③ 問題解決機能：上司・部下間のコミュニケーションの希薄化やハラス

メント、メンタルヘルス不調など、働く場所で個人が見舞われるさまざまな問題に対応する。

④　連携機能：一対一の相談による情報を踏まえ、個人情報の守秘義務に注意しながらも複数の部門の連携に資する。個人的な相談にとどまらず、マネジメントの問題として解決を図る。

⑤　人材育成機能：日常的な上司の指導（OJT）による人材育成を補完する。従業員に研修を行ったり、上司に対して指導方法などの気づきを促す。

⑥　提案機能：職場や人事に関わる諸制度について、キャリアコンサルタントが現場に密着しながらも客観的な意見を述べることで改善のヒントを提供される。

その後、2000年代を通じて生じた展開は、この「キャリアカウンセリング室」をいかに企業の制度・体制の中に組み込んでいくかであった。ひとたび設立すれば、「キャリアコンサルティング室」は有意義であることが知られる一方、この部屋が単体であるだけでは十分ではなく、他の人事労務のシステムと一体的に運営・運用することで、よりいっそう効果を上げることが期待されるようになる。

特に、企業内でいかにキャリアコンサルティングを導入・展開するかについては事例収集を含めて、盛んに検討された[34)]。その１つの集大成が、図表10－５に示した「キャリアコンサルティングの導入・展開のための社内での検討ポイント」であり、図表10－６に示した「キャリアコンサルタントの役割・活動の例」である。2000年代に検討されたものであるが、現在にも通じる記述を多分に含む。また、現在のセルフ・キャリアドックの展開にも大きな影響を与えており、参考にしたい。

図表10－5　キャリアコンサルティングの導入・展開のための社内での検討ポイント

12　経営者層の理解をいかに得るか

その企業ならではのキャリア形成支援の考え方の整理

1 今、会社はどのような状況におかれているのか
→その会社がおかれている状況の認識

2 会社と個人（従業員）にとって、どのような状態が好ましいのか
→その会社ならではの魅力あるストーリー、トップのポリシーづくり

3 会社として、どのような個人を育てていきたいのか
→その会社におけるキャリアの定義づけ、人材育成ビジョンづくり

4 会社として、個人のキャリア形成をどのように支援するのか
→その会社における人事制度の一環としてのキャリア形成支援、キャリア・コンサルティングのあり方の明確化

5 どのように個人の主体的なキャリア形成の意識を啓発していくか
→主体的なキャリア形成の必要性のPR、自分の成長を実感できるチャンスづくり

6 個人のキャリア形成支援のキーマンは誰か
→上司に求められる役割の再構築

キャリア・コンサルタントを活用したキャリア形成支援

7 キャリア・コンサルタントがなぜ必要なのか
→社内人材、社外人材の活用を含め、その会社における必要性の明確化

8 キャリア・コンサルタントはどのような役割・機能を担うのか
→その会社における役割や活動範囲の明確化（「図2」を参照）

9 キャリア・コンサルタントが具体的にどのように活動を行うのか
→関係者や関係部署との密な連携のもとで活動を具体化する

10 キャリア・コンサルティング活動の展開
→できることから始める

11 キャリア・コンサルタントの能力をどのように維持・向上させるか
→能力向上支援策の検討・実践

※次頁の解説を参照。なお、図中の番号は解説の番号に対応している。

（資料出所）厚生労働省　2006「『キャリア・コンサルティング研究会』報告書－キャリア・コンサルティング導入・展開事例に係る調査研究」中央職業能力開発協会　p.14

図表10－６　キャリアコンサルタントの役割・活動の例

カウンセリング活動等

○個人及び上司に対する相談役
○キャリア形成の方策の実行に係るコーチ・アドバイザー役
○育児休業等の休職者に対するフォロワー役（相談、情報提供等）
○ロールモデルを含めたメンター役
○個人の伴走役

教育普及活動

○主体的なキャリア形成の意義･重要性のＰＲ・意識啓発
○個人及び管理者に対するキャリア研修

組織への働きかけ

（人材マネジメントの質的向上のための働きかけ）
○相談や研修等を通しての組織の問題点・課題等のリサーチ
○問題点・課題等の関係者へのフィードバック
○人事制度や実施体制の構築・見直しに係るアドバイス

ネットワークづくり・自己研鑽

○社内・外の関係者とのネットワークづくり
○自発的な継続学習
○事例研究
○相談者のアンケート等による自己の振り返り
○スーパーバイザーからのスーパービジョン

（資料出所）図表10－５に同じ

3.5　企業内キャリアコンサルティングと組織

キャリアコンサルティング制度が開始された後、2000年代を通じて、キャリア支援に関心を持った企業が相互に情報交換を行い、企業内キャリアコンサルティングの仕組みや組織、その運営方法について経験や知見を蓄積していった。その結果､企業内キャリアコンサルティングは単独で機能するのではなく､企業内の関連諸制度（他の相談室、キャリア研修、他のキャリア形成支援施策）と一体化して運用することで、より効果を上げることが知られるようになる。中でも、キャリア研修との一体的な運用が効果的であると見られており、年代別・階層別のキャリア研修と連動する形で、個別相談（キャリアコンサルティング）が設定される事例が多く見られるようになる。労働政策研究・研修機構(2015)[35]では、こうした2000年代の企業内キャリアコンサルティングが試行錯誤の結果、到達した企業内キャリアコンサルティングの当時の姿を、図表10－７のように整理した。

このとき、問題となったのは、2000年代前半にキャリアカウンセリングとアウトプレースメント、さらにはリストラ（人員削減）が結びつけられる例が少なからずあった点である。また、それとは別に「キャリアカウンセリングを含むキャリア形成支援は従業員の流出を招く」という経営サイドの危惧・懸念は、日本国内のみならず、海外でも常に指摘されていた[36]。検討の結果、企業内キャリアコンサルティングでは、むしろ自社内で人材を活用する方向で相談

図表10－7　企業内キャリア・コンサルティングの体制と運営

	要点 1	要点 2
①人事部門との連携	現在でも、守秘義務の問題をめぐって人事部門からは完全に独立した存在であるべきとの議論はある。	ただし、現状では企業内で有効に機能するためには、人事部門の中にあって独立性を保つのが望ましいとされる。
②様々な従業員支援部門との連携	企業内には様々な従業員支援部門があるが、現状で最も密な連携をとっているのは産業医などの健康管理部門であり、看護師・保健師・臨床心理士・カウンセラーなど様々な専門家と連携をとる。	そのため、企業内の様々な関連部署との連携・コーディネーションのスキルも重要となる。
③アウトプレースメント機能との連携	アウトプレースメント的な機能との厳密な切り分けは強く意識されているが、連携をとる必要がある場合には、本人の意思確認、社内活用の可能性の検討などいくつかのステップを踏む。	アウトプレースメントと連携するキャリアコンサルティングは概して難しく相当の技量を要する。
④上司に対する支援	取り扱う相談内容によってはクライエントの了解を得て上司に連絡をとって支援を行う。その過程で上司そのものに支援を提供する必要が生じる場合がある。	この延長線上に職場全体を支援する組織介入・組織開発の取り組みがある。個人を取り巻く環境への介入についてのスキルも求められる。
⑤キャリア研修との連携	宿泊型のキャリア研修の夜の時間帯に相談を行うのが一般的であるが、後日、一定期間を経た後に行うこともある。	年代別のキャリア研修の要所に相談が組み込まれる形が1つの形となっている。
⑥その他のキャリア形成支援施策との関わり	社内公募制度・ＦＡ制度・目標管理制度などの様々なキャリア形成支援施策との関連が指摘されるが、これら社内の様々な制度の説明も相談場面ではよく行われる。	こうした諸制度を前提として企業内キャリアコンサルティングは成立している面がある。
⑦企業内キャリア・コンサルティングの普及に向けて	普及に向けて、ライン長、マネージャー、チームリーダー層に体験してもらうのが重要であるが、何より経営層の理解が必須となる。	相談に対する一般の理解が進まないなか、公的な表彰制度などは意味がある。

（資料出所）　労働政策研究・研修機構　2015『労働政策研究報告書 No.171　企業内キャリア・コンサルティングとその日本的特質－自由記述調査およびインタビュー調査結果』p. 56

に乗る傾向がみられた。そこで、労働政策研究・研修機構（2015）では、企業内キャリアコンサルティングの機能として、①リテンション機能、②関係調整・対話促進機能、③意味付与・価値提供機能が指摘された。

> 企業内キャリア・コンサルティングにおいて、何らかの意味で「外に出たい」という相談があったとき、その意志・意図を徹底して確認し、基本的には、組織内に留める方向で話を進める。少なくとも、従業員のキャリアの相談に乗る担当者に相談が持ち込まれた場合、積極的に「外に出す」という方向で話を進める事例はほとんどない。
>
> また、「外に出たい」という相談があり、意志確認をした結果、最終的に外に出たいという意志が固い場合、外に出ざるを得ない場合、可能な限りスムーズに滑らかに移動できるよう介入支援を行う。その際、社外のアウトプレースメント会社にリファー（紹介）する場合もあるが、それは、あくまで「従業員のキャリアの相談に乗る相談室」とは別物として分けてあることが多い。

こうした結果は、立場・見方によってさまざまに解釈できるが、これら「機能」も、日本の大企業の企業内キャリアコンサルティングの特徴として捉えることができる。日本の大企業は概して賃金水準・福利厚生の水準が相対的に高い。そのため、社外に転出することによって賃金及び福利厚生が低下する可能性がある。また、グループ全体まで視野に入れれば多様な職種がある。社外への転出を図らなくとも社内で本人のスキル・知識・経験を有効活用する道を想定しうる。さらに、各種のキャリア支援制度が整備されていることが多いため、有効活用すれば、企業内にあって自らが思うキャリア形成は可能となる。結果的に、従業員に親身になればこそ、企業内キャリアコンサルタントは社内で働き続ける可能性を考える（→リテンション機能）。何かのきっかけで上司や同僚との折り合いが悪くなっても、関係調整や対話を促進することを考える（→関係調整・対話促進機能）。一時的に働く意味や価値を見失ったとしても、適切な支援を提供して、再び働く意味や価値を感じながら働けるようにと考える（→意味付与・価値提供機能）。

一方で、こうした日本の企業内キャリアコンサルティングのあり方は、第2節で示した「組織のキャリアマネジメント」から派生するキャリアカウンセリングであり、ロジャースを経由してスーパーが確立したキャリアカウンセリングの系統とは、若干視点が異なる。企業内キャリアコンサルティングは、戦前から脈々と続く学校やハローワーク等の相談に比べて歴史が浅い。日本の企業内キャリアコンサルティングをどう位置づけるかは、実践面よりはむしろ理論的な面で未整備である。端的には、ロジャース・スーパーを源とする個人側の視点によるキャリアカウンセリングと、シャイン・ホールを源とする組織側の視点によるキャリアカウンセリングをいかに統合するかというテーマとなる。今後、数多くの論者によって大いに議論・検討がなされ、進展が期待される領域である。

3.6　2010年代のセルフ・キャリアドックへ

2000年代を通じて蓄積された先進的な企業によるキャリアカウンセリングの取り組みの到達点の1つがセルフ・キャリアドックである。セルフ・キャリアドックは別章（第13章）で詳述するが、本章のテーマである人事・労務との関連では、以下の定義が重要である。

> セルフ・キャリアドックとは、企業がその人材育成ビジョン・方針に基づき、キャリアコンサルティング面談と多様なキャリア研修などを組み合わせて、体系的・定期的に従業員の支援を実施し、従業員の主体的なキャリア形成を促進・支援する総合的な取り組み、また、そのための企業内の「仕組み」のことである。

企業内のキャリアカウンセリングには一定の経済合理性が求められる。そのため、可能な限り効果的・効率的に運営することになる。例えば、キャリアコンサルティングの仕組みを単独で設けるのではなく、他のさまざまな従業員支援サービスと連動させる。また、キャリア研修と連携したり、社内公募制度などの他の制度と連動させる。こうした多くの企業の試行錯誤によって、その体制と運営のあり方は進化した。結果的に、社内の人材育成のビジョン・方針に基づき、年代別・階層別のキャリア研修と組み合わせて、体系的・定期的に個別相談の機会を提供するという形に収れんしていった。多くの企業で試行錯誤されたキャリア支援の最大公約数的な取り組みを、国の施策として定式化したのがセルフ・キャリアドックであると言える。

第４節　組織・環境への働きかけ

４.１　環境介入における観点

キャリアコンサルティングの対象は、相談者個人だけではなく、その相談者に関わる組織、対人関係、家庭、地域、社会など、個人を取り巻く環境である。キャリアコンサルタントは、環境の問題を発見し、環境に働きかけて、環境を改善する活動をしなければならない。キャリアコンサルタントは、環境問題のプロとして求められる態度、知識、スキルをもって問題に対応しなければならない。その場合に特に次の点に留意すべきである。

① 善良なる管理者として払うべき注意義務（善管注意義務）：善管注意義務とは、「行為する人の職業や能力、社会的地位などに応じて、通常期待される注意義務」である（民法第400条）。キャリアコンサルタントは、一定の裁量権は有するが「善良な管理者」として委任された事務を処理する義務がある。これを欠くときは、過失となり債務不履行、不法行為などの民法上の責任を負う。

② 適正な職務：キャリアコンサルタントは、自らの職務に誇りを持ち、法律や公序良俗に反する行為をしてはならない。また、相談者利益をあくまでも第一義として、自己の研究目的や興味のためだけに行為してはならない。

③ 守秘義務：キャリアコンサルタントは、職務上知り得た事実、資料、情報について守秘義務を負う。ただし、身体・生命の危機が察知される場合、社会や組織に及ぼす影響が個の守秘に優先する場合、法律に定め

がある場合などはこの限りではない。

④　組織への働きかけ：キャリアコンサルタントは、相談者への支援だけでは解決できない問題の発見や指摘、改善の提案など集団、企業、組織への働きかけに努めなければならない。また必要に応じて他の専門家とのネットワークづくりに努めなければならない。

⑤　利益の相反：キャリアコンサルタントは、契約関係にある組織と相談者の間に利益が相反する恐れがある場合には、事実関係を明らかにし、相談者の理解のうえで、業務に当たらなければならない。

⑥　企業・組織への報告義務：キャリアコンサルタントは、企業、組織との契約関係のうえで行っている場合において、相談者に対する効果的な援助を妨げる状況にあるときは、その旨相談者の了解を得て、組織に報告しなければならない。

4.2　組織・環境への働きかけからアドボカシー

日本で「組織への働きかけ」「環境への働きかけ」と呼ばれてきた活動は、海外ではアドボカシーと呼ばれる活動と機能や目的が類似する。どちらもクライエント個人を対象とした個別相談を超えた組織、集団、社会に対して何らかの介入を行う点で共通している。

日本のキャリアコンサルティング施策でも、当初より重視されてきた。例えば、「組織への働きかけ」について最も手厚い記述がみられる「キャリア・コンサルティングの効果的普及のあり方に関する研究会」報告書では、以下のように「組織への働きかけ」を説明している[37)]。

①　組織への働きかけ能力とは、キャリア・コンサルタント〈標準レベル〉が、キャリア・コンサルティングの過程でキャリア形成を促進するうえでの組織課題を発見し、組織に対する働きかけ（環境介入）に取り組むことについて、適切な援助ができる能力である。

②　個人の主体的なキャリア形成を推進するに当たって、個人が属する組織の側にも問題があり、それを解決・改善するために組織に対して働きかけ

ることが必要な場合がある。

③　具体的には、課題を発見し、それを解くための情報を収集し、解決方法を策定し、組織の意思決定システムを理解して組織に働きかけることができること。

①では、組織への働きかけの能力とは、すなわちキャリア形成を促進するうえでの「組織課題を発見し」「組織に対する働きかけ（環境介入）」に取り組むことだとしている。②では、組織への働きかけが必要になる理由は、個人の主体的なキャリア形成を推進するに当たって組織の側に問題がある場合があり、その解決・改善が必要となることがあるからだとしている。③では、「組織の働きかけ」として行うべきことを指摘している。具体的には、（ア）課題を発見し、（イ）課題を解くための情報収集を行い、（ウ）解決方法を策定し、（エ）組織の意思決定システムを理解して、組織に働きかける。

別の報告書では、「組織への働きかけ」を以下のように箇条書きで説明している[34]。組織の働きかけを「リサーチ」「フィードバック」「アドバイス」の３点で整理している。

③　組織の働きかけ（人材マネジメントの質的向上のための働きかけ）

○相談や研修等を通しての組織の問題点・課題等のリサーチ

○問題点・課題等の関係者へのフィードバック

○人事制度や実施体制の構築・見直しに係るアドバイス

さらに、熟練キャリアコンサルタントの特徴として「キャリア形成支援のためのリソースを組織化し、関係者と効果的に連携していること、すなわち、人的ネットワークの構築に努めていること」を挙げる。そして、「的確なリファー」と「環境への働きかけ」の２点を重視している[38]。そのうち、環境への働きかけについては次のように述べる。

キャリア・コンサルタントの役割は、クライアントとの１対１の関係だけに収まらない。キャリアの問題を解決するに当たっては、環境要因が大きな意味をもつとの認識の下、問題の本質を把握して、積極的に関係機関・部署等に働きかけ、効果的なクライアント支援を図っていくことが求められる（p. 24）。

これを受けて、2006年のキャリアコンサルティング実施のために必要な能力体系の見直しの際には、「環境への働きかけの認識と実践」が次のように示された。「環境への働きかけ」とは、①環境の問題点の発見や指摘、②改善提案、③関係者と協力することだと考えておくことができる。

個人の主体的なキャリア形成は、個人と環境（地域、組織、家族等、個人を取り巻く環境）との相互作用によって培われるものであることを認識し、相談者個人に対する支援だけでは解決できない環境の問題点の発見や指摘、改善提案等の環境への介入、環境への働きかけを関係者と協力して行うことができること[注3)]。

上記、キャリアコンサルティング関連の各種の報告書を集約すると、組織への働きかけ、環境への働きかけでは、キャリアコンサルタントは次の点を行うと言えよう。

① 環境の課題・問題点の発見
② 情報収集
③ 問題の本質の把握及び解決方法の策定
④ 関連機関・関連部署・関係者への提案・働きかけ・協力

なお、高橋（2015）は、「組織への働きかけ」「環境への働きかけ」の観点から、企業内キャリアコンサルティングの発達段階を表にまとめた（図表10－8）。第１段階がいわゆる普通の個別相談である。第２段階は、上司－部下間の問題の解決を図る支援で、関係調整機能を果たす。第３段階は、職場への介入で、職場の人たちの理解と協力を得て対象従業員を支援するもので、職場管理職や同僚を巻き込む。第4段階は経営層へのアプローチで、経営層への改善提案をして組織全体を変える契機となる。経営者個人の相談に乗る。

いわゆる普通のカウンセリングである個別面談が、いかに「個を超えた支援」「上司への支援・介入」に発展するかについて、高橋は以下のように述べる。

> 上司－部下間の環境理解や相互理解のギャップに起因する問題は往々にしてあり、時としてクライエント1人では解決が難しい場合がある。（中略）そして、この問題の原因は、特定の個人に問題があるというよりも、職場システムを構成する上司－部下間の関係性に問題があると考えられる[39]。

図表10－8　企業内キャリアコンサルティングの発達段階

発達段階	第1段階	第2段階	第3段階	第4段階
対象者	個人	上司－部下間	職場	経営層 （組織全体）
支援活動	個別面談	個を超えた支援		
	環境理解の支援	上司への 支援・介入	職場への介入	経営者への アプローチ
	自己理解の支援			
	未来構築の支援			

注3）なお、2011年の能力体系の見直しでは、「環境への働きかけの認識と実践」の注記として次のような記述が付け足された。組織への働きかけ、環境への働きかけが、必ずしも学校に限定されないことが示される。

「『環境への働きかけの認識と実践』について、キャリア・コンサルタントとして、突き詰めれば、例えば、学校であれば、校長・学部長など学校管理者の認識等を踏まえた、学校教育への総体的な働きかけや、学部・キャリアセンター等の各機能の有機的な連携が図られるためのコーディネート等が、また、企業等の職場であれば、個人のキャリア形成の基盤となる、企業等の組織における制度やルール、経営層・管理職の認識、職場風土等を含んだ職場等への総体的な働きかけを行うことができることが期待されるが、標準キャリア・コンサルタントとしては、1対1での個人に対する相談支援を基本的な役割としつつ、必要に応じて相談者個人に直接影響を及ぼす範囲での学校や職場等の環境への働きかけ（例：教員や職場の上司への助言）を行うことが期待されるものである」（厚生労働省　2011「『キャリア・コンサルティング研究会』報告書」三菱UFJリサーチ＆コンサルティング）

図表10－９　セルフ・キャリアドック全体報告書（例）

セルフ・キャリアドック全体報告書

○○○○年○○月○○日

2019年5月13日～7月12日に、ミドル層にキャリア開発研修およびそのフォロー面談、その管理職にカウンセリングマインド研修を実施しました。以下にその結果を報告します。

序

■あるべき人材像
・技術者：自ら考え問題を予測できる高度な人材
・職場管理職：各メンバーの強みと意欲を引き出し、成果を生み出す人材

■人材育成方針
・マニュアル主義から脱却し、自らの知識と経験から問題を予測し対処できる技術力を育成すると同時に、メンバー一人ひとりの思考・感情・価値観を配慮し、成果を引き出すリーダーシップやマネジメント能力を育成する。

■当初の問題の見立て
・品質重視のはずが、チェック作業にルーチン化し、技術者の問題予測の能力を発揮できていない。
・また、上司の叱責により、原因をチェック項目の不備に他責化し、チェック項目の増加を引き起こす悪循環あり。
・減点主義により上司が部下を叱責することで上記に拍車をかけている。

■課題
技術者　・マニュアル主義からの脱却
　　　　・問題予測能力の向上とその能力発揮
現場管理職　・部下の気持ちに配慮したマネジメント能力の習得
組織　・品質重視のスローガンの真意の伝達
　　　・減点主義の評価制度見直し

■施策実施日程
・2019年５～６月　ミドル層56名　キャリア開発研修（１日）×３会合　講師１名で対応
・2019年６～７月　同上　フォロー面談×55名（欠席１名）キャリアコンサルタント５名で対応
・2019年７月　現場管理職18名　カウンセリングマインド研修（１日）×１回　講師１名で対応

結果（事実）

■施策して明らかになった事実
●ミドル層
・研修により、モチベーション向上。不具合分析の自信は向上せず。
・面談により、正しく評価されていない不満、努力の割に評価が低い社員が一部存在。
●職場管理職
・研修により、コーチングが結構活用されている。
●その他
・不具合件数：研修前から研修２ヵ月後で、32件→38件（６件増）。増加率はやや低下。
・パワハラ件数は研修前後で特に変化せず。

評価・分析

■効果・成果
●ミドル層
・研修での興味・強みの分析とスペシャリスト志向が仕事へのモチベーション向上につながった。
・不具合分析への取り組みについて検討できた。
●現場管理職
・特にコーチングについては現場で活用している。

■問題・課題
●ミドル層
・多忙さにより不具合分析のスキルアップの時間を確保できない。
・上司評価への不満をもつ社員が一部存在。上司との関係性が気になる。
●その他
・不具合件数、セクハラ件数の変化は大きくないが、上司－部下間の関係性に起因していそうである。

改善策の提案

■改善策の提案
●継続すべきこと
・ミドル層：定期的なキャリアコンサルティング面談を実施して、モチベーションの維持を図る。
・ミドル層：不具合対策のスキルアップ研修の時間を確保し、必須で実施。
・職場管理職：１～２年に１度の頻度で、傾聴・コーチング研修を継続し、コーチング・スキルの維持・向上を図る。
●個々への対応
・上司評価に不満を持つ従業員に対して、追加で面談を実施。
●組織的な改善措置
・不具合件数、パワハラ件数については長期的に経過を見る。
・追加面談で減点主義との関連を確認し、評価制度を見直しへ。

（資料出所）高橋浩・増井一　2019　『セルフ・キャリアドック入門－キャリアコンサルティングで個と組織を元気にする方法』金子書房　p. 219

クライエントに対する個別の面談をベースに、上司部下間の互いのギャップを解決する個を超えた支援、さらには職場全体の問題解決を考えていくことができる。例えば、社内の多くの従業員に対するキャリアコンサルティングで得た情報を集約して整理することで、従業員の能力発揮やモチベーションアップ、職場の活性化など、組織全体に良い影響を及ぼせる可能性がある。最終的に、図表10－9に例示したような報告書にとりまとめて、組織全体に有益な示唆を行うことが重要となる。

文　献

1）Abegglen, J. C. 1958 The Japanese factory：Aspects of its social organization, Glencoe, Illinois：The Free Press（占部都美監訳　1958『日本の経営』ダイヤモンド社）
2）OECD 1972 Reviews of manpower and social policies：Manpower policy in Japan, OECD（労働省訳　1972「OECD対日労働報告書」日本労働協会）
3）Hedgerb, H. 1970 Die japanische Herausforderung. Hamburg, Hoffman und Campe（関口泰訳　1970『日本の挑戦－1980年代の経済超大国』毎日新聞社）
4）Guillain, R. 1969 Japon troisieme grand. Paris, Seuil（井上勇訳　1969『第三の大国日本』朝日新聞社）
5）Leibowitz, Z. B., Kaye, B., & Farren, C. 1986 Overcoming management resistance to career development programs. Training & Development Journal, 40（10）（pp. 77－81）
6）Hall, D. T. & Associates 1986 Career development in organization. San Francisco, CA：Jossey-Bass；Hall, D. T. 1990 Career development theory in organizations. In D. Brown & L. Brooks, Career choice and development：Applying contemporary theories to practice, Jossey-Bass, pp. 422－454
7）Knowdell, R. L. 1984 Career planning and development programs in the workplace. In Gysbers, N. C. and Associates（Eds.）Designing Careers. San Francisco：Jossey-Bass, p. 490
8）文献7）に同じ　pp. 493－494
9）Hall, D. T. & Associates. 1986 Career development in organization. San Francisco, CA：Jossey-Bass, p. 3

10）横山哲夫・小川信男・呉守夫　1995『個人を活かし組織を活かすキャリア・カウンセリング』生産性出版　p. 12
11）伊東博　1967『管理・監督者のためのカウンセリング入門』池田書店
12）牛窪浩　1961『監督者のための産業カウンセリング入門』ダイヤモンド社、p. 4
13）労働省婦人少年局　1965「年少労働者のための産業カウンセリング制度」、労働省婦人少年局　1967「産業カウンセリング制度普及状況調査結果報告書」など
14）日本労働協会　1968「働く若人の悩みを解く方法－産業カウンセリング制度」pp. 42－43
15）Kram, K. E. 1986 Mentoring in the workplace. ln Hall, D. T. and associates, Career Development in Organization. San Francisco, CA：Jossey-Bass
16）Kram, K. E. 1988 Mentoring at work：Developmental relationships in organizational life. Lanham, Maryland：University Press of America
17）Heslin, P. A., Vandewalle, D., and Latham, G. P. 2006 "Keen to Help？Managers' Implicit Person Theories and Their Subsequent Employee Coaching." Personnel Psychology, 59（pp. 871－902）
18）Liu, X. and Batt, R. 2010 How Supervisors Influence Performance：A Multilevel Study of Coaching and Group Management in Technology-Mediated Services. Personnel Psychology, 63（pp. 265－298）
19）松尾睦　2013「育て上手のマネジャ ーの指導方法－若手社員の問題行動とOJT」『日本労働研究雑誌』639（pp. 40－53）p. 42
20）文献19）に同じ　pp. 42－43
21）Stone, F. M. 2007 Coaching, counseling & Mentoring：How to choose & use the right technique to boost employee performance（2nd ed.）. New York：AMACOM
22）Parker, P., Hall, D. T., Kram, K. E., & Wasserman, I. C. 2018 Peer coaching at work：Principles and practices. Stanford, CA：Stanford Univiersity Press
23）Kidd, M. J., Hirsh, W., & Jackson, C. 2004 Straight talking：The nature of effective career discussion at work. Journal of Career Development, 30（pp. 231－245）
24）Borgen, B., Lalande, V., Butterfield, L., Gray, M., Jacklin, D., & Taheri-Tabriz, M. 2010 Career conversations：The development, implementation and evaluation of an innovative human resource intervention for small to medium businesses. Ottawa, ON：Canadian Career Development Foundation
25）厚生労働省　2017「働きやすい生産性の高い企業・職場表彰事例集（平成28年度）」日本生産性本部
26）俵実男　1980『キャリア開発入門』日本経済新聞社

27）横山哲夫　1988「個立の時代の人材育成」日本生産性本部

28）横山哲夫編　1999『事例キャリア・カウンセリング』生産性出版

29）文献27）に同じ　p. 152

30）文献28）に同じ　p. 49

31）小野田博之　2004「キャリア開発を支える環境」横山哲夫編著『キャリア開発／キャリアカウンセリング』生産性出版　pp. 140－141

32）日本産業カウンセラー協会編　1995『そうだ！相談にいこう‼－産業カウンセリング事例集Ⅰ』日本産業カウンセラー協会

33）浅川正健　2019『企業内キャリアコンサルティング入門－個人の気づきを促し、組織を変える』ダイヤモンド社

34）厚生労働省　2006「『キャリア・コンサルティング研究会』報告書－キャリア・コンサルティング導入・展開事例に係る調査研究」中央職業能力開発協会

35）労働政策研究・研修機構　2015『労働政策研究報告書No.171　企業内キャリア・コンサルティングとその日本的特質－自由記述調査およびインタビュー調査結果』

36）CEDEFOP 2008 Career development at work：A review of career guidance to support people in employment（労働政策研究・研修機構訳　2014「資料シリーズNo.132　職場でのキャリア開発－就業者を支援するキャリアガイダンスのレビュー」p. 37など）

37）厚生労働省　2003「『キャリア・コンサルティングの効果的普及のあり方に関する研究会』報告書」中央職業能力開発協会　pp. 17－18

38）厚生労働省　2005「『キャリア・コンサルティング研究会』報告書　熟練キャリア・コンサルタントに係る調査研究』中央職業能力開発協会　pp. 23－24

39）高橋浩　2015「企業内キャリア・コンサルティングと組織開発」（文献35）に同じ　p. 93）

第11章 キャリアコンサルティングと労働関係法規

第1節 労働法と労働政策の体系

我が国の労働法体系、労働政策の領域は次の３つに大別される。

① 雇用、労働市場に関する法律

労働施策総合推進法、職業安定法、雇用保険法、職業能力開発促進法、労働者派遣法などで、法源は、憲法第27条１項（勤労の権利）、同第22条１項（職業選択の自由）及び「国民経済の均衡ある発展・完全雇用の達成」という政策目標である。

② 労働条件に関する法律

使用者と被用者との間の労働契約、労働条件、採用、退職などの個別労働関係の領域で、労働基準法、最低賃金法、労働安全衛生法、労働者災害補償保険法、労働契約法などである。法源は、憲法第27条２、３項（勤労条件の基準の法定、児童の酷使禁止）である。

③ 労使関係に関する法律

労働組合の結成、運営、労使の団体交渉ルールなど個別的集団的労働関係の領域で、労働組合法、労働関係調整法などである。法源は、憲法第28条（団結権、団体交渉権、団体行動権）である。

①はハローワーク、職業訓練施設などの職業安定行政、能力開発行政、②は

労働基準監督署などの労働基準行政、③は労働委員会などの労使関係行政が担当している。キャリア形成支援は、人間を取り扱うので、これら３領域すべてに関係するが、特にキャリアコンサルティングは職業能力開発促進法がその根拠法として直接関係する。

第２節　職業安定関係の法規

2.1　労働施策総合推進法（旧雇用対策法）

職業安定行政における職業指導は、その根本を日本国憲法の規定に求めることができる。具体的には、「第22条　何人も、公共の福祉に反しない限り、居住、移転及び職業選択の自由を有する」と「第27条　すべて国民は、勤労の権利を有し、義務を負ふ」である。これら「職業選択の自由」及び「勤労の権利」を具体化・具現化する形で、労働施策総合推進法及び職業安定法がある。

労働施策総合推進法（正式名称：労働施策の総合的な推進並びに労働者の雇用の安定及び職業生活の充実等に関する法律（旧雇用対策法））は、職業指導・職業紹介すなわち、キャリアガイダンスやキャリアコンサルティングに関連して、次のような事項を規定して、求職者及び求人者に対する指導について国が行うべき基本的施策を定めている。以下には、「第３章　求職者及び求人者に対する指導等」から、第13条から第15条までを抜粋した。

（求職者に対する指導）

第13条　職業紹介機関は、求職者に対して、雇用情報、職業に関する調査研究の成果等を提供し、かつ、これに基づき職種、就職地その他の求職の内容、必要な技能等について指導することにより、求職者がその適性、能力、経験、技能の程度等にふさわしい職業を選択することを促進し、もつて職業選択の自由が積極的に生かされるように努めなければならない。

（求人者に対する指導）

第14条　職業紹介機関は、求人者に対して、雇用情報、職業に関する調査研究の成果等を提供し、かつ、これに基づき求人の内容について指導することにより、求人者が当該作業又は職務に適合する労働者を雇い入れることを促進するように努めなければならない。

2　職業紹介機関は、労働力の需給の適正な均衡を図るために必要があると認めるときは、求人者に対して、雇用情報等を提供し、かつ、これに基づき求人の時期、人員又は地域その他の求人の方法について指導することができる。

（雇用に関する援助）

第15条　職業安定機関及び公共職業能力開発施設は、労働者の雇入れ又は配置、適性検査、職業訓練その他の雇用に関する事項について事業主、労働組合その他の関係者から援助を求められたときは、雇用情報、職業に関する調査研究の成果等を活用してその者に対して必要な助言その他の措置を行わなければならない。

なお、労働施策総合推進法は2019年に改正され、職場におけるパワーハラスメント防止対策が事業主に義務づけられた。これをもって「パワハラ防止法」と呼ばれる場合がある。具体的には「職場における優越的な関係を背景とした言動に起因する問題に関して事業主の講ずべき措置等」として、以下の２点が定められた。

（雇用管理上の措置等）

第30条の２　事業主は、職場において行われる優越的な関係を背景とした言動であって、業務上必要かつ相当な範囲を超えたものによりその雇用する労働者の就業環境が害されることのないよう、当該労働者からの相談に応じ、適切に対応するために必要な体制の整備その他の雇用管理上必要な措置を講じなければならない。

2　事業主は、労働者が前項の相談を行ったこと又は事業主による当該相談への対応に協力した際に事実を述べたことを理由として、当該労働者に対して解雇その他不利益な取扱いをしてはならない。

2.2　職業安定法

労働施策総合推進法が、国が行うべき労働政策の基本施策の根拠を定めているのに対し、職業安定法は、公共職業安定所及び民間職業紹介機関が行う業務の手続きとその根拠を規定している。特に、公共職業安定所や民間職業紹介機関などの官民の職業紹介・指導機関において広く行われてきた就職や転職者に対する職業指導の内容を具体的に規定している。

例えば職業安定法では、職業指導の定義を、「職業指導とは、職業に就こうとする者に対し、実習、講習、指示、助言、情報の提供その他の方法により、その者の能力に適合する職業の選択を容易にさせ、及びその職業に対する適応性を増大させるために行う指導をいう」(法第４条④)とする。そのうえで、「公共職業安定所は、身体又は精神に障害のある者、新たに職業に就こうとする者その他職業に就くについて特別の指導を加えることを必要とする者に対し、職業指導を行わなければならない」（法第22条）と定めている。

そのほか、職業安定法は、職業指導に関する以下の内容を規定している。

・職業安定機関と職業紹介事業者等の協力（法第５条の二）
・労働条件等の明示（法第５条の三）
・求職者等の個人情報の取り扱い（法第５条の四）
・求人の申し込み（法第５条の五）
・求職の申し込み（法第５条の六）
・求職者の能力に適合する職業の紹介等（法第５条の七）
・標準職業名等（法第15条）
・職業紹介等の基準（法第16条）
・適性検査（法第23条）

なお、「学生生徒等の職業紹介等」（法第26条）についても規定がある。まず基本的に、「公共職業安定所は、(中略) 学校と協力して、学生生徒等に対し、雇用情報、職業に関する調査研究の成果等を提供し、職業指導を行い、及び公共職業安定所間の連絡により、学生生徒等に対して紹介することが適当と認められるできる限り多くの求人を開拓し、各学生生徒等の能力に適合した職業にあつせんするよう努めなければならない」(法第26条)。また、「公共職業安定所は、学校が学生又は生徒に対して行う職業指導に協力しなければならない」(法第26条②)のであり、かつ「公共職業安定所は、(中略)キャリアコンサルタントによる相談の機会の付与その他の職業の選択についての学生又は生徒の関心と理解を深めるために必要な措置を講ずるものとする」(法第26条③)とあるとおり、キャリアコンサルタントによる相談機会の付与を含む必要な措置を講じなければならない。

以上の規定に基づき公共職業安定所は、職業指導を職業紹介と並んで「基本業務」として位置づけ、各種の要領や具体的手法を定めて一般求職者、学卒者、障害者などの求職者別に展開している。特に、職業安定行政は、国の雇用計画の策定、人材の確保と育成、中小企業の雇用管理、高齢者、若年労働者、女性の雇用と需給調整、障害者の雇用と職業的自立、建設業の雇用改善などの業種別雇用対策、地域改善、農山村における雇用対策、外国人労働対策等個別特別対策を行っている。その際、すべて業務の中心は職業指導、職業紹介である。

職業安定行政の組織については、主に厚生労働省、都道府県労働局及び公共職業安定所(通称ハローワーク)から構成されている。そのほか密接な関係を持つ機関として高齢・障害・求職者雇用支援機構、労働政策研究・研修機構などがある。職業安定行政の中心は、第一線機関である公共職業安定所で、職業紹介サービス、産業雇用情報サービス、雇用保険適用給付サービス、雇用管理サービス、雇用助成サービスを総合的に行っている。

また、公共職業安定所では、職業相談、職業紹介業務を円滑に進めるため求職者の状況に応じた職業紹介を中心とするグループ制を採用している。ハローワークの専門支援窓口・施設は2021年現在、図表11－1のとおりである。

2.3 雇用保険法

キャリアコンサルティングと直接関連してはいないが、労働者が失業した場合、何らかの理由で雇用継続ができなくなった場合及び職業に関する教育訓練を受けた場合に必要な給付を行うことによって、労働者の生活や雇用の安定等

図表 11－１　ハローワークの専門支援窓口・施設

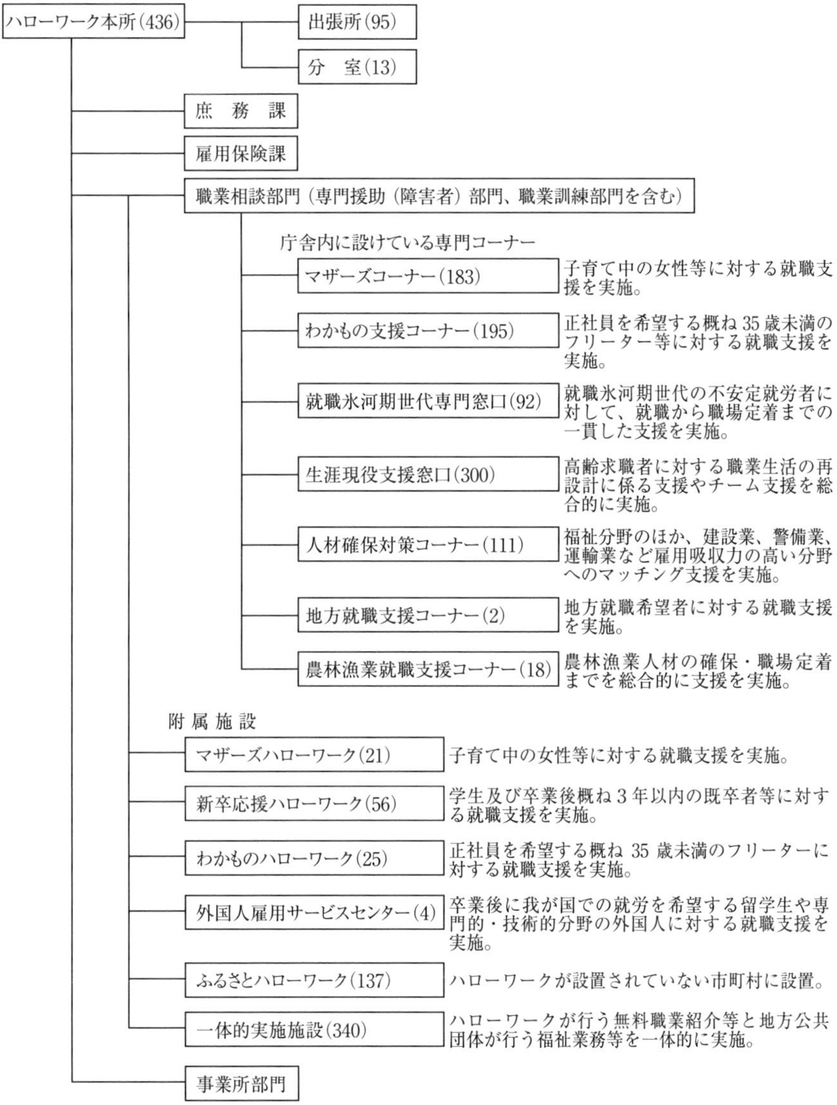

※　ハローワークは、本所・出張所・分室のほか、特定の対象者に対する専門的な支援等を実施する、いわゆる「附属施設」を設置している。
（　　）内は設置数。（令和３年４月現在）
（資料出所）厚生労働省　2021「公共職業安定所（ハローワーク）の主な取組と実績　厚生労働省職業安定局」https://www.mhlw.go.jp/content/000735217.pdf

を図ることを目的とした雇用保険法がある。

失業や雇用継続期間中の生活の安定を図る失業等給付のほかに、積極的に失業の予防、雇用状態の是正、雇用機会の増大、労働者の能力開発等を図るための雇用安定並びに能力開発事業を規定している（雇用保険法第１条、第３条）。

職業安定行政は、このほか特定の労働力需給システム、特定離職者、特別な配慮を必要とする者、産業別雇用対策、緊急雇用対策、障害者雇用対策、失業対策などの分野別の個別法律によって運用されている。

2.4　労働者派遣法

2015年の労働者派遣法改正によって、すべての労働者派遣事業が許可制となった。また、派遣先の同一事業所に対し派遣できる期間は、原則、３年が限度となった。あるいは、同一の派遣労働者を、派遣先の事業所における同一の組織単位に対し派遣できる期間は３年が限度となった。

派遣元事業主は、対象となる派遣労働者に対し、キャリアコンサルティングや面談等の機会を通じて、継続就業の希望の有無と希望する雇用安定措置の内容を聴く。雇用安定措置には、①派遣先への直接雇用の依頼、②新たな派遣先の提供、③派遣元事業主による無期雇用、④その他が含まれる。

なお、キャリアコンサルティングとの関わりでは、許可基準の中に「派遣労働者のキャリア形成支援制度を有すること」が含まれている。①派遣労働者のキャリア形成を念頭に置いた段階的かつ体系的な教育訓練の実施計画を定めること、②キャリアコンサルティングの相談窓口を設置していること、③キャリア形成を念頭に置いた派遣先の提供を行う手続きが規定されていること、④フルタイムで１年以上の雇用見込みの派遣労働者１人当たり、毎年概ね８時間以上の教育訓練の機会を提供すること等が盛り込まれた。

2.5　若者雇用促進法

若者の雇用の促進等を図り、その能力を有効に発揮できる環境を整備するため、若者の適職の選択並びに職業能力の開発及び向上に関する措置を総合的に講ずる法律として、従来の勤労青少年福祉法を改正して、2015年９月18日に公布された。主な内容としては、①職場情報の積極的な提供、②ハローワークにおける求人不受理、③ユースエール認定制度がある。新卒段階でのミスマッチによる早期離職を解消し、若者が充実した職業人生を歩んでいくために、労働条件を的確に伝えることに加えて、平均勤続年数や研修の有無及び内容といった就労実態等の職場情報も併せて提供する仕組みが創設された。

職場情報は、新卒者の募集を行う企業では、企業規模を問わず、幅広い情報提供が努力義務化された。さらに応募者から求めがあった場合には、①募集・採用に関する状況、②職業能力の開発・向上に関する状況、③企業における雇用管理に関する状況の３つの類型それぞれについて１つ以上の情報提供を義務としている。

なお、この②職業能力の開発・向上に関する状況の中に、「キャリアコンサルティング制度の有無及び内容　※セルフ・キャリアドック（定期的にキャリアコンサルティングを受ける機会を設定する仕組み）がある場合はその情報を含む」が記されており、キャリアコンサルティング制度の有無も重視されている。

２.６　高齢者雇用安定法

少子高齢化が急速に進展し人口が減少する中で、経済社会の活力を維持するため、働く意欲がある高年齢者がその能力を十分に発揮できるよう、高年齢者が活躍できる環境整備を図ることが必要となる。そのため、個々の労働者の多様な特性やニーズを踏まえ、70歳までの就業機会の確保について、多様な選択肢を整え、事業主としての措置を制度化する努力義務を設けた。

2021年４月１日に施行された改正高年齢者雇用安定法以後は、事業主に対して、①65歳までの定年引上げ、②65歳までの継続雇用制度の導入、③定年廃止が、高年齢者雇用確保措置として義務づけられた。また、①70歳までの定年引上げ、②70歳までの継続雇用制度の導入、③定年廃止、④希望するときは70歳まで継続的に業務委託契約を締結する制度の導入、⑤希望するときは70歳まで継続的に社会貢献事業等に従事できる制度の導入などの高年齢者就業確保措置が努力義務とされた。このうち④と⑤は創業支援等措置とされており、導入に当たっては過半数組合・過半数代表者の同意を得るものとされる。

なお、厚生労働大臣は、必要があると認めるときに、事業主に対して、高年齢者就業確保措置の実施について必要な指導及び助言を行うこと、当該措置の実施に関する計画の作成を勧告すること等ができる。

2.7　障害者雇用促進法

障害者雇用促進法では、最も重要なものとして障害者雇用率制度を定めている。すなわち、従業員が一定数以上の規模の事業主は、従業員に占める身体障害者・知的障害者・精神障害者の割合を「法定雇用率」以上にする義務がある。これは、障害に関係なく希望や能力に応じて誰もが職業を通じた社会参加のできる「共生社会」実現の理念の下、すべての事業主に義務づけられている。法定雇用率は、2021年３月１日からは、民間企業2.3%、国・地方公共団体等2.6%となっている。

直近の改訂では2013年改正の障害者雇用促進法が重要である。この改正では、①雇用の分野における障害者に対する差別禁止、②障害者が職場で働くに当たっての支障を改善するための措置（合理的配慮の提供義務）を定めるとともに、障害者の雇用に関する状況に鑑み、③精神障害者を法定雇用率の算定基礎に加える等の措置が講じられた。

このうち、障害者に対する差別の具体例として「障害、車いすの利用、人工呼吸器の使用などを理由として採用を拒否すること」「障害者であることを理由として、賃金を引き下げる、低い賃金を設定する、昇給させない、研修を受けさせない、食堂や休憩室の利用を認めない」などが挙げられている。また、禁止の合理的配慮の提供義務として想定される例としては、「車いすを利用する方に合わせて、机や作業台の高さを調整すること」「知的障害を持つ方にあわせて口頭だけでなく分かりやすい文書・絵図を用いて説明すること」などが挙げられている。

第３節　職業能力開発関係の法規

労働法体系の雇用・労働市場関係の法律のうちキャリアコンサルティングに直接関係のある法律は、職業能力開発促進法（以下、能開法）である。この法律が目的とすることを第１条をもとに箇条書きで整理すると、「職業訓練」「職業能力検定の内容の充実強化及びその実施の円滑化のための施策」「労働者が自ら職業に関する教育訓練又は職業能力検定を受ける機会を確保するための施策」となる。すなわち、職業訓練、職業能力検定、その両者を受ける機会を確保することが能開法の目的である。詳細については第１章に示したので、そちらも参照していただきたい。

職業能力開発には多種多様なものがあるが、能開法では、労働者の受講機会の確保について、特に国、都道府県、事業主によって配慮されるべき訓練として普通職業訓練、高度職業訓練があり、厚生労働省令によってこれらの訓練課程、訓練期間、訓練時間の基準が定められている。

まず、国（高齢・障害・求職者雇用支援機構を含む）、都道府県及び市町村は、能開法第３章職業能力開発の促進第３節国及び都道府県等による職業訓練の実施等として、下記のような公共職業能力開発施設を設置している。

①　職業能力開発校

普通職業訓練で長期間及び短期間の訓練課程のものを行う。

②　職業能力開発短期大学校

高度職業訓練で長期間及び短期間の訓練課程のものを行う。

③　職業能力開発大学校

高度職業訓練で長期間及び短期間の訓練課程のもの並びに高度職業訓練で専門的かつ応用的な職業能力を開発・向上させるための長期間の訓練課程のものを行う。

④　職業能力開発促進センター

普通職業訓練又は高度職業訓練のうち短期間の訓練課程のものを行う

⑤　障害者職業能力開発校

職業訓練を受けることが困難な身体又は精神に障害がある者等に対して、その能力に適応した普通職業訓練又は高度職業訓練を行う。

※　なお、高度職業訓練とは「労働者に対し、職業に必要な高度の技能及びこれに関する知識を習得させるための職業訓練」をいう。普通職業訓練は「高度職業訓練以外の職業訓練」をいう。

また、民間企業における職業能力開発の推進としては、労働者の職業生活の全期間を通じて、労働者の採用後から退職に至るまで継続的な能力開発が行われなければならない。その中核となるのがキャリアコンサルティングである。ここでは、国及び都道府県が事業主に対して援助を行うように努めなければならない事項を以下に示す（法第15条の２）。

①　キャリアコンサルティングに関する講習の実施
②　職業能力開発計画の作成及び実施に関する助言及び指導
③　職業能力開発等に関する技術的事項について相談その他の援助
④　情報及び資料の提供
⑤　職業能力開発推進者に対する講習の実施
⑥　職業能力開発推進者相互の啓発の機会の提供
⑦　職業訓練指導員の派遣

その他、能開法第３章では、事業主の行う職業訓練の認定等（第４節）、実習併用職業訓練実施計画の認定等（第５節）、職業能力開発総合大学校（第６節）、職業訓練指導員等（第７節）について定めている。そして、この並びでキャリアコンサルタント（第８節）が規定されている。以下、能開法では第４章職業訓練法人、第５章職業能力検定、第６章職業能力開発協会、第７章雑則、第８章罰則と続いている。

第４節　労働条件・安全衛生関係の法規

４.１　労働基準法

労働基準法は、日本国憲法第27条「勤労の権利及び義務、勤労条件の基準、児童酷使の禁止」の規定に基づいて制定された労働者の労働条件についての統一的な最低基準を定めた法律である。以下を特徴とする。

①　労働憲章的な規定を設けたこと
②　戦前からの封建的遺制を一掃しようとした観点から規定されていること
③　１日８時間、１週40時間制、週休制、年次有給休暇制度などの基本的な制度を基準として最低労働条件を定めていること

総則、労働契約、賃金、労働時間・休憩・休日及び年次有給休暇、年少者、災害補償、就業規則、監督機関等の各分野にわたって、詳細な規定、施行規則、指針等により詳細に定められている。以下、主な事項についてのみ示すが、常時改正されているので、その内容については最新の関係解説書によられたい。

（１）　労働条件の原則

①　人たるに値する生活を営むための必要を充たすべきもの（法第１条）
②　最低の基準であるから、この基準を理由にする労働条件の低下の禁止（法第１条②）
③　労使が対等で決定し、相互の誠実な履行（法第２条）
④　基準に達しない労働契約のその部分について無効（法第13条）
⑤　就業規則の法令または労働協約との関係（法第92条）
⑥　均等待遇（法第３条）
⑦　男女同一賃金（法第４条）

（２）　労働契約（締結と解除）の原則

①　期間の定めのないものを除き３年（専門的知識を有する労働者など一定のものは５年）以内（法第14条）

② 契約締結に当たって、使用者は賃金、労働時間、その他の労働条件を文書により明示（法第15条）

③ 原則として15歳未満の児童の使用禁止、就学時間外の例外は労働基準監督署の使用許可が必要（法第56条）

④ 業務上負傷、休業中とその前後30日、産前産後の休業中とその後30日間は解雇の禁止（法第19条）

⑤ 解雇に当たっては少なくとも30日前の解雇予告か、30日分以上の平均賃金の支払いが必要。ただし、天災事変等の場合は例外（法第20条）

⑥ 国籍、信条、社会的身分を理由とする解雇の禁止（法第３条）

⑦ 労働基準監督官に申告したことを理由にした解雇の禁止（法第104条②）

なお、労働基準法ではないが、解雇については次の規定が関係法にある。

① 組合活動を理由とした解雇は無効（労働組合法第７条）

② 公序良俗に反するもの、解雇権の乱用とみなされる解雇は無効（民法第90条、同第１条）

③ 婚姻、妊娠、出産等を理由とする不利益取扱いの禁止（男女雇用機会均等法第９条）

④ 育児休業、介護休業を理由とする不利益取扱いの禁止（育児・介護休業法第10条、第16条）

契約解除に関するその他の規定には、次のようなものがある。

① 事実と相違する場合の労働者の即時契約解除の権利（法第15条②）

② 年少者が解雇の日から14日以内に帰郷する場合、使用者の旅費の負担（帰郷旅費、法第64条）

③ 労働者の死亡、退職する場合の７日以内の賃金の支払い、積立金、貯蓄金等の速やかな返還、請求があった場合の遅滞なき退職証明の交付（法第23条、第22条）

（3）　労働関係における封建的遺制排除規定

①　強制労働の禁止（法第５条）

②　中間搾取の排除（法第６条）

③　労働契約不履行についての違約金、または損害賠償を予約する契約の禁止（法第16条）

④　前借金と賃金の相殺禁止（法第17条）

⑤　労働契約に付随する強制貯金の禁止（法第18条）

（4）　賃　　金

①　賃金支払の５原則、すなわち通貨、直接、全額、毎月、一定期日払い（法第24条）

②　使用者に帰すべき事由による休業は、平均賃金の100分の60以上の休業手当の支払い（法第26条）

③　労働者の出産、疾病などの非常時には非常時払い（法第25条）

④　出来高払い制度の保障給（法第27条）

⑤　親権者または後見人の代理受領の禁止（法第59条）

（5）　労働時間、休憩、休日及び年次有給休暇

労働時間については、次のような原則がある。

①　１日８時間、１週40時間労働の原則（法第32条）

②　変形労働時間、１カ月、フレックス、１年単位、１週間単位の非定型（法第32条の２～５）

③　法定労働時間の適用除外（農林水産業、管理監督、監視断続的労働）（法第41条）

④　10人未満の商店、病院、旅館、飲食店、映画館等は１週44時間、１日８時間（法第40条）

休日については、次のような原則がある。

①　原則として毎週１回以上（法第35条）

② 4週間を通じて4日以上の変形休日制も可（法第35条②）

時間外及び休日労働については、次のような原則がある。

① 労使が一定の要件を備えた書面による協定（36協定）を結び、労働基準監督署に届ければ、労働時間の延長、休日労働が可能（法第36条）

② 非常災害時は、労働時間の延長、休日労働が可能（法第33条）

③ 休日労働、時間外、深夜労働についてはその時間について2割5分以上の割増し賃金の支給が必要（法第37条）

休憩については、次のような原則がある。

労働時間が6時間を超える場合は少なくとも45分、8時間を超える場合は少なくとも1時間の休憩時間を、労働時間の途中の付与が必要、また、休憩時間は、原則として一斉に、自由に利用させることが必要（法第34条）

年次有給休暇については、次のような原則がある。

6カ月を超えて継続勤務し、全労働日の8割以上出勤したものには10日の年次有給休暇を付与、勤続年数がその後1年ごとに休暇が1日ずつ増え、勤続3年6カ月以降は1年ごとに2日増え、20日をもって限度とする。また、パートタイム労働者も、労働日数によって比例付与、請求に対しては原則として時期変更権のみ（法第39条）

（6） 年少者の保護

① 15歳未満の工業的事業への使用禁止（法第56条）、非工業的事業は、行政官庁の許可を受けることを条件に、健康及び福祉に有害でなく、労働が軽易な職業に13歳以上の使用が可、映画・演劇は13歳未満でも可（法第56条）

② 労働時間制限、深夜労働禁止（法第60条、第61条）

③ 危険・有害作業禁止（法第62条、第63条）

（7）　女性の保護

①　男女の時間外労働の抑制・基準の設定（法第36条）

②　妊産婦の一定の危険有害作業の禁止（法第64条の２、３）

③　産前産後の休暇（法第65条）、妊産婦の時間外労働等の制限（法第66条）

④　育児時間（法第67条）

⑤　生理日の就業困難な女性に対する措置（法第68条）

4.2　最低賃金法

最低賃金法は、最低賃金制度を規定する法律である。最低賃金制度とは、最低賃金法に基づいて国が賃金の最低限度を定め、使用者はその最低賃金額以上の賃金を支払わなければならないとする制度である。仮に最低賃金額より低い賃金を労働者と使用者の双方の合意の上で定めても、それは法律によって無効とされ、最低賃金額と同額の定めをしたものとされる。したがって、最低賃金未満の賃金しか支払わなかった場合には、最低賃金額との差額を支払わなくてはならない。また、地域別最低賃金額以上の賃金額を支払わない場合には、最低賃金法に罰則（50万円以下の罰金）が定められ、特定（産業別）最低賃金額以上の賃金額を支払わない場合には、労働基準法に罰則（30万円以下の罰金）が定められている。

最低賃金には、地域別最低賃金と特定最低賃金の２種類がある。「地域別最低賃金」とは、産業や職種にかかわりなく、都道府県内の事業場で働くすべての労働者とその使用者に対して適用される最低賃金である。「特定最低賃金」は、特定の産業について設定されている最低賃金であり、特別な手続きを経て、地域別最低賃金よりも高い最低賃金を定めることが必要とされた産業について設定されている。

地域別最低賃金は、①労働者の生計費、②労働者の賃金、③通常の事業の賃金支払能力を総合的に勘案して定めるものとされている。労働者の生計費を考慮するにあたっては、労働者が健康で文化的な最低限度の生活を営むことができるよう、生活保護に係る施策との整合性に配慮することとされている（以上、厚生労働省ウェブサイト「最低賃金制度の概要」より）。

4.3　労働安全衛生法

労働安全衛生法は、①労働災害の防止のための危険防止基準の確立、②責任体制の明確化、③自主的活動の促進など、総合的計画的な対策を進めることにより、職場における労働者の安全と健康を確保するとともに、快適な職場環境の形成を目的としている（法第１条）。1972年、労働安全衛生法が制定されるまでは、労働基準法及びそれに基づく労働安全衛生規則等によって規定されていたが、新工法、新物質の開発、新しい事業形態の登場などに対応するため労働安全衛生法が新たに制定された。

キャリアコンサルティングとの関係では、メンタルヘルス支援の中心である「従業員の健康保持増進措置（トータル・ヘルス・プロモーション・プラン＝THP）」「職場における心の健康づくり」「職場復帰支援」「ストレスチェック制度」及び「快適職場の形成」の根拠法である。

労働安全衛生法は、上記のように職場の労働安全、衛生について全般にわたり詳細に規定した基本法及びそれに基づく諸規定、指針等で、その全体像及び詳細については専門書によられたい。ここでは以下、主としてキャリアコンサルティングに直接関連する点を中心に要点を述べる。

（1）　事業者の責務

事業者は、単に労働災害の防止のための最低基準を守るだけでなく、快適な職場環境の実現と労働条件の改善を通じて職場における労働者の安全と健康を確保するように努めなければならない（法第３条）。また、機械・器具その他の設計者、製造者・輸入者、原材料の製造者・輸入者、建設物の建設工事者・設計者、建設工事の発注者等も労働災害防止に努めなければならない（法第３条２）。さらに、労働者も、必要な事項を守らなければならない（法第４条）。

（2）　安全衛生管理体制の確立

一定の事業所では、安全管理者、衛生管理者、安全衛生推進者、衛生推進者、産業医及びこれらを総括管理する統括安全衛生管理者をおかなければならない（法第10～16条）。また、産業医は、労働者の健康管理を行うのに必要な医学の知識を持った者でなければならない（法第13条）。建設業等のような重層下請関係で事業が行われる場合は、その現場が一定規模以上である場合は、元方事業者は、現場の最高責任者を統括安全責任者として選任し、各請負人もそれとの連絡を行うための責任者を選任しなければならない（法第15条の２）。

（３）　安全委員会、衛生委員会、安全衛生委員会

安全、衛生に関する事項について調査審議し、事業者に意見を述べるために各委員会を設けなければならない。構成員の半分は、労働組合の推薦に基づかなければならない（法第17～19条）。

（４）　労働者の就業に当たっての措置

事業者は、労働者を雇い入れたとき、作業内容を変更したとき、危険または有害な業務に就かせたときは、安全衛生教育を行わなければならず、職長等に対しても一定の教育を行わなければならない（法第59条）。

（５）　健康診断

事業者は、労働者に対し、医師による健康診断を行わなければならない（法第66条）。事業者は、１週当たり40時間を超えて行う労働（時間外・休日労働）が１月当たり100時間を超え、疲労の蓄積が認められる者であって、面接指導に係る申し出を行った労働者に対し、医師による面接指導を行わなければならない（法第66条の８）。また、事業者は、労働者に対し、厚生労働省令で定めるところにより、医師、保健師、一定の研修を受けた看護師、精神保健福祉士による心理的な負担の程度を把握するための検査を行わなければならない（法第66条の10：ストレスチェック制度）。

（６）　健康教育等（心とからだの健康保持増進措置）

事業者は、労働者に対する健康教育及び健康相談その他労働者の健康保持増進を図るために必要な措置を、継続的、計画的に行わなければならない（法第69条）。一方、国は、事業主がそれを適切、有効に実施するための指針を公表し、事業主または団体を指導しなければならない。また、必要な資料の提供、作業環境測定や健康診断の実施、健康教育等に関する指導員の確保、資質の向上に必要な援助を行う（法第70条の２、第71条）。

（７）　快適職場環境形成のための措置（快適職場づくり）

事業者は、快適な職場環境を形成するよう次のことに努めなければならない。

① 作業環境を快適な状態に維持管理するための措置
② 労働者の従事する作業について、その方法を改善するための措置
③ 作業に従事することによる労働者の疲労を回復するための施設または施設の整備
④ その他必要な措置

国は、適切、有効な実施のための指針を公表し、措置の適切、有効な実施に資するための金融上の措置、技術上の助言、資料の提供その他の援助を行う（法第71条の２～４）。

4.4 労働者災害補償保険法

労働者災害補償保険法は、業務上の事由または通勤による労働者の負傷、疾病、障害、死亡等に対し、迅速かつ公正な保護をするために保険給付を行い、併せて被災労働者の社会復帰、当該労働者及び遺族の援護、適正な労働条件の確保等を行うことにより労働者の福祉の増進に寄与することを目的としている（法第１条）。労災保険給付は、次のようになっている。

① 療養のために休業する場合の「療養（補償）等給付」「休業（補償）等給付」「傷病（補償）等年金」
② 障害が残った場合、その程度に応じて「障害（補償）等年金」「障害（補償）等一時金」
③ 常時または随時介護を要する場合の「介護（補償）等給付」
④ 被災労働者が死亡した場合の「遺族（補償）等年金」「遺族（補償）等一時金」「葬祭料等」

保険給付のほかに、社会復帰促進事業、被災労働者等援護事業、安全衛生確保事業、労働条件確保事業の労働福祉事業を行っている。

4.5　労働契約法

2008年から施行された労働契約法は、労働契約は、労働者と使用者の自主的な交渉の下で合意により成立し、変更されるという合意の原則などをはじめ、労働契約についての基本的なルールを定めたものである。まず、労働契約は、①労使対等の原則、②均衡考慮の原則、③仕事と生活の調和への配慮の原則、④信義誠実の原則、⑤権利濫用の禁止の原則の５つの原則に基づく（法第３条１～５）。また、使用者は労働契約の内容について労働者の理解を深めるようにし、できる限り書面により確認する。さらに、労働者と使用者が合意すれば労働契約を変更できるが（法第８条）、使用者が一方的に就業規則を変更して、労働者の不利益に労働条件を変更することができない（第９条）。

キャリアコンサルティングと関連が深いのは、第５条の安全配慮義務である。第５条は「使用者は、労働契約に伴い、労働者がその生命、身体等の安全を確保しつつ労働することができるよう、必要な配慮をするものとする」と定めている。条文中、「生命、身体等の安全」には心身の健康、すなわち体の健康のみならずメンタルヘルスも含まれると解されている。例えば、厚生労働省ウェブサイト「確かめよう労働条件」では、「メンタルヘルスの不調については、本人が申告しにくい情報であることから、企業は、労働者からの申告がなくても、その健康に関わる労働環境等に十分な注意を払うべき安全配慮義務を負っています。この安全配慮義務を果たさないときには、損害賠償責任が生じます」[1)]と解説しており、労働契約法第５条が示されている。

使用者は、メンタルヘルスに関して、労働者から申告がなくても、その健康に関わる労働環境等に十分な注意を払うべき安全配慮義務を負っているとした初の最高裁判決として東芝（うつ病・解雇）事件（最二小判平26.３.24　労判1094－22）がある[2)]。

4.6　労働基準・安全衛生行政組織

労働基準・安全衛生行政組織は、中央においては厚生労働省労働基準局、地方においては各都道府県労働局が、また、第一線機関として労働基準監督署、雇用環境・均等室（部）が設置され、全国統一基準により行われている。

労働基準監督署は全国に321署ある。厚生労働省では、労働基準監督署の役割を、その内部組織を説明しつつ、以下のとおり示している。

① 労働基準法などの関係法令に関する各種届出の受付や、相談対応、監督指導を行う「方面」(監督課)
② 機械や設備の設置に係る届出の審査や、職場の安全や健康の確保に関する技術的な指導を行う「安全衛生課」
③ 仕事に関する負傷などに対する労災保険給付などを行う「労災課」

監督指導は1年間に約17万件(2018年)実施しており、そのうち主体的・計画的に実施する監督指導(定期監督)では、約68%の事業場において労働基準関係法令違反が認められた。主な違反事項は、①時間外労働に関する届出を労働基準監督署に届け出ない、あるいは届け出た上限時間を上回って時間外労働(残業)を行わせた、②機械や設備などの安全基準を満たしていなかった、③時間外労働(残業)などに対して割増賃金を支払っていなかったなどとなっている(以上、厚生労働省パンフレット「労働基準監督署の役割」(2020年11月発行)より)。

関係機関として、労働者健康福祉機構、勤労者退職金共済機構、労働災害防止団体などがあり、労働基準行政としてそれぞれ関係業務を行っている。

第5節 雇用環境・均等関係の法規

近年、雇用環境・均等関係の法規の整備・拡充が進んでいるため、以下に取り上げる。いずれも厚生労働省HPおよびパンフレット等からの抜粋である。

5.1 男女雇用機会均等法

男女雇用機会均等法では、性別を理由とする差別の禁止を定めている。特に、募集・採用、配置・昇進・降格、教育訓練、一定範囲の福利厚生、職種・雇用形態の変更、退職の勧奨・定年・解雇・労働契約の更新等、雇用管理の各ステージにおける性別を理由とする差別を禁じている。また、労働者の性別以外の理由を要件とする措置であっても、実質的に性別を理由とする差別になるおそれがあるものも禁止している。これを間接差別の禁止といい、厚生労働省令では以下のものを挙げている。①労働者の募集又は採用に当たって､労働者の身長、体重又は体力を要件とするもの。②労働者の募集もしくは採用、昇進又は職種の変更に当たって、転居を伴う転勤に応じることができることを要件とすること。③労働者の昇進に当たり、転勤の経験があることを要件とすること。

一方、雇用の場で男女労働者間に事実上生じている格差を解消することを目的として行う、女性のみを対象とした取り扱いや女性を優遇する取り扱い（ポジティブアクション）は違法でない旨を規定している。

また、職場におけるセクシャルハラスメント防止のために、雇用管理上必要な措置を事業主に義務づけている。具体的には、セクハラ指針（事業主が職場における性的な言動に起因する問題に関して雇用管理上講ずべき措置についての指針）が定められている。さらに婚姻、妊娠・出産等を理由とする不利益取扱いを禁止しており、職場における妊娠・出産等に関するハラスメント防止のために雇用管理上必要な措置を事業主に義務づけている。具体的には、妊娠・出産等に関するハラスメント指針（事業主が職場における妊娠、出産等に関する言動に起因する問題に関して雇用管理上講ずべき措置についての指針）が定められている。

５.２　女性活躍推進法

女性活躍推進法は、2015年に10年間の時限立法として制定された。女性活躍推進法に基づき、国・地方公共団体、301人以上の大企業は、①自社の女性の活躍に関する状況把握・課題分析、②その課題を解決するのにふさわしい数値目標と取組を盛り込んだ行動計画（一般事業主行動計画）の策定・届出・周知・公表、③自社の女性の活躍に関する情報の公表を行わなければならない。

なお、2022年４月１日から101人以上300人以下の企業にも一般事業主行動計画の策定・届出、情報公開が義務化される。

また、行動計画の届出を行い、女性の活躍推進に関する取組の実施状況が優良な企業については、申請により、厚生労働大臣の認定（「えるぼし」認定）を受けることができる。認定を受けた企業は、厚生労働大臣が定める認定マークを商品などに付することができる。

5.3　パートタイム・有期雇用労働法

正式には、「短時間労働者及び有期雇用労働者の雇用管理の改善等に関する法律」であり、パートタイム労働者や有期雇用労働者がその能力をいっそう有効に発揮することができる雇用環境を整備するとともに、多様な雇用形態・就業形態で働く人々がそれぞれの意欲や能力を十分に発揮し、その働きや貢献に応じた待遇を得ることのできる「公正な待遇の実現」を目指す。

主にパートタイム労働者や有期雇用労働者と通常の労働者（正社員）との均等・均衡待遇の確保が中心であり、パートタイム・有期雇用労働者のあらゆる待遇について不合理な待遇差を設けてはならない。いかなる待遇差が不合理なものであり、いかなる待遇差が不合理なものでないかについては、「同一労働同一賃金ガイドライン（短時間・有期雇用労働者及び派遣労働者に対する不合理な待遇の禁止等に関する指針）」で、原則となる考え方及び具体例を示している。例えば、正社員とパートタイム労働者・有期雇用労働者の賃金の決定基準・ルールに違いがあるときは、「将来の役割期待が異なるため」という主観的・抽象的説明では足りず、賃金の決定基準・ルールの違いについて、職務内容、職務内容・配置の変更範囲、その他の事情の客観的・具体的な実態に照らして不合理なものであってはならないなどの例が示されている。

その他、パートタイム・有期雇用労働指針では、①労働に関する法令を遵守すること、②労働条件を合理的な理由なく一方的に不利益変更することは許されないこと、③労働時間に配慮するように努めること（家庭生活との両立などのため）、④パートタイム・有期雇用労働者から求めがあった際には待遇の相違と内容と理由の説明を行うこと、⑤パートタイム・有期雇用労働者との話合いを促進することなどが示されている。

なお、雇入れの際には、「昇給の有無」「退職手当の有無」「賞与の有無」「相談窓口」の４つの事項について明示することが義務づけられている。

5.4　育児・介護休業法

育児・介護休業法の目的は、①育児休業及び介護休業に関する制度並びに子の看護休暇及び介護休暇に関する制度を設けること、②子の養育及び家族の介護を容易にするため所定労働時間等に関し事業主が講ずべき措置を定めること、③子の養育又は家族の介護を行う労働者等に対する支援措置を講ずることであり、このことによって、ア）子の養育又は家族の介護を行う労働者等の雇用の継続及び再就職の促進を図り、イ）職業生活と家庭生活との両立に寄与することを通じて福祉の増進を図り、ウ）あわせて経済及び社会の発展に資することである。

主に、①育児休業・介護休業、②所定労働時間の短縮措置（短時間勤務）等、③所定外労働時間の制限、④子の看護休暇、⑤時間外労働の制限、⑥深夜業の制限が定められている。育児休業は「労働者が原則としてその１歳に満たない子を養育するための休業」である。介護休業は「労働者がその要介護状態（負傷、疾病又は身体上若しくは精神上の障害により、２週間以上の期間にわたり常時介護を必要とする状態）にある対象家族を介護するためにする休業」である。有期契約労働者については、引き続き雇用された期間が１年以上であることなどの要件がある。

育児休業は、子１人につき原則として１回、子が１歳に達するまでの連続した期間、取得できる。また、３歳に満たない子を養育する労働者が請求した場合、事業主は所定労働時間を超えて労働させてはならない。さらに小学校就学の始期に達するまでの子を養育する労働者が請求した場合、①事業主は制限時間（１カ月24時間、１年150時間）を超えて労働時間を延長してはならない、②午後10時～午前５時（深夜）に労働させてはならない。

介護休業は、要介護状態にある対象家族（配偶者、父母、子、配偶者の父母、祖父母、兄弟姉妹及び孫）を介護する労働者が請求した場合、対象家族１人につき３回取得できる。また、請求があった場合、①事業主は所定労働時間を超えて労働させてはならない、②事業主は制限時間（１カ月24時間、１年150時間）を超えて労働時間を延長してはならない、③午後10時～午前５時（深夜）に労働させてはならない。

その他、詳細な規定や例外事項が定められており、改正も行われているので、最新の状況を関連サイト等で確認されたい。

文　献

1）厚生労働省ウェブサイト「確かめよう労働条件」「12. メンタルヘルス　12－1『メンタルヘルス』に関する具体的な裁判例の骨子と基本的な方向性」
https://www.check-roudou.mhlw.go.jp/hanrei/mental/mental.html
2）労働政策研究・研修機構「雇用関係紛争判例集」「【労災補償】 損害賠償－使用者の安全配慮義務違反」
https://www.jil.go.jp/hanrei/conts/07/69.html

第12章
キャリアコンサルティングとメンタルヘルス

第１節　労働者の健康とストレス

労働者に対するメンタルヘルス対策は、今や企業の人事・労務管理や安全衛生管理として必要不可欠のものとなっている。その点ではメンタルヘルスはキャリアコンサルティングと密接な関わりがある。

メンタルヘルス不調者には、本人の状態を把握し、就業への影響を判断するなどして、企業・組織の担当者や内部の産業保健スタッフ、外部の医療関係者等と連携しつつ、就業上の措置や治療など適切な支援につなぐ必要がある。

ただし、ストレスがそのまま直接心の不健康、職業的不適応あるいは疾病をもたらすわけではない。ストレスに対する反応には個人差がある。つまり、同じ出来事や環境の変化が、ある人にはストレスとなり、またある人にはむしろ積極的な活力を生む原因となるのである。

では、一般にストレスはどのようにして発生するのか。人間には仕事（あるいは仕事以外でも）についてある環境条件が与えられている。この環境条件に対応するための手段が必要になる。別章でみたとおり、この環境条件の中にストレス要因（これをストレス反応と区別するために「ストレッサー」という）が発生し、それがある人間のそれに対応する諸能力を超えた場合、あるいは最大限に達した場合ストレス反応（これをストレス要因と区別するために「ストレイン」という）が発生する。人間は、あるストレッサーの中で身体的、心理的に害され、脅威にさらされ、またあるときは抵抗する。ある人がこのことを自覚すると「ストレス要因－ストレス反応の輪」が形成される。いったんこの輪ができてしまうと、それに抵抗する個人の力を減退させるのである。

また、ストレス要因が直接ストレス反応（ストレイン）となるのではなく、その間にその労働者が状況をどう判断するかという「状況に対する評価」が介在する。この評価は、労働者の能力、適性、性格・興味、パーソナリティ、態度などの心理的特性、及び性、年齢、学歴、職業歴、キャリア、職位などの社会・経済的特性によって左右される。この「状況に対する評価」に基づいて「対処行動」が選択、実行される。「対処行動」を左右するものは、その人が持っている対処行動をするために必要な資源、コントロールの可能性、ストレスに耐える力（ストレス耐性という）などである。

この「対処行動」の結果がネガティブな場合に「ストレス反応（ストレイン）」となって発現する。ストレス反応は身体的、心理的及び行動的の３側面にわたることになる。ストレス反応は、結果として適応行動になる場合もあるし、心身の不健康や職場不適応となって終結することにもなる。

職場のストレス要因がすべてストレス反応をもたらすとは限らないが、一般的に共通してストレス要因になりやすいものは次のようなものである。

① 人間関係：上司・同僚・部下の無理解や低評価、不十分な意思疎通、疎外感、仲間外れ、意思決定からの疎外、孤立化、孤独化など
② 役割や環境の変化：配置転換、異動、昇進・昇格、転勤、海外勤務、単身赴任、退職、定年、出向・転籍など
③ 労働過重、過労：不規則・長時間労働、夜勤、交替勤務、単調労働、過密労働、責任過重、監視労働、ノルマ作業、危険有害労働など
④ 技術革新、合理化：技術革新による職務の喪失、配転、再教育、単調労働、機械相手の孤独感、VDT作業など
⑤ 不適切な管理、組織：管理の強化、方針・基準の不明確、権限不足、方針の押し付け、命令系統不明、他からの干渉、協力不在など
⑥ 不十分な労働安全、衛生：労働災害、危険有害な機械、設備や作業環境、危険作業、作業工程や姿勢など

⑦　労働条件等に対する不満：賃金、労働時間等の労働条件に対する不満、病気や事故に対する不安、解雇や老後の不安、不安定な労使関係など

第２節　職業性ストレスモデル

これまでによく知られている職業性ストレスのモデルを２つ示す[注1)]。

2.1　カラセクの仕事の要求度・コントロールモデル

１つは、カラセク（Karasek, R. A.）[2)]の「仕事の要求度・コントロールモデル（Job Demands Control Model：JDCモデル」である。このモデルは「仕事の要求度」と「仕事の裁量度（コントロール）」の２つの要因で職業ストレスを説明する。仕事の要求度は主に「仕事の量的負荷（多忙さや時間的切迫感）」が中心となる。一方、コントトールは「仕事上の裁量権や自由度」である。

図示したとおり、仕事の要求度×コントロールの高低の組み合わせで、①要求度が高くコントロールが低い「高ストレイン群（High Strain）」、②要求度が高くコントロールも高い「活性化群（Active）」、③要求度が低くコントロールが高い「低ストレイン群（Law Strain）」、④要求度が低くコントロールも低い「不活性化群（Passive）」がある。

図表12－1　カラセクの仕事の要求度・コントロールモデル

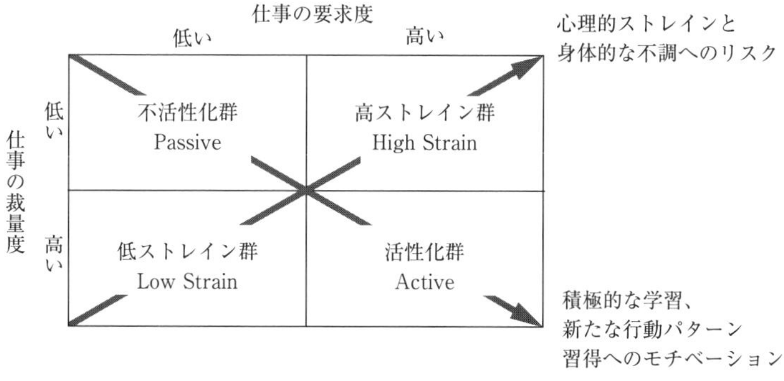

注１）以下、職業性ストレスモデルについては、文献１）pp. 263 － 294 を参照。

このうち高ストレイン群が心理的ストレインと身体的な不調へのリスク（≒いわゆるストレスと病気）が最も高い。一方、活性化群が積極的な学習や新たな行動パターン習得へのモチベーションが最も高い。仕事の負荷が大きいこともさることながら、仕事のコントロールが効かないことがストレスをもたらす。逆に仕事のコントロールを高めることでメンタルヘルス増進に寄与しうる。このモデルにソーシャルサポートを付加して３次元にしたモデルも「要求度－コントロール－サポートモデル」[3]として知られている。この場合、要求度が高く、コントロールが低く、サポートが少ない場合にストレスが生じやすい。

2.2　NIOSHの職業性ストレスモデル

もう１つは、NIOSHの職業性ストレスモデルである[4]。NIOSHとは米国国立労働安全衛生研究所（National Institute for Occupational Safety and Health）の略称である。それまでの職業性ストレス研究の内容分析を行って、図に示されるモデルを提案した。このモデルでは、①職場ストレッサーが、②

図表12－２　NIOSHの職業性ストレスモデル

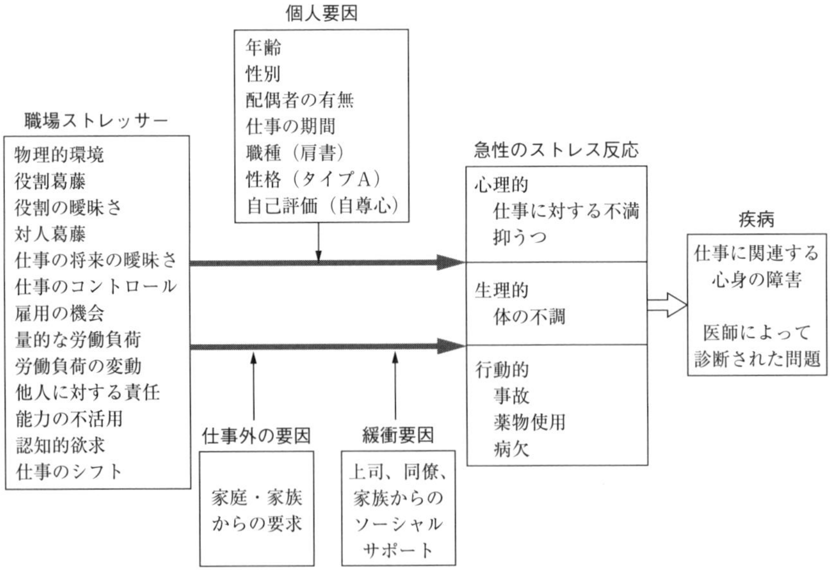

仕事外要因、③個人要因、④緩衝要因によって調整されて急性のストレス反応に至る。この急性のストレス反応が持続し慢性化したときに疾病や離職につながる。ストレスチェック制度で使用可能な「職業性ストレス簡易調査票」にも一部、取り入れられている[5)]。

第３節　健康保持増進措置とメンタルヘルスケア

３.１　健康保持増進措置

事業場における労働者の健康の保持増進は、1988年に、労働安全衛生法第70条の２第１項の規定に基づいて、事業場における労働者の健康保持増進措置を推進するため、「事業場における労働者の健康保持増進のための指針」（以下、THP[注2)]指針）を策定し、THP指針に沿った取り組みを普及してきた。

しかし、THP指針策定から30年以上が経過し、産業構造の変化や高齢化の一層の進展、働き方の変化など、日本の社会経済情勢が大きく変化していく中で、事業場における健康保持増進対策についても見直しの必要が出てきた。そのため、2020（令和２）年３月と2021（令和３）年２月にTHP指針が改正された。

これらの改正を経て、現在、THP指針は以下の点をポイントとしている[6)]。

・従来の労働者「個人」から「集団」への健康保持増進措置の視点を強化[注3)]
・事業場の特性に合った健康保持増進措置への見直し
・健康保持増進措置の内容を規定する指針から、取組方法を規定する指針への見直し（ここまで令和元（2019）年度の主な改正ポイント）
・医療保険者と連携した健康保持増進対策（令和２年度の主な改正ポイント）

注２）THPとはトータル・ヘルス・プロモーション・プランの略であり、働く人が心とからだの両面にわたる健康的な生活習慣への行動変容を行うため、事業場で計画的に行う健康教育などの活動をいう（令和３年版THP指針より）。

注３）令和３年改正のTHP指針では、生活習慣上の課題を有する労働者個人を対象とした、個々の健康状態の改善を目指す「ハイリスクアプローチ」に加えて、生活習慣上の課題の有無にかかわらず労働者を集団と捉え、事業場全体の健康状態の改善を目指す「ポピュレーションアプローチ」の視点強化とも説明されている。

図表12－3　健康保持増進対策の各項目（PDCAサイクル）

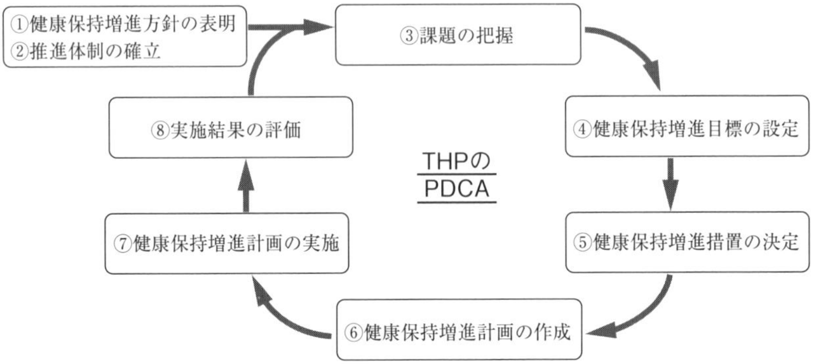

特に、健康保持増進の内容そのものから、以下のとおり、PDCAサイクルを導入した「進め方」を規定する指針へと見直されている。

また、健康保持増進対策の実施体制は、図表12－4に示す産業医を中心とした「事業場内の推進スタッフ」を基本とし、取組内容に応じて「事業場外資源」[注4)]を組み合わせ構築することとしている。

3.2　事業場における労働者の心の健康づくり指針（メンタルヘルス指針）

仕事や職業生活に関する強い不安、悩み、ストレスを感じている労働者の増加に対応するため、2000年厚生労働省は、事業者が行うことが望ましいメンタルヘルスの具体的な実施方法を総合的に示した「事業場における労働者の心の健康づくりのための指針（メンタルヘルス指針）」を策定した。2006年にはこの措置をさらに推進するため見直しを行い、新たに「労働者の心の健康の保持増進のための指針」[7)]を策定、2015年11月30日に改正した[注5)]。

メンタルヘルスの考え方には「一次予防」「二次予防」「三次予防」がある。

注4）令和３年改正のTHP指針では、例として「労働衛生機関」「中央労働災害防止協会」「スポーツクラブなど」「医療保険者」「地域の医師会、歯科医師会」「地方公共団体、保健所」「産業保健総合支援センター、地域産業保健センター」を挙げている。

注5）以下、本節では文献７）を引用。

図表12－４　事業場内の推進スタッフの例

職　種	解　説
産業医	常時 50 人以上の労働者を使用する事業場で選任の義務があり、労働者の健康管理などを行うのに必要な医学的知識について、一定の要件を備えた医師。産業保健活動の中心的な役割を果たす。事業場の労働環境や健康課題についても理解が深く、取組への専門的かつ建設的な助言を得られる。
保健師・看護師	医療・保健に関する専門的な知識を持つ専門職であり、事業場の健康課題を熟知し、労働者の健康管理を支援するなど、産業保健活動を実践している。労働者が気軽に相談できる身近な専門職として、実践的な助言を得られる。
衛生管理者	常時 50 人以上の労働者のいる事業場で選任の義務があり、衛生に関わる技術的事項を管理している。労働者が担っていることが多く、事業場の衛生管理や健康管理の状況を理解した上で、取組推進に貢献できる。
衛生推進者・安全衛生推進者	常時 10 人以上 50 人未満の労働者のいる事業場で配置され、労働者の安全衛生などに係る業務を担当する。労働者が担っていることが多く、事業場の衛生管理や健康管理の状況を理解した上で、取組推進に貢献できる。
人事労務管理スタッフ	安全・衛生管理や労働時間管理などを担当し、事業場内での調整などを行う。産業医をはじめとした専門職や衛生管理者などとの関わりも深く、事業場の衛生管理や健康管理の状況を理解した上で、取組推進に貢献できる。
運動指導担当者、 運動実践担当者、 心理相談担当者、 産業栄養指導担当者、 産業保健指導担当者	令和元年度改正以前のTHP指針で定められた心とからだの健康づくり指導者（THP指導者。20 ページ「連携可能な事業場外資源の例」において同じ。）。同指針別表に定める研修を修了した専門スタッフであり、労働者に対して、運動プログラムを作成し運動実践を行うにあたっての指導や、メンタルヘルスケアを行う。専門的な知識を活かして、取組の実践に貢献できる。

（資料出所）　厚生労働省　2021「職場における心とからだの健康づくりのための手引き～事業場における労働者の健康保持増進のための指針」p. 18

・一次予防：ストレスチェック制度の活用や職場環境等の改善を通じて、メンタルヘルス不調を未然に防止する
・二次予防：メンタルヘルス不調を早期に発見し、適切な措置を行う
・三次予防：メンタルヘルス不調となった労働者の職場復帰の支援等を行う

また、メンタルヘルスケアを推進するに当たっては、①心の健康問題の特性（本人から状況の情報を取得する、個人差が大きい）、②労働者の個人情報の保護への配慮、③人事労務管理との関係、④家庭・個人生活等の職場以外の問題などにも留意する必要がある。

また次の「４つのケア」が継続的かつ計画的に行われることが重要となる。

・セルフケア：労働者自身がストレスや心の健康について理解し、自らのストレスを予防、軽減する、あるいはこれに対処する。
・ラインによるケア：労働者と日常的に接する管理監督者が、心の健康に関して職場環境等の改善や労働者に対する相談対応を行う。
・事業場内産業保健スタッフ等によるケア：事業場内の産業医等事業場内産業保健スタッフ等が、事業場の心の健康づくり対策の提言を行うとともに、その推進を担い、また、労働者及び管理監督者を支援する。
・事業場外資源によるケア：事業場外の機関及び専門家を活用し、その支援を受ける。

これら「４つのケア」を通じて、①メンタルヘルスケアの教育研修・情報提供、②職場環境等の把握と改善、③メンタルヘルス不調への気付きと対応、④職場復帰における支援を行う（図12－５参照）。

具体的な推進に当たっては、教育研修、情報提供、職場環境等の把握と改善、メンタルヘルス不調への気づきと対応、職場復帰における支援を行うように努める。

図表12－5　メンタルヘルスケアの具体的な進め方

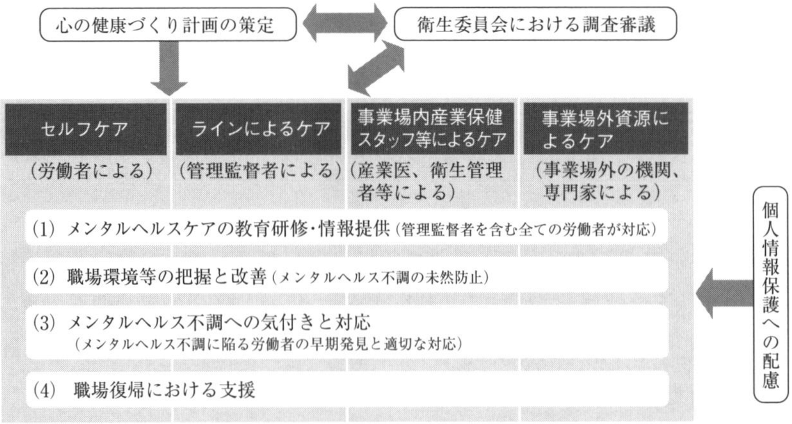

（資料出所）　厚生労働省　2020「職場における心の健康づくり－労働者の心の健康の保持増進のための指針」独立行政法人労働者健康安全機構　p. 8

また、メンタルヘルスケア推進に当たっては、ストレスチェック制度も含めて衛生委員会等において十分調査審議を行い、「心の健康づくり計画」を策定する（ストレスチェック制度を明確に位置づける）。その他、労働者の個人情報の保護及び労働者の意思を十分に尊重する。また、心の健康に関する情報を理由に不利益な取り扱いを行ってはならない。

3.3　心の健康問題により休業した労働者の職場復帰支援

心の健康問題により休職した労働者が職場復帰することに対する支援は、復職前後の短い期間だけではなく、休業開始から職場復帰後の配置やフォローアップ体制まで一連の流れとして捉え、産業保健スタッフを含む上司、同僚、人事関係者など組織として受け止めなければならない。

厚生労働省は、2004年「心の健康問題により休業した労働者の職場復帰支援の手引き」を公表・周知してきたが、2009年３月に改訂が行われた[8)]。「職場復帰支援の流れ」は図表12－６に示したとおりである。

職場復帰支援の各ステップには留意事項がある。例えば、第１ステップでは、労働者が病気休業中に安心して療養に専念できるように、傷病手当金などの経済的な保障、不安・悩みの相談先の紹介、公的・民間の職場復帰支援サービス、休業の最長期間等について情報提供等の支援を行う。第２ステップでは、主治医と連携するに当たって、あらかじめ職場で必要とされる業務遂行能力に関する情報を主治医に提供する。第３ステップでは、職場復帰の可否の判断基準として「労働者が十分な意欲を示している」「通勤時間帯に一人で安全に通勤ができる」「決まった勤務日、時間に就労が継続して可能である」などがある。

また、正式な職場復帰決定の前に、社内制度として「試し出勤制度」等を設けると、より早い段階で職場復帰の試みを開始できる。模擬出勤（勤務時間と同様の時間帯に模擬的な軽作業を行う等）、通勤訓練（自宅から職場近くまで通勤経路で移動し、職場付近で一定時間を過ごす）、試し出勤（本来の職場に試験的に出勤する）などがある。

図表12－6　職場復帰支援の流れ

第１ステップ　病気休業開始及び休業中のケア
①労働者からの診断書（病気休業診断書）の提出 ②管理監督者、事業場内産業保健スタッフ等によるケア ③病気休業期間中の労働者の安心感の醸成のための対応
第２ステップ　主治医による職場復帰可能の判断
①労働者からの職場復帰の意思表示と職場復帰可能の判断が記された診断書の提出 ②産業医等による精査 ③主治医への情報提供
第３ステップ　職場復帰の可否の判断及び職場復帰支援プランの作成
①情報の収集と評価（労働者の意思の確認、産業医による主治医からの意見収集、労働者の状態の評価、受け入れ先職場環境の評価等） ②職場復帰の可否についての判断 ③職場復帰支援プランの作成（職場復帰日、管理者等による業務上の配慮、人事労務管理上の対応、産業医等による医学的見地からみた意見、フォローアップ体制など）
第４ステップ　最終的な職場復帰の決定
①労働者の状態の最終確認 ②産業医等による就業上の配慮等に関する意見書の作成 ③事業者による最終的な職場復帰の決定

＜職場復帰＞

第５ステップ　職場復帰後のフォローアップ
①疾患の再燃・再発、新しい問題の発生等の有無の確認 ②勤務状況及び業務遂行能力の評価 ③職場復帰支援プランの実施状況の確認 ④治療状況の確認 ⑤職場復帰支援プランの評価と見直し ⑥職場環境等の改善等 ⑦管理監督者、同僚等への配慮等

3.4　心理的負荷による精神障害の認定基準、自殺予防

仕事によるストレス（業務による心理的負荷）が関係した精神障害についての労災請求が増え、その認定（発病した精神障害が業務上のものと認められるかの判断）を迅速に行うことが求められている。従来、厚生労働省は1999年「心理的負荷による精神障害者等に係る業務上外の判断指針」に基づいて労災認定を行っていたが、より迅速に判断でき、わかりやすい基準となるよう、2011年に「心理的負荷による精神障害の認定基準」を新たに定め、この基準に基づき労災認定を行っている。労災認定の要件は次のとおりである[注6)]。

注６）詳しくは、厚生労働省・都道府県労働局・労働基準監督署　2020「精神障害の労災認定」https://www.mhlw.go.jp/bunya/roudoukijun/rousaihoken04/dl/120427.pdf を参照のこと。

① 認定基準の対象となる精神障害を発病していること
② 認定基準の対象となる精神障害の発病前おおむね６カ月の間に、業務による強い心理的負荷が認められること（本人がその出来事とその後の状況を主観的にどう受け止めたかではなく、同種の労働者が一般的にどう受け止めるかという観点から評価する）
③ 業務以外の心理的負荷及び個体側要因により発病したとは認められないこと

日本の年間自殺者数は、1998年の急増以降３万人超と高止まっていたが、2010年以降７年連続して減少し、2015年には1998年の急増前の水準となった。しかし、我が国の自殺死亡率は主要先進７か国の中で最も高く、年間自殺者数も依然２万人を超えており、「非常事態はいまだ続いていると言わざるをえない（p. 2）」[注7]。そこで、2017年、「自殺総合対策大綱」が策定された。「自殺総合対策大綱」では、社会における「生きることの阻害要因」を減らし、「生きることの促進要因」を増やす[注8]ことを通じて、社会全体の自殺リスクを低下させることを基本理念としている。そのうえで、以下の12点を当面の重点施策としている。

① 地域レベルの実践的な取組への支援を強化する
② 国民一人ひとりの気づきと見守りを促す
③ 自殺総合対策の推進に資する調査研究等を推進する
④ 自殺対策に係る人材の確保、養成及び資質の向上を図る
⑤ 心の健康を支援する環境の整備と心の健康づくりを推進する
⑥ 適切な精神保健医療福祉サービスを受けられるようにする
⑦ 社会全体の自殺リスクを低下させる

注７）厚生労働省　2017「自殺総合対策大綱－誰も自殺に追い込まれることのない社会の実現を目指して」参照のこと。
注８）自殺総合対策大綱では、「阻害要因」を過労、生活困窮、育児や介護疲れ、いじめや孤立等、「促進要因」を自己肯定感、信頼できる人間関係、危機回避能力等としている。

⑧　自殺未遂者の再度の自殺企図を防ぐ
⑨　遺された人への支援を充実する
⑩　民間団体との連携を強化する
⑪　子ども・若者の自殺対策を更に推進する
⑫　勤務問題による自殺対策を更に推進する

第4節　ストレスチェック制度

4.1　ストレスチェック制度の趣旨・目的

仕事によるストレスが原因で精神障害を発病し、労災認定される労働者が増加傾向にあり、労働者のメンタルヘルス不調を未然に防止することが、ますます重要な課題になっている。そこで、2014年6月25日に公布された「労働安全衛生法の一部を改正する法律」(法律第82号)によって、心理的な負担の程度を把握するための検査(ストレスチェック)及びその結果に基づく面接指導の実施等を内容とする「ストレスチェック制度」(労働安全衛生法第66条の10)が創設された[注9)]。これにより、常時50人以上の労働者を使用する事業者は、1年以内ごとに1回、定期に、以下の項目についてストレスチェックを行う実施義務が生じた(50人未満の労働者を使用する事業場は努力義務)。

①　職場における当該労働者の心理的な負担の原因に関する項目(職場のストレス要因)
②　当該労働者の心理的な負担による心身の自覚症状に関する項目(心身のストレス反応)
③　職場における他の労働者による当該労働者への支援に関する項目(周囲のサポート)

ストレスチェック制度の基本的な考え方は、3.2に示したメンタルヘルス

注9)本節では、以下、文献9)より引用。

の「一次予防」「二次予防」「三次予防」の考え方を引継いでおり、次のとおりである。

① 労働者のメンタルヘルスケアは、メンタルヘルス不調となることを未然に防止する「一次予防」、メンタルヘルス不調を早期に発見し、適切な対応を行う「二次予防」、メンタルヘルス不調となった労働者の職場復帰を支援する「三次予防」に分けられる。
② 「一次予防」を特に重視し、検査の実施、集団ごとの集計・分析、フィードバックをし、医師による面接指導等を行う。
③ 事業者は、事業所の実態に即した「二次予防」、「三次予防」に努める。
④ 事業者は、ストレスチェック制度が、メンタルヘルス不調の未然防止だけでなく、生産性向上にもつながることに留意して、企業経営の一環として積極的に本制度の活用を図る。

4.2　ストレスチェック制度の実施に当たっての留意事項

産業保健スタッフは、次の点に特に留意して取り組むことが求められる。

① 安心して受検してもらう環境づくりに努める：ストレスチェックの結果は、労働者の同意がなければ事業者に提供してはならない。検査の実施に関わった者には守秘義務が規定されている。調査票は自記式なので、安心して書けるよう留意する。
② 検査を受ける受検者以外にも配慮する：ストレスチェックを受けた労働者が所属する部署の責任者が、人事労務管理、健康管理の能力を問われることのないよう留意する。
③ 安心して面接指導を申し出られる環境づくりに努める：面接指導の申出がしやすい環境を整え、高ストレスの状況にある労働者をそのまま放置しないようにする。

4.3　ストレスチェック制度に基づく取り組みの手順

ストレスチェック制度に基づく取り組みの手順として、まず、事業者は、法・規則及び指針に基づき、ストレスチェック制度に関する基本方針を表明する。

次に以下の手順でストレスチェック及び面接指導を行う。

①　衛生委員会等で実施方法等について調査審議を行い、その結果を踏まえ実施方法を規程として定める。

②　事業者は、医師、保健師等によるストレスチェックを行う。

③　ストレスチェックを受けた労働者に対して、実施した医師等から結果を直接本人に通知する。

④　結果の通知を受けた労働者のうち、高ストレス者として選定され、面接指導を受ける必要があると実施者が認めた労働者から申出があった場合は、事業者は、医師による面接指導を行わせる。

⑤　事業者は、面接指導を実施した医師から、就業上の措置に関する意見を聴取する。

⑥　事業者は、医師の意見を勘案し、必要に応じて適切な措置を講ずる。

また、以下のとおり、集団ごとの集計・分析を行う。

①　事業者は、実施者に、ストレスチェック結果を一定規模の集団ごとに集計・分析させる。

②　事業者は、集団ごとの集計・分析の結果を勘案し、必要に応じて、適切な措置を講ずる。

ストレスチェックと面接指導実施については、図表12－7のとおりである。

ストレスチェック制度実施状況を以下に示す[10)]。

①　労働者数50人以上の事業場について、労働安全衛生法に基づくストレスチェックを実施した事業場割合は84.9%。

図表 12－7　ストレスチェックと面接指導の実施に係る流れ

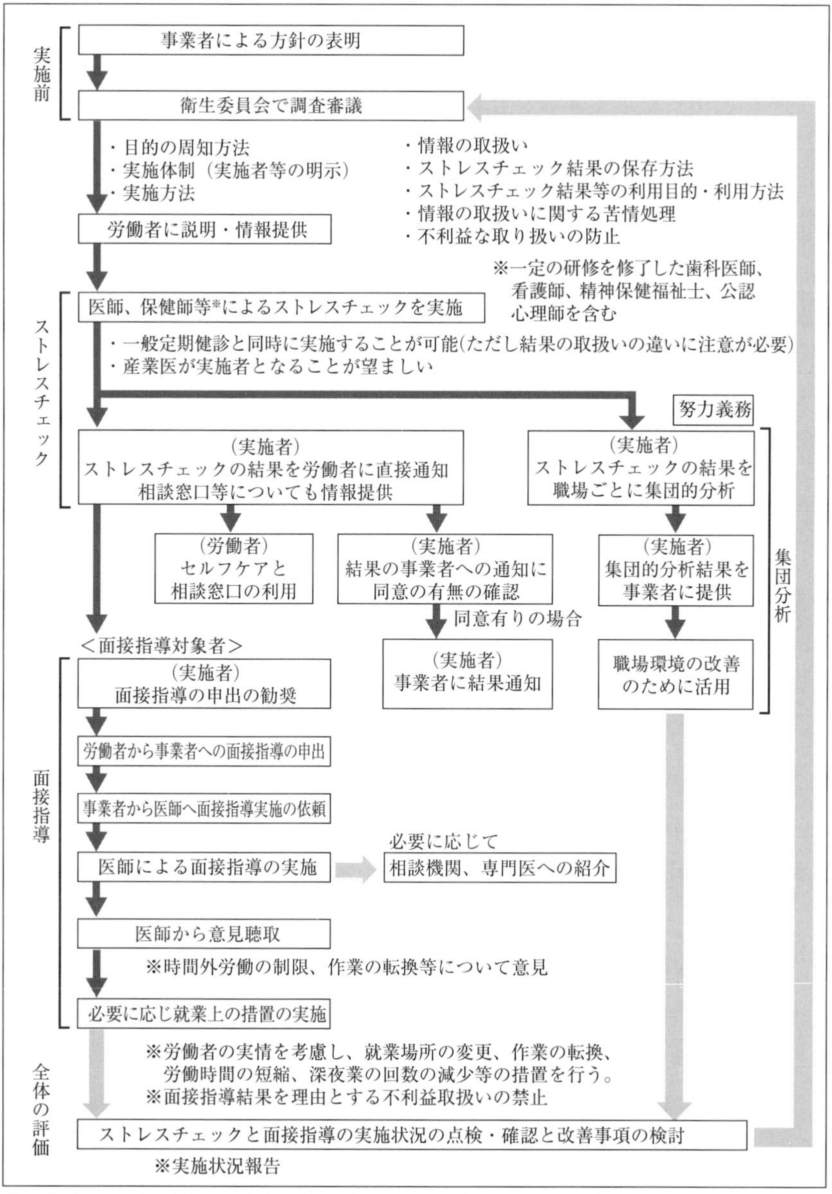

（資料出所）　厚生労働省労働基準局安全衛生部　2021『労働安全衛生法に基づくストレスチェック制度実施マニュアル』p. 10をもとに作成

② ストレスチェックの結果の集団（部、課など）ごとの分析を実施し、その結果を活用した事業場は66.9%。
③ ストレスチェックの実施結果に関して所轄の労働基準監督署に報告書を提出した事業場で、ストレスチェックを受けた労働者の割合は78.6%。
④ ストレスチェックの実施者が、事業場内の産業医である割合は65.7%。
⑤ ストレスチェックを受けた労働者のうち、医師による面接指導を受けた者は0.5%。

第５節 快適職場の形成のための措置（快適職場づくり）

５.１ 快適職場づくりの概要

1992年、労働安全衛生法の改正が行われ、事業主は「労働災害防止のための最低基準を守るだけでなく、快適な職場環境の実現」を義務づけられた（法第３条)。また、この目的を達成するために、事業主が講ずる措置として「快適な職場環境の形成のための措置」を行うべきことが義務づけられ（法第７章の２)、さらに、それを具体的に実施するために「事業者が講ずべき快適な職場環境の形成のための措置に関する指針」（1992年７月労働省告示第59号、1997年改正）が出された。この「指針」によると、快適職場を形成するために事業主は次のことをすべきとされている。

① 快適な職場環境の形成の目標を定めること
・作業環境の管理、作業方法の改善、労働者の心身の疲労回復を図るための施設・設備の設置・整備、その他の施設・設備の維持管理
② 快適な職場環境の形成を図るために事業主が講ずべき措置の内容
・作業環境を快適な状態に維持管理するための措置（空気環境、温熱条件、視環境、音環境、作業空間などの改善）
・労働者の従事する作業について、その方法を改善するための措置（身体

の一部に大きな負担のかかる作業、相当の筋力を要する作業、高温・多湿・騒音作業、高い緊張状態や一定の姿勢の持続が求められる作業、機械設備の識別しやすい表示などの改善）

・作業に従事することによる労働者の疲労の回復を図るための施設・設備の設置・整備（休憩室、シャワー室・洗身室、相談室、運動施設・緑地など）

・その他の快適な職場環境を形成するため必要な措置（洗面所、更衣室、食堂、談話室など）

③　快適な職場環境の形成のための措置の実施に関し、考慮すべき事項

・継続的かつ計画的に取り組むこと

・労働者の意見を反映すること

・個人差に配慮すること

・潤いに配慮すること

指針の内容から「快適職場とは、どんな職場のことか」という１つの方向が示されていると考えられる。それは以下の３条件が必要ということである。

①　作業環境が、快適であること

②　作業方法が、快適であること

③　労働者の心身の疲労回復を図る施設・設備などが整備されていること

これは従来から労働衛生の基本とされてきた労働衛生の３管理（作業環境管理、作業管理、及び健康管理）を、さらに発展させたものである。「快適職場づくり」は、「労働者自らが、積極的に健康をつくり出す。事業者も自らの責任において、その環境をつくる」というアクティブヘルスの健康観への転換である。

５.２　労働における新しい健康観（労働衛生）

世界保健機関（WHO）はその憲章の中で「健康とは、身体的・精神的かつ

社会的に完全に良好な状態にあることであり、ただ単に疾病または虚弱でないことをいうのではない」と言っている。また、これを受けて国際労働機関(ILO)も、労働衛生の目的を「作業条件に起因する健康からの離脱防止、健康に不利な要因に起因する危険からの保護、生理学・心理学的能力に適応した環境への労働者の配置と保持」と定義し、まとめれば「人間の仕事への適応と、仕事の人間への適応である」とした。この基本に沿って我が国でも労働安全衛生法を中心として、ILOの定義に沿った作業環境管理、作業管理、健康管理及び健康教育を柱とする各種施策を行ってきた。その結果、確かに業務上疾病の発生件数、健康診断による疾病の発見率などは、長期にわたり著しく改善され、「病気の早期発見・治療」という努力は大きな効果を上げてきた。

しかし、1980年代までの健康対策は、どちらかというと「職場における業務に起因する有害因子から、労働者の健康を守る」というネガティブヘルスの健康概念であったことは否めない。これではははっきりと病気とは言えないような疲労や心のストレスに対しては十分な対応はできない。

1980年代に入ると国際的に治療から予防への転換、リスク・マネジメントの概念が提示され、さらに1990年以降は労働安全衛生の新しい概念として労働風土、リスクの評価と管理、労働者の自主的参加と組織風土、品質管理などが取り上げられ、それを基盤とした新しいアプローチが、自主的プログラムとして実践されるに至った。

このような背景の中でILO／WHO合同委員会は1995年、従来の定義に次のような目標を明示して追加・改訂した。

①　労働者の健康と労働能力の維持と増進
②　安全と健康をもたらすような作業環境と作業の改善
③　作業中の健康と安全を支援し、積極的な社会的気運とその運営を促進し、企業の生産性を高める労働組織及び労働風土の開発

さらに、ここでいう労働風土は、その企業の基本的な価値体系の中に反映されなければならない。具体的には企業の経営システム、人事方針、参加の原則、

能力開発方針及び品質管理に反映されるとしている。

実際、米国国立職業安全衛生研究所（NIOSH）は、ILO ／WHOの新しい定義を受けて1996年「組織の健康」（organizational health）という概念を提唱した。組織の効率は、単に利潤、生産性、成果などの組織効率だけで測られるべきではなく、そこで働く労働者の健康や満足感をもたらし、地域社会の福祉への貢献をもたらすものでなければならない。労働者の健康確保のために組織への介入（organizational intervention）を積極的に進める考え方である。

これからの健康観、労働衛生の方向は「単に業務に起因する危険、有害因子から労働者を保護するばかりではなく、労働者と組織が共同して積極的に健康をつくり出すこと。労働者の心身の健康を促進する企業組織や企業風土をつくり出す」というものである。一言で言えば、「ネガティブからポジティブへ、個人の健康に組織の健康を包含する」方向と言える。

我が国の労働衛生対策も80年代後半から、心と身体の健康づくり、快適職場づくり、職場におけるメンタルヘルス対策の実施、労働安全衛生マネジメントシステムの導入など、次々とこの流れに沿った対策が実施されている。

５.３　快適職場の心理的側面（ソフト要因）

「快適職場指針」によって「快適な職場とはどんな職場か」が示されたが、作業環境、作業手順の快適化などハード対策に重点が置かれている。

しかし、職場のハードの側面がどんなに快適なオフィスだったとしても、そこで毎日している仕事そのものが「いやでいやで仕方がない」のでは、その人にとって快適な職場とは言えない。前述のとおり、WHOやILOが示す新しい労働衛生観は、人間の心理的側面、ソフト面をも含めた概念である。職場が快適かどうかは、ハード、ソフトの両面から考え、改善しなければならない。

では、人間が快適と感じるソフト要因はどんなことが関係するのだろうか。この点を調査研究するために「快適職場システムづくり検討委員会」（中央労働災害防止協会）が設定され、約10年にわたる検討の結果、2008年に職場のソフト面の快適度を測定するチェックリスト「快適職場調査（ソフト面）」が公表された。これは次の７領域について５問ずつ計35問について５段階で評

図表12－8　働きやすい職場づくりのための快適職場調査（ソフト面）

下記の設問について、該当すると思う個所に○を付けてください。

領域1

		全くあてはまる	どちらかといえばあてはまる	どちらともいえない	どちらかといえばあてはまらない	全くあてはまらない
1	意欲を引き出したり、キャリア形成に役立つ教育が行われている。	5	4	3	2	1
2	若いうちから将来の進路を考えて人事管理が行われている。	5	4	3	2	1
3	グループや個人ごとに、教育・訓練の目標が明確にされている。	5	4	3	2	1
4	この職場では、誰でも必要なときに必要な教育・訓練がうけられる。	5	4	3	2	1
5	この職場では、従業員を育てることが大切だと考えられている。	5	4	3	2	1

○を付けた点数を合計し、合計点を５で割り小数点第１位まで記入してください。　領域1　合計　点÷５＝　点

領域2

6	上司は、仕事に困ったときに頼りになる。	5	4	3	2	1
7	上司は、部下の状況に理解を示してくれる。	5	4	3	2	1
8	上司や同僚と気軽に話ができる。	5	4	3	2	1
9	この職場では、上司と部下が気兼ねのない関係にある。	5	4	3	2	1
10	上司は、仕事がうまく行くように配慮や手助けをしてくれる。	5	4	3	2	1

○を付けた点数を合計し、合計点を５で割り小数点第１位まで記入してください。　領域2　合計　点÷５＝　点

領域3

11	自分の新しいアイデアで仕事を進めることができる。	5	4	3	2	1
12	仕事の目標を自分で立て、自由裁量で進めることができる。	5	4	3	2	1
13	自分のやり方と責任で仕事ができる。	5	4	3	2	1
14	仕事の計画、決定、進め方を自分で決めることができる。	5	4	3	2	1
15	自分の好きなペースで仕事ができる。	5	4	3	2	1

○を付けた点数を合計し、合計点を５で割り小数点第１位まで記入してください。　領域3　合計　点÷５＝　点

領域4

16	世間的に見劣りしない給料がもらえる。	5	4	3	2	1
17	働きに見合った給料がもらえる。	5	4	3	2	1
18	地位に合った報酬を得ている。	5	4	3	2	1
19	給料の決め方は、公平である。	5	4	3	2	1
20	この会社の経営は、うまくいっている。	5	4	3	2	1

○を付けた点数を合計し、合計点を５で割り小数点第１位まで記入してください。　領域4　合計　点÷５＝　点

領域5

21	自分の仕事は、よりよい社会を築くのに役立っている。	5	4	3	2	1
22	自分の仕事が、社会と繋がっていることを実感できる。	5	4	3	2	1
23	自分の仕事は、世間から高い評価を得ている。	5	4	3	2	1
24	自分の仕事に関連することが、新聞やテレビによくでる。	5	4	3	2	1
25	今の職場やこの仕事にかかわる一員であることに、誇りに思っている。	5	4	3	2	1

○を付けた点数を合計し、合計点を５で割り小数点第１位まで記入してください。　領域5　合計　点÷５＝　点

領域6

26	この職場には、世間よりも長い夏期休暇や年次休暇がある。	5	4	3	2	1
27	この職場では、産休、育児休暇、介護休暇がとりやすい。	5	4	3	2	1
28	この職場では、年次有給休暇を取りやすい制度や雰囲気がある。	5	4	3	2	1
29	この職場には、心や身体の健康相談にのってくれる専門スタッフがいる。	5	4	3	2	1
30	心や身体の健康相談のために、社外の医療機関などを気軽に利用できる。	5	4	3	2	1

○を付けた点数を合計し、合計点を５で割り小数点第１位まで記入してください。　領域6　合計　点÷５＝　点

領域7

31	仕事はいつも時間内に処理できる。	5	4	3	2	1
32	全体として仕事の量と質は、適当だと思う。	5	4	3	2	1
33	残業、休日、休暇を含めていまの労働は適当だと思う。	5	4	3	2	1
34	翌日までに仕事の疲れを残すことはない。	5	4	3	2	1
35	家に仕事を持ち帰ったことはめったにない。	5	4	3	2	1

○を付けた点数を合計し、合計点を５で割り小数点第１位まで記入してください。　領域7　合計　点÷５＝　点

（資料出所）　厚生労働省　2009「働きやすい職場づくりのために『職場のソフト面の快適化のすすめ』快適職場調査（ソフト面）の活用による職場の心理的・制度的側面の改善」中労働災害防止協会　p. 17

価する質問紙法のチェックシートである（図表12－８参照）[注10]。

① （領域１）キャリア形成・人材育成：教育・訓練、キャリア形成支援が行われ、その活用、育成、評価、自己啓発支援などがどの程度行われているか。
② （領域２）人間関係：仕事に関連する上司、同僚、部下との人間関係、職場の雰囲気は良好であるか。
③ （領域３）仕事の裁量性：仕事そのものに自由裁量が許され、仕事からの創造性を感じることができるか。
④ （領域４）処遇：主として賃金、報酬が適切、公平に算定され、支給されているか。
⑤ （領域５）社会とのつながり：仕事によって自分が社会とつながっているか、自分の仕事は社会に貢献し、評価されているか。
⑥ （領域６）休暇・福利厚生：主として労働時間、休暇、家庭生活とのバランス、福利厚生のサポートが適切に行われているか。
⑦ （領域７）労働負荷：労働の負荷は過剰か不足か、それによって生じる仕事のやりがいはどうか。

「快適職場調査（ソフト面）」は、上記の同一のチェックシートを職場のライン管理者とそこで働く労働者に行い、結果をプロフィールで表現し、その職場における相互の快適職場（ソフト面）の問題点、その原因と改善点の分析、改善の実施を職場の管理者と労働者が一体となって行うものである。

「快適職場調査（ソフト面）」の実施手順は以下のとおりである。

①　方針の決定・体制の整備等（トップによる取組み実施の決定、推進スタッフの選任等、快適職場づくりの周知・キャンペーン等の実施）
②　快適職場調査の実施と分析（快適職場調査の実施、集計結果の評価・

注10）以下、本節では文献11）を引用。

分析、評価・分析結果の報告等）
③　対策の樹立と実行（問題点・課題の抽出・整理、改善策の検討・立案、改善策の決定と実行）

文　献

1）佐藤舞　2012「仕事や職場の状況とストレス反応」労働政策研究・研修機構編『労働政策研究報告書No.147　中小企業における人材の採用と定着』

2）Karasek, R. A. 1979 Job demands, job decision latitude, and mental strain：Implications for job redesign. Administrative Science Quarterly, 24（pp. 285－308）

3）Johnson, J. V., & Hall, E. M. 1988 Job strain, work place social support, and cardiovascular disease：A cross-sectional study of a random sample of the Swedish working population. American Journal of Public Health, 78（pp. 1336－1342）

4）Hurrell, J. J., & McLaney, M. A. 1988 Exposure to job stress：A new psychometric instrument. Scandinavian Journal of Work, Environment & Health, 14（Suppl 1）（pp. 27－28）から新たに訳出。訳出に当たって東京都労働相談情報センター「NIOSHの職業性ストレスモデル」を一部参照
https://www.kenkou-hataraku.metro.tokyo.lg.jp/mental/about/material/niosh.html#LayerBase

5）厚生労働省、独立行政法人労働者健康安全機構　2019「こころの健康気づきのヒント集」https://www.mhlw.go.jp/content/000561002.pdf

6）厚生労働省　2021「職場における心とからだの健康づくりのための手引き～事業場における労働者の健康保持増進のための指針」
https://www.mhlw.go.jp/content/000747964.pdf

7）厚生労働省　2020「職場における心の健康づくり－労働者の心の健康の保持増進のための指針」独立行政法人労働者健康安全機構

8）厚生労働省　2010「改訂　心の健康問題により休業した労働者の職場復帰支援の手引き－メンタルヘルス対策における職場復帰支援」中央労働災害防止協会

9）厚生労働省労働基準局安全衛生部　2021「労働安全衛生法に基づくストレスチェック制度実施マニュアル」https://www.mhlw.go.jp/content/000533925.pdf

10）①と②は厚生労働省「令和２年ストレスチェック制度の実施状況」より。③～⑤は厚生労働省「平成29年ストレスチェック制度の実施状況」より。いずれも
https://kokoro.mhlw.go.jp/statistics/
厚生労働省 「平成29年　労働安全衛生調査（実態調査）－特別集計」
https://www.mhlw.go.jp/content/11303000/000582827.pdf
11）厚生労働省　2009「働きやすい職場づくりのために『職場のソフト面の快適化のすすめ』－快適職場調査（ソフト面）の活用による職場の心理的・制度的側面の改善」中央労働災害防止協会
https://www.jaish.gr.jp/user/anzen/sho/sho_07.html

第13章
キャリアコンサルティングの各領域の内容

我が国現代社会の中で、キャリアガイダンスが制度上明確に位置づけられ、アメリカに源流を置きつつも日本に導入され、日本のものとして具体的に機能してきた領域が３つある。学校進路指導における進路相談、職業紹介における職業相談、職業能力開発における相談である。これは、それぞれキャリアコンサルティングの各領域のうち「学校」「需給調整」「企業（及び職業訓練）」に該当する。従来、これに自治体やNPO法人によるキャリアコンサルティングを主とする「地域」を含めて４領域としてきた。本章では、この各領域のキャリアコンサルティングの具体的内容をそれぞれ見ていく。

第１節　キャリア教育とキャリアコンサルティング

1.1　キャリア教育

1970年代からキャリア教育は日本に紹介されたが（仙崎，1973[1]、1979[2]ほか）、公式に言及されたのは、1999年中教審による「初等中等教育と高等教育との接続の改善について」（答申）が初めてである。その要点は次のとおりである。

・学校と社会及び学校間の円滑な接続を図るためのキャリア教育を小学校段階から発達段階に応じて行う必要がある。
・キャリア教育の実施に当たっては家庭・地域と連携し、体験的な学習を重視する必要がある。
・キャリア教育は、学校ごとに目標を設定し、教育課程に位置づけて計画的に行う必要がある。

その後、2002年に国立教育政策研究所は、「児童生徒の職業観・勤労観を育む教育の推進について（調査研究報告書）」[3)]を発表し、「職業観・勤労観を育む学習プログラムの枠組み（例）」を示した。その中で育成すべき「職業的（進路）発達にかかわる諸能力」として４能力「人間関係形成能力」「情報活用能力」「将来設計能力」「意思決定能力」を例示した。これは初期のキャリア教育で「４能力領域」として知られていた。

さらに2011年、中央教育審議会（平成23年１月31日答申）は、「今後の学校におけるキャリア教育・職業教育の在り方について（概要）」で、キャリア教育について、その要点を次のように示した。

・「学校から社会への移行」が円滑に行われていない。学校教育におけるキャリア教育・職業教育の充実が必要である。
・幼児期の教育から高等教育に至るまで発達段階に応じて体系的にキャリア教育を実施し、さまざまな活動を通じて、基礎的・汎用的能力を育成する。
・実践的な職業教育を充実し、職業教育の意義を再評価する。
・生涯にわたる社会人、職業人としてのキャリア形成を支援する機能を充実する。
・家庭、地域・社会、企業、経済団体・職能団体、NPOなどと連携し、一体となった取り組みを行う。

この中で、キャリア教育を「一人一人の社会的・職業的自立に向け、必要となる基盤となる能力や態度を育てることを通して、キャリア発達を促す教育」と説明している。これが現在にまで続く事実上のキャリア教育の定義となる。

キャリア教育で養成される「社会的・職業的自立、学校から社会・職業への

図表13－1　社会的・職業的自立、学校から社会・職業への円滑な移行に必要な力

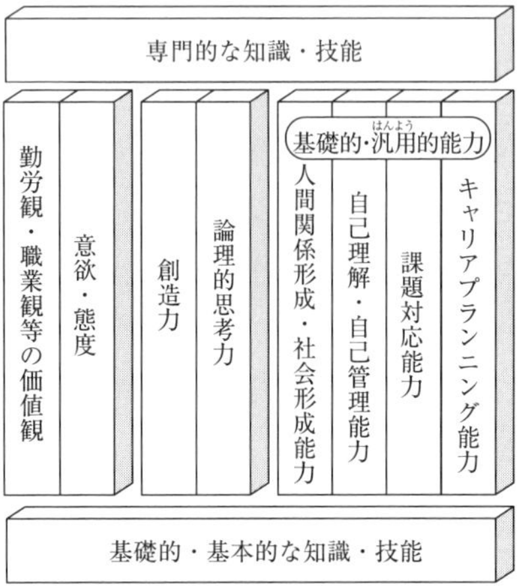

（資料出所）　中央教育審議会　2011「今後の学校におけるキャリア教育・職業教育の在り方について（答申）」

円滑な移行に必要な力」の内容は、図表13－1に示すとおりである。中でも特に重要なのは「基礎的・汎用的能力」であり、「仕事に就くこと」に焦点を当て、実際の行動として表れるという観点から、①人間関係形成・社会形成能力、②自己理解・自己管理能力、③課題対応能力、④キャリアプランニング能力に整理した。これら４つの能力は、上述の「キャリア発達にかかわる諸能力（例）」を発展させたものと位置づけられる。

現在、キャリア教育は学習指導要領の総則にも書き込まれており、例えば、高等学校学習指導要領総則（2018年告示）では、「生徒が、学ぶことと自己の将来とのつながりを見通しながら、社会的・職業的自立に向けて必要な基盤となる資質・能力を身に付けていくことができるよう、特別活動を要としつつ各教科・科目等の特質に応じて、キャリア教育の充実を図ること」とある。「特別活動を要とする」点が重要であり、具体的にはキャリア・パスポートの取り組みなどが推進されている。

1.2　高等教育におけるキャリア教育

直近の高等教育におけるキャリア教育の起点も、2011年中教審答申に求められる。大学・短期大学、高等専門学校、専門学校を含めた高等教育におけるキャリア教育を次のとおりまとめている。

・高等教育は、第2章で述べたように[注1)]、自らの視野を広げ、進路を具体化し、それまでに育成した社会的・職業的自立に向けて必要な基盤となる能力や態度を専門分野の学修を通じて伸長・深化させていく段階である。
・高等教育においては、後期中等教育修了までにおけるキャリア教育の目標である生涯にわたる多様なキャリア形成に共通して必要な能力や態度の育成と、これらの育成を通じた勤労観・職業観等の価値観の自らの形成・確立を基礎として、高等教育が我が国の多くの若者にとって社会に出る直前の教育段階であることを踏まえ、学校から社会・職業への移行を見据えたキャリア教育の充実を目指すことが必要である。

上述のうちキーワードとなるのは、①自らの視野を広げること、②進路を具体化すること、③社会的・職業的自立に向けて必要な能力や態度を伸長・深化させることである。それを、④専門分野の学修を通じて行うことにある。そのうえで、高校段階までのキャリア教育を踏まえて、⑤学校から社会・職業への移行を見据える[注2)]。

なお、大学設置基準に以下の記述が入ったことも、事実上の大学のキャリア教育の根拠と見られている。こちらは、大学内の組織に関する規定となる。

「大学は、当該大学及び学部等の教育上の目的に応じ、学生が卒業後自らの資質を向上させ、社会的及び職業的自立を図るために必要な能力を、教育課

注1）「今後の学校におけるキャリア教育・職業教育の在り方について（答申）」第2章では、各学校段階におけるキャリア教育等の推進のポイントが述べられており、高等教育については、高等教育機関への進学率が8割を超えており、事実上、多くの若者が社会に出る直前の教育段階であることから、視野を広げ、進路を具体化し、社会人・職業人として必要な能力や態度を専門分野の学修を通じて伸長・深化させていく段階としている。

程の実施及び厚生補導を通じて培うことができるよう、大学内の組織間の有機的な連携を図り、適切な体制を整えるものとする」(大学設置基準第42条の2、短大設置基準第35条の2)

1.3　キャリア教育とキャリアコンサルタントの関わり

(1)　キャリア教育実践講習テキスト

文部科学省によるキャリア教育の取り組みと相まって、厚生労働省では、定期的に「キャリア教育実践講習」を行ってきた。これは、中学・高校・大学等でキャリア教育を担う者を対象に、キャリアコンサルティングの手法を活かしたキャリア教育の企画・運営を担う人材を養成する講習会である。この講習で用いる「キャリア教育実践講習テキスト」も公開されている[4)]。

そこで、以下、大学等におけるキャリア教育とそこでのキャリアコンサルタントの働きを概観するために、主に「大学等におけるキャリア教育実践講習」テキストの要所を抜粋して紹介する。

まず、大学のキャリア教育でキャリアコンサルタントに求められる能力として、個別相談の能力がある。主に以下のものである。

① 各相談者(≒クライエント)のニーズを的確に把握し、必要な助言や情報提供等を行っていくこと
② 学生目線での相談、短期的なテクニカルな就職支援にとどまらない長期的な視野からの支援、グループアプローチのスキル
③ エントリーシートやジョブ・カード等の作成の支援を行い、活用する

注2)具体的には、キャリア教育に意欲的に取り組む高等教育機関の視点を、2011年中教審答申では以下のように整理している(引用に際して一部修正)。「入学前段階や入学初年次における、後期中等教育からの円滑な接続や学びへの意欲を向上するための教育上の配慮」「教育課程の中に位置付けられたキャリア教育」「入学から卒業までを見通したキャリア教育」「身に付けるべき能力の明確化と到達度の評価」「一人一人のキャリア形成を促進させる支援」「男女共同参画の視点を踏まえたキャリア教育」「後期中等教育と高等教育の連携」。高校(≒後期中等教育)との接続、教育課程の中での位置づけ、入学から卒業までを見通すなど、キャリア教育を高等教育機関の本来の教育の中に適切に位置づけることが強調されている。

こと

④　企業の募集採用活動や学生の就職活動状況、求人情報について理解を深め、学生のニーズに応じて適切な情報をタイミングよく提供すること

⑤　問題を抱える学生や発達障害の可能性のある学生等、特に支援が必要な「ハイリスク層」に対して適切な見立てを行い、学内・学外の機関や専門家にリファーすること

その他、必要な能力として、有意義なインターンシップのために必要な準備を学生に行わせたり、インターンシップ先の選定を支援する役割も求められる。各種のセミナー、ガイダンスの開催に当たって、企画・運営する能力、関係者をコーディネートし、働きかける力が必要となる。さらに大学のキャリア教育科目を担当する際には、正課の一般教養科目または専門教育科目の授業を担当する教員として、授業カリキュラムの作成及び授業の運営の役割が期待される。

（2）　キャリア教育プログラム集

厚生労働省からは、大学生のための「キャリア教育プログラム集」も公表されている[5)]。主に大学でキャリア教育を行う指導者用に作成したプログラムである。「職業興味の理論と解釈」「職業レディネス・テストを使った自己理解」「職業の中の仕事を探す」「キャリア・シミュレーション（失業や長時間労働などの困難への対処シミュレーション）」など計34本のプログラムがある。

各プログラムについて、テーマやねらい、授業の実施手順、ワークシート等の付随資料があるので、効果的なキャリア教育プログラムを容易に導入できる。主に大学生を対象にした効果的なキャリア教育のために必要な職業情報の付与や、キャリアコンサルティングのツール・技法など、労働行政が有する知見を生かしたプログラムを公表している。作成の基本方針は次のとおりである。

①　厚生労働省開発のツールその他を活用したプログラムを作成する。

②　グループワークを導入し、話し合い活動を通してコミュニケーション能力や関係構築力などの社会性の発達を促す。

③　アクティブ・ラーニングの学習方法を取り入れ、キャリア教育で求め

られる基礎的・汎用的能力の向上を図る。

④　ワークシートを作成し、学習の流れや課題、学習方法を明確にする。

⑤　学習過程を通じて身につく能力の概要を示す。

⑥　学習内容を「自己理解」「職業理解」「その他（労働市場、労働法、ワークのルールほか）」に大別し、プログラム選択の基準を明確にする。

⑦　１プログラムの所要時間が90分になるようプログラムを作成する。

⑧　１～３プログラムで１つのまとまりを持った授業ができるようにする。ただし、１プログラムでもできるように作成する。

⑨　プログラムの組み合わせが自由にできるようにする。

⑩　正課の授業として取り入れるだけでなく、キャリアセンター等が行う講座と関連づけて実施できるようにする。

（3）　平成21年度「キャリア・コンサルティング研究会」報告書[6)]

中学・高校のキャリア教育とキャリアコンサルティングの関わりは、平成21（2009）年度「キャリア・コンサルティング研究会」で検討された。キャリア教育推進に当たり、キャリアコンサルタント等が果たす役割や能力要件を検討した際、キャリア教育推進に関わる人材に期待される機能を以下の５つに整理した。

①　生徒のキャリア形成を意識したキャリア教育場面における実践的な指導（主に学校内・対生徒）

②　キャリア教育の推進力・突破力を備えたリーダーシップの発揮（主に学校内、対組織）

③　キャリア教育推進に係るコーディネート（学校・外部をつなぐ、主に対組織）

④　学校教育場面で個々の生徒を支援するキャリアコンサルティング（主に学校外、対生徒）

⑤　キャリア教育推進に係る専門的助言・指導（主に学校外、対組織）

上記のうち、①と②は学校教員が、個々の生徒の属性・背景を十分に承知したうえでキャリア教育を実践している。こうした教員の活動に対して、キャリアコンサルタント等の専門人材は、主に、③～⑤の機能に関して必要な情報やノウハウの提供等のサポートをする意義が非常に大きい。

特に、キャリアコンサルタントは「キャリア形成の６ステップ（＝キャリアコンサルティングの６分野）」を専門性の１つとしているが（本章第５節参照）、これは以下に示す進路指導の６つの活動（文部科学省，2011）[7)]と源が同じであり、両者には共通点が多い。

①　個人資料に基づいて生徒理解を深める活動と、正しい自己理解を生徒に得させる活動
②　進路に関する情報を生徒に得させる活動
③　啓発的経験を生徒に得させる活動
④　進路に関する相談の機会を生徒に与える活動
⑤　就職や進学等に関する指導・援助の活動
⑥　卒業者の追指導に関する活動

労働行政から見た場合、キャリア教育には、学校から社会への円滑な移行や早期離職者・若年不安定雇用の発生や長期化を未然に防止するという若年雇用対策の側面がある。「雇用」と密接に関連する点も、キャリアコンサルタントがキャリア教育に関わる理由として挙げられる。「キャリアコンサルタント」が国家資格となり、守秘義務・信用失墜行為の禁止義務が課されたことにより、安心して相談できる環境が整った点も、学校のキャリア教育では重要である。

第２節　職業安定行政における職業指導

2.1　職業指導・職業紹介の一般原則

職業安定行政における職業指導・職業紹介は、労働者の職業選択の自由と、雇用主の雇い入れの自由を前提として、求職者と求人者の雇用関係の成立をあっ

せんする。職業安定法は、職業紹介の一般原則を次のように定める。

① 自由の原則：何人も、公共の福祉に反しない限り、職業を自由に選択することができる（法第２条）。

② 適格紹介の原則：求職者に対しては、その能力に適合する職業を紹介し、求人者に対しては、その雇用条件に適合する求職者を紹介するよう努めなければならない（法第５条の７）。

③ 公益の原則：ハローワーク等の行う職業紹介は、求職者または求人者の一方の利益に偏することなく行わなければならない（法第５条第３号）。

④ 均等待遇の原則：職業紹介に当たっては、人種、国籍、信条、性別、社会的身分、門地、従前の職業、労働組合員であること等を理由として、その取り扱いを差別してはならない（法第３条）。

⑤ 中立の原則（労働争議に対する不介入）：労働争議に対する中立の立場を維持するため、同盟罷業または作業所閉鎖の行われている事業所に求職者を紹介してはならない（法第20条）。

⑥ 労働条件明示の原則：職業紹介に当たり、求職者及び求人者は、その従事すべき業務の内容、賃金、労働時間その他の労働条件を明示しなければならない（法第５条の３）。

これらは、キャリアコンサルティングと直接関連するものではないが、その内容はまさにキャリアコンサルティングの基本的な考え方を具現化している。

2.2 職業紹介・職業指導の具体的内容

ハローワークの職業紹介・職業指導は「一般職業紹介業務取扱要領」によって定められている。業務計画、求職者、求人者、紹介の取り扱い、関係機関との連携・協力について詳細に定められ、それにより各ハローワーク窓口において展開されているが、職業紹介・職業指導の重点は次のとおりである。

① 求職者と求人者に対するサービス提供と働きかけによる労働力需給調

整：相対的に弱い立場に置かれている労働者の保護の観点を踏まえつつ、（ア）求職者のニーズに応じた支援を行い就職の可能性を高める、（イ）求人者に各種サービスの提供と働きかけを行い雇用機会の量的・質的拡大に努める、（ウ）求人と求職の接触の機会を拡大して両者の結合を促進する。

② 求職者のニーズに応じた支援：求職者が一連の求職活動のプロセスの中のどの段階に課題を抱えているのかを的確に把握し、それを解決する観点から主体的な支援を行う。

③ 求人者に対するサービス提供と働きかけ：求人と求職の結合を積極的に図るために、求人者に対して、雇用機会の量的・質的拡大を図る観点からサービス提供と働きかけを行う。

④ 求人と求職の結合の実現のための接触機会の拡大：求職者・求人者に対して支援・サービス・働きかけを行うことでミスマッチの解消を図る。また、両者の結合を実現するための接触機会を積極的に拡大する。

そのほか、求職者・求人者に多様な機会を利用して労働市場情報を提供すること、地域の労働市場インフラとして各種の政策課題へ対応すること、地域労働市場のニーズに即応して業務の企画運営を行うこと、求職者・求人者の苦情に迅速かつ適切に対応し、体制整備・改善向上に努めることが重視されている。

2.3　求職者の特性と状態に応じた相談・援助の基本

現在、ハローワークで行われている求職者サービスの具体的方法は「求職者の特性と状態に応じた職業紹介」である。

求職者のニーズは１人ひとりさまざまである。したがって、相談、紹介・あっせんなどのサービスは、その求職者の就職の緊要度、抱えている問題等に応じて多様かつ的確でなければならない。また、一度サービスの提供を開始した後も、状況の変化に対応して柔軟な判断と問題解決までの継続的なサービスが必要である。サービスは迅速で綿密であることが重要だが、どんな場合でも迅速で綿密であれば良いのではなく、あくまでも求職者の置かれた状況で異なる。

ハローワークは、このような目的に対応するため求職者の特性と状態に応じた求職者サービスを行う。すなわち、受付予備相談、初回相談による窓口の振り分け、求職活動の基礎知識と安定所サービスの紹介、支援内容の決定と求職申し込みの受理を行う。そのうえで「あっせんサービス」「課題解決支援サービス」のいずれかを重点としたサービスを行う。また障害者、高齢者には求職者１人ひとりの問題とその背景に応じた入念な「専門的援助（専門援助サービス）」を行う。この考え方を「求職者の特性と状態に応じた職業紹介」と呼ぶ。

ハローワークの求職者サービスの流れは、図表13－２のとおりである。

図表13－２　ハローワークの求職者サービスの流れ

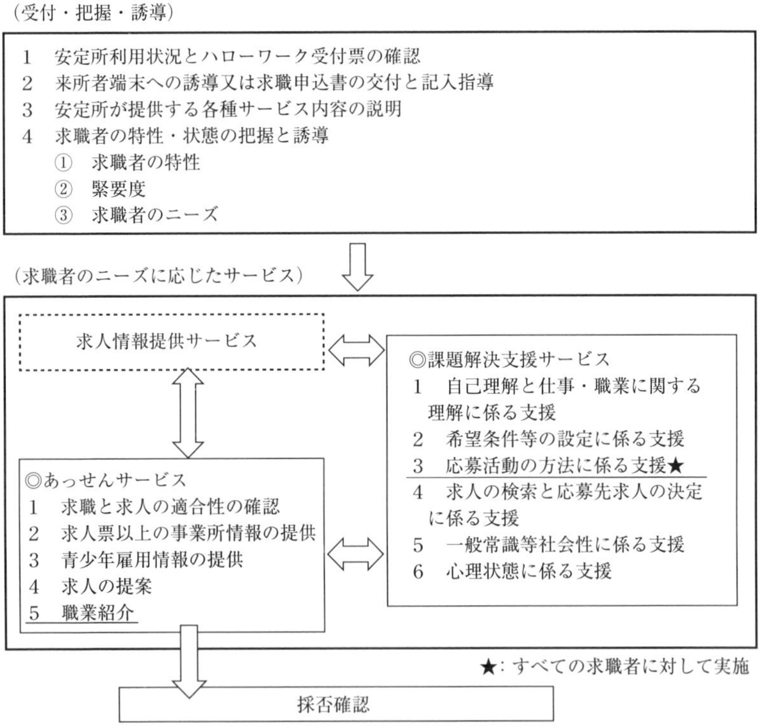

（資料出所）　厚生労働省職業安定局　2021『一般職業紹介業務取扱要領』p. 36を参照して作成

2.4　求職者の特性と状態に応じた相談・援助の内容

（1）　あっせんサービス

「あっせんサービス」は自主選択が可能な求職者に対する相談・援助である。職業に関し、相当の知識、経験を有し、求人条件と自分の求職条件の適合について自主的にかつ適格に判断することができ、求人との結合の可能性があると思われる者を対象とする。すなわち、求職者が自分に適する職業を自ら適格に選択できることを前提とし、公開されている求人情報から適切な求人を選択させ、それに基づいて指導助言することを基本とする。求職者の希望を最大限尊重し、またその条件が整っているときに行われる。

（2）　課題解決支援サービス

「課題解決支援サービス」は職業相談が必要な求職者に対する相談・援助である。職業選択、求人との結合等に問題を有する者、及び職業訓練等によって技能の習得を図る必要がある者などを対象にして行われる。サービスの中心は職業相談であり、その結果により情報の提供、求人探索などの援助を行う。その対象者は、例えば「自分に適した職業がわからない者、または希望する職業が明確でない者」「職業選択はできているが、その内容に疑問がある者、意欲、社会常識に欠ける者」「職業選択は妥当であるが、求人との結合の可能性に問題がある者」などである。課題解決支援サービスの中心は相談そのものにある。相談を通じて個々の求職者の援助ニーズと問題を十分把握したうえで、課題解決支援サービスを的確に提供する。具体的には、次の手順でサービスを行う。

①　求職者のアウトラインの事前把握と相談のための準備をする。
②　相談目的の把握と求職者の個人情報を把握する（自己理解）。
③　適切な職業情報を提供する（職業理解）。
④　あっせん計画を樹立し、それを求職者へ説明する（意思決定の援助）。
⑤　適格求人を探索し、選択、決定する（意思決定の実行）。
⑥　紹介・あっせんとフォローアップを行う（フォローアップ）。

課題解決支援サービスで求められる知識・スキルは、カウンセリング一般に求められる基本と同一である。すなわち、受容、共感的理解、自己一致の基本的態度を持ち、求職者の話を傾聴できなければならない。そのうえで、職業能力、職業的資産、職業興味と目標、求職者の状況と個人特性などの個人情報を把握できなければならない。職業紹介では、さらに職業、事業所情報を提供し、具体的な職業紹介を行うための知識、技術、経験を持たなければならない。

(3) 専門援助サービス

「専門援助サービス」は、一般に就職機会の確保が困難であり、適応上特別の配慮が必要な障害者、高年齢者等に対するものである。単に時間をかけ入念な指導を行っただけでは実効を確保できない。求職者1人ひとりの持つ問題、その背景等を十分に把握したうえで、必要な措置を的確にかつ継続的に行うことが中心となる。具体的には、相談・援助は次のような手順によって行う。

① ケースワーク方式による援助
② 就業可能性を高めるための援助
③ 求人開発による援助
④ 紹介先求人事業所の実施調査と同行紹介
⑤ 各種援護制度の活用
⑥ 就職後の職場適応指導

専門援助サービスは、求職者が持つさまざまな問題を前提として、「就職上の困難性を持った求職者に、求人を合わせる」という観点を重視する。例えば、問題点の把握と求職者理解に当たり、高年齢者は一般に心身機能が低下するから職業能力も低下するという通念にとらわれず、その求職者が持つ優れた資質、過去の経験、技能や人格的特性等を積極的に評価することが重要である。

また、障害について把握する場合も、単にその障害の起因、種類、程度を把握するのではなく、その障害がどの程度職業上の能力的障害になるのか、さらにどの程度職業上のハンディキャップになるのかを把握する必要がある。そのような求職者理解によって初めて、高年齢者や障害者の経験能力や代替機能を取り入れた求職者理解が可能となる。

このような観点からの問題点の把握や求職者理解が行われた後、就業可能性を高めるための指導援助（職業講習、職場体験講習、グループワーク、企業見学会、職業訓練など）、さらに求人開拓や求人開発（通常の方法では就職が困難な求職者のために、事業所内で新たな職務を作り出す諸活動）が可能になる。

求人開発は、専門援助サービスの中核をなす。具体的には、①事業主に積極的に働きかけることで、②事業所内で、求職者のための新たな職務を創出したり、③既存の職務について作業内容・作業環境・職務内容等に一定の改善を図ることを促す。このことで新たな求人を確保する。「求人開拓」が、安定所に申し込まれていない求人を安定所へ申し込むよう促す取り組みであるのに対して、「求人開発」は、求職者のために求人自体を作り出すことを促す取り組みである。

なお、専門援助サービスの求職者は、就職後の適応性に配慮を要する場合が多いので、就職あっせん後もフォローアップを特に入念に行う。

専門援助サービスは、１人の担当者のみではなく、数人の専門家によるケースワーク、求職者自身のグループワーク、求人担当者との連携による求人開拓や求人開発、及び就職後の職場適応指導など総合的なサービスが必要となる。

また、ハローワークの各種のサービス、例えば、①求人受理、事業主指導などの産業情報サービス、②事業主に対する雇用管理サービス、③各種の助成金の支給などの雇用助成サービス、④雇用保険の支給などの雇用保険サービスとの密接な連携の中で行われる。ハローワークの窓口は、これらサービスに対応するように作られている。各ハローワークで窓口の機能や名称はさまざまだが、標準的な内部組織は「雇用保険課（雇用保険関連業務等）」「職業相談部門（職業紹介、職業相談及び求職受理業務等）」「事業所部門（求人関連業務、事業主指導関連業務、助成金給付関連業務等）」「職業訓練部門（職業訓練の受講あっせん等）」「専門援助部門」などのように分かれている。

第３節　職業能力開発とキャリアコンサルティング

本節では、キャリアコンサルティングと特に関連が深い職業能力開発施策として、「ジョブ・カード」「職業能力評価基準」「セルフ・キャリアドック」を取り上げる。

３.１　ジョブ・カードの活用

厚生労働省による「ジョブ・カード制度」は、ジョブ・カードを活用したキャリアコンサルティング、実践的な職業訓練、就職活動などでの応募書類としての活用を通じ、安定的な雇用の促進などを図ることを目的に、2008年に創設された。2015年10月からは、生涯を通じたキャリア・プランニング、職業能力証明の機能を担うツールとして、ジョブ・カードの様式や活用方法等が見直され、「新ジョブ・カード制度」がスタートした。

以下、厚生労働省委託事業「ジョブ・カード講習テキスト～ジョブ・カードを活用したキャリア支援」をもとに、ジョブ・カードの概要を示す[注3)]。

（１）　ジョブ・カードの目的

ジョブ・カード制度には、次の２つの目的がある。

① 生涯を通じたキャリア・プランニング：キャリアコンサルティングの前提となる個人の履歴、職業経験の棚卸し、職業生活設計等の情報を蓄積し、訓練の受講、キャリア選択等に活用する。

② 職業能力の証明：免許・資格、教育（学習）・訓練歴、職務経験、教育・訓練成果の評価、職場での仕事ぶりの職業能力証明の情報を蓄積し、求職活動の際の応募書類等で活用する。

ジョブ・カードの活用により、キャリアの振り返りやキャリア・プランの検討などをきめ細かく行うことができる。また、各様式の作成を通して職業能力

注３）以下、本節では文献８）を引用。

の棚卸しや職業生活設計等を行える。職業能力を「見える化」することができ、求職活動時や訓練受講時等に職業能力証明のツールとして活用できる。

また、電子化によって、職業経験や職業能力証明などの情報を蓄積・管理しやすくなることから、求職活動時等にその情報を自ら抽出・編集して職業能力証明に活用するなど、活用の幅が広がると期待されている。

キャリアコンサルティングを受けながら、ジョブ・カードを活用することで期待できる効果として、①自分の大事にしたい価値観に気づく、②自分の強みに気づく、③これからどのようにキャリアを重ねていくか（キャリア・プラン）がはっきりする、の３つのメリットがある[9)]。

（2）　ジョブ・カードの様式

ジョブ・カードには、以下の様式がある。

① 様式１－１：キャリア・プランシート（就業経験がある方用）
様式１－２：キャリア・プランシート（就業経験のない方、学卒者等用）
② 様式２：職務経歴シート
③ 様式３－１：職業能力証明（免許・資格）シート
様式３－２：職業能力証明（学習歴・訓練歴）シート
様式３－３：職業能力証明（訓練成果・実務成果）シート

「キャリア・プランシート」「職務経歴シート」「職業能力証明シート」は、それぞれ次の目的を持つ様式である。

・キャリア・プランシート＝将来の目標とする職業、職務、働き方、習得・向上すべき能力等を実現するための職業生活設計を記載する様式
・職務経歴シート＝正社員経歴のほか、雇用形態にかかわらず、アルバイト、期間雇用、雇用型訓練等の経歴の棚卸しを記載する様式
・職業能力証明シート＝求職活動や職業能力証明のための免許・資格、学習歴・訓練歴等を記載する様式

「キャリア・プランシート」では、自分が大事にしたい価値観や自分の「強み」と「弱み」を把握したうえで、今後どのように仕事を続け、どのような働き方や生き方をしていくかについて目標を設定し、その目標達成のためにどのように取り組むか等、キャリア形成のための基本計画を記入する。様式１－１の「就業経験がある方用」と様式１－２がある。

「職務経歴シート」は、相談者自身の職務経歴を順番に記載するシートである。キャリア・プランシート作成時の資料、求職時の応募書類等として活用する。職務経歴を考えるに当たっては、正社員経歴のほか、雇用形態にかかわらず、インターンシップ、アルバイト、期間雇用、雇用型訓練等のあらゆる職務経歴の棚卸しをするという視点を持つ。

「職業能力証明シート」では、相談者の免許・資格、学習歴・訓練歴、訓練成果の評価、職場での仕事振りの評価に関する職業能力証明の情報を記載し、求職活動の際の応募書類、キャリアコンサルティングの際の資料等として活用する。様式３－１の職業能力証明（免許・資格）シートや様式３－２の職業能力証明（学習歴・訓練歴）シートを作成することで、必要な場面・用途等に応じて、免許・資格情報あるいは学習歴・訓練歴情報を抽出・編集することができ、職業能力を常に「見える化」できる。様式３－３の職業能力証明（訓練成果・実務成果）シートは、職業能力の「見える化」のほか、相談者の生涯の短期的・中期的なキャリア形成に役立つ。

（3） キャリア・プラン作成補助シート

上記のジョブ・カードの様式のほか、「キャリア・プラン作成補助シート」が別途作成された。キャリア・プラン作成補助シートとは、キャリア・プランシートを作成するに当たって、事前に考えを深めるさまざまな課題やワークが記載された用紙である。自分の個性・性格を見つめ、過去の人生（職業人生）の経験・出来事を振り返り、自分が大事にしたい価値観、自分の「強み」と「弱み」を知ることで、自己理解を深める。学生用、求職者用、在職者用に分類されており、第１面～第４面まで用意されている。図表13－３にシート名を示した。

必要に応じて活用することで、自己理解を深めることができ、ジョブ・カー

図表13－３　キャリア・プラン作成補助シートの内容

学生・求職者用
第１面　自分の個性・性格（学生、求職者） 【A－１】「自分の個性・性格」 【A－２】「自分の個性を表現する特徴的な言葉」
第２面　自分が大事にしたい価値観、心に残る経験・出来事 【B－１】「仕事を選ぶ上でのこだわり（大事にしたい価値観）」 【B－２】「自分のこだわり（大事にしたい価値観）に影響を与えた心に残る経験・出来事」 【B－３】「価値観、興味、関心事項等」
第３面　自分の強みと弱み（学生、求職者） 【C－１】自分の「強み」と「弱み」 【C－２】伝えたい自分の強みと改善したい自分の弱み 【C－３】強み等
第４面　将来取り組みたい仕事や働き方（学生、求職者） 【D－１】将来取り組みたい仕事や働き方等

在職者用
第１面　過去の人生（職業人生）の経験・出来事を振り返る（在職者） 【A－１】ライフラインチャート 【A－２】社会人になって仕事を始めてから（前職も含め）、自分に影響を与え、印象に強く残っている経験・出来事
第２面上段　自分が大事にしたい価値観（在職者） 【A－３】仕事を選ぶ上でのこだわり（大事にしたい価値観） 【A－４】価値観、興味・関心事項等
第２面下段・第３面上段　自分の強みと弱み（在職者） 【B－１】自分の「強み」と「弱み」 【B－２】生かしたい自分の強みと改善したい自分の弱み 【B－３】強み等（自分の強み、弱みを克服するために努力していること）
第３面下段　周囲からの期待・プライベートに関して留意するべき事項（在職者） 【C－１】周囲からの期待 【C－２】プライベートに関して留意するべき事項
第４面上段・中段　これから取組むこと、行動計画（在職者） 【D－１】将来取り組みたい仕事や働き方等 【D－２】これから取り組むこと等
第４面下段　その他（在職者） 【D－３】その他

ドを活用したキャリア・プランの作成を容易にすることができる。

（４）　ジョブ・カードの活用

ジョブ・カードを活用したキャリアコンサルティングの流れを、図表13－4に示した。①キャリアコンサルタントによるジョブ・カードの書き方の指導、

図表 13－4　ジョブ・カードを活用したキャリアコンサルティングの流れ

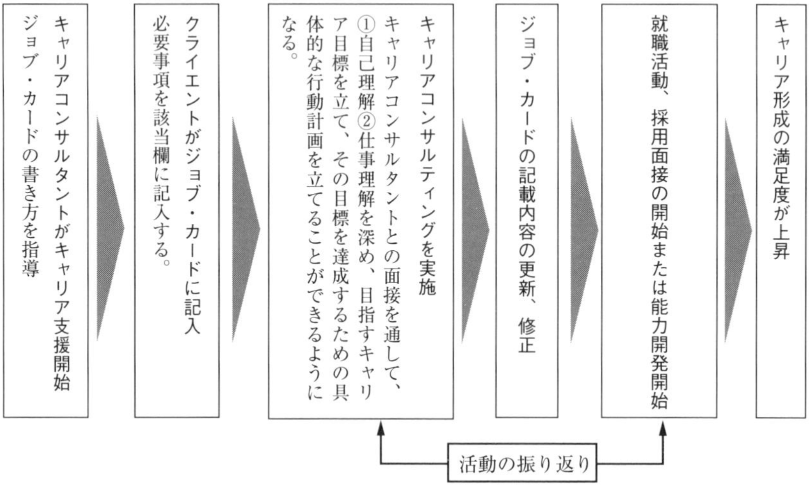

（資料出所）　厚生労働省　2018「ジョブ・カード講習テキスト～ジョブ・カードを活用したキャリア支援」学校法人大原学園ジョブ・カード講習事務局　p. 147

②クライエントがジョブ・カードに記入、③キャリアコンサルティングを実施、④ジョブ・カードの更新・修正、⑤就職活動・採用面接の開始または能力開発の開始といった一連のプロセスがある。

また、自己理解と仕事理解が先立って目標・キャリアプランの作成がある。その目標・キャリアプランをもとにキャリア形成の実行、職業能力証明に至る。この全プロセスをキャリアコンサルティングで下支えする。

ジョブ・カードと職業訓練には密接な関わり合いがある。「ジョブ・カード講習テキスト」では以下のように説明している[注4)]（図表13－5も参照）。

> わが国の主な職業訓練は、雇用型訓練（有期実習型訓練、実践型人材養成システム、中高年齢者雇用型訓練）、デュアル訓練（日本版デュアルシステム）、公共職業訓練及び求職者支援訓練からなり、求職者等の安定的な雇用への移

注4）文献5）に同じ　p. 54 を参照。

行促進等を目的とした、企業実習と座学を組み合わせた訓練を含む実践的な職業訓練については、ジョブ・カードを活用する「職業能力形成プログラム」として位置づけられています。

「職業能力形成プログラム」には、雇用型訓練、デュアル訓練、公共職業訓練（デュアル訓練及び在職者訓練を除く。）、求職者支援訓練があります。雇用型訓練は、訓練実施企業が訓練受講者と雇用契約を結んだうえで実施され、さらに有期実習型訓練、実践型人材養成システム及び中高年齢者雇用型訓練

図表13－5　日本の職業訓練体系
職業能力形成プログラムにおける各訓練の概要

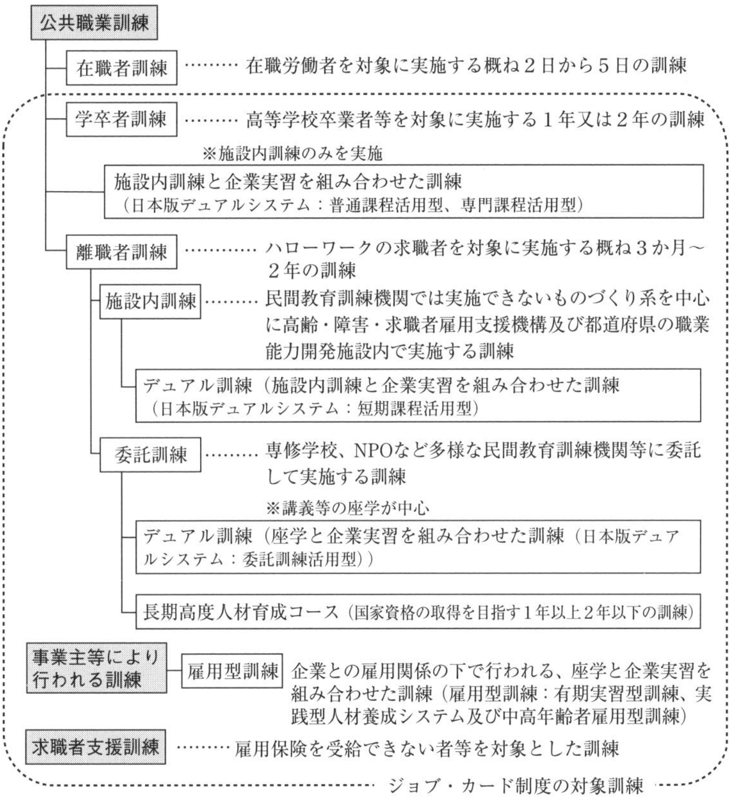

（資料出所）図表13－４に同じ　p. 54

の３つの訓練に分けられます。また、デュアル訓練は、公共職業訓練の一類型である日本版デュアルシステム（委託訓練活用型、短期課程活用型）が該当し、公共職業訓練には、離職者訓練及び学卒者訓練があります。

3.2　職業能力評価基準

（1）　職業能力評価基準

2002年から国と業界団体が連携し、「職業能力評価基準」を策定してきた[注5)]。職業能力評価基準は、仕事をこなすために必要な知識と技術・技能に加えて、成果につながる職務行動例（職務遂行能力）を、業種別、職種・職務別に整理したものである。我が国の職業能力評価制度の中心をなす公的な職業能力の評価基準であり、採用や人材育成、人事評価、さらには検定試験の基準書として、さまざまな場面で活用できる。労働者にとっては自分の能力を把握したり、自律的なキャリア形成の目標を立てるのに役立ち、また企業にとっては人事評価や採用を行う際の指標とすることができる。

特に、これまで職歴（職務経歴書）や資格の有無などで判断していた労働者の職業能力を、企業で実際に求められる実践的な職業能力を具体的に示すことにより客観的に評価を行うことができるものである。

職業能力評価基準では、仕事の内容を「職種」→「職務」→「能力ユニット」→「能力細目」という単位で細分化する。そのうえで、成果につながる行動例を「職務遂行のための基準」、仕事をこなす前提として求められる知識を「必要な知識」として整理・体系化している。なお、能力ユニットとは、仕事を効果的・効率的に遂行するために必要な職業能力を、活動単位でくくったものであり、職種に共通して求められる能力である「共通能力ユニット」と各職務遂行のために固有に求められる能力である「選択能力ユニット」に分けられる。

職業能力評価基準では、能力ユニットごとの「能力細目」「職務遂行のための基準」「必要な知識」の設定に当たり、期待される責任・役割の範囲と難易度により４つの能力段階を設定している。おおむね、レベル１（担当者）、レ

注５）以下、本節では文献10）より引用。

図表13－６　職業能力評価基準の業種ごとの策定状況

建設業関係（７業種）
型枠工事業
鉄筋工事業
防水工事業
左官工事業
造園工事業
総合工事業
電気通信工事業

製造業関係（13業種）
電気機械器具製造業
プラスチック製品製造業
フルードパワー分野
ファインセラミックス製品製造業
自動車製造業
光学機器製造業
パン製造業
軽金属製品製造業
鍛造業
金属プレス加工業
石油精製業
ねじ製造業
鋳造業

運輸業関係（２業種）
ロジスティックス分野
マテリアル・ハンドリング業

卸売・小売業関係（６業種）
スーパーマーケット業
卸売業
DIY業
コンビニエンスストア業
専門店業
百貨店業

金融・保険業関係（２業種）
クレジットカード業
信用金庫業

サービス業関係（16業種）
ホテル業
市場調査業
外食産業
広告業
フィットネス産業
クリーニング業
在宅介護業
ボウリング場業
写真館業
産業廃棄物処理業
ビルメンテナンス業
旅館業
施設介護業
添乗サービス業
葬祭業
エステティック業

その他（10業種）
印刷業
アパレル業
エンジニアリング業
自動販売機製造・管理運営業
イベント産業
プラントメンテナンス業
ウェブ・コンテンツ制作業（モバイル）
屋外広告業
ディスプレイ業
警備業

業種横断的な事務系職種（９職種）
経営戦略
人事・人材開発・労務管理
企業法務・総務・広報
経理・資金財務・経営管理分析
情報システム
営業・マーケティング・広告
生産管理
ロジスティクス
国際事業

（資料出所）　厚生労働省「職業能力評価基準の策定業種一覧」より作成
https://www.mhlw.go.jp/stf/newpage_04653.html

ベル２（係長、主任など）、レベル３（課長、マネジャーなど）、レベル４（本部長、部長など）のイメージである。

現在、図表13－６に示した56業種と業種横断的な事務系９職種を網羅している（2021年5月現在）。

なお、キャリアコンサルタント向けの職業能力評価基準活用のガイドとして、「職業能力評価基準活用のススメ－相談者のキャリア形成支援のために（改訂版）」が公表されている。具体的な活用場面として、「１．経験のない職種への転身を支援する」「２．企業が求める人材イメージを具体化する」「３．職業情報・

業界情報の理解を深める」「4．社員や部下のキャリア形成を支援する」「5．節目でキャリアを考える」「6．中長期のキャリアを考える『場』づくり」を挙げ、それぞれ相談事例、活用事例、展開事例などを示している。

（2） 職業能力評価基準を用いた人材育成システム

一部の大企業を除き、人材育成システムが構築できている企業が少ない現状に鑑み、厚生労働省が整備した人材育成システムがある。「職業能力評価基準」とともに、現在の能力レベルを把握、評価するための「職業能力評価シート」、業種内でのキャリア形成の指針となる「キャリアマップ」といったツールを用い、業務内容に応じた実践的な人材育成を行える。

「キャリアマップ」とは、職業能力評価基準で設定されているレベル１～４をもとに、該当業種の代表的な職種における能力開発の標準的な道筋を示したものであり、「キャリアの道筋」と「各レベルの習熟の目安となる標準年数」がわかる。従業員に対してキャリア形成の道筋を示すことにより、将来のキャ

図表 13－7 「職業能力評価基準」を核とした人材育成システム

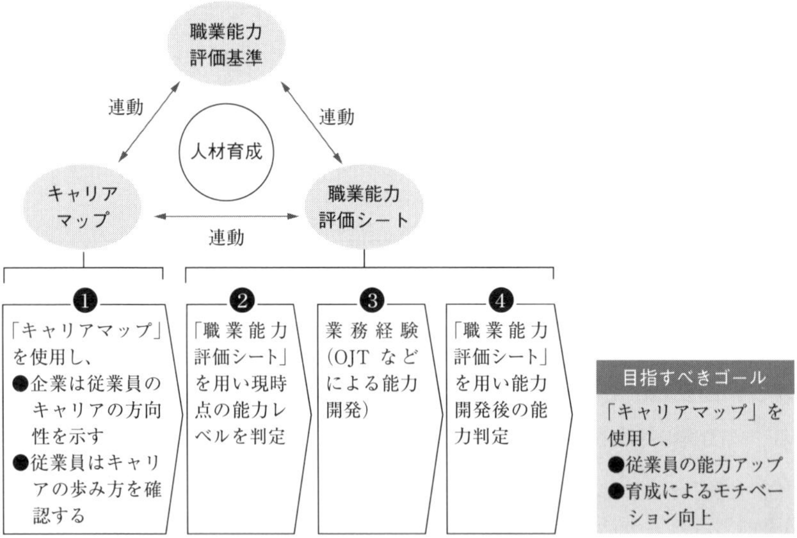

（資料出所） 厚生労働省「自社の業務内容に応じた実践的な人材育成」
https://www.mhlw.go.jp/stf/newpage_07801.html

リアに関する目標意識を高め、その実現に向けた具体的な行動を促す。

「職業能力評価シート」は、人材育成に有効な示唆を得ることができる評価シートである。「自分の（または部下の）能力レベルはどの程度なのか」「次のレベルにいくには何が不足しているのか」を具体的に把握することができる。また、定期的にチェックすることで習熟度を把握できる（図表13－７）。

これら職業能力評価基準を活用した人材育成システムは、企業内でキャリアコンサルティングを行うに当たって有益なツールとなる。今後より一層普及・活用を促進することで、キャリアコンサルティングの活躍の場が広がる。

なお、「職業能力評価基準」に準じて事務系職種の幅広い分野をカバーする唯一の公的資格試験である「ビジネス・キャリア検定試験」（中央職業能力開発協会実施）が行われている。この試験では、実践的な職業能力を公的・客観的に評価・証明することができる。人事・人材開発・労務管理、経理・財務管理、営業・マーケティング、生産管理、企業法務・総務、ロジスティクス、経営情報システム、経営戦略の８分野にわたり44の試験が行われている。

3.3　セルフ・キャリアドック

（1）　セルフ・キャリアドックの目的と効果

「セルフ・キャリアドック」は、厚生労働省が推進する企業領域におけるキャリア形成支援施策である。セルフ・キャリアドックの定義は、企業がその人材育成ビジョン・方針に基づき、キャリアコンサルティング面談と多様なキャリア研修などを組み合わせて、体系的・定期的に従業員の支援を実施し、従業員の主体的なキャリア形成を促進・支援する総合的な取り組み、また、そのための企業内の「仕組み」である。

従来、主な人材育成施策は、組織の視点に立った組織にとって必要なマインドやスキル、知識の獲得を目指すという観点から行われてきた。これに対して、セルフ・キャリアドックは、従業員１人ひとりが主体性を発揮し、キャリア開発を実践することを重視・尊重する人材育成・支援を促進・実現する仕組みである。この仕組みでは、中長期的な視点で従業員１人ひとりが自己のキャリアビジョンを描き、その達成のために職業生活の節目での自己点検や実践に活用する取り組みプロセスを提供する[11]。セルフ・キャリアドックのポイントは以下の５点に整理される（高橋・増井，2019）[12]。

①　従業員の主体的なキャリア形成を促進・支援する
②　企業の人材育成ビジョン・方針に基づく
③　キャリアコンサルティング面談と多様なキャリア研修を組み合わせる
④　体系的・定期的に従業員の支援を実施する
⑤　総合的な取り組みであり、企業内の仕組みである

セルフ・キャリアドックは、それぞれの企業が抱える人材育成上の方針や直面している課題によって、導入の目的や実施形態が異なる。しかし、どのようなパターンでも共通して、以下の２点が効果として期待される。

①　従業員にとっては自らのキャリア意識や仕事に対するモチベーションの向上とキャリア充実
②　企業にとっては人材の定着や活性化を通じた組織の活性化

（2）　セルフ・キャリアドックの実施プロセス

セルフ・キャリアドック導入の標準的なプロセスを、図表13－８に示した。

①　人材育成ビジョン・方針の明確化：経営者のコミットメントが、組織全体としてセルフ・キャリアドックを推進する前提となる。企業の経営理念を実現するために、従業員に期待する人材像とそのための人材育成方針を明らかにする。策定した人材育成ビジョン・方針は、適切な方法で社内に周知する。

②　実施計画の策定：人材育成ビジョン・方針に基づいてセルフ・キャリアドックをどう進めていくかについて、企業としての具体的な実施計画を策定する。キャリア研修及びその対象者、キャリアコンサルティング面談（実施時期、場所、時間、内容、面談のフォローアップ）などについて計画を立てる。面談シート、報告様式、アンケート様式など必要なツールの整備も行う。

③　企業内インフラの整備：社内にセルフ・キャリアドック推進の責任者を定

図表13－８　セルフ・キャリアドックの標準的プロセス

１　人材育成ビジョン・方針の明確化	（１）経営者のコミットメント （２）人材育成ビジョン・方針の策定 （３）社内への周知
２　セルフ・キャリアドック実施計画の策定	（１）実施計画の策定 （２）必要なツールの整備 （３）プロセスの整備
３　企業内インフラの整備	（１）責任者等の決定 （２）社内規定の整備 （３）キャリアコンサルタントの育成・確保 （４）情報共有化のルール （５）社内の意識醸成
４　セルフ・キャリアドックの実施	（１）対象従業員向けセミナー（説明会）の実施 （２）キャリア研修 （３）キャリアコンサルティング面談を通した支援の実施 （４）振り返り
５　フォローアップ	（１）セルフ・キャリアドックの結果の報告 （２）個々の対象従業員に係るフォローアップ （３）組織的な改善措置の実施 （４）セルフ・キャリアドックの継続的改善

める。また、セルフ・キャリアドックを社内の制度として制定し、運用するために、企業としてのビジョン、方針、実施内容などの規定を就業規則や社内通達として出す。セルフ・キャリアドックを担うキャリアコンサルタントを育成・確保する。キャリアコンサルティング面談で得られた情報を人事部門及び関連部門（産業医等）と共有化するルール整備を行う。社内の意識醸成も行う。

④　セルフ・キャリアドックの実施：キャリア研修・キャリアコンサルティング面談に先立ち、対象従業員等に向けて、セルフ・キャリアドックの趣旨・目的、スケジュール、研修や具体的面談内容（提出物等を含む）、情報の取り扱い（キャリアコンサルタントの守秘義務を含む）等を説明し、了解を得る。キャリア研修では集合形式の研修により、従業員自身のキャリアの棚卸し、キャリア目標・アクションプランの作成などを行う。キャリアコンサルティング面談では、従業員とキャリアコンサルタントが１対１で面談を行う。キャリアコンサルティング面談の基本的なプロセスには、（ア）守秘義務に

関する約束、(イ)キャリアコンサルティング面談の目的の共有、(ウ)自己理解、(エ)仕事理解、(オ)意見・要望事項等の聴取、(カ)キャリアビジョンの策定、(キ)キャリア形成上の課題とその対策の明確化、(ク)面談後のフォローが含まれる。

⑤ フォローアップ:キャリアコンサルティング面談の内容について、個別報告書を作成する。加えて、対象従業員全体の面談内容に基づく全体報告書を作成し、人事部門(企業)に報告する。全体報告書には、個別の従業員が特定されないよう配慮したうえで、キャリアコンサルティング面談の対象従業員全体のキャリア意識の傾向や組織的な課題、及びその課題に対する解決の方針や解決策、従業員育成策に関する提案などを盛り込む。必要に応じて、追加的なキャリアコンサルティング面談を実施したり、上司へのコンサルテーション、関係部署等との連携をとる。こうした個々の対象従業員に係るフォローアップのほか、組織的な改善措置の実施に向けて対応を行う。

第4節 多様なキャリアコンサルティングの具体的内容

キャリアコンサルティングの主な領域のうち「地域領域」は、本来は地域の若年者に対する支援が中心にあり、そこから派生して自治体その他の公的な就労支援機関の利用者を対象とする領域として拡大してきた。現在は、福祉、医療その他の領域とも連携して「地域・福祉領域」と呼ぶべき広がりを見せている。

その過程で、昨今、キャリアコンサルティングの対象層としてさまざまな利用者層が想定されるようになっている。複雑な就労環境・キャリア環境及び多様な個人のニーズ(必要性)から、キャリアコンサルティングは細分化し、個別に、個々の事情や実情に応じたきめ細かいキャリア支援が求められている。

以下では、多様なキャリアコンサルティングの具体的な内容として、平成29(2017)年度及び平成30(2018)年度「労働者等のキャリア形成における課題に応じたキャリアコンサルティング技法の開発に関する調査・研究事業」を見ていく。

４.１　若者・女性・中高年に対するキャリアコンサルティング技法

平成29年度には、若者・女性・中高年に対する技法開発が行われた[13)]。以下の属性を持つ若者・女性・中高年が対象者として想定された。

・若者：不本意に非正規雇用で働く若者や正社員として在職しているが、安易な離職願望などを有している若者など
・女性：出産・育児と仕事の両立に困難を有している女性など
・中高年：キャリアチェンジを余儀なく迫られていたり、何らかのキャリア形成上の課題に直面する中高年など

ここで「キャリアコンサルティング技法」とは労働者等のキャリア形成における課題に応じて効果的なキャリアコンサルティングを提供するための「チェックシート」「ワークシート」「効果的な質問例や確認事項・助言に関するリスト」等のツールを、想定される対象者や場面に応じて、適切かつ効果的な方法で使用するプロセス全体を指す。

各種のツールを対象者や場面に応じて適切かつ効果的な方法で使用するために、以下のようなさまざまなチェックシート、ワークシートが開発された[注６)]。

①　若者向けキャリアコンサルティング技法

・雇用環境チェックシート
・離職レディネスチェックシート
・エンプロイアビリティチェックシート
・職場のあなた再現シート（職場における対応力チェック）
・仕事と楽しく付き合うためのキャリアコンサルティングチャート
・ジョブ・カード様式１作成ワークシート

注６）厚生労働省「平成29年度　労働者等のキャリア形成における課題に応じたキャリアコンサルティング技法の開発に関する調査・研究事業」
https://www.mhlw.go.jp/stf/seisakunitsuite/bunya/koyou_roudou/jinzaikaihatsu/career_consulting_gihou.html で、すべてのチェックシート・ワークシート等を入手できる。

② 女性向けキャリアコンサルティング技法

・育児女性相談者への質問例

・自己棚卸しシート

・～２つの視点で考える～ キャリア＆子育て分析シート

・私のキャリアと子供の成長シート

③ 中高年向けキャリアコンサルティング技法

・自己理解～行動・特徴把握シート～

・人生後半戦のライフ・キャリアシート（在職者用）

・人生後半戦の経済面を含めたライフプランニングシート

・環境変化を考えるシート

４.２ 治療と職業生活の両立支援技法

厚生労働省は2016年、がん・脳卒中などの疾病を抱える労働者に対して、事業場が適切な就業上の措置や治療に対する配慮を行い、治療と職業生活が両立できるようにするため、事業場における取り組みなどをまとめた「事業場における治療と職業生活の両立支援のためのガイドライン」[14)]を公表した。このガイドラインでは、両立支援の際の留意事項を次のように挙げている。

・安全と健康の確保
・労働者本人による取り組み
・労働者本人の申し出
・治療と職業生活の両立支援の特徴を踏まえた対応
・個別事例の特性に応じた配慮
・対象者、対応方法の明確化
・個人情報の保護
・両立支援にかかわる関係者間の連携の重要性

これを受けて、平成30（2018）年度には、治療と職業生活の両立支援に対する支援に関する技法がまとめられた[15)]。キャリアコンサルタントは、治療と職業生活の両立における相談者の特徴を理解することが重要となる。特に、診断－治療－経過観察というプロセスの中で、相談者の状況や職業生活への影響を確認する。相談者の背景を想像することで、支援を見立てる際に役立てる。そのほか、キャリアコンサルタントの役割を、端的に以下のように示している。

> 事業所だけでは手が届きにくい、相談者一人ひとりの病気やプライベート、働き方に向き合い、組織や社会につなぐ支援を行うことがキャリアコンサルタントの活動の場となります。キャリアコンサルタントは、命に関わる病気という転機を乗り越え、自分らしく生きる「キャリアの再構築」を支援していきます[16)]。

治療と職業生活の両立支援は、関連する専門家が多いのが特徴であり、相談者と関係機関をつないだり、事業所に両立支援制度の策定を提案するなど、環境に働きかけることが、キャリアコンサルタントに求められる。

治療と職業生活の両立支援に関わるキャリアコンサルティングを実施するに当たり、相談者の治療段階に応じて、個人（罹患者本人）と組織にどのような課題と取り組むべきテーマがあるかを把握し、それぞれのテーマに対してキャリアコンサルタントが何をできるのか整理したものが、図表13－９である。

図表13－９　両立支援におけるキャリアコンサルタント・個人・組織のテーマと課題

	第０段階 組織体制の構築	第１段階 診断・検査	第２段階 治療開始～	第３段階 復帰前	第４段階 復帰後
両立支援 キャリア コンサルタント	両立ができる 環境づくり支援	ショック離職防 止等個別対応	就労への 内的動機付け 醸成支援	復帰後の イメージ作り 支援	キャリアの再構 築支援および 受入環境への 働きかけ
個人 （罹患者本人）	ヘルスリテラシー の醸成	ライフキャリア の断絶	心身の変化に 向き合う	自分らしく働く イメージを持つ	キャリアの 再構築
組織	ダイバーシティ に対応した 組織体制の構築	組織変化に 対する柔軟な 対応	職場情報の共有 と関係性の維持	受入体制の構築	継続就業できる 職場づくり

（資料出所）　厚生労働省　2019「平成30年度　労働者等のキャリア形成における課題に応じたキャリアコンサルティング技法の開発に関する調査・研究事業報告書」公益財団法人日本生産性本部　p. 16

キャリアコンサルタントの具体的な役割は、以下のとおりである。

① 第0段階(組織体制の構築):両立支援に関する制度・組織体制の提案、ヘルスリテラシーの向上のための研修などを行う。

② 第1段階(診断・検査):相談者が焦りから拙速な判断(離職など)をしないように支援しつつ、組織への働きかけ(上司・人事との話し合い)を行い、相談者と組織が両立・復職計画を話し合えるよう支援する。

③ 第2段階(治療開始):治療が第一優先。キャリアコンサルタントは不安を取り除くための安全・安心の場づくりや就労意欲の維持の支援を行う。

④ 第3段階(復帰前):相談者の体と心の状態を丁寧にヒアリングし、悩みを整理したうえで、本人が復帰できるイメージを描けるように支援する。

⑤ 第4段階(復帰後):継続就労への支援(意欲の低下や復職後のさまざまな問題への対処、体力や体調に応じた仕事への配慮など)、再就職に向けての支援を行う。通常より短いスパンでキャリアプランを考える。

治療と職業生活の両立支援において、相談者にキャリアコンサルティングを実施する際の留意事項もまとめている。全体の流れは通常のキャリアコンサルティングと同じだが、治療と職業生活の両立支援に特徴的な事項がある。

STEP 0:安心安全の場づくり

・患者としてではなく、1人の相談者として接する

・病気に偏ったイメージや誤解がないこと、支援の範囲を自覚すること

・相談者が話さないときには無理をして病気の話をしなくてよい

STEP 1:経験の再現&信頼関係の構築

・病気に動じることなく、相談者の不安・葛藤の経験を共有する

・相談者が主治医から情報を集め自身の状況を把握できるよう支援する

・状況に応じた柔軟な対応をこころがける

STEP２：自己探索（内省）の支援
・相談者の語りに表れる「自己概念」を丁寧にキャッチする
・相談者が自己探索の準備ができていないときは無理をしない
・キャリアコンサルタント自身に病気経験がないことを負い目に感じない
STEP３：意思決定・行動の支援
・相談者のペースに合わせ、自己決定を促す
・相談者目線で行動変容を考える
・必要に応じて関係者と連携する

「両立支援ナビシート」「4Sヒアリングシート」「両立支援モニタリングシート」「不安ごと見える化マップ」「職場における配慮のためのヒアリングシート」「相談シート」等の各種シートも用意されているので、適宜活用したい[注7)]。

４.３　就職氷河期世代の労働者への支援

就職氷河期世代の労働者への支援では、１人ひとりの状況に応じた支援が求められる。相談者（クライエント）が積み上げてきた職業経験や技能、正社員就労に向けた意識、本人の置かれた雇用環境は多種多様だからである。この技法では、図表13－10のとおり、相談者の特徴を分類している。また、図表13－11のとおり、対象属性ごとに見立てと支援のポイントを示している。

全般的に、就職氷河期世代の非正規雇用労働者には、職業経験や能力開発機会に恵まれず、正社員として働くための技能やノウハウが不足しているケースがみられる。「この年齢なのだから、これぐらいの能力・スキルはあるはずだ」という思い込みは避ける。また、その人には必ずその人ならではの良いところがあるという意識に基づいて、支援を行う。就職氷河期世代のキャリアコンサルティングの基本的な進め方は、次のとおりである[17)]。

注７）厚生労働省「平成30年度 労働者等のキャリア形成における課題に応じたキャリアコンサルティング技法の開発に関する調査・研究事業」
https://www.mhlw.go.jp/stf/seisakunitsuite/bunya/koyou_roudou/jinzaikaihatsu/career_consulting_gihou_00004.html で、すべてのシートを入手できる。

図表 13－10　就職氷河期世代の労働者への支援で想定する相談者の分類

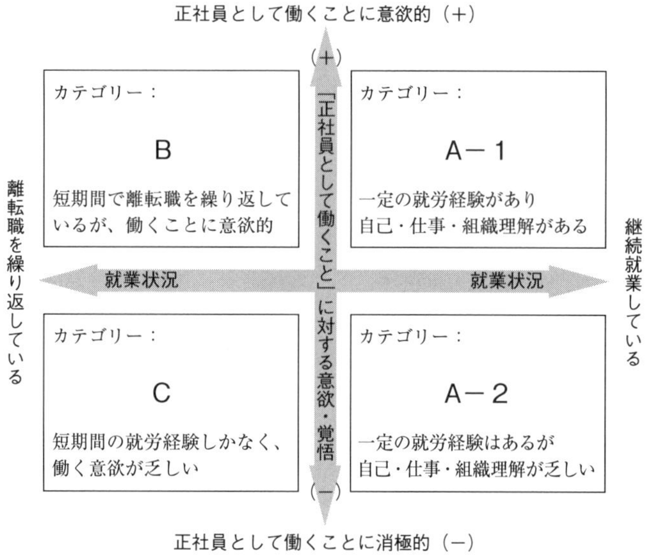

（資料出所）　図表13－9に同じ　p. 57

図表13－11　対象属性の見立てと支援のポイント

対象属性	見立て	支援のポイント
A－1	・長期間にわたる一定の就労経験がある。 ・正社員就労の具体的なイメージを持てている。	・正社員就労に向けた具体的な支援を行う。
A－2	・長期間にわたる一定の就労経験がある。 ・正社員就労の具体的イメージを持てていない。	・相談者が正社員のメリット、デメリットを踏まえ、自己決定出来るように支援を行う。
B	・短期間で離転職を繰り返すなど、継続就業していない。 ・正社員就労への意欲がある。	・スキルや経験の棚卸を行いつつ、自己理解・仕事理解促進や自己評価を高める支援を行う。
C	・短期間で離転職を繰り返すなど、継続就業していない。 ・働くことへのイメージが漠然としている。	・社会経験を積むために、自己理解・仕事理解・啓発的経験に向けた支援をスモールステップで行う。

（資料出所）　図表13－9に同じ　p. 58

STEP 0　場づくりと信頼関係の構築
STEP 1　働くことに関する意識・意欲の確認
STEP 2　働くことに関する価値観、基本的スキルの確認（B、Cのみ）
STEP 3　啓発的経験（B、Cのみ）
STEP 4　働くことに向けてのキャリアパスの計画と確認（B、Cのみ）
STEP 5　自己理解、仕事理解、組織理解の支援
STEP 6　正社員に向けたキャリアパスの計画と確認
STEP 7　方策の実行
STEP 8　フォローアップの実施

それぞれ各ステップでは支援のポイントもまとめている。

STEP 0　自分は環境に恵まれなかったという感情・気持ちを持っている可能性があるので、受容の姿勢を心がけ、感情に寄り添う。

STEP 1　継続就労ができているか、就労意思はあるかを確認する。普段の生活を丁寧に聴く。そのうえで相談者の希望を確認する。

STEP 2　働くための基礎スキル、仕事に就くためのスキルを確認する。できているところ、良いところは具体的にほめる。

STEP 3　Bは興味・関心のある職種・業種を確認しながら方向性を緩やかに絞る。Cは働くことに向けて行動するところから始める。

STEP 4　どのくらいの時間であれば働けるかを確認しながらスモールステップで働くことを経験する。無理強いせず、できたことを認める。

STEP 5　働くことについての自己イメージ、働くことと自己の能力・価値・欲求との関係、職業観（何のために働くのか等）を明確にしていく。

STEP 6　これまで行ってきた自己理解、仕事理解と将来なりたい自分・今後の目標を見定めつつ、具体的な計画を作成する。

STEP 7　STEP 6で立てた計画を基に支援を行う。計画は相談者本人が作成し、それを支援する。

STEP 8　組織に定着するまで丁寧にフォローアップする。実際に働いてわ

かること、今の職場環境、事前に考えていたものとギャップ等を聴く。

就職氷河期世代の労働者に対する支援技法にも、以下に示す多くのシートを用意しているので活用したい[注8)]。

「事前相談シート」「好きと得意を明確にする質問シート」「振り返りシート」「働くための基礎的スキルチェックシート」「職業マイニングシート」「働くことを考えるシート」「経験振り返りシート」「行動計画表」「行動計画作成表」「働く条件の整理シート」ほか

4.4　各種キャリアコンサルタント向けの研修

そのほか、各種のキャリアコンサルタント向けの研修を実施している[注9)]。

まず、特定一般教育訓練給付制度及び専門実践教育訓練給付制度では、教育訓練の選択に当たりキャリアコンサルティング（訓練前キャリアコンサルティング）を実施することとしている。このため、訓練前キャリアコンサルティングに従事する「訓練対応キャリアコンサルタント」に必要な知識を付与する研修を実施している（訓練対応キャリアコンサルタント向け研修）。

また、IT分野のキャリア・能力開発に関する相談や、若者のキャリア形成支援に専門性を有するキャリアコンサルタントの育成・活用を促進するための専門研修を、それぞれ実施している（IT分野の能力開発に関する専門研修、若者応援キャリアコンサルタント育成研修）。

これらは、いずれも、ある種の多様なキャリアコンサルティングに対するニーズに対応すべく実施されている講習であり、現在求められているキャリアコン

注8）厚生労働省HP「平成30年度 労働者等のキャリア形成における課題に応じたキャリアコンサルティング技法の開発に関する調査・研究事業」
https://www.mhlw.go.jp/stf/seisakunitsuite/bunya/koyou_roudou/jinzaikaihatsu/career_consulting_gihou_00004.html で、すべてのシートを入手できる。

注9）厚生労働省のウエブサイト「キャリアコンサルタントとして活動している方へ」に、「中長期的なキャリア形成を支援するためのキャリアコンサルタント向け研修」のコーナーがあり、リンク先が掲載されている。
https://www.mhlw.go.jp/stf/seisakunitsuite/bunya/koyou_roudou/jinzaikaihatsu/career_consultant02.html

サルティングの活動を側面から支えていると言える。

4.5　特に配慮を必要とする者に対する支援

現在、キャリアコンサルティングに対する多様なニーズは、さらに各方面に広がりを見せている。しかしながら、キャリアコンサルティング施策の枠内では、現段階では十分に対応できていない面がある。今後、次第に整備がなされていくと期待されるが、当面、キャリアコンサルタントが参考にしうるのは、ハローワークの業務を規定する「一般職業紹介業務取扱要領」に記載のある「特に配慮を必要とする者に対する支援の留意点」である。キャリアコンサルティングにも関連の深い事項に特に着目し、キャリアコンサルタントが参照しうるように適宜修正を加えたので参考にしたい[注10)]。

（１）　母子家庭の母等に対する支援

特に有効求人の中に適合する求人がない場合、次のような支援を検討する。

① 労働市場の現状を踏まえた求職条件面に関する綿密な職業相談。必要に応じて、ジョブ・カードを活用したキャリアコンサルティングを行う
② 保育施設・障害者福祉施設等に関する情報提供や関連する相談援助を行う機関への紹介
③ トライアル雇用の活用
④ 適合する求人の新規開拓、既存求人の求人条件緩和指導
⑤ 職業能力向上を図る職業訓練・職場適応訓練の受講指示や各種職業講習への参加勧奨

（２）　外国人に対する支援

外国人に対する支援では、外国人労働者の在留資格及び特性に応じた適切で

注10）以下、「一般職業紹介業務取扱要領」の記述そのままではなく、本書掲載に当たり、キャリアコンサルティングの脈絡に即した形で、キャリアコンサルタントにとって参考になるものに限定して、筆者（下村）が適宜、文言を微修正して引用した。そのため、ハローワークにおける実際の支援内容とは完全に一致しない場合があることに留意されたい。

きめ細かな対応が求められる。また、以下に示す留意点のほか、外国人に対応するために必要な専門的知識や技能が必須となる。

・異なる生活習慣や文化で生活してきたため、日本語や日本の生活習慣に習熟していない場合が多い。そこで通訳等を活用したり、求職内容の確認に十分な時間を費やす。求職希望の正確な把握をする。
・日本の雇用慣行、労働法規等の理解が十分でない場合が多い。日本の賃金水準等の労働条件を把握していない場合も多いので、求職活動に必要な知識の説明に十分配慮する。
・外国人の人権尊重に十分配慮し、適法な外国人の就労について、その権利を不当に侵害する結果をもたらすことのないよう、十分に留意する。
・必要に応じて、外国人に係る職業紹介、職業相談、雇用管理に関する指導・援助を専門的に行う外国人雇用サービスセンターとの連携を図る。
・日系人等の紹介でも、その取り扱いは原則、上記の外国人と同様だが、我が国での就労活動に制限がないことから、日本人同様に広範な範囲での就労が可能であることに留意する。
・日系人等についても、日本語に未習熟であることや日本の雇用慣行、労働関係法令に不案内であることに加え、職業経験が十分でない者もいる。そのため、日本語能力や職業能力・免許・資格等について適切に説明したうえで綿密な対応を行う。

ハローワークにおける外国人支援は、ハローワーク以外で外国人にキャリアコンサルティング等を行う際にも参考になる。特に、異なる生活習慣・文化の尊重、日本語や日本文化、日本の雇用慣行等に不慣れな面への配慮、外国人の人権尊重については、キャリアコンサルティングでも該当する面が多い。

（3） 生活困窮者に対する支援

生活困窮者は、日々の生活費や住宅等に困窮するために就職活動を行うことができない状態にある場合が多い。そのため、自治体や関係団体との密接な連携のもと、安心して就職活動を行えるような環境を整えつつ、早期就職に向けた支援を行う。具体的には以下のとおりである。

・生活保護制度や生活困窮者自立支援制度等による支援が必要と考えられる場合、福祉事務所や生活困窮者自立支援法に基づく自立相談支援事業を実施する機関等を案内し、必要に応じ、担当者へ連絡する。
・各自治体で、生活保護受給者に対する「自立支援プログラム」や生活困窮者自立支援法に基づく就労準備支援事業等を実施しているが、特に就労による経済的自立（職業的自立）を目指す者には、就労支援を行う。
・自治体だけでは就業が困難な者も多いことから、要請を受けて安定所と地方自治体の双方の担当者のチームによる就労支援を積極的に行う。

生活保護制度及び生活困窮者自立支援制度は、キャリアコンサルティングの領域や対象層によっては、極めて関連の深い領域であり、担当するに当たっては、当該制度に対する理解を深めるべく関連分野の専門知識の習得に努める。

第5節　キャリアコンサルティングの6分野

キャリアコンサルティングの各領域、すなわち「学校領域」「需給調整領域」「企業（職業能力開発）領域」「地域領域」における具体的な内容について見てきた。その内容に領域ごとの特徴の違いはあっても、対象が異なるだけで、その原則や実践には共通性がある[注11)]。特に共通するのは次の6つの分野である。すなわちキャリアコンサルティングとは、クライエントの特性や状況に応じて、この6分野のすべて、または一部分について支援を行うことである。

① 自己理解：進路や職業、キャリア形成に関して「自分自身」を理解するよう援助する。
② 仕事理解：進路や職業、キャリア・ルートの種類と内容を理解するよう援助する。
③ 啓発的経験：選択や意思決定の前に、体験してみることを支援する。

④　意思決定：相談の過程を経て、選択肢の中から選択することを援助する。
⑤　方策の実行：就職、進学、キャリア・ルートの選択、能力開発など、意思決定したことを実行するよう援助する。
⑥　仕事への適応：相談を評価し、新しい職務等への適応の援助を行う。

図表 13－12　キャリアコンサルティングの流れ

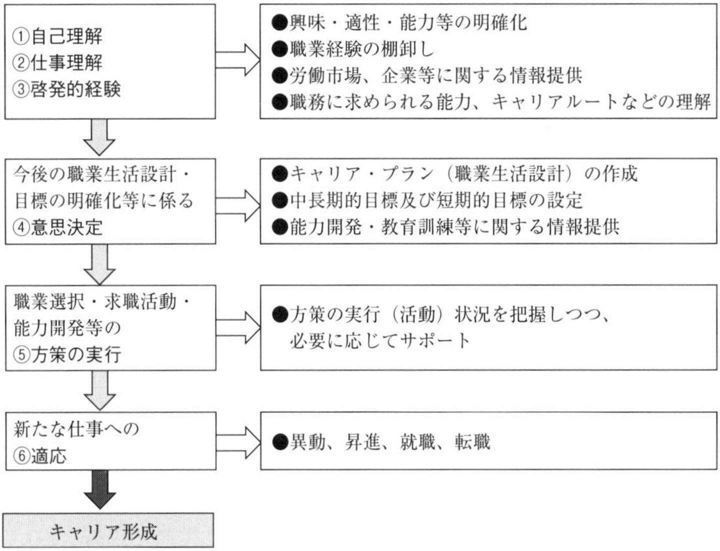

（資料出所）　厚生労働省「キャリアコンサルティングの流れ」
https://www.mhlw.go.jp/stf/seisakunitsuite/bunya/0000198322.html

---

注 11）キャリアコンサルティングの６分野は、2001 年に厚生労働省より公表された「キャリア・コンサルティング技法等に関する調査研究報告書－労働者のキャリア形成支援のためのキャリア・コンサルティング・マニュアル」で「キャリア形成の６ステップ」として示された。当時、キャリア支援で先行していたのは学校進路指導であり、この６ステップは本章第１節で示したとおり、本来、「進路指導の６つの活動」として知られていた。しかしながら、以前から学校進路指導における進路相談を「キャリアカウンセリング」と呼んでいたこともあり、90 年代には「進路指導の６つの活動」は学校領域以外のキャリアカウンセリングにも等しく共通する基本的なプロセスであると捉えられた。そもそも歴史的な淵源をたどれば、進路指導の６つの活動は、職業紹介機関における職業指導に求められることもあり、領域を問わず、キャリア支援は６つの領域あるいはステップで行うという認識が共有されるに至った。その特徴がよく現れているのが、例えば、日本進路指導学会編 1996『キャリア・カウンセリング－その基礎と技法、実際』実務教育出版などである。

図表 13－13　キャリア形成の流れとキャリアコンサルティング

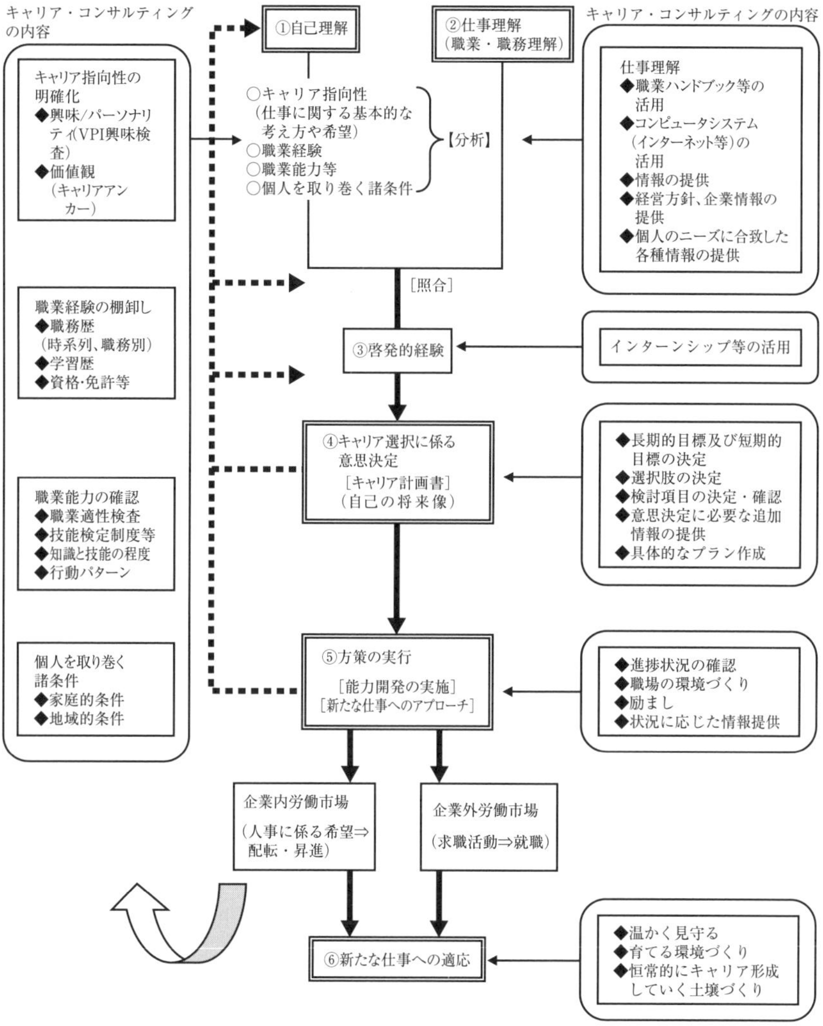

（資料出所）　雇用・能力開発機構　2001「従業員の主体的なキャリア形成を支援するために」p. 6

キャリアコンサルティングの６分野のうち、どれが特別に大事だということはない。それはクライエントのニーズと必要性による。しかし、カウンセリングは６分野すべてで行われ、キャリアコンサルティングの中心であることは間違いない。同時に、カウンセリングだけで適性がわかったり、職業の内容を理解したり、就職できるわけでもない。この６分野をキャリアコンサルティングの中で適切に行って初めて、「就職する」「適職を見つける」「会社の中で自分のキャリア・ルートを見つける」などの具体的な目標を達成できるのである。

文　献

1）仙崎武　1973「アメリカの新しい職業教育－キャリア・エデュケーションの現状と動向」『産業教育　23』（pp. 8－19）

2）仙崎武　1979『欧米におけるキャリア・エデュケーション』文教センター印刷出版部

3）国立教育政策研究所生徒指導研究センター『児童生徒の職業観・勤労観を育む教育の推進について（調査研究報告書）』

4）厚生労働省「学校教育領域におけるキャリア形成支援」平成28年度　講習テキスト及び参考資料（大学等）
https://www.mhlw.go.jp/stf/seisakunitsuite/bunya/koyou_roudou/shokugyounouryoku/career_formation/career_consulting/career_kyouiku/index.html

5）厚生労働省　2015「大学生のための『キャリア教育プログラム集』」三菱UFJリサーチ＆コンサルティング
https://www.mhlw.go.jp/stf/seisakunitsuite/bunya/koyou_roudou/shokugyounouryoku/career_formation/career_consulting/career_kyouiku_programs/index.html

6）厚生労働省　2010「『キャリア・コンサルティング研究会』報告書」中央職業能力開発協会

7）文部科学省　2011『中学校キャリア教育の手引き』教育出版

8）厚生労働省　2018「ジョブ・カード講習テキスト～ジョブ・カードを活用したキャリア支援」学校法人大原学園ジョブ・カード講習事務局

9）文献５）に同じ　p. 80

10）厚生労働省「職業能力評価基準の構成」
https://www.mhlw.go.jp/stf/newpage_07949.html
11）厚生労働省　2017「『セルフ・キャリアドック』導入の方針と展開」
12）高橋浩・増井一　2019『セルフ・キャリアドック入門－キャリアコンサルティングで個と組織を元気にする方法』金子書房
13）厚生労働省　2018「平成29年度　労働者等のキャリア形成における課題に応じたキャリアコンサルティング技法の開発に関する調査・研究事業　報告書」特定非営利活動法人キャリアコンサルティング協議会
14）厚生労働省　2021「事業場における治療と仕事の両立支援のためのガイドライン（令和３年３月改訂版）」
15）厚生労働省　2019「平成30年度　労働者等のキャリア形成における課題に応じたキャリアコンサルティング技法の開発に関する調査・研究事業報告書」公益財団法人日本生産性本部
16）文献15）に同じ　p.11
17）厚生労働省　2019「平成30年度　労働者等のキャリア形成における課題に応じたキャリアコンサルティング技法の開発に関する調査・研究事業報告書」日本生産性本部　p.61

第14章
キャリアコンサルティングの技法

第1節　いろいろなカウンセリング技法

1.1　キャリアコンサルティングにおけるカウンセリング技法

キャリアコンサルティングにはさまざまな領域があり、多様なクライエントがいる。現場における実際の対応は、個別のクライエントそれぞれであり、そこに画一的な対応方法があるわけではない。あらゆるクライエントに対して常に有効で有意義な支援が可能となる特定の優れた手法やアプローチは、長いキャリアカウンセリングの歴史の中でも残念ながら発見されていない。

しかしながら、キャリアカウンセリングあるいはより一般的にカウンセリング全般に共通する型、もしくは個々の要素、パターンのようなものは想定しうる。実際、そうした検討はこれまで継続的に続けられてきた。例えば、第1章末の倫理の説明で引用したヒル（Hill, C.）のヘルピング・スキルの研究[1)]もその1つである。そこでは、カウンセリングを人を支援するための個々のスキルの集成として捉えていた。ロジャースのクライエント中心理論・精神分析理論・行動理論をベースにした「探求・洞察・行動」からなる3段階モデルに沿って、初回面接～面接終結までに必要なスキルを体系化して記述している。

類似の研究は多々あるが、従来、キャリアコンサルティングにおける具体的なカウンセリング技法として知られてきたのは、以前から包括的・折衷的なカウンセリングとして紹介されてきた「アイビーのマイクロカウンセリング」「カーカフのヘルピング技法」「國分のコーヒーカップ・モデル」である。以下、これらについて見ていく。

1.2　マイクロカウンセリング（microcounseling）

1960年代にアイビー（Ivey, A. E.）とその共同研究者によって開発され、その後、技法を統合したカウンセリングのメタモデルとして定着した。アイビーはカウンセリングの理論家・実践家としていろいろなカウンセリングに関わるうち、多くのカウンセリングに一貫してみられる共通のパターンがあることに気づき、これを分類してそれを「技法」と命名し、「マイクロ技法の階層表」とした（図表14－1）[2]。

技法は、共通して次の４つに大別される。

①　かかわり行動：クライエントの話すことを「聴く」姿勢で、クライエントをもその姿勢に導く。カウンセラーとクライエントのコミュニケーションの成立に必須で、クライエントをはげますことになる。具体的には視線の合わせ方、体位の取り方、声の調子、非言語的はげまし等を含む。

②　かかわり技法：言語レベルの傾聴技法である。具体的には開かれた質問、閉ざされた質問、はげまし、言い換え、要約、感情の反映、意味の反映が含まれる。これら技法の共通点は、あくまでもクライエントの心の枠組みに沿ったものであることである。

③　積極技法：能動的かかわりを行いながら、相手の問題解決を促す技法である。指示、論理的帰結、解釈、自己開示、助言、情報の提供、説明、教示、フィードバック、発言の要約等が含まれる。意味の反映、焦点の当て方（クライエント、問題、ほかの人、私たち、カウンセラー等）、対決などは複合技法と言われる。

④　技法の統合：いろいろな技法を組み合わせて適切に用い、コミュニケーションをスムーズにし、問題を解決する方向に持っていく。具体的手法としてはラポール、問題の評価、目標の設定、目標に対するアプローチの設定、実行を順次進める。

図表14－1　マイクロ技法の階層表

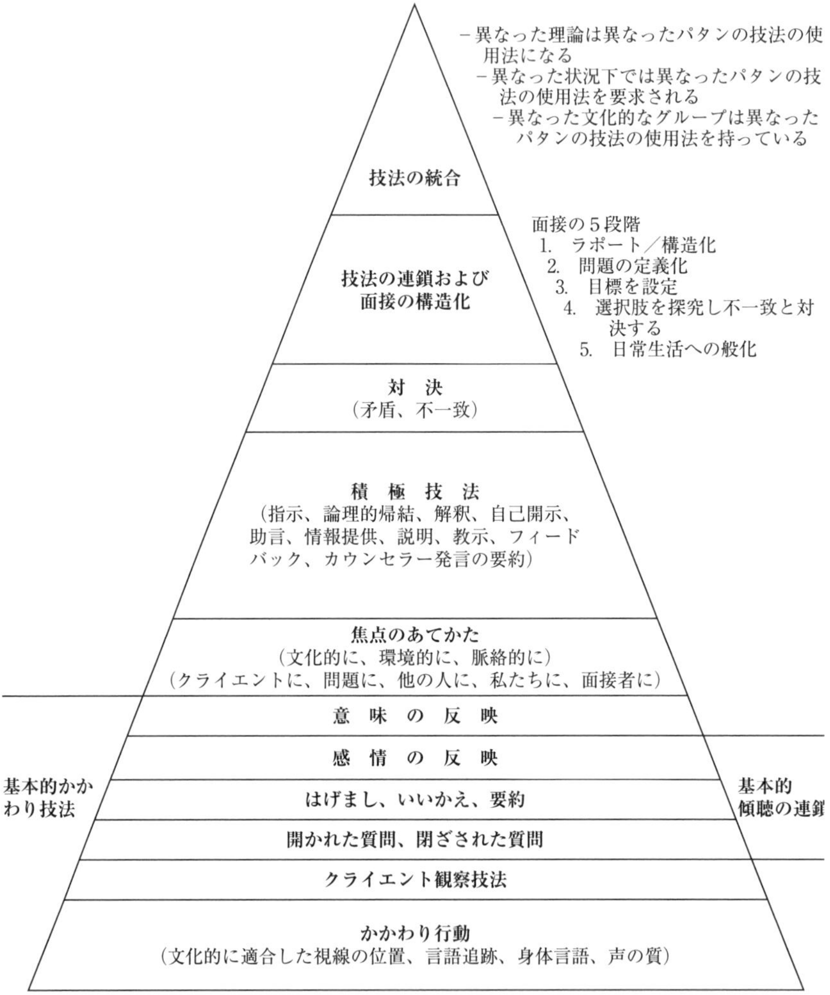

1.　かかわり行動とクライエントを観察する技法は、効果的なコミュニケーションの基礎を形成しているが、これはかならずしも訓練のはじめがふさわしい場所であるというわけではない。
2.　かかわり技法（開かれた質問と閉ざされた質問、はげまし、いいかえ、感情の反映、要約）の基本的傾聴の連鎖は、効果的な面接、マネージメント、ソーシャルワーク、内科医の診療時の面接やその他の状況下でたびたび見出される。

（資料出所）　A. E. アイビー著、福原眞知子・椙山喜代子・國分久子・楡木満生訳編　1985「マイクロカウンセリング」川島書店　p. 8

1.3　ヘルピング（helping）

ヘルピング技法とは、1960年代以降カーカフ（Carkhuff, R. R.）によって提唱されたカウンセリング・モデルである。次の３つの特徴がある。

① 精神分析療法や来談者中心カウンセリングのような洞察志向の技法と、行動療法などの行動変容志向の技法とを統合した折衷主義・統合主義的アプローチである。
② 援助全体のプロセスを４段階に分け、使用する技法を具体的、段階的に示す。
③ カウンセリングを専門的カウンセラーの独占物にせず、広く一般の人も使えるように方式化した。カウンセラーをヘルパー、クライエントをヘルピーとよぶ呼称にもその考え方が込められている。

技法の概要は、次のとおりである。

① 事前段階（かかわり技法attending）：いわゆるラポールの形成である。ヘルピーが自分の個人的経験をヘルパーと分かち合おうとする心の準備の段階である。具体的には、かかわりへの準備、親身なかかわり、観察、傾聴の４つの技法がある。
② 第１段階（応答技法responding）：ヘルパーはヘルピーと言葉による応答を繰り返し、ヘルピーがどんな状態にあるか現在地を明らかにする。ヘルピーの自己探索を目指す。具体的には、事柄への応答、感情への応答、意味への応答の技法からなる。
③ 第２段階（意識化技法personalization）：ヘルピーがどんな状態になりたいのかヘルピーの目的地を明らかにする。ヘルピーの自己理解を促進する。具体的には、意味、問題、目標、感情の意識化の技法がある。
④ 第３段階（手ほどき技法initiating）：目標に向かって具体的に計画やスケジュールを立てて行動を起こすことである。具体的には、目標の明確化、行動計画の作成、スケジュールと強化法の設定、行動化の準備、

図表14－2　援助的人間関係の段階図

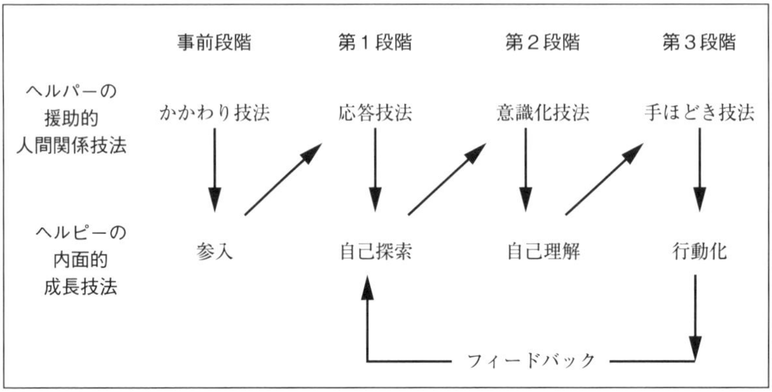

各段階の検討の手ほどきの手法からなる。

⑤　援助過程の繰り返し：援助は直線的に進行するのではない。ヘルピーの反応や行動の結果を吟味しながら援助が繰り返され、新たな援助が行われる。これにより、ヘルピーは、より深い自己理解、より適切な自己探索、より効果的な行動がとれるようになる。

以上の援助の段階と技法をまとめたものが図表14－２である[3]。

1.4　コーヒーカップ・モデル

サイコセラピーからカウンセリングを識別する立場から、國分康孝が提唱したカウンセリング・モデルである[4]。このモデルでは、カウンセリングを「言語的、非言語的コミュニケーションを通して、行動の変容を試みる人間関係」と定義している。この定義に従えば、カウンセリングの目的は、人生で誰もが遭遇する問題（例えば、人間関係、進路、家族関係、就職、老後の生活など）を乗り越えながら成長するのを援助することである。それゆえ、カウンセリングの対象は普通の人ということになる。「主たる対象は人並みに生きてはいるが、いまよりは快適に人生を送りたいと願っている人びと」である。

この定義の柱は、行動変容、コミュニケーション、人間関係の３点である。

ここでいう行動変容は、心理療法でいう行動変容とは異なる。心理療法では、問題となる行動（不適応行動）を特定し、その原因を発見し、その弁別刺激や強化刺激を調べ、不適応行動をなくす。カウンセリングにおける行動変容とは、強化刺激を外から与えるというよりもクライエントの主体性を重視する。クライエントとカウンセラーの良好な人間関係を通して、多様な行動可能性の中から、今までよりは良好な行動をとるように主体的に選択する。

カウンセリングでいうコミュニケーションとは、「カウンセラーがクライエントに対し、①事実（情報）、②思考（ビリーフ、解釈、価値観、理解、認識）、③感情（支持、ユーモア、受容）、④行動（デモンストレーション、支持）のいずれかを伝えること」である。コミュニケートするために、①リレーションづくり、②問題の把握、③問題解決が必要になる。そして、それぞれの段階にカウンセリング・スキルが伴う。具体的には、各段階で次のような技法が使われる。

① リレーションづくりの段階：受容、繰り返し（言い換え）、明確化（感情・意味の意識化）、支持、質問（閉ざされた質問、開かれた質問）
② 問題の把握：視線、表情、ジェスチャー、声の質・量、席のとり方、言葉づかい、服装・身だしなみ
③ 問題解決の段階：リファー、ケースワーク、スーパービジョン、コンサルテーション、具申、カウンセリング（狭義）、その他（内観法、対決法）

國分は、このカウンセリング・プロセスがコーヒーカップの断面図に似ていることから「コーヒーカップ・モデル」と命名した。①の「リレーションづくり」の技法は、いずれもロジャースの来談者中心カウンセリングが提唱したもので、あらゆるカウンセリングに共通する技法である。②「問題の把握」、すなわち問題の核心をつかむ段階の技法では主として非言語の技法も使われることとなる。言語的、及び非言語的手法により、「リレーションづくり」と「問題の把握」が終わった後、「処置」を行うことになるが、この段階では言語的、

図表14－3　コーヒーカップ方式の３段階と技術体系

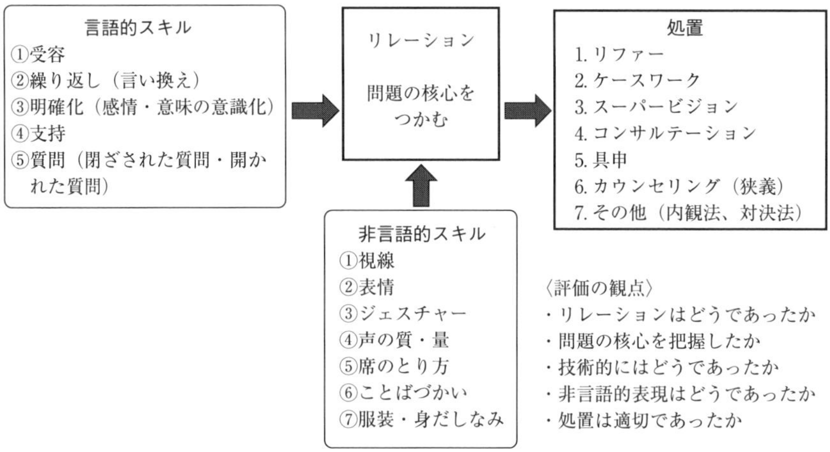

（資料出所）　國分康孝　1996『カウンセリングの原理』誠信書房　p. 131

非言語的ばかりではなく、具体的、総合的な行動を伴った技法が行われる。

國分は、コーヒーカップ方式を図表14－３のようにまとめている。

第２節　システマティックアプローチ①－プロセス・目標設定

2.1　キャリアカウンセリングのカウンセリング・プロセス

前節でさまざまなカウンセリング技法・モデルを概観した。これらモデルの共通点は、カウンセラーとクライエントの間に良い人間関係（ラポール、リレーション）を作り、共同してカウンセリングの目標を定め、計画を立て、その計画を達成する方策を体系的に進める点である。

日本のキャリアコンサルティングで、こうした体系的なアプローチとして知られてきたのは、カナダ雇用移民省の「個人雇用カウンセリング－システマティックアプローチ」である。これは、1980年代初頭にカナダから導入し、雇用職業総合研究所（後の労働政策研究・研修機構）で日本語訳したものを、1990

年代後半にキャリアコンサルティング施策に取り込んだものである。永くソシオダイナミックカウンセリングで知られるカナダのキャリア心理学者ピービィ（Peavy, V.）によるものと紹介されてきたが、現在の研究では、執筆者はカナダ政府より委託を受けたベザンソンとデコフ（Bezanson & Decoff, 1981）[5]であることがわかっている[注1]。

このシステマティックアプローチで、従来あまり強調されなかった前提は、①クライエント（求職者）は明確な結果を望んでいる、②クライエント（求職者）に接する時間は限られている、の２点である。明確な結果が限られた時間で得られるように、体系だった秩序だったアプローチを行う。

小山（1996）[6]は、システマティックアプローチに影響を与えたスチュワートのシステマティックカウンセリングの特徴を、以下のようにまとめている。

① カウンセラーとクライエント両者がそのカウンセリングの目標に合意し、その達成に向かって進む。
② 目標は識別できる特定の行動として明示される。
③ カウンセラーはクライエントが目標に達することを目指し、特定の学習経験を提示し、指導してゆく。
④ 流れは大切であるが、時によって柔軟に対応する。
⑤ カウンセリングを「～する新しい方法を学ぶ」ための学習経験と見なしており、それを通じて学んだ個別の問題解決方法をさらに一般的な場面に適応できるようになることを目指している。
⑥ ビデオや見学、ロールプレイといったさまざまな資源を活用していく。
⑦ カウンセラー、クライエント双方にフォローアップと評価が重要である。
⑧ システマティックカウンセリングは自己修正機能を持っている。

注１）ピーヴィは、スチュワート、パキンとともに冒頭、謝辞に名前が掲載されており、内容に深く関わっていたために、誤記が生じたと解される。なお、Bezanson & Decoff（1981）には改訂版もあり、Bezanson, Decoff & Stewart（1985）Individual Employment Counselling：An Action Based Approach として発刊されている。

こうした特徴を引き継ぐシステマティックアプローチは、一定期間で明確な結果を達成することを重視する初期のクランボルツの行動的カウンセリング技法と類似する。上述の諸前提をもとに、システマティックアプローチは次のように要約できる。

① カウンセリングの開始：カウンセリング関係を樹立する。温かい雰囲気の中で、クライエントが安心して話のできる信頼関係を樹立する。

② 問題の把握：来談の目的、何が問題なのかを明確にする。それをカウンセラーとクライエントが相互に確認し、問題解決のためにクライエントが行動する意志を確認する。

③ 目標の設定：解決すべき問題を吟味し、最終目標を決定する。そのプロセスは、まずクライエントの悩みや阻害要因に気づかせる。次に具体的な方策をいくつか選択し、一連の行動ステップに組み立てる。契約を結び、クライエントのコミットメントを確かにする。

④ 方策の実行：選択した方策を実行する。主な方策は、意思決定、学習、及び自己管理である。

⑤ 結果の評価：実行した方策とカウンセリング全体を評価する。方策は成功したか。目標は達成したか。ケースを終了してよいか。カウンセラーにとってどうか。

⑥ カウンセリングとケースの終了：カウンセリングの終了を決定し、クライエントに伝える。成果と変化を相互に確認する。問題があれば再び戻って来られると告げる。カウンセラーはケース記録を整理し、完結する。

システマティックアプローチでは、これを図表14－4のように図示している。

なお、この図で、「他の機関などへのリファー」と「コミットメントを確立する」が中心にあることには意味がある。他機関へのリファーは多くのステップで常に実行され得る（念頭に置いておくべき）ステップだからである。また、ここでコミットメントとは、特に、①クライエントの目標に対するコミットメントと②カウンセラーとの人間関係に対するコミットメントであるが、目標と

図表14－4　システマティック・アプローチの流れ

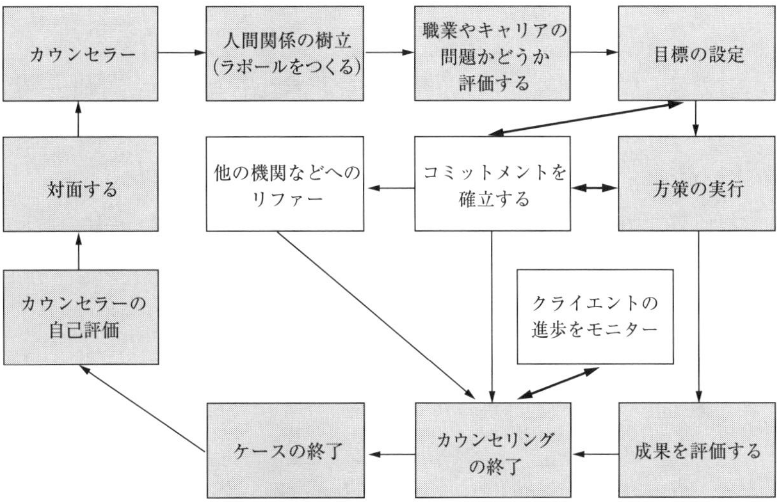

（資料出所）　Bezanson, L., & Decoff, C. A. 1981 Individual Employment Counselling. A Systematic Approach. Ottawa：Ontario, Canada Employment and Immigration Commissionから日本語訳し、簡略化して作成

人間関係もシステマティックアプローチの多くのステップで重視する必要がある。システマティックアプローチの中心にリファーとコミットメントが置かれており、これを軸に各ステップが循環するというイメージを描くことができる。

2.2　目標の設定

（1）　目標設定の意義

キャリアカウンセリングのシステマティックアプローチには、いくつかのポイントとなる方策がある。以下、カウンセリングの流れに沿って解説する。

まず第1に重要な方策は、カウンセラーとクライエントの共同作業による「目標の設定」である。これは、カウンセリングの初期に具体的な目標を設定し、クライエントが目標に向かって自己をコミットするという確認を得なければ、カウンセリングは進展しないという大前提に立っている。そして、そのことをカウンセラーとクライエントが宣言し、共有することが大切である。

目標の設定が、カウンセリングに有効である理由は次のとおりである。

① 目標設定は、クライエントの考えを方向づけ、行動するのを援助する。それは、単にクライエントが向かう方向を宣言すること以上の意義がある。ただし、目標は固定的なものではなく、変更可能である。

② 目標は、明確に宣言され、かつ到達可能であるとき、人を最も動機づける。人は目標達成に近づくほど努力する。目標達成自体も努力の報酬である。

③ 目標設定は、カウンセリングの進展を客観的に評価するのに役立つ。クライエントの具体的な欲求に合わせてカウンセリングを進め、カウンセラーとクライエントで共同で目標に向けてどこまで進んだかをチェックし、カウンセリング開始前との違いを比較できる。

④ 目標を設定することで、カウンセリングを合理的に進める[注2)]のに役立つ。

目標設定は特に重要であり、クライエント（求職者）がカウンセリングを終了してよいと思える状態を明らかにする。漠然とした目標は求職者を引きつけることができない。そのため「今日、可能性のある２、３の求人先に電話する」という直接的・短期的目標のほうが、「この数カ月間に適した職業分野を探索する」といった長期的目標よりも、クライエント（求職者）を動機づける。カウンセリングの中で、実際にどのようにして目標設定を行うかは、カウンセラーとクライエントの相互関係の中で、それぞれのやり方で行う。

(2) 目標設定のステップ

一般には、目標の設定は次のようなステップに分けて行う。

注２）原典より、「カウンセリングを合理的に進める」とは、現在の言い方では「エビデンスベースト」ということである。目標を明確に設定することで相互に事例を比較してより良い方法を検討できる。どういうクライエントにどういうカウンセラーが適しているかを把握することが可能になる、ぐらいの意味である。

①　Step１：目標を具体的なターゲット（target）として表現する。

・具体的で小さなターゲットごとにカウンセリングを進めることで、クライエントは早い段階から成功感を味わえる。また、クライエントの欲求に合わせて、カウンセリングのやり方や方策を変更できる。さらに、今どこまで行っているかをチェックし、カウンセリング終了までにできなければならないことをお互いに確認できる。

例）すでに採用面接で３回、採用拒否されたクライエントと話し合った結果、面接の受け方について学習する必要性を確認し、目標とした。具体的なターゲットとして、１つめは「顔を上げて話をすること」、２つめは「質問に対してはっきりと答えること」と決めてロールプレイをして学習した。

②　Step２：カウンセラーは、このケースを扱えるかどうか検討し決定する。

・クライエントの目標を明らかにする過程で、カウンセラーは、自分がこのクライエントを援助できるか、自分の経験や技量は十分か自問しなければならない。

・カウンセラーは万能ではない。しかし、「カウンセラーはクライエントのためにすべてのことをしなければならない」と思い込んでいるカウンセラーが少なくない。この段階で「自分はこのクライエントを支援するのに最適な人間か」を検討し、その結果をクライエントに伝える。ふさわしくないときは、他の適当な機関やカウンセラーへリファーすべきである。

例）「今、あなたが就職前に解決すべきことがはっきりしました。あなたがそれを実行するのを助けるに当たって、私より適した人がいるので、ご紹介します」

③　Step３：クライエントの意思を確認する。

・カウンセラーは、クライエントが自分と一緒に、目標に到達しようとしているかを確認する。また、目標達成のためにクライエントとカウンセラーは相互に自分の意思やできることを表明する。
・特に、クライエントがターゲットの達成をどのくらい強く望み、努力しようとしているか、気が進まないようであればそれはなぜかを探る。また、あらゆるターゲット達成にはメリットとデメリットがある。ターゲット達成のための損失は何か、損失を上回るメリットは何かを検討する。

例）「あなたの希望条件についてあまり考えたくないようですが、どうでしょうか」。クライエントがターゲット達成の意欲を持っていると確信できない場合は、カウンセリング過程をそれ以上進展させることができない。特に、ターゲットを達成することによる損失が隠れている場合があり、時間的・経済的・心理的なコストについても話し合う。

④　Step 4：確認が得られたら、契約を結ぶ。
・カウンセリングの目標を達成するために、カウンセラーとクライエントで「契約書（同意書）」を取り交わす。
・契約の内容には、それに至るプロセスと、それを実行する内容の２つが入る。契約書が必ず必要なのではなく、はっきりしない、意志が弱い、努力を続けるのが困難な人など、必要な場合に行えばよい。

例）口で言うだけでなく、文字にする。行動カウンセリングの「行動契約」という手法であり、ある行動をすると決めて、できたとき、見返りをもらうと約束する。ただし、キャリアカウンセリングでは、クライエントに直接的な報酬や罰を与えるのは適切ではない。そこで契約書（同意書）を取り入れ、文面にする。新しい行動を学習する必要のない場合や意欲のあるクライエントには必要ない。

（3）　各ステップのチェック

目標設定の最終段階では、ターゲットを設定する、その場合、カウンセラーはそれまでのカウンセリングを次の点からチェックする必要がある。

① クライエントは、十分ターゲットを理解しているか。
② ターゲット達成のために、自分はクライエントと一緒に努力したい意思を、はっきりと伝えたか。
③ クライエントは、意欲に欠けていないか。
④ 契約について、カウンセラーかクライエントのどちらかに不満はないか。あるいは、その内容を十分に理解しているか。

以上の質問は、目標設定を終わる前に確認する。何か問題がある場合は、関連するステップまで戻り、カウンセリングをやり直す。目標設定にどのくらいの時間をかけるかは、クライエントの要件、カウンセリングの目的、環境条件などでさまざまだが、カウンセラーの知識・経験、専門性等で決定する。

なお、目標設定に先立って人間関係を樹立し、クライエントのカウンセラーに対するコミットメントを確立することが重要である。カウンセラーは、クライエントの不満や不平､圧迫感などを聞きながら何が気がかりなのかを理解し、クライエントが自分の問題を解決するにはどうしたらよいかに焦点を当てる。目標設定を重視するあまり、ラポールの形成を軽視しないように注意する。

第３節　システマティックアプローチ②－方策の実行

３.１　方策の実行

（１）　方策の決定

目標と個々のターゲットを設定したら、次はそれを実現するための方策を実行する。システマティックアプローチの２つめの特徴は、システマティックにカウンセリング方策（strategy）を実行することである。ここで方策とは、カウンセリングの目標を達成するための行動計画（action plan）のことである。最終目標とそれを構成する必要なターゲットを見つけ、それに達するステップと具体的な行動を見つけ出し、それを実行する。

「方策の実行」は、システマティックアプローチのプロセスの中でも中核をなす段階で、ほかの段階と比べて時間がかかる場合が多い。また、より重要なのは、方策の内容、実行の仕方、置かれた条件や環境などがクライエントによって異なるため、多様な対応が求められることである。適切な方策の実行にはクライエントの意欲、理解力、カウンセラーの力量が問われる。

カウンセラーは「方策の実行」に入る前に、下記の点について自問自答し、確認しておくことが大切である。

① クライエントが、持っているニーズを個々のターゲットとして表現するのを助けたか。自分は方策の実行のために必要な技量を持っているか。
② 自分が、このクライエントを援助するカウンセラーとして最適ではないと判断した場合、他の機関や個人にリファーしたか。
③ 採用した方策は、クライエントの欲求、現状、諸条件に照らして最適なものか。方策は十分検討したか。いくつかの可能性を考えたか。
④ 方策の内容・進め方を、各ステップごとにクライエントに十分説明したか。クライエントはそれを理解することに参加したか。
⑤ 具体的な行動計画を入念に検討したか。各ステップは明確か。クライエントがすべきこと、責任は決められているか。それは実行可能なものか。全体としてそれらのターゲットと方策は、最終の目標に導くものか。
⑥ クライエントの考えを尊重し、積極的役割をとらせたか。

クライエントの現状と最終的にクライエントがこうしたいという状況には隔たりがある。カウンセラーの仕事はこの隔たりを埋めることである。両者の間に橋を架け、現状を望ましい状態に変える効果的な過程を「方策」と呼ぶ。

（2） 方策の実行

方策の実行は、一般に次の6ステップを踏んで行う。

① 可能性のある方策をいくつか考え、その中から適切な方策を1つ選ぶ：選択肢を並べ、メリット、デメリットを比較検討し、ターゲットを実現

するために最も適当なものを１つ選ぶ（意思決定する）。

② 方策実行のプロセスをクライエントに説明する：方策の内容・目的・原理・プロセス・結果・メリットデメリット、すべきこと等を説明する。

③ クライエントのニーズに合うように方策を変更する：方策がクライエントの欲求、価値観、置かれた状況に反する場合は、それらに合うように変更する必要がある。

④ カウンセラーとクライエントが契約を結ぶ：方策実行のために、ステップを踏んで具体的な行動を行う。この具体的な行動を約束する。時には、文書にして「契約書」を取り交わす（図表14－５参照）。

⑤ ステップの実行：決定し、契約した行動を、クライエントが自分の責任で実行する。行動の主体はクライエントであるが、カウンセラーも契約した役割を実行する。

⑥ 方策の実行全体をチェックする：方策全体を行ったかどうか確認する。契約した事項がある場合がそれを１つずつ確認する。していない場合は、再度同じ方策を実行するか、内容を検討して別の支援を考える。

留意点は、①で、適切な方策はカウンセラー自身の技量によっても決められる点である。また、その前提として目標がはっきりしていることが条件となる。②で、「結果から得られる利点と損失」には最小の損失で最大の利益をもたらすように援助することが含まれる。時間に限りがあるカウンセリングではより具体的なアプローチこそが実践的である。④では「カウンセリングの目標」を分割した「目標達成のためのターゲット」、ターゲットをさらに分割した「ステップ（具体的な行動計画）」という階層構造がある。ステップが漠然とし過ぎていたり、あまりにも努力を要する場合には、さらに分割して小さな課題に分ける。

（３） 情報の収集・提供・その活用

キャリアカウンセリングでは、多くの場合、できるだけ効果的、かつ迅速に、目に見える形で結果を求められる。また、学校、職業紹介機関、企業など組織側の条件によっては、担当すべきクライエントの数、利用できる時間の制限がある。そのため、カウンセラーは時間をかけた入念で多様なカウンセリングが

図表14－5　カウンセラーとクライエントが結ぶ契約書の例

Ｓさんと K カウンセラーとの契約書

年　　月　　日

署名　クライエント　　Ｓ
カウンセラー　　Ｋ

＜主文＞
カウンセリング目標　　　　：常用の就職先を見つけて、就職する。
目標達成のためのターゲット：積極的に就職活動に専心する。そのために２週間少なくとも次の課題を実行する。

上記の目標について、両者は、2021年６月１日に同意した。

〈具体的な行動計画（ステップ）〉

1．機械設計技術者の求人情報を検索して打ち出す。
2．６月２日までに求人票を見て、可能性のある求人をリストアップする。
3．６月５日までに、友人や知人、親戚と連絡をとり、可能性のある求人の口を探す。
4．最低１つの事業所（求人先）に電話をかける。
5．それまでに何回も推敲した履歴書、職務経歴書を完成する。
6．６月11日までに、最低２つの事業所（求人先）を訪問する。
7．６月15日までに、採用面接にこぎつける。

〈期限〉　上記を６月15日までに完了する。

〈行動計画実行中に行うべきこと〉
・Sさんはコンタクトをとった友人・知人・親戚、可能性のある求人リスト、既に応募した事業所とその内容などをカウンセラーに連絡する。
・カウンセラーは、手持ちの情報や求人リストを提供し、Sさんが提出したリストや計画の進捗状況の報告を確認する。また、必要に応じてSさんにカウンセリングを行う。

（資料出所）　図表14－４に同じ（日本語訳して作成）

できない場合がある。これを補う方策が情報の収集・提供とその活用である。

職業情報の内容、職業理解の実際についてはすでに述べた。ここでは、方策の実行との関連でいくつかの留意点を述べる。

①　決まりきった方法では入手できない情報の提供：情報提供の原則は、クライエントが自分で情報を得る方法を教えることである。しかし、クライエント自身では情報入手が難しい場合がある。その際は、カウンセラーが情報そのものか情報の入手方法を教える。そして、クライエントが情報内容や活用の仕方を理解しているか絶えず確認する。情報提供は単に口頭で提示するより、クライエント自身に「書きとらせる」など、自分で体験できる方法で行う。

②　将来利用できる方法の提供：すぐ方策の実行に役立つ情報そのものではなく、将来同じようなことに遭遇した場合、自分で探して利用できる方法に関する情報を提供する。自分で探せるようにするほうが、方策の実行には役立つからである。

③　クライエントのニーズ、期待、予想等に反する情報の提供：クライエントにとって否定的な情報は、通常、クライエントは受け入れない。例えば、就職を困難にしている習慣や性格、求人条件の間違った認識、期待が高すぎる非現実性などである。このような情報はクライエントに自己学習させる。カウンセラーは一般的な情報を与えて、クライエントがそれをもとに自分の期待内容等を再評価し、現実に合わせるようにさせる。

3.2　意思決定方策

（1）　意思決定の意義

システマティックアプローチの３つめの特徴は、意思決定の重視である。人間の行動は、まず何かをしようとする「意思」が前提となる。しかし、それに先立って、そうしたいという「願望」が必要である（ロロ・メイ）。「願望」があって人は初めて努力の引き金を引き、ある行動に踏み出す決心をし、行動を開始する。意思決定方策は、次のような前提に立っている。

① カウンセリング・プロセスの中でクライエントは、受動的でなく積極的な役割を果たさなければならない。

② 1つを選択することは、ほかを捨てることでもある。「何を捨てるか」は、「何を選ぶか」と同様に重要である。

③ 意思決定には、必ず「不確実性」が伴う。また、決定されたことは変わることがある。意思決定は「完璧性」を求めるものではなく、複数の可能性を見いだすよう励ますことである。

④ 意思決定のタイミングは、その内容と同様に重要である。

なお、ある時点で意思決定をしたらそれは最終的なものであると考えるのではなく、むしろ意思決定とは前進的な過程である（決定することで前に進んでいく）と考えるべきである。

（2） 意思決定のプロセス

カウンセリングにおいて、意思決定プロセスは人間関係をつくる段階と意思決定する段階の２つに分かれる。

人間関係確立の段階は、カウンセラーとクライエントが協力して意思決定をしようとする心理的雰囲気をつくり出す。システマティックアプローチでは「人間関係の樹立」の段階でラポールをつくる。それはカウンセリングの感情的アプローチによってもたらされる。

意思決定の段階で留意しておくことは、良い意思決定は何によってもたらされるかである。「完璧な」意思決定者はいないが、一般に、「理想的な」意思決定は次のようなプロセスを踏んで行うとよいとされている。

① 達成すべき目標とそれを選択したことでもたらされる利点とを確認する。

② 目標に至るさまざまなプロセス、行動計画（ステップ）を検討する。

③ 各ステップごとのメリット、デメリット、必要なコスト、実現可能性を検討する。

④ 検討するための情報を収集、活用する。

⑤ 自分のニーズ、希望に合うかどうかに関係なく、広く情報、専門家の

意見、技術的援助等を求める。

⑥　最終決定の前に、各選択肢のメリット、デメリットを比較検討する。

⑦　選択した行動の準備をする。その場合、予想される危険や困難性にどう対処したらよいか対策を用意する。

（3）　意思決定カウンセリング・モデル

意思決定方策は、選択肢を並べる→選択肢を吟味する→選択肢の中から1つを選ぶ→選択を実行するために契約を結ぶというプロセスをとる。システマティックアプローチでは、意思決定方策モデルを示している（図表14－6）。

このモデルの中で、選択肢を並べ、そのメリット、デメリットや予想される結果を比較したりする場合は、表頭に選択肢を、表側にメリット、デメリットや予想される結果などを並べた「比較評価表」を作って検討するとよい。また、意思決定のプロセスにおいても、情報の収集、提供及びその活用は、極めて重要である。カウンセリングの途中でも必要によっては、躊躇せずプロセスの進行を中断して情報の収集と活用をする。

3.3　学習方策

（1）　学習方策の意義

システマティックアプローチの4つめの特徴は学習方策である。キャリアカウンセリングは、一種の教育プロセスでもある。カウンセリング・プロセスを通じて、カウンセラーは、クライエントが目標を立て、学習できる状況をつくり出し、かつ目標達成のための学習計画や方策を実行するのを援助する。

例えば、キャリアカウンセリングでは、クライエントが求人先を探し、その仕事に応募し、就職して、仕事に定着するために必要な知識・技能・習慣を学習するのを援助することは、クライエントを受容し、共感的に理解することと同じくらい重要である。意思決定も学習プロセスの中で行われる。学習は単に知識を得るばかりではない。学習には、クライエントが技能を開発し、習慣のパターンを変更し、動機づけ、置かれた状況を認識し、それに適応することを含む。カウンセラーはそれを支援するのである。

図表14－6　意思決定方策

ステップ	技能・技術	カウンセラーが 指針を得るのに役立つ質問
1．意思決定のステップの説明	場面設定をする、傾聴する 言い換える、言語的強化をする	・クライエントは、問題解決に入る準備ができている ・クライエントは問題を明確に説明できるか
2．仮の行動が必要かどうかを決める	簡単な吟味をする、傾聴する	・クライエントには探索する時間があるか
3．仮の行動を実行する	言語的強化をする、契約を結ぶ	・クライエントは、探索するための行動を必要とするか
4．選択の可能性を広げる	自由に答えられるような質問をする ブレーン・ストーミング 想像させる、示唆を与える	・カウンセラーもクライエントも共に思いつく可能な道をすべて提示したか
5．選択可能な道それぞれについて、その適切さを調べる	自由に答えられるような質問をする 軽い対決をする、バランスシートを使う 言語的強化をする	・選択可能な道それぞれの長短を検討してきたか
6．可能な道のうち選ばれたものに費やされる費用と利益を検討する	バランスシートを使う 構成する、軽い対決をする	・可能な道のうちで選び出されたもの各々について、その長短を検討してきたか
7．暫定的選択をする	自由に答えられるような質問をする 要約する	・クライエントは最も望ましい選択をしたのか ・興味、価値観、能力、目標などと一致しているか ・環境的にみて、それは可能か
8．決定過程の完了	契約を結ぶ、言語強化する 将来に向かっての計画を作る 自由に答えられるような質問をする 簡単に吟味する	・クライエントは計画を立てたか ・各ステップを進んでいる時、クライエントは、絶えず積極的に参加していたか

（資料出所）図表14－4に同じ（日本語訳して作成）

カウンセラーが学習を支援する場合、次のようなことに留意する必要がある。

①　学習プロセスは誰にでも共通であり、クライエントのタイプで異なるものではない。例えば、長期失業、低い意欲、強度の不安、心理的問題、結合困難などで、学習支援の仕方が異なるわけではない。

②　学習は、クライエントが置かれた社会的、文化的環境に影響される。環境は、クライエントの学習意欲、学習行動、学習結果などに影響する。

③　学習の可能性は、過去、現在の経験ばかりでなく、学習すべきことがあるかどうかをクライエントが認識することによって大きく影響を受ける。
④　クライエントの自己理解の内容と程度が、学習の必要性を決定する。

（2）　学習のカテゴリー

キャリアカウンセリングにおける学習は、キャリアの達成のための技能（スキル）、行動パターン、意欲の3つのカテゴリーについて学習することである。

①　技能（スキル）：単に特定の職業能力のことではなく、職業やキャリアを自分で探索、選択、決定、形成するのに必要な知識・技能である。例えば、人間関係、意思決定、情報探索、職業選択などの能力である。
②　行動パターン（習慣）：クライエントが気づかない習慣的な行動パターンである。例えば、責任回避、不平・不満を言う、対決回避、引き延ばしなど意思決定や学習に関連するクライエントの習慣である。
③　意欲：目標達成に向かおうとする意志のすべてで、意欲のパターンやレベルはさまざまである。意欲を持って行動しなければ、目標は達成できないことをクライエントに知らせる。意欲を高めることは容易でないが、意欲を持って行動する方が容易だと気づく状況はつくり出すことができる。

上記の3つのカテゴリーの学習を支援することは、いわゆる「わかる、できる、その気になる」という学習の基本原則に沿う。すなわちキャリアカウンセリング、キャリアコンサルティングは、学習そのものである。学習の過程は長期にわたるので、始めから終わりまで関与するのは難しい。しかし、カウンセラーは、学習すべきターゲットを見極め、学習計画を立てるのを助けたり、計画案を教えたり、計画の第一歩を踏み出せるように励ますことができる。

（3）　学習方策のステップ

学習方策は具体的に次のステップなどが考えられる。

・進路選択、就職、キャリア形成に関連した技能（スキル）を学習する

学習不足の原因は、過去にモデルが不十分だったことにある。その結果、学習しておくべき重要な技能（スキル）を学習しないままでいる。そこで、技能の学習のステップは、一般に「技能の見本を見せる（モデリング）→それを試行させる→試行の結果をフィードバックする→練習させ、勇気づける→成果を評価する」というプロセスをとる。見本を見せること（モデリング）による学習は特に重要である。モデルには次のようなさまざまな対象を考えるべきである。

① クライエント自身：クライエントが自信があること、成功したこと、そのときの状況など、ポジティブな側面を確認させる。
② カウンセラー：ロールプレイを通じて、クライエントに学習すべき行動のモデルを提示する。
③ 実在のモデル：日常生活で現実に存在する多くの成功モデルがある。クライエントの身近の実在のモデルを詳しく思い出したり、描写する。
④ 象徴的モデル：実在ではないが文学、芸術、メディアなどで示されるモデルを提示する。

モデリングでは、モデルは「そのときどんなスキルを使ったか」「何をしたか」「結果はどうか」などを観察させ、確認させ、学ばせる。その際、フィードバックは重要である。カウンセラーが即座にフィードバックできるときは、常にフィードバックする。カウンセラーがいない場合には、クライエントがフィードバックを得られるような工夫（友人にコメントをもらう、ICレコーダーを使う、鏡を見る等）をする。

また、何度も練習するように勇気づける。カウンセリング場面で練習した後は、クライエント自身で練習する。練習計画も自分で立ててもらう。練習計画には、自分で自分の成果を評価することも組み入れる。クライエントの練習の成果をフィードバックしてくれる人を明確にしておく。

キャリアカウンセラーは、クライエントに不足している技能を確認し、評価し、クライエントが最低限必要とするレベルまで獲得するよう支援する。

・不適切な習慣を取り除き、適切な習慣を学習する

クライエントの適応を妨げる習慣や、行動パターンを矯正する学習である。不適切な習慣・行動を壊すのは難しい。悪い習慣・行動にも一時的な意味があるからである。したがって、習慣を変えるのは長期的な取り組みとなる。カウンセラーはその全責任を持つことはできない。そこで、カウンセラーが治すのではなく、クライエント自身が不適切な習慣を矯正する方策を発見できるように援助する。クライエント自身で習慣を変えるための方策を作成し、その方策をクライエント自身が実践していく計画を立て､かつ実践することを支援する。

一般に、積極的な習慣をつくるためには次の６ステップをとる。

①　不適切な行動と、それが起こる状況を明確に把握する。
②　不適切な行動が起こる状況や環境を修正する。
③　適切な行動と、それが起こる状況や環境を明らかにする。
④　適切な行動をとるべきだという何らかの手がかりをつくる。
⑤　適切な行動を実行した場合、何らかの報酬が得られるようにする。
⑥　適切な行動が習慣となるまで、練習を繰り返す。

望ましい習慣が身についていなかったり、望ましくない習慣を持っていることが、就職やキャリア形成の妨げになっている場合がある。習慣は学習したものであるから、変えることも可能である。また、不適切な習慣に気づき、それが起こる状況を変えることで習慣を修正できる場合がある。さらに、効果的な習慣をつくることで望ましくない習慣と置き換えることが最善の方法である場合もある。

・クライエントの意欲を高めるように援助する

意欲とは、将来の目標達成のために目の前の利益を手に入れず、困難な課題に取り組む意志である。意欲のないクライエントに目標を持たせ、努力を続けさせるのは困難な仕事の１つである。何もしないことが楽なのは、ごく一般的なことである。われわれは他人の怠惰には厳格だが、自分の怠惰には寛大である。失敗を重ねたクライエントに意欲を持たせることはさらに困難である。

意欲を高める援助をするには、まずクライエントに意欲があるか判断しなければならない。自分の問題を認めようとしない、原因を他人や外的要因のせいにする、何も話さない、敵意をあらわにするなどの反応が、意欲のなさによるのか判断しなければならない。意欲を高める方策は、一般に次の手順で行う。

① 達成可能なサブターゲットを立てる。できるだけ即時的なものがよい。
② クライエントの努力をほめ、勇気づける。
③ クライエントの努力に報いる。言語的、心理的支持を与える。
④ 練習を継続する。

①では、大きな目標を下位のターゲットに分割する。すぐできるものにする。②では、何をすべきかクライエントに明言する[注3)]。明言することでクライエントに期待していることを示す。そして努力に向けて勇気づける。③では、クライエントにより深い関心を示したり、努力を認めたり、ほめたり、勇気づけたりすることが含まれる。④では、クラエイントと行動計画を立て、それに取りかかるのを助け、1人で練習できるような方法を提供する。

学習方策の実行は、多くの時間と労力を必要とする複雑なプロセスである。永年にわたって形成された不適切な習慣を修正することには、その過程の中で以下のようなクライエントの抵抗にあうことに留意する必要がある。下記の反応は、あらかじめ想定しておき、冷静に対処することが必要となる。

① 失望：クライエントは、努力の成果が容易に現れると期待しがちである。努力に比して成果が小さいと、落胆してしまう。
② 不確実さ：クライエントは、カウンセラーとの相談に時間を費やして意味があるのかどうか疑問になることもある。

注3）原典では「ある課題をするように示唆するのではなく、命令する必要がある。『次回の面接までに、これこれをしておいてくださいね。そうしなければ、面接が何の役にも立ちません』と明言することが必要である」場合があるとしている。

③　混乱：クライエントは、自分に何が期待されているのかわからなくなることがある。直接質問してくる場合もあるが、否定的・敵対的なことを言ったり、沈黙する場合もある。
④　依存：クライエントが自分でできるようにすることを焦ると、クライエントはプレッシャーを感じ、逆に依存的になる場合がある。

3.4　自己管理方策

(1)　自己管理方策の意義

キャリアカウンセリングの究極の目的は、クライエントが自分の人生を自分でコントロールし、誰の援助もなく「自分のなり得る人間」に向かって機能できるようになることである。カウンセラーに依存するのではなく、クライエントが自分自身の問題を発見し、目標を設定し、目標をターゲットに分割し、ターゲットに達するための方策を選び、それを実行するようになること、すなわち「自己管理能力」を身につけることである。就職の場合で言えば、必要な技能習得のために毎日一定時間学習する、就職のために情報を収集する、就職に役立つ人に計画的に面会するなどの具体的行動を継続的に行うことである。自己管理方策では、自らの行動観察、自分の置かれた状況要因の管理、結果に対する評価と報酬を、カウンセラーが提示したり用意したりするのではなく、クライエント本人に委ねる。

(2)　自己管理方策のプロセス

自己管理方策の具体的手法は、基本的には先に述べた学習方策と同様である。一般的に、次のプロセスをとる。

①　意思決定、学習、行動変容などの諸技法をクライエントに教える。
②　クライエントに自分自身の変化をチェックさせる。行動がどう変わったか、環境をコントロールできるようになったか、どんな報酬を得られたかなどが含まれる。
③　カウンセラーは、クライエントが必要としたとき、側面から援助、勇気づけ、示唆を与える。

図表14－7　自己管理方策の３つのアプローチ

①「自己監視（セルフ・モニタリング）」
・ある具体的な行動や環境に対する反応を自己観察することである。 ・クライエントは行動上の問題を観察する。それが起こる状況や環境を書きとめ、起こる頻度、程度、時期、それが継続する時間などを記録する。記録に基づいて自己管理の計画を立てる。 ・何を観察し、記録すべきかを明確に学習し、自己観察ができるようにトレーニングする。
②「状況の修正」
・できるだけ望ましい行動を起こさせる環境に自分を置き、望ましくない行動が起こりがちな環境には意識的に自分を置かないようにする。 ・ある環境では適切な行動も、違う環境では不適切な行動となる。 ・クライエントは、問題が生じる状況を探し出し、状況を変えられるかどうか考え、もし変えられるならば、状況を修正することで、新しい行動を獲得する。状況を少しずつ変えながら、行動をチェックしていく。
③「行動の学習」
・人は、不適切な行動をやめて、替わりに適切な行動を身につけることができる。 ・クライエントは、適切な行動ができた状況の中で、その行動を真に自分のものになるまで繰り返し学習する。

（資料出所）　図表14－４に同じ（日本語訳して作成）

自己管理方策は、クライエントが自分自身でこのプロセスを実行する。カウンセラーはその進行を管理し、ステップごとにクライエントが自分で自己管理ができるように教える。そのアプローチは、一般に「自己監視（セルフ・モニタリング）」「状況の修正」「行動の学習」の３つである（図表14－７）。

例）失業中のＡさんは新しい就職口を探すことではなく、解雇されたことをくよくよ考え込む非生産的な思考に多くの時間を費やしていた。そこで、Ａさんに１日に何回考え込むかを記録し、グラフにして、モニターするように指示した。その結果、求職活動をしない土日は回数が減ることがわかった。自分の思考の癖がわかったので、非生産的な思考が出やすい状況（求職活動を開始するときなど）で、まさに非生産的な思考が出てきたとき、「ストップ！」と言って思考を停止するようにした。替わりに、自分がしたいと思う行動を思い浮かべるようにした。新たな行動を学習した結果、くよくよ考え込む回数は減少した。

上記の自己管理方策のプロセスは、論理療法や認知的・行動的なカウンセリングアプローチと共通の原則によって行われることが多い。上記例では、原典で「自己に対する否定的考えを変えるテクニック（＝否定的な考えが浮かんだらストップ！と言って否定的な考えを断ち切る）」「行動変容をもたらす認知作用（＝以前どこかで見た人の行動や『良かったな』と自分が思った行動など、自分がしたいと思う行動を思い浮かべる）」技法を応用している。

第4節　システマティックアプローチ③－成果の評価

4.1　成果の評価

システマティックアプローチの最後の段階は、成果の評価である。成果の評価には、次の4つの内容が含まれる。

①　目標に照らしてどこまで到達したか、成果を評価する。
②　クライエントの同意を得て、カウンセリングを終了する。
③　カウンセラーは、クライエントの成果を監査（モニタリング）する。
④　カウンセラーは、ケースの結果、手段、スキルの行使などについて自己及び他人による評価を行う。

すでに見たように、システマティックアプローチの各段階では、それぞれ評価が行われる。したがって、あらためて最終段階で評価が必要なのは、カウンセリングの終結に当たって単に全体を評価するという以上の次の意味が込められている。

①　クライエントのために評価する。
クライエントが目標に照らしてどのレベルまで達成したかを、クライエントとカウンセラーで客観的に認識し、共有する。これは、その後目標に向かって対処し、成果を維持するのに役立つ。特に、カウンセリングで学習したことをほかの場面にいかに適用するかを探索することは、生

産的な学習となる。

② カウンセラー自身のために評価する。

目標を完全に達成したか、部分的か。達成できなかった原因は主としてクライエントかカウンセラーか。カウンセリングの対処方針、結果、使用したスキルは適切だったか、などについて評価することはカウンセラーの今後の学習と成長のために役立つ。

③ 関係者、機関、組織など第三者のために評価する。

キャリアカウンセリングは、学校、職業紹介機関、企業などの組織の中で行われる場合が多く、その成果を関係者や組織に説明しなければならない。そのためにカウンセリングの開始時と比べて、クライエントがどのように変わったかを客観的に評価することが役立つ。

評価の中心はクライエントの成長だが、2つの重点がある。第1に、評価は、クライエントの感情によるのではなく、実際に行動が変わったかという事実に焦点を置くことである。第2に、クライエントの進歩と成果を評価するのはクライエント自身だということである。カウンセラーの役割は、その機会を提供し、クライエントの評価に耳を傾け、それを容認することである。このような原則から、カウンセリングの評価は次のようなプロセスで事実に基づいて行う。

① クライエントが、現在どんな状態（位置）にいるかを決定する。
② クライエントは、どんな行動をとったかを記録する。
③ カウンセリングの開始時と終了時の行動を比較する。
④ カウンセリング終了時の行動を目標と比較する。
⑤ 目標が達成されたかどうか決定する。
⑥ さらにカウンセリングが必要かどうか決める。
⑦ カウンセリングの終結に取りかかる。

目標が完全に達成されている場合は、上の評価のプロセスは容易である。問題は、目標が達成されなかった場合である。その場合、まず目標自体を検討する（適切な目標だったか）。次に、目標達成のためのターゲット（下位の目標）が適切であったか、また、ターゲットを達成するための行動計画は正しかったか、さらには行動計画は正しく実行されたか、と順に検討する。

現実には目標が完全に達成することはむしろ少ない。到達した程度、それまでに行われた努力、クライエントとカウンセラーの置かれた状況などを総合的に判断してカウンセリングを終了するか決定する。

4.2　カウンセリングの終了

カウンセリングの終了には、次の３つの意味がある。

①　カウンセリングの終了を正式に宣言し、クライエントとカウンセラーがその後も延々とカウンセリング関係を続けることを避ける。

②　クライエントが、カウンセリングを通じて学習したことを、将来いかに活用できるかについて話し合う。

③　カウンセリングを終了してよいかモニターする。将来、必要があればカウンセリングに戻ってこられるようにしておくと伝える[注4)]。ここで言うモニターとは、一定期間、一定の方法でクライエントをフォローすることである。

上記①について、クライエントがカウンセリングに依存することを防ぐことは、一般に、どのカウンセリングでも重視されている。クライエントのみならずカウンセラーにとってもカウンセリングを終了するのが困難な場合があるが、その際は、②にあるように、カウンセリングの目標は、援助なしに機能できる技術、スキル、知識を与えることであるという基準に照らし合わせて、カウンセリング終結の目安とする。

また、上記③の具体例として、カウンセラーがクライエントの求職行動を２

注４）原典では「再びカウンセリングに戻ってこられるようにドアを開けたままにしておく」と表記。

カ月間モニターしたケースがある。2カ月の間に計3回（2回の電話と15分間の面接）を行った。求職行動はうまくいっていなかったが、採用に至らないことそのものよりも、次にどうすべきか自分で決めた計画を確認してもらいたがっていた。そこで、カウンセラーとして、その計画変更を確認した[注5)]。

カウンセリングの終了後、今後のため、あるいはクライエント自身または第三者に対する責任を果たすためにケース記録を整理し、保存する。一般に、クライエントの名前や属性、ケースの目標、カウンセリング実施記録、結果、カウンセラーの所見、カウンセラー名などを記録する。カウンセリング機関等ごとに様式が定められていることが多い。

4.3　カウンセラーの成果の評価

システマティックアプローチの最終の段階は、カウンセラーが自分自身の成果をできるだけ客観的に評価することである。評価の内容や基準は、カウンセラー自身に委ねられている。それだけに、時間を割いて、適切かつ客観的に、どの程度効果的にやったか、将来のために何を学んだかなどを検討する必要がある。それがカウンセラーとしての専門性を高める重要な機会である。

その際、成果の端的な基準は、カウンセラーとクライエントの両者が同意したカウンセリング目標を、クライエントが達成したか否かである。しかし、この基準だけでは、将来に向けて得るところが少ない。

したがって、カウンセリングの量、質、時間的な枠組み（回数、1回当たりの時間など）、情報や資源の活用、システムの活用と応用などについて熟考して自己評価を行うべきである。例えば次のような点について自己評価する。

これらの評価は、何を基準にするのか。第1は、カウンセラー自身の知識、経験に基づいた反省と学習である。自分の知識・経験に照らしてどうか判断し、今後に役立てる。第2は、クライエントの受け止め方である。クライエントがどう感じているか、カウンセリング関係の説明は理解されたか、クライエント

注5）上記について、原典の別箇所に記載では、「モニターは、電話をかけたり、確認のための短い面接をしたり、簡単な手紙を出したりすることで行える。モニターによって、その後のカウンセリングの必要性を確認する」と要約されている。

は達成すべき目標を自分のものとして捉えていたかなどである。第３は、資格のある第三者である。スーパーバイザー、他のカウンセラーなどによる評価である。クライエントの了解を得てカウンセリングの録音をとり、それをスーパーバイズしてもらう。ケース会議で自分のケースについて助言を求める。

自分の書いた記録を参考にすることは非常に役立つ。自分がカウンセリング経験から学んだこと、次回まで覚えておきたいことを記録すれば、次に思い出すことができる。自分が適用したかったことを適用できたかチェックできる。短時間のカウンセリングの中で同じ結果に到達できるかを自分でモニターできる。カウンセラーはさまざまなステークホルダーに対して責任を追わなければならない。しかし、責任の第１は、自分自身に対する責任である。

図表14－８　カウンセラーの自己評価の内容

①具体的な結果
・カウンセリングの成果として測定できるものは何か（就職できた、訓練を受けることになった、適職を発見したなど） ・カウンセラーとクライエントで設定した目標は、達成したか ・達成していないならば、達成しなかった理由は何か ・部分的に達成したのなら残されたのは何か ・解決のためにどうするか ・このケースの経験から、もっと他の方法は考えられなかったか
②質的な側面
・具体的に測定はできないが、質的な面で成果は何か（自信がついた、就職活動をする気力が出てきたなど） ・クライエントに対し、心理的・精神的支援をしたか（具体的結果だけを目標としなかったか） ・心理的な支援はクライエントを援助する計画の中にあったものか、付随して生じたものか ・クライエントは、将来同じような問題に直面したとき、活用できるようなスキルを身につけたか
③時間的枠組み
・全体でどのぐらいの時間を要したか ・回数は適当だったか、１回当たりの時間は適当だったか ・もっと早く結果を得ることはできなかったか
④システマティックアプローチ
・システマティックアプローチの各ステップに従って支援を行ったか ・もし逸脱したのなら、それは正当化されるか ・クライエントに対し、最も効果的な方策をとったか ・将来試みたいようなステップ、特定の方策やスキルはあるか

（資料出所）　図表14－４に同じ（日本語訳して作成）

第5節 システマティックアプローチの一般的指針

システマティックアプローチの一般的な指針を最後に掲げる。

(1) 心理的な関係を確立できなければならない

「温かい信頼に満ちた信頼関係」をつくり、維持することが大切である。しかし、ラポールづくりはなるべく短時間で切り上げる。カウンセリングは静かで友好的な雰囲気の中で、しかもビジネスとして始まるのが望ましい。

(2) 援助を求めている理由を認識する力を持つべきである

カウンセラーの課題は「問題」の所在を明らかにすることではない。人は問題を持っているのではなく、持っているのは、心配、困難、状況、人間関係、生活条件である。クライエントがこれらについてどのような変容を望んでいるのか、どうしたらそれができるかを、自らが認識できるように援助する。

(3) クライエントがすでに誰かに援助を求めたかを知るべきである

クライエントは、通常、カウンセリングに対する予備知識や過去のカウンセリング経験を持ってやってくる。それを把握することにより、カウンセリングに何を期待しているかを把握できる。それにより他のカウンセラーと矛盾した助言をして混乱させたり、他のカウンセラーからの無用の干渉を避けることができる。

(4) クライエントが何を期待しているかを認識する能力を持つべきである

クライエントが求めるものは多様であり、また、何を求めているのかクライエント自身が自覚していないこともある。目標を明らかにしないままカウンセリングを始めてはならない。

(5) 自分が何ができるかをクライエントにはっきりと理解させるべきである

カウンセラーは、できないことを約束してはならない。カウンセラーができることを伝えるべきである。カウンセラーが提供できるものが、クライエントが求めているものかどうか確認する必要がある。時には、カウンセラーがクライエントに望んでいることを遠回しでなく、はっきりと述べなければならない。クライエントにとって望ましい目標を言葉にして伝えなければならない。

（6）　会話の中からカウンセリングに意味のある事柄を探し出す能力を持つべきである

特に、初回のカウンセリングで重要である。カウンセラーは、「われわれは、何に焦点を当てるべきか」という質問に、クライエントが明確に答えられるよう援助する責任がある。

（7）　クライエントの問題解決能力と変容の可能性を評価する力を持つべきである

カウンセリングは、クライエントの感情、思考及び行動を改善するプロセスである。カウンセラーは、クライエントの変化の可能性を明らかにするために、行動ばかりではなく、思考や自分の感情を把握し、それをコントロールする能力を持たなければならない。

（8）　感情を認識する力を持つべきである

キャリアカウンセリングでも、感情は重要な役割を果たす。特に、初回のカウンセリングで、クライエントの感情に気づき、受容し、共感的に理解し、明確化できたカウンセラーは、次に続くカウンセリングを進めるに当たって第一歩を踏み出したことになる。

（9）　カウンセリングを構造化する力を持つべきである

１回限りであろうと、回を重ねるカウンセリングであろうと、カウンセリングはシステマティックに構造化された枠組みの中で進められる。クライエントは、自分で目標を立て、目標に向かう方策を選択、決定し、それを実行するよう支援される。

（10）　クライエントがカウンセリングに常にコミットするようにすべきである

意思決定や行動変容のために、クライエント自身がやる気にならなければならない。特に何回かのカウンセリングを行う場合は、クライエント自身がカウンセリングにコミットすることを確認しながら進める必要がある。

（11）　時には学習理論に基づいた宿題を処方する力も必要である

宿題はカウンセラーが示すのではなく、クライエント自身に考えてもらう。カウンセリングの効果は、ある意味ではクライエントがカウンセリング・セッション以外の時間に、自分の状況を改善するために何をしたかによる。

(12)　カウンセラーは、カウンセリングを終結する力を持つべきである

カウンセリングは、できるだけ友好的に、かつ手際よく終了すべきである。終了に当たって、進歩したこと、目標、同意したことを相互に簡単に確認する。

(13)　カウンセラーは、カウンセリングの成果を評価する力を持つべきである

評価は、カウンセラー自身の自己評価、同僚やスーパーバイザーによる評価、及びクライエント自身による評価の３種類がある。

文　献

1）Hill, C. 2004 Helping skills：Facilitating exploration, insight, and action（2nd ed.）Washington, DC：APA、藤生英行監訳（岡本吉生・下村英雄・柿井俊昭訳）2014「ヘルピング・スキル－探求・洞察・行動のためのこころの援助法」金子書房

2）Ivey, A. E. 1985 Introduction to microcounseling（福原眞知子・椙山喜代子・國分久子・楡木満生訳編　1985『マイクロカウンセリング－“学ぶ－使う－教える”技法の統合：その理論と実際』川島書店）

3）Carkhuff, R.R. 1987 The art of helping　Ⅵ（6th ed.）Amherst, MA：Human Resource Development Press（國分康孝監修、日本産業カウンセラー協会訳『ヘルピングの心理学』講談社現代新書）

4）國分康孝　1996『カウンセリングの原理』誠信書房

5）Bezanson, L., Decoff, & C. A., 1981 Individual Employment Counselling. A Systematic Approach. Ottawa：Ontario, Canada Employment and Immigration Commission

6）小山聡子　1996「システマティックカウンセリング－モデルとしての特徴と制限」『社会福祉』36（pp. 32－42）

第15章 キャリアコンサルティングのグループ・アプローチ

第１節 キャリアコンサルティングにおけるグループ

1.1　グループ・アプローチの原則

キャリアコンサルティングでは、グループを対象として行い、結果として個人に影響を与えようとする場合がある。グループを対象としたキャリアコンサルティングは、その基本的考え方、手法の違いなどによってグループ・ガイダンス、グループ・カウンセリング、グループ・エンカウンター、構成的グループ・エンカウンター、サイコエジュケーションなどいろいろな呼び方で呼ばれている。ここでは、それらを総称してグループ・アプローチと呼ぶ。

グループ・アプローチとは、「共通の目標と類似の問題を有するクライエント数人が会合し、リーダーの助言のもとに相互の情報、意見を交換し合うことによって、各自の問題解決に資することを目的にするグループ活動」である。グループ・アプローチは、単に一方的に指示、情報提供することを目的にするのではない。参加者相互の話し合い、双方向の関心の交流を通して、参加者全員の持つ経験や背景を共有し、各人の持つ問題解決にヒントを得たり、相互の共感を共有することで学習、動機づけ、必要な態度の形成に至ることを目的にしている。グループ・アプローチが有効であり、効率的であることは教育、職業紹介、産業などの各分野で立証されてきた。

グループ・アプローチが効果を上げるためには、一般に次のような原則が機能している必要がある。

① グループ・メンバーは互いに相互作用をし合うことができる。そこには双方向のコミュニケーション（two-way communication）がある。

② 目標をグループ自身が決める場合でも、外部の力によって決められる場合でも、グループ・メンバーは、それを共通の目標（common goal）として共有している。

③ グループ・メンバーの行動を規定する基準（norms）がある。その基準によって、メンバーのある行動は報酬を受け、ある行動は罰せられる。

④ グループ・メンバーには一連の役割（roles）が設定され、その役割に従って、特定の機能が実行される。

⑤ グループ・メンバーは、それぞれの個人的特徴（interpersonal attraction）を行使し合う。

⑥ グループの行動は、そのグループ・メンバーの各人のニーズを満足するように行動する。

このことはキャリアコンサルティングの場合にも同様に当てはまる。グループの機能を効果的に活用するために、キャリアコンサルタントはそれなりのスキル、すなわち感受性、コミュニケーション能力を基本としたキャリアコンサルティングの手法を持たなければならない。

1.2　グループ・キャリアカウンセリング

グループ・キャリアカウンセリングの研究は限られている。しかしながら、最近、少しずつ専門的な文献が見られるようになっている。ここでは、渡部編（2018）[1]及びそこで多く引用されているPyle & Hayden（2015）[2]を参照しつつ、グループを用いたキャリアカウンセリング（キャリアコンサルティング）の全体像を見ていきたい。

まず、高橋（2018）[3]は、キャリアカウンセリング、グループワークの先行研究を概観し、グループ・キャリアカウンセリングを以下のとおり定義した。

グループ・キャリア・カウンセリングとは、グループが共有するキャリア発達上の目標や課題の達成に向けて、カウンセラー（リーダー）が、共感・尊重・純粋性・具体性を意識した態度で、グループ・ダイナミクスの知見を用いてメンバー間の健全な相互作用を促進するグループ・ファシリテーションを行うことにより、個人の生涯におけるキャリア発達が効果的に機能するように支援することである（p.10）。

すなわち、グループ・キャリアカウンセリングとは、①グループが共有するキャリア発達上の目標に向けて、②個人の生涯におけるキャリア発達が効果的に機能するように支援することである。この目的のために、カウンセラー（リーダー）の役割が重要であり、③カウンセラー（リーダー）は、共感・尊重・純粋性・具体性を意識した態度で、④メンバー間の健全な相互作用を促進する。

グループ・カウンセリングとグループ・キャリアカウンセリングの違いは、図表15－1のように整理される（Pyle & Hayden，2015）[2)]。

ポイントは、①一般的なグループ・カウンセリングとグループ・キャリアカウンセリングは基本的に大きな違いはないことである。しかしながら、②グループ・

図表15－1　グループ・カウンセリングとグループ・キャリアカウンセリングの違い

	グループ・カウンセリング	グループ・キャリアカウンセリング
情報源	主に内部 例）自分に関する知識	内部と外部 例）自分に関する知識、教育・職業の選択肢に関する事実
グループプロセスの目的	・信頼を構築する ・思考を刺激する ・内的な情報を明確化する ・意思決定スキルの向上	・信頼を構築する ・思考を刺激する ・内的な情報と外的な情報を明確化する ・意思決定スキルを向上させる ・行動計画を立てる
アウトカム（成果）	・不安を軽減する ・自信を高める ・行動を修正する	・不安を軽減する ・自信を高める ・キャリア意識を高め、キャリア適応を促す

（資料出所）　文献４）を参照しつつ、Pyle, K. R., & Hayden, S. C. W., 2015, Group career counselling：Practices and principles（2nd ed.）. Broken Arrow, OK：NCDA　p. 2から日本語訳して作成

カウンセリングは、自分に関する知識のみならず、教育や職業に関する事実・知識・情報も用いること、③外的な情報（教育や職業に関する情報）を明確化すること、④行動計画を立てることまで目的とすること、⑤アウトカム（成果）としてキャリア意識を高め、キャリア適応を促すことを見据える点に、若干の違いがある。

グループ・ キャリアカウンセリングの意義は以下の点である（Pyle & Hayden，2015[2]、新目，2018[4]）

① 参加者のキャリアに関する不安（認知）を正常化できる。
② 個別のキャリアカウンセリングよりも時間を効率化できる。
③ 個別のキャリアカウンセリングより多くのフィードバックを得られる。
④ グループ・メンバーのアセスメント結果を聞くこと等によって、自身に関する情報のパーソナライズ化を進められる。
⑤ グループ・キャリアカウンセリングを経験することが、カウンセラーの個人的・専門的な能力の開発に寄与する。
⑥ 個別キャリアカウンセリングより楽しさと多様性がある。

総じて、互いに多くのフィードバックをすることで、不安を低減したり、自己理解を深めることが効率的にできることが指摘されている。また、カウンセラー自身にとってのメリットも指摘されている。

特に重要な意義は「楽しさと多様性」である。それはグループ・キャリアカウンセリングで用いられるさまざまな「エクササイズ」（課題やワーク等）からもたらされる。「エクササイズ」のメリットは以下のとおりである（新目，2018）[5]。

① グループへの参加を促進する。
② グループへの焦点を合わせたり、シフトさせたりする。
③ 経験学習の機会を提供する。
④ グループ・メンバーに関する有益な情報を提供する。

⑤　グループの快適度を高める。
⑥　楽しさとくつろぎを提供する。

エクセサイズの内容そのものと併せて、グループ全体及びグループメンバーとの相互作用によって中で良い効果がもたらされることがわかる。

1.3　さまざまなグループ・アプローチ

さまざまなグループ・アプローチを、高橋（2018）[6)]をもとに以下にまとめた。

①　精神分析的集団精神療法：精神分析の理論と技法に依拠したグループ・サイコセラピー。自他の精神力動的理解を相互に協力して深めることで行動変容やパーソナリティの再構成と成長を目指す。
②　サイコドラマ（心理劇）：1930年代にモレノが開発したグループ・サイコセラピーの技法で即興劇を媒介にして自己理解や自己洞察をもたらす。
③　Ｔグループ：トレーニング・グループの略称。10名程度のメンバーが車座になって話し合う中で「今ここ」で生じているプロセスに気づき、その気づきを適切な行動へと活用していく。
④　ベーシック・エンカウンター・グループ：1940年代後半にロジャースらによって開発された。人間の心理的成長と対人関係におけるコミュニケーションの改善をねらいとする。
⑤　構成的グループ・エンカウンター：予防的・開発的カウンセリングのグループワーク。用意されたエクササイズを体験しながら、親密な関係づくりと自己の盲点に気づく。
⑥　セルフヘルプ・グループ：同じ悩みや問題を抱えた人々が集まり、相互に援助し合うことを通じて自己の回復を図る治療グループ。グループには治療者や指導者をおかず、自助を原則とする。

グループ・アプローチを使用することで、キャリアコンサルティングは個人に対する支援をより充実させることができる。情報提供、動機づけ、教授、態度形成、探索などのすべての側面でそうである。ここからは、従来、グループ・アプローチとして知られてきた技法や実践をさらに詳しく紹介する。

第2節 構成的グループ・エンカウンター

2.1 構成的グループ・エンカウンターの内容

1960年代、アメリカで発展した集中的グループ体験を、従来、エンカウンター・グループと呼んできた。これに対して、1970年代、國分康孝は構成的グループ・エンカウンター（Structured Group Encounter、以下SGE）を創案した。今日、教育、医療福祉、地域、産業等の各分野で行われている。

國分・片野（2001）[7)]によれば、構成的グループ・エンカウンター（SGE）とは、人間としての生き方を検討するサイコエジュケーションの方法である。①エクササイズ、②シェアリングの２本柱のプログラムを構成し、ルールを作り、参加者、事務局、スタッフ・リーダーの役割を決める。

具体的には、折衷主義的なプログラム構成を作成してグループ・ワークを行う。メンバーの属性（例：年齢、性、職業など）や心理的状況（例：緊張や防衛の有無、エクササイズへの取り組み、ふれあっている状況など）に合わせて、どのようなエクササイズをどのように展開するかを絶えずリーダーやスタッフが考えて、柔軟にプログラムを構成する。

ここでは、提唱者である國分康孝が主催する２泊３日の構成的グループ・エンカウンター（SGE）のワークショップの構成を見てみる。

（1） リチュアル（ritual）

共通の行動様式のことである。例えば、ワークショップの開始時に、司会が「みなさん、今日の出会いに感謝を込めて全員と握手してください」と言ったり、第２日、第３日の始まりに「今日１日よろしくお願いします」と言うことである。リチュアルの源泉は宗教的儀式であり、ねらいは集団の凝集性を高めるとともに、メンバーの集団への所属感を高めることにある。

（2）　ペンネーム

國分エンカウンターの最初のエクササイズは「ペンネーム」である。リーダーは次のようにインストラクションする。「これからペンネームというエクササイズをします。自分が自由になれそうな名前、あるいは素の自分を出せそうな名前をカラフルにB5サイズの厚紙に書いて首からさげます。これは入浴するときと寝るとき以外は外しません。このエクササイズのねらいは肩書きや実名をとって、心理的に自由になってホンネとホンネの交流を促進するところにあります」。このエクササイズでは、参加したメンバーがこれまでの人生のしがらみやとらわれから解放されて「在りたいように、在る」ことを強く打ち出す。

（3）　全体シェアリング

メンバー相互の感情、思考、行動を共有する体験である。シェアリングにはショートとロングの２種類がある。前者は、複数のエクササイズを体験した後「これまでのエクササイズを体験して感じたこと気づいたことを自由に出してください」、後者は「このワークショップの初めから今の瞬間までのすべてを通じて感じたことを自由に出してください」というインストラクションで行う。全体シェアリングは平均90分、メンバー相互のシェアリングは60分使われる。

（4）　役割遂行

役割を介したメンバー同士の人間関係づくりである。人間関係には２種類ある。１つは役割遂行を意図した人間関係（social relation）、もう１つは、感情交流をねらった人間関係（personal relation）である。SGEは、後者の感情交流をねらう。感情交流が苦手な人も「役割」という枠組みがあれば、自然に交流できる。役割遂行は、役割行動を通じた自己発見もねらう。役割には、例えば、受付係、点呼係、食事係、学習環境係、音楽係、コンパ係、保健係がある。

2.2　構成的グループ・エンカウンター（SGE）の基本的知識・スキル

要約すると、構成的グループ・エンカウンターは、以下を基本原則とする。

① ふれあいと自己発見を促進すること
② リーダーは、折衷主義的なプログラム構成をすること

③　リーダーは、ふれあいと自己発見の２つのプロセスを、同程度のレベルを保ちながら並行して進めること
④　メンバー相互のエンカウンターは、メンバーとリーダーのリレーションを土壌にして育まれること

上記の原則を守っていれば、エクササイズ等は参加者に応じていろいろなものがあってよいし、むしろそうでなければならない。ただし、実施に当たって、國分らは次のような知識、スキルが必要であることを指摘している。

（１）　カウンセリング理論に関する知識とそのスキル

構成的グループ・エンカウンター（SGE）の理論が独立して確立しているわけではない。複数のカウンセリング理論がSGEの技法を支える。したがって、主なカウンセリング理論とスキルをグループに応用する能力を身につける。特に関連する理論として、國分は、ゲシュタルト療法、精神分析理論、論理療法、行動療法、来談者中心療法、交流分析、特性因子理論、内観法を挙げた。これら理論に応じたスキルをバラバラに行うのではなく、理論に含まれる知識とスキルを構成的グループ・エンカウンターの基本原則に従って、適宜取り込む。

（２）　リーダーシップ

リーダーシップには、私的感情交流を促進するものと、公的役割関係を促進するものと２種類ある。構成的グループ・エンカウンター（SGE）では、このパーソナルなつきあいとソーシャルなつきあいのけじめをつけつつも、私的感情交流を促進するようにリーダーシップを発揮する。私的感情交流の内容は自己開示である。リーダーは、この個人的感情交流の能力（自己開示）に加えて、役割関係の展開能力（自己主張）の２つを兼備していることが望ましい。この２つの能力を発揮するときに有効な能力がコミュニケーション能力である。

（３）　構成的グループ・エンカウンター（SGE）におけるエクササイズ

SGEの特徴は、メンバーがエクササイズを介して自己開示することである。エクササイズとは、心理教育的な体験学習の課題である。その「ねらい」は、自己理解、自己受容、自己表現・主張、感受性、信頼体験、役割体験の６つある。また、SGEは、究極的にはメンバーの感情、思考、行動の３つの側面にお

ける変容をねらっている。したがって、エクササイズは６つの「ねらい」と３つの側面を刺激するように使われるのが望ましい。このような観点から、次のようなエクササイズが開発されている。

① 感情の側面に対して：簡便内観、「私は私が好きです。なぜならば」、ライフライン、「私の願いを聞いて」、「惨めな体験を聞く」、「別れの花束」、「私が全能の神ならば」など。
② 思考の側面に対して：人生設計、「みんなが違っていい」、「私は人と違います。なぜならば」、「私はあなたが好きです。なぜならば」、自己概念シートなど。
③ 行動の側面に対して：エンプティ・チェア、臨終体験、墓名碑、人生設計、傾聴訓練、ブラインド・ウォーク、信頼の後倒、天国への旅など。

現在、学校進路指導などにおけるエクササイズ集が開発されている。基本は対象が違うだけで、職業指導や産業界におけるキャリアコンサルティングに応用できるものも多い。

（4） インストラクション

インストラクションとは、エクササイズのねらいや内容、留意点などを丁寧に説明することである。適切なインストラクションで、参加への理解を求め、モチベーションを高め、結果としてリーダー、メンバー相互の信頼感を高め、自己理解を促進する。インストラクションは次のことに留意して行う。

① ねらい・目的を明確に説明する。簡潔、明快に歯切れよく説明する。
② ルールを徹底させる。抵抗や心的外傷への対応を行う。
③ デモンストレーション（実演）をする。何をどうするのか。リーダー自身または代表者が実演して見せる。

（5） シェアリング

シェアリングとは、エクササイズに取り組んで「感じたこと、気づいたこと」

を共有することである。シェアリングはエクササイズと同じか、それ以上の比重を持っている。シェアリングによって、メンバーは各人の固有性を共有できる。また、自分の感じたこと、考え、行動を整理し、理解できる。すなわち、行動変容への動機づけとなる。さらに、共感的理解により受容的態度を育てることができる。シェアリングでリーダーが留意することは、解釈や分析、批判はしないこと、あくまでもメンバーの中に生じた体験を共有させることである。また、ネガティブな感情を持ったりカタルシスを目指すなど、メンバーの自己開示を大事に扱い、なぜそのように感じたかを意識化させ、自己理解を促進させる。シェアリングは小グループで行うショート（10～15分）のものと、全体シェアリング（約90分～２時間）の２種類に分けられ、両者は区別される。

（6） 抵抗への予防

構成的グループ・エンカウンター（SGE）では、おおむね３つの抵抗に出会うことがあると指摘されている。それは、ある特定の感情へのとらわれ（劣等感、コンプレックス、過剰な自己肯定感など）、ある特定の思考（ビリーフ）へのとらわれ（人前で涙を見せてはならない。男が感情を吐露するのはめめしいなど）、ある特定の行動へのとらわれ（貧乏揺すりなど）である。リーダーはこれらの抵抗を予防し、対処しなければならない。抵抗の原因によってエンカウンターの構成（エクササイズとグループのサイズ、メンバー、時間）、エンカウンター進行を変化させ、エンカウンターへ取り組むべく対応する。

（7） 介入

リーダーは必要に応じて介入を行う。介入は、メンバーが自分で自分の権利（例えば、沈黙したい）を守れない場合、インストラクションどおりの作業をしない場合、ルールが守られない場合などにグループを軌道に乗せるために行う。介入の是非を判断し、必要であれば能動的に、その場で、タイミングよいリレーションの中で、ポジティブに介入を行う。

第３節　職業指導におけるグループ・ワーク

３.１　職業指導におけるグループ・ワークの意義

職業指導でも必要に応じてグループ・ワークを行う。ハローワークの窓口における職業紹介の手続きを規定した一般職業紹介業務取扱要領では、求職者に対する相談・援助の手法の１つに集団的指導を取り上げている。集団的指導には「職業講習・職業実習」と「グループ・ワーク」の２つがある。

「職業講習」とは、集団的手法による職業に関する知識の付与をいう。具体的には、労働市場や就職活動に関する説明、就職意欲の喚起、履歴書・職務経歴書の書き方などの各種の説明会、セミナーなどである。

「職業実習」とは、職業に対する適応性を高める知識・経験を得るために行う職業訓練で、比較的短期のものをいう。例えば、会議室等で行われるパソコン操作実習などの簡単なセミナーなどがある。

「グループ・ワーク」は、ハローワークの職業指導の一環として行う。同じような問題と関心を持っている求職者数人をグループとして会合させ、リーダーの助言のもと各自の経験・知識に基づいた情報や意見を交換し、それを共有するグループ活動である。職業講習が、同一情報の一方的提供を主とするのに対して、グループ・ワークは、メンバー相互の話し合いを通して全員の持つ知識・経験を共有する。問題解決のヒントを得たり、共感を得ることによって就職への学習、動機づけ、態度・習慣の取得等を促進しようとする。

グループ・ワークは個別面接に比較して、次のような利点がある。

①　具体的で、しかも説得力のある情報提供ができる。
②　仲間意識を利用して、効果的に指導できる。
③　自己の言動や考え方を客観視させることができる。
④　効果的な学習場面を提供できる。
⑤　必要な態度の形成に役立てることができる。
⑥　職業指導、職業紹介計画の進行、変更、指導の充実などカウンセラーやコンサルタント側の業務に役立てることができる。

どんなときにグループ・ワークを行うか。ハローワークの職業指導は基本的には個別面接を中心として行われる。その中で個別面接よりもグループによるほうが助言・援助が円滑かつ効果的に行われると期待される場合、個別面接を補完するものとして行う。一般に、それは次のような場合である。

① 共通の情報をきめ細かく提供する必要がある場合。例えば、長期失業者、若年無業者など求職者の態様別にガイダンスを行う場合がこれに当たる。
② 円滑な説得、理解が必要な場合、すなわち、一定の方向に向けて自主的な意思決定を促す場合で、求職条件の変更指導、職業訓練の受講奨励などの場合である。
③ 長期失業者のあきらめ、意識の停滞、就職意欲の低い求職者に対する動機づけを行う場合。
④ 求人事業所への紹介あっせんに先立って、自己理解の整理、事業所理解、面接の受け方等の取得と是正などを必要とする場合。
⑤ 個別面接を行った中で、助言・援助が円滑に受け入れられなかった場合。
⑥ 同様の問題を持っている求職者同士で話し合い、相互の自己開示によって問題が解決すると考えられる場合。

3.2 グループ・ワークの実施方法

グループ・ワークを行うに当たり最も大切なことは、グループ・ワークの目標を定めることである。職業指導におけるグループ・ワークの目標には、情報提供に重点を置くものと、感情、意識、行動・態度変容に重点を置くものとの２つがある。いずれの場合も、グループ・ワークの目標をメンバーに提示し理解させなければならない。特に、感情、意識、行動・態度の変容に重点を置くものについては、直接それを提示するのではなく、グループ・ワークのプロセスの中で目標達成に役立つようにリーダーが持っていく。

グループ・ワークの目標やテーマは、求職者の種類と態様に応じてさまざまである。ここでは、例えば高年齢求職者について、情報提供のテーマとその結果としての効果を以下に示す。

・高年齢者の求人、求職状況を理解し、それに対し自分はどうするか。
・現実に高年齢者の労働条件はどうなのか。では、自分はどうするか。
・高年齢者向き職業とは、どのように考えたらよいか。
・高年齢求職者は、一般にどんな就職活動をしているか。自分は何をしなければならないか。
・履歴書とキャリア・シートを書いてみよう。
・高年齢者対象の能力開発コースはどんなものがあるか。各種の助成措置はどんなものがあるか。自分はどうするか。

上記のようなグループ・ワークのプロセスの中で、メンバー各人が就職の可能性に対する自信、自己理解と現実的態度の確立、就職に関する意思決定、就職活動の開始、コミュニケーション能力や自己表現力の向上などの目標を達成することになる。また、カウンセラーやコンサルタントは、個々のクライエントの求職条件の変更、紹介、就職あっせん、結果としての紹介・就職率の向上などの業務上の副次的効果を得ることができる。

グループ・ワークは、若年者、高年齢者、転職者など求職者の属性別に行うのがよい。その場合、グループ・ワークの目的と解決すべき問題の共通性に応じてメンバーを決める必要があるが、次のような点に留意する。

①　グループ・ワークの目的、情報提供が、その求職者に必要であり、かつ本人に参加意志があること。
②　グループ・ワークによって、求職者が明らかに何らかの利益を得る見通しがあること。
③　協調性の著しい欠如、極端な情緒不安など、グループ・ワークのほかのメンバーに著しい障害を与える欠陥が見られないこと。

メンバーの人数は、グループ・ワークの目的にもよるが、１グループは５～８人程度がよいとされる。時間は、人数、目的等で異なるが、１セッションは60～90分程度で、いくつかのセッションを構成する。場所、設備等も目的に応じるが、気が散らず、自分が意見を述べ、他人の意見を聞くことができ、必要に応じて何らかの行動ができるスペースと快適で静かな環境が必要である。また、メンバー全員が発言者の表情を見ることができるように、円形または半円形に椅子を配置する。グループ・ワークの目的によっては、キャリア・シート、テスト、職業情報などの職業紹介に直接関連する資料を用意しておく。

3.3　グループ・リーダーの役割

グループ・リーダーは何をするか、主なものは次のとおりである。

①　グループ・ワークの目標の決定
②　参加メンバーの勧奨と選抜
③　グループ・ワークの設営、勧奨、当人への通知、その他の周知
④　グループ・リーダーとしての運営
⑤　事後指導

グループ・リーダーは、目標達成の方向へ向かってメンバー同士の話し合いを促進するファシリテーターであって、教師でも講師でもない。しかし、単なる進行係ではなく、各個人の職業紹介に関し、責任を持つ専門家として情報提供、専門的介入をしなければならない。

そのためには、メンバー全員の信頼を得るよう努めるとともに、常に中立的な態度を保ち、メンバー全員に対して心からの関心を持ち、かつグループ・ワークを公正に進行するためのリーダーシップを発揮しなければならない。また、職業紹介、職業指導、職業情報、人間評価、労働政策、労働法規、人事・労務管理などに関する基本的な知識、スキルを持っていることが望ましい。

リーダーが具体的に行うべき役割は、次のようなものがある。

①　開始に当たってメンバーを紹介し(自己紹介でもよい)、グループ・ワークの目標を告げる。
②　メンバー全員をグループ・ワークに参加させるよう気を配る。
③　メンバーに向かって質問、応答、介入することによって、全体の話し合いを目標に向かって促進する。同時にメンバーの連帯意識を強化する。
④　グループ・ワークの目標を明確にする。目標達成に必要な情報を用意する。グループ・ワークに先立つ個別相談の中で、情報のニーズ、方向づけを検討しておく。グループ・ワークの初期段階でメンバー各自の情報ニーズ、解決したい問題などを述べるようにファシリテートする。
⑤　メンバーが持っている知識、経験をできるだけ引き出すようにする。
⑥　リーダーシップ、自己開示、適切なインストラクション、シェアリング、抵抗への対応など必要なグループ・エンカウンターのスキルを行使する。
⑦　リーダーとして個人的な意見や価値観を強制したり、グループの意向に逆らって結論を強制したりしないように気をつける。
⑧　グループ・ワーク全体の進行（時間、話し合いの内容、メンバーの参加、目標の達成度合など）を監視し、評価する。
⑨　グループ・ワーク終了後（当日または数日後)、必ず個別面接を行い、結果の評価、就職に関する影響、具体的実行の有無などの事後指導を行う。

グループ・ワークの標準的手順とテクニック例は、図表15－２、図表15－３のとおりである。

3.4　再就職支援

ハローワークや民間の職業紹介機関などでは、単なる職業紹介にとどまらず、一定時間をかけたきめの細かい相談、指導、求職者に対してのセミナー、グループ・ワークなどを行ってきた。その内容は、グループ・アプローチによるキャリアコンサルティングそのものである。

図表15－2　グループ・ワークの標準的手順（リーダー用）

1	**話合いの開始**
①	参加者全員が揃ったところで会合目的を簡単に告げ、その目的に沿って自分の意見や知識を自由に述べ合うように参加者に要請する。
	例）「会合目的（グループ・ワーク目的）について「安定所の行っている業務やサービスの中には、高年齢者の方々になるべく利用していただきたいものがいくつかあります。今日お集まり願ったのは、このようなサービスについていろいろ話し合っていただくためです……」
②	発言のウォーミングアップをかねて参加者各自に自己紹介をさせる。氏名だけでなく、実施目的と関係の深い個人的背景（例えば前歴、就職希望条件など）を若干つけ加えさせる。
	例）「今日のグループ懇談の目的は就職活動のしかたについて話し合い、そのこつを皆さん方自身に十分のみこんでいただくことにあります。仕事探しはどの方にとっても初めての経験ですので、同じような仲間同士で情報交換をしながらどうすればよいのかを一緒に考えてみることは、いろいろ役に立つと思います……」
③	参加者の自己紹介の中から共通特性ないし共通的関心事項を取り出し、参加者同士の仲間意識を高める。
	例）「どの方も50歳以上で地元を動きたくない人ばかりですね」 「早く就職はしたいが若干問題がある点では皆さん似た者同士ですね」
2	**問題の提起**
①	会合目的に関連して、どんな情報を入手したいかをなるべく参加者自身に述べさせる。
	a　この会合を利用して、特に他の参加者から何を聞きたいと思っているかを述べさせる。 b　参加者の中の特定個人を名指しして、自分の体験をいくつか発表させる。 c　いま話された内容についてどう思うか。まだ発言していない参加者に一言ずつ所感を述べさせる。
②	①で提起された問題内容を要約する。
	a　どのような問題事項ないし情報ニードが話し合われたか。 b　そのうち会合目的に照らして特に重要と考えられるものは何か。 c　参加者全員が最も関心を寄せたものは何か。
3	**話合いの展開**
①	会合目的に即した問題内容について、順次話合いを展開させる。
イ	まず最も関心の高い問題について、参加者各自の持つ経験および知識の中から、参考になると思う情報を提供するように求める。
	例）「同じような経験をお持ちの方もあるようです。自分の時はどうだったか少し話していただけませんか」
ロ	参加者同士の会話を奨励する。この間、できるだけ多くの参加者に対して積極的な支持又は反応を提供する。
	例）「その通りだと思う」「それは良い考えだ」「今言われたことは非常に重要だ」 「よく考えておられると思います」
ハ	発言の少ない参加者にその意見ないし考えを話すように促す。
	例）「××さん、あなたならどうしますか」
ニ	話の要点が分かりにくいときは言いかえたり、解説を加えさせることによって援助する。
	例）「あなたがおっしゃりたいのは、～ということでしょうか」 「それをもう少し説明して下さいませんか」

ホ	仮定的場面または問題を提出して、参加者に自分ならどうするか問いかけ、その判断根拠ないし意見を発表させる。 例)「こんな場合どう考えますか」「それに何か付け加えたいことはありませんか」 「他に何か対応策は考えられませんか」 「ご自分だったらどうしたか、同じことをしたかどうか考えてみて下さい」
②	①で話し合われた内容を要約する。 a　参加者全員の関心が集中した情報とその要点は何か。 b　参加者全員が一致した意見にはどういうものがあったか。 c　意見が対立したり、今後さらに検討を要するとされた問題点は何か。
4	**話合いの終結**
①	これまでの話合いから何を得たか、今後どうしたいと思うかなど、参加者１人以上に感想を報告させる。
②	なるべく①の発言を引用しながら、この会合が参加者全員にとって有意義であったことを強調し、参加をねぎらって終結する。
③	次回の個別面接予定等について必要な連絡を行う。
④	話合いの内容に関係のある安定所業務や援護サービスの説明、利用勧奨等を行う。

（資料出所）　労働省職業安定局　1986「職業紹介基本マニュアル（求職者サービス編）」pp. 186－188

図表15－3　グループ・ワークにおけるテクニック（例）

事　例	取扱いテクニック
1．発言しようとしない参加者	しばらくそのままにしておき、他の参加者がどのように発言しているかを観察する時間を与える。他の参加者の発言に肯いたり、首を振るなどの反応が表われだしてから、名指しによって答えやすい質問を行い、発言を促す。
2．発言しすぎる参加者	①「ただ今の××さんの意見についてどう思いますか」などと他の参加者に質問することによって、次の発言を封じる。 ②　その発言を無視して他の参加者に発言を求めるようにする。それでも効果がなければ「他の人の意見も聞いてみたいと思うので」とはっきり阻止する。
3．話題が逸脱したとき	当グループワークの目的を再述し、確認することによって参加者全員の関心と注意とを本題に戻す。 「この話は私も面白いと思いますが、残り時間も少ないことだし、～という本来の話題に戻ってはどうでしょうか」
4．参加者の質問がリーダー１人に集中してきたとき	①　適切な回答や意見を持っていそうな求職者があれば、質問をまわしてリーダーの代わりに答えさせる。 ②「みなさんならどうしますか」などと、質問を逆にグループに問いかえして意見が出尽くすまで待つ。その後、必要があれば専門家としての意見ないし情報を提供する。
5．特定の参加者に対して集中攻撃が生じたとき	それが反対のための反対である場合には、話題を転じるなどによって全参加者の注意を別の事項に集中させるようにする。しかし、それが正当な理由に基づいたものであり、建設的な内容のものであれば、悪意がないことが誰にもはっきりしている限り、続行させた方が結果的には良い場合が多いようである。

事　例	取扱いテクニック
6．参加者が自分の考えをうまく言い表わせなくて困っているとき	①「あなたの考えておられることは私にも分かったように思います。もし違っていたら言って下さいよ」などと前置きしてから要点を代わりに述べ、「こんなところでしょうか」と確認する。 ②「つまり～ということですね」など、別の表現で言い換えることによって援助する。
7．参加者から求められた情報知識、あるいは話題になっている問題の深さがリーダーの知識能力や制約を超えるものであるとき	あいまいな返事を避けて率直に自分には回答できないことを言明する。後に調べて知らせることを約束したり、場合によっては他の適当な職員又は機関の個別相談を受けるよう勧める。

（資料出所）　図表15－2に同じ

ここでは、再就職支援の概要を見てみる[8)]。まず、再就職支援プログラムは、生涯にわたるキャリア形成支援という観点から、次のような基本的視点を持つように構成されているものが多い。

（1）　求職者の自己理解に基づいた自立的な取り組みとしての再就職支援：単に職業と個人のマッチングを達成すればよいというのではなく、深い人間理解に立った支援を行う。また、失業を事故として捉え、事故そのものではなく、それへの対応を支援する。

（2）　キャリア開発の視点からの対応：職業生涯を通じたキャリア形成を重視する。また、組織に従属する個人ではなく、組織と個人の共生を重視する。内的キャリアの充実を目指す。内的キャリアとは仕事と人生の質の問題である。キャリアコンサルティングはそうした哲学により行われることを前提とする。

（3）　ショックからの立ち直り、自信回復の支援：失業のショックからの立ち直り、心理的サポート、失業を受容することへのサポートを行う。失業からの脱出には一定の時間とプロセスが必要である。求職者のポジティブな面を認め、支援するサポーターとなることが必要である。

（4）　キャリアガイダンスの視点：職業、産業、事業所の理解、自己理解のためのテスト、方策の実行としての履歴書、キャリア・シートの作成など、再就職支援はさまざまな支援が提供される。個別相談だけでは就職はできない。現実の産業、雇用、事業所の状況と密接に関連したキャリアガイダンスが必要である。

（5）　グループ・ワークの重要性：中高年齢ホワイトカラーは永年組織人として経験を蓄積してきたので、現実の経験をグループから体得できる。ガイダンスを効率的・効果的にできる。グループ・ガイダンスは受容、カタルシス、他者理解による自己理解など個人カウンセリングと異なった効果を期待できる。

（6）　対象者別のきめの細かいプログラム：中高年齢求職者も定年、解雇、リストラによる退職者、転職希望者、キャリア発達のための自己退職者などさまざまである。対象者の種類、態様などに応じて支援の手段、方法、期間、運営の方法など、きめ細かく検討すべきである。

（7）　治療的カウンセリング手法も必要：失業の精神的ショックやダメージにより精神的障害を受けている者に対しては、治療的カウンセリングをカリキュラムの中に取り入れたり、個別カウンセリングの実施あるいはメンタルヘルス担当者との連携などが必要である。

（8）　企業の人事・労務管理への対応：求職者の再就職支援では、求職者個人への対応が重視されがちだが、採用条件・能力評価基準の明確化、人事労務方針、キャリア形成に関する企業の考え方など、企業サイドの問題が就職の可否を大きく規定する。受け身ではなく、積極的に個人の側から企業に求める啓発的カリキュラムも必要とされる。

プログラムの具体的内容は対象別に重点の置き方が異なり、カリキュラムも異なる。ただし、全体としての再就職支援の流れは次のようになる。その内容は基本的にはキャリアコンサルティングの流れと同じである。

①　インテーク	②　集団の形成
③　姿勢の確立	④　職業に関する個人情報の把握
⑤　問題の定義、目標の設定	⑥　再就職計画の策定
⑦　方策の実行	⑧　評価
⑨　就職後のフォローアップ	

求職者支援は、対象者が自発的失業者か、非自発的失業者か、在職中か、失業中か、再就職の方向性ができているかいないかなどによって、カリキュラムの重点、期間、個人か、集団かなどいろいろ変える必要がある。

第4節 ジョブ・クラブ

「ジョブ・クラブ」とは、「共通の目標や類似の問題を持った求職者がグループとなり、相互に意見や情報を交換したり、グループ・カウンセリング、グループ・ワークを行って、参加した求職者が自分の仕事を探索し、選択し、有効な求職活動を行って、結果として就職させることを目的としたグループを対象にした就職援助活動」である。1970年代にアメリカで開発され、その後、先進各国の職業安定機関で導入され、大きな効果を上げたとされる。就職支援・職業指導全般の中でも、特に成功した事例・技法として知られている。我が国でもハローワークにおけるグループ・ワーク、人材銀行におけるホワイトカラーの就職支援セミナーなどの原型として取り入れられた。開発者アズリン(Azrin, N. H.)[9)]によれば、その概要は次のとおりである。

まず、一般的なスケジュールとしては、1週間を月曜から金曜の5日間として、全体として2週間、10日を1単位としてジョブ・クラブが運営される。10～12人の参加者で構成され、1日の活動時間は2、3時間。就職できなかった場合は、次のジョブ・クラブに引き継がれる。活動の内容は、カウンセラーが本来クライエントに行っている手順を構造化し、すべての参加者に適用し、学習させ、短時間に行わせる。活動手順は次のとおりである。

① 導入及び準備活動（オリエンテーション、自己紹介、交通手段、職種の決定、家族への依頼）

② 就職希望先の選定（リストの作成、求人情報源の把握、応募事業所リストの作成）

③ 面接設定及び関連活動（友人、知人への連絡、事業主への連絡、面接の約束の取り付け）

④　職務への応募と採用面接（履歴書、キャリア・シートを書く、応募用紙を書く、推薦状を入手する、採用面接を受ける）
⑤　求職活動の記録と時間管理（求職活動進行表の作成、毎日の行動計画作成）

主要な活動手順のスケジュールは、図表15－４のとおりである。

なお、ジョブ・クラブでは、履歴書、キャリアシート、職業情報、依頼文書、電話のかけ方などさまざまな資料の作成、エクササイズを行うのが特徴である。

ジョブ・クラブ活動は、活動が具体的であること、活動手順がすべての求職者に標準化された方法で、継続して、集中的に提供される点が特徴である。そのため次のような効果がある。

①　１人の場合より、成功への期待感が高まる。
②　就職先の手がかりと、実際の開拓をグループで共有することができる。
③　その他のグループが本来持っている影響力を活用することができる。
④　ほかにも同じことに悩んだり、目的の同じ人がいることを自覚し、相互の助け合いにより、各個人は癒されたり、元気づけられたりする。
⑤　カウンセラーは、カウンセリングを複数のクライエントに効率的に行うことができる。

これまで我が国でも官民で各種のグループ・ワークが行われてきたが、ジョブ・クラブのように「求職者個人が積極的に事業主に電話連絡を行い、採用面接に至るまで自分で行っていく」という方式はほとんど行われていない。欧米で普及したといわれるジョブ・クラブがどのように我が国の就職支援に応用できるか、方法、カリキュラム、実施体制などについて、今後も引き続き検討し、我が国のジョブ・クラブとして大いに効果を発揮することが期待される。

図表15－4　ジョブ・クラブの主要な活動手順のスケジュール

活動日 主要な活動手順	第１日目	第２日目	第３日目	第４日目	第５日目	第６日目以降
A　導入及び準備活動						
a：プログラムへの導入	実施（就職率説明）					
行動契約への署名	同意書への署名					
b：①自己紹介	実施					
②交通手段の協力	話合いと協力同意					
③目標職種設定	職務スキルの確認	職務興味の拡大	必要なら拡大継続	必要なら目標設定		
④家族への依頼書簡の作成	宛先記入					
B　ジョブリードの発見						
a：友人知人リストの作成	説明	記入	完成			
b：他の情報源について	説明					
c：ジョブリードリスト	リスト説明、ジョブリード５～10獲得記入新聞、電話帳など	ジョブリード10獲得記入（新聞など）	→	ジョブリード10獲得記入B-aリスト含めて	→	→
C　面接設定及び関連活動						
a：友人への援助依頼	電話台本（宿題）	電話連絡練習	→	→	→	→
b：事業主への手紙の作成				手紙作成	→	→
c：電話連絡の練習	説明と役割練習、説明とペア連絡	ペア電話連絡	→	電話連絡	→	→
D　職務への応募と採用面接						
a：履歴書の作成		開始	継続と完成（宿題）	継続と提出・送付	→	→
b：応募用紙への記入	説明	記入完了と修正				
c：推薦状の入手		３部作成（宿題）	完成	連絡継続	→	
d：採用面接の役割練習	説明と回答準備	開始	継続	継続と改善を考慮	→	→
・面接後チェックリスト		説明と割当	確認と割当	確認と問題点指摘	確認	→
E　求職活動の記録と時間管理						
a：セッション活動の記録	進行表への記入	→	→	→	→	→
クラブ外活動の記録		記入と達成確認	→	→	→	→
b：毎日の予定表の作成	説明と記入	予定表の記入	→	→	→	→

（資料出所）　日本労働研究機構　1991「就職援助技法『ジョブクラブ』」 p. 21

文　献

1）渡部昌平編著、高橋浩・新目真紀・三好真・松尾智晶著　2018『グループ・キャリア・カウンセリング－効果的なキャリア教育・キャリア研修に向けて』金子書房

2）Pyle, K. R., & Hayden, S. C. W. 2015 Group career counselling：Practices and principles（2nd ed.）. Broken Arrow, OK：NCDA

3）高橋浩　2018「グループ・キャリア・カウンセリングの概要」渡部昌平編著『グループ・キャリア・カウンセリング』金子書房（pp. 2－37）

4）新目真紀　2018「グループ・キャリア・カウンセリングスキルとは」渡部昌平編著『グループ・キャリア・カウンセリング』金子書房（pp. 63－98）

5）文献4）に同じ　p. 69

6）文献3）に同じ　p. 13－14

7）國分康孝・片野智治　2001『構成的グループ・エンカウンターの原理と進め方：リーダーのためのガイド』誠信書房

8）雇用情報センター　2000「中高年ホワイトカラー再就職カウンセリング研究会報告書」pp. 24－25

9）Azrin, N. H., & Besalel, V. A. 1980 Job club counselor's manual：A behavioral approach to vocational counseling. Baltimore, MD：University Park Press（津富宏訳 2010『キャリアカウンセラーのためのジョブマニュアル－職業カウンセリングへの行動主義的アプローチ』法律文化社）

附章 「働く現場」に想う

中小企業にこそ「働くこと」と「人材育成」の原点がある

かつて、私を含む研究者、労働行政の実践家、中小企業の経営者などにより、中小企業に関する多方面からの調査・研究を行い、『人を育てる中小企業』という書籍として出版した。

そのときの調査・研究を振り返りながら、今日の視点に立って、中小企業と「働くこと」と「人材育成」について述べたい。統計等について変化があるものもあるが、今日さらにその意味が増したと考えるからである。

キャリア・カウンセリング、キャリア・ガイダンス、キャリアコンサルティングいずれの観点からも、中小企業と地域との連携が求められている。

1　いま、なぜ、中小企業なのか

（1）「働く現場」は中小企業にこそある

我が国の事業所の大部分は、300人未満の中小企業であり、労働者の約８割は中小企業で働いている。また製造品出荷額の５割、年間商品販売額の６割余は中小企業によって生産、販売されている（隔年の総務省統計、工業統計、商業統計等）。

これまで、職業能力開発、キャリア形成支援、キャリアコンサルティングなどの施策は、とかく大企業を前提として構築されてきた。しかし、大企業でもそれを実践する現場は、支店、営業所、工場などの現場である。制度があるからといって、本社で計画されたことがそのまま行われるわけではない。各施策は、大企業も含めて実質的な現場で行われるのである。

（2） 少子・高齢化と中小企業

我が国は今日、少子・高齢化、人口の減少というかつて経験したことのない構造変化に直面している。そのインパクトを直接受けるのは、特に中小企業の経営と人材確保である。

中小企業を対象とした職業能力開発の視点は、第８次職業能力開発基本計画[1)]において下記のような点が指摘されている。

① 限られた働く人の潜在的就業可能性（エンプロイアビリティ）を掘り起こして、維持、向上させること

② 産業活動と労働者の大半を支えている「現場」として、従来から持っていた「従業員を育てる」優れた側面を今こそ発揮し、出生率を維持、回復することに貢献すること

③ 労働者と経営者の高齢化への対応に、仕事・経験を通じた能力開発、雇用可能性、職業生活設計と職業生涯という３つの視点を取り込むこと

④ 過疎化の進展など地域経済の維持・向上に地域密着性、生活支援性、「顔の見える化」、労働集約性などの中小企業の特性を生かすこと

（3） 事業経営と技能開発・人材育成の一体化

中小企業では、後継者は一般に経営者の子息、子女、親族が多い。企業合併、買収、廃業などに当たって、「経営者と苦楽をともにしてきた労働者の今後を優先する」という、ウェットではあるが「企業と働く人の共生」という、最近忘れられがちな我が国での経営哲学が尊重されている側面がある。

この点は、職業能力開発、キャリア形成支援、キャリアコンサルティングの側面からすると仕事経験の重視、現場力、技能の伝承につながっているもので、評価されるべきである。

（4） 熟練技能の維持・向上、伝承の実践現場

「かつて人々は、モノの後ろにそれを作った人の苦労や労働を見る目を持っていたが、それが見えなくなった。モノの利便性や経済性、すなわち実用的な価値しか見えなくなった。労働も同じである。自分で額に汗して働くより、それを安く買うことをまず考える。

産業の二重性を巧みに利用して、中小企業が作ったモノを大企業が売る。」[2),3)]

これまで、技術ではなく技能を維持、伝承してきたのは、中小企業の現場であることをあらためて考えさせられる。

(5) 継続的なキャリア形成のための条件整備

生涯を通じた職業キャリアは、若年期、発展期、円熟期ごとにいろいろな課題がある。要約すれば、若年期は「キャリア教育と雇用、収入の安定」、発展期は「労働者としてのキャリア形成」、円熟期は「経験と熟練技術、技能、それを発揮する環境、地域貢献活動への参加」などである。

これらの課題に関して、中小企業はある面で積極的な役割を担える可能性を持っている。

例えば、アルバイトやフリーターから正社員への登用に当たって、能力、成果とともに人柄を重視するなどの家族主義的な経営が行われていると思われる。

発展期の最大の課題である「仕事と家庭・育児の両立」についても、大企業に比べて「子供を産み育てやすい」側面を持っていることについては、多くの事例が語られている。

(6) 地域活動と結び付いた労働者の雇用・能力開発

地域コミュニティは、元来異なる世代の人々がさまざまな活動を通じて交流を図り、雇用、教育、キャリア形成を実践する場でもある。地域密着型の事業は中小企業性が高く、利益性だけを求めるのではなく、行政と民間が重なり合う領域である。

祭事、イベント、文化活動、高齢者の生活支援、介護・福祉サービス、就労サービス、コミュニティ・バス、高齢者送迎の地域バスなど、どれをとっても地域活動と密接に関連している。今後伸びる事業ともされており、若年、中高年齢者の各世代にわたって雇用の場を提供し、労働者の職業能力開発、キャリア形成支援に貢献することができる。

2 中小企業の「現場力」を見直そう

(1) 中小企業の事業継承

多くの中小企業は、一部を除いて後継者不足に悩んでいると思われる。事業を何らかの形で継承しようとしている経営者のうち、「後継者をすでに決めている」ものは半分に満たないとも言われている。

しかし、このような中小企業の後継者不足は、働く人の人材育成という観点からマイナスだけだろうか。中小企業ではどういう人が選ばれているか。いくつかの調査等によると、70％は現在の経営者の子息、子女である。親族のほうが企業内の理解が得やすい、また親として自分のやり方を見せてきたからである。意思と能力のある労働者が適切な後継者対策と企業内の支援によって、後継者または企業の中核的な労働者として働く可能性は、中小企業にこそ存在している。

「苦楽をともにしてきた労働者の今後を第一に考える」という義理人情的なウェットな企業観を、今こそあらためて見直すべきである。

（2）　高齢者の技能の伝承

少子高齢化の時代を迎え、最も大きなマイナスは、「高齢者の能力が伝承されないこと」である。特に、ものづくりにおける技能の伝承でそのことが大きい。

一般に、「技術」は言語や数値で表現できる能力や知識であって、コストをかければ自動化できる。ところが「技能」は、個人の経験と勘により身につけたものである。暗黙知であり、労働者自身の頭と身体の中にあるためIT化やマニュアル化がしにくい。技能は永年にわたる現場のOJTや能力開発によって磨かれ、継承されてきた。それ自体が「経営資源」である。大企業では「技術」は開発され、機械化、マニュアル化されるが、「技能」は維持しにくく、伝承しにくい。「技能」は中小企業でしか継承できない。

「技能」の根幹をなすものは、仕事の内容、仕事の進め方、仕事に直結する人間関係、技能、仕事に直結する能力開発や労働条件などである。

働くことに関して、今こそ見直すべきは「高齢者の技能の伝承」である。

（3）　労働の人間化、それが「現場力」

中小企業、大企業に限らず、働く人、企業側両方にとっての「現場力」については、永年にわたって理論的にも実践的にも明らかにされてきた。

従来、現場力を規定する要因としては、企業属性、経営方針、社風、キャリア支援体制、労使のコミュニケーション、労使の相談体制、メンタルヘルスケアなど、どちらかというと組織側の問題が取り上げられてきた。

働く労働者1人ひとりが「人間化」し、「現場力」をつけることが重要とする考えが、世界的な共通理念となって久しい。作家・黒井千次は「労働の成熟」という概念を次のように表現している。

「会社の中に長く暮らしてさえいれば、当然経験は豊富になる。しかし、経験の単純な累計がその人間の発言力を成長させるのではない。経験を通じて仕事が自分の中に受け入れられ、それが他人事としてではなく自らの内部で生き始めて、ようやく彼は一人前の人間として歩み始める。」[4)]

1970年代以降、技術革新による労働疎外の問題が世界的な課題となり、「労働の人間化」「労働生活の質」は、OECDなどの国際機関による理論研究、それによる各国の実践が行われた。この中で「優れた働き方の6条件」が、我が国でも公表された。

3　官民を超えた「公の視点」を共有しよう

(1)　若年者の雇用と収入の安定への貢献

若年無業者（ニート)、フリーターや非正規社員が長期にわたって社会問題となっている。一般に、収入が不安定な若者は、その経済面、生活面を親に依存し、未婚の理由として「金銭的に余裕がないから」と答えている。現に、若年無業者は「働く意欲に欠ける」「採用しても定着しない」「求める能力を持っていない」と言われている。30歳を過ぎてもフリーターであるものは、生涯正社員にはなれないと極論する人もいる。

もともと労働者の採用や評価について、大企業は能力や成果を重視する。まさに「成果主義」である。それに対して、中小企業は一般に採用や評価において、「人柄」を重視する割合が高い。家族主義的経営、人物本位の登用がやりやすいからだと考えられる。内部からの登用の場合でも、ある程度働きぶり、企業への貢献度、性格などを把握しやすい面があるからだろう。

これらの中小企業の良い点を生かしていくべきである。しかし、同時に中小企業は一般的に経営、労働条件、能力開発全般にわたって依然として立ち後れていることは言うまでもない。中小企業において「若年者の雇用と収入の安定」

が確保されるためには、国、地方公共団体、NPOなどによる支援と連携が不可欠である。

（2）「仕事と育児の両立」への貢献

これまでの各種の調査によって、働く女性に焦点を当てたいろいろな知見が明らかにされてきた。

「仕事継続理由」から浮かび上がった「女性像」は、家族の支えに感謝しながら、仕事が好きで続けてきた姿であり、一方「男性像」は、家庭を大事にし、職場の部下に感謝しながら、自分の仕事上の目標を達成している姿である。今日、キャリアの発展期、すなわち中年期における最大の問題は「仕事と育児の両立」である。

しかし、育児休暇があったとしても、育児しながら働く女性にとって現在でもいくつかの困難がある。仕事を中断することによる「3つのロス」である。育児休業期間中に休業前の所得のほぼ6割を喪失する「所得ロス」、復帰後の査定や昇進に悪影響があるという「キャリア・ロス」、業務知識、技術が日進月歩の中で取り残されてしまうという「業務ロス」である。

このようなことから、育児期を契機にして大企業の正社員から、中小企業の社員へという「女性の労働移動」がパターン化している。「仕事と育児の両立」について、大企業より中小企業は柔軟さのある制度の運用をしている要素が多いからと考えられる。一般論として、中小企業はそれができるからであろう。

（3）官民を超えた「公の視点」の確立

労働者のキャリア形成支援においても、企業及び行政等公的機関の社会的責任と役割は極めて重要である。

人材育成、キャリア形成支援において、今日、特に若年者の職業キャリア形成、労働者の「仕事と家庭の両立」、すなわちワーク・ライフ・バランス、地域貢献分野の創出、地域の教育力の再構築などの分野で、官民を超えた「公の視点」が求められていると私は思う。

1人の個人を、キャリア形成という共通の目的のもとに家庭、学校、企業、地域、行政が一体となって連携して支援することが何よりも大切なのである。それを実践する条件が「中小企業」と「大企業の現場」にあると私は考える。

私は永年、「真実は現場にしかない」「人は働くことによって、はじめて学ぶことができる」、「いつでも、どこでも、誰でもが学べ、やり直しのきく社会の実現」を確信して、研究と実践に当たってきた。

今回の本書５訂版の出版に当たって、あらためて「いま、なぜ、中小企業なのか」の意味と内容を述べた次第である。

文　献

１）厚生労働省　2006「第８次職業能力開発基本計画」
２）小関智弘　2001『仕事が人をつくる』岩波新書
３）小関智弘　2002『働くことは生きること』講談社
４）黒井千次　1982『働くということ』講談社
５）古山善一ほか　2007『人を育てる中小企業』雇用開発センター
６）厚生労働省　2016「第10次職業能力開発基本計画」
７）ロナルド・ドーア著　石塚雅彦訳　2005『働くということ』中央公論新社

あとがき

我が国社会全体に及ぶ構造的変化、将来が見えにくい不透明な時代の到来を迎えて、これからのキャリアコンサルタントはいかにあるべきか、当面の課題について私の考えを述べて「あとがき」としたいと思います。

結論から言えば、「いつでも、どこでも、誰でもが学べ、やり直しのきく社会」の実現に向けて、キャリアコンサルタントは先頭に立って活躍していただき、キャリアコンサルタントはそれができると私は確信します。

いま官民を問わず社会全体として何をすべきか、当面の課題を述べたいと思います。

その第１として、今日雇用の場の確保と現場力の再構築にもっと貢献するべきだと私は考えます。世界的な景気変動、派遣労働者の派遣切りに代表されるような雇用調整、非正規労働者の格差問題など、このような雇用情勢の中でキャリアコンサルティングどころではないという風潮が現実に広くあります。

伝統的にキャリア・カウンセリング、コンサルティングは、結局は個人を対象とした支援だからその範囲内でそれに徹すればいい、問題は雇用問題であってコンサルタントの仕事ではないという思いがわれわれのどこかにないでしょうか。キャリア・カウンセラーやコンサルタントが組織や社会を変えるという立場で環境へ積極的に介入しない限り、問題の本当の解決はないと私は考えます。

このような風潮は、過去の例をみても重大事故、欠陥・不正製品の頻発など、結局は「現場力の低下」に繋がっていると私は思います。「企業は人なり」、「現場主義」、「改善」は古くから我が国企業の原点でした。今日こそ「働く人にとって快適な職場づくり」を展開する先頭に立っている人がキャリアコンサルタントだと思います。なぜならばキャリアコンサルタントは現場にいて、現場を知っており、現場を動かすことができる人だからです。

第２は、障害者、高齢者、メンタルヘルス不全者など特別に支援を必要とする人たちへのキャリアコンサルティングを広めることです。

うつ病をはじめ精神疾患者の増加、疾病を抱えながら働く人や失業者など特別に支援を必要とする人々への支援が社会問題となっています。

従来、カウンセラーの中には、「治すカウンセリング」と「育てるカウンセリング」を理論的にも実践的にも峻別する傾向がありました。自分の立ち位置を明確にしてこそ専門性が高まるという点では私もその立場です。しかし、カウンセリングやコンサルティングの現場の支援ではこの２つを峻別することはできません。２つが関係しあい、並行して進められます。

働く人に関わる雇用対策も、労働条件の最低基準に関わる労働基準法、労働安全衛生法、失業者の就職支援に関わる職業安定法、労働者の能力開発に関わる職業能力開発促進法の４つはその目的、構造、実施体制などすべて異なります。法体制や雇用政策は当然そうあるべきですが、現場で１人の人に展開するキャリアコンサルタントは、そのすべてに関わらなければなりません。さらに医療・福祉の分野も関わります。

ではどうしたらいいか。関連分野の知識とスキルを広げ、自分がすべきことは担当し、すべきでないことはリファーすることに尽きると私は思います。

第３は、支援者として官民を越えた「公」の視点を自覚し、「労働の人間化」と「快適職場づくり」に貢献することです。

ここでいう「公」の精神とは、官であろうと民であろうと「公（Public）」の精神と行動をとりたいということです。官民を越えた「公」というと、セーフティネットとしての官、企業のＣＳＲ（社会的責任）が話題になります。それはそれで今日あらためて求められています。しかし、それはセーフティネットとしての雇用政策、企業の社会的責任としての人事・労務管理の在り方など、どちらかと言えば制度づくりが重点となります。制度があるから、それが実践されるとは限りません。それをどう展開するかです。

「公」の視点で、現場で働く人を支援するキャリアコンサルタントは、個人と組織の真ん中に立って「労働の人間化」とその結果としての「働く人にとって快適な職場づくり」に貢献することだと思います。

永年にわたる内外の「労働の人間化」の研究と実践の結果、「働く人にとっての快適職場」とは、次の６つの要素を満足する職場だと言われます。キャリアコンサルタントは、個人と組織にこの６つの側面から「人生いかに生きるかを支援する人」です。

① 労働の内容に手応えがあること。単に忍耐を要するだけではなく、適当な変化があること。(変化)

② 仕事から学ぶことがあること。継続的に妥当な量の学習があること。(学習)

③ 自分で判断の余地があること。自分の責任で考え、決められること。(自律性)

④ 人間的なつながりがあること。同じ職場の人々が互いに他人を認め合う関係にあること。(他人との協力関係)

⑤ 仕事に社会的意義があること。自分の労働と社会をつなげて考えられること。(社会的意義)

⑥ 将来にとってプラスになること。何らかの意味でよき将来につながること。(成長)

また国においても、社会環境や産業構造・労働構造の変化や労働政策上のキャリア支援の重要度の高まりを踏まえ、１人ひとりのキャリア自立の観点から、職業生涯にわたる職業生活設計に関わる支援の役割を、より確実に幅広く担うために必要な知識及び技能を反映するため、キャリアコンサルタントの能力要件の見直しが行われ、報告書が厚生労働省のWebサイトにて公表されています(「キャリアコンサルタントの能力要件の見直し等に関する報告書」)。

今日、我が国社会は、政治、経済、行政、企業、教育、家庭、地域などあらゆる分野で、これまでにない構造的変化に見舞われています。少子高齢化、技術革新、国際化の嵐の中で、いろいろな側面の格差問題、社会全体の人間力、教育力、現場力の低下が指摘されています。しかも将来が不透明な時代に入りました。

キャリアコンサルタントは、雇用、教育、企業の現場で直接「働くことを通して、人生いかに生きるか」を支援する専門家です。現場の最前線で変化を先取りし、それを働く人、組織、社会に仲介し、さらには変化を想像する役割を持たなければなりません。そのためには、これからのキャリアコンサルタントは「厚さと広がり」を持った助言者、情報提供者、計画者、調整者、教育者、ファシリテータ、コンサルティングの実践家でなければなりません。

将来が不透明で困難な時代だからこそ、社会の先頭に立って「いつでも、どこでも、誰でもが学べ、やり直しがきく社会」の実現のために先頭に立っていただきたいものです。本書が少しでもそのためにお役に立てば、永年この問題に関わってきた者の１人として、この上ない喜びです。

平成30年９月

木村　周

（５訂版あとがきを一部改変）

本書執筆者の木村周元筑波大学教授は、2021年３月14日に87歳で逝去しました。一年の喪が明けた本日、春の日差しはとみに暖かく、赤みが差した花の蕾は、また新たな季節の到来を告げていました。あらためて30年来の恩師の在りし日の姿を偲びつつ、冥福を祈ります。

令和４年３月

下村　英雄

索引　項目

あ

か

さ

た

な

は

ま

や

ら

わ

ABC

索 引 人 名

あ

か

さ

た

な

は

ま

ら

わ

木村　周（きむら　しゅう）

東京教育大学教育学部心理学科卒業
旧労働省入省（心理職）、職業安定行政（ハローワーク、都道府県、労働省）において職業指導、職業紹介、雇用政策の実務、行政研究所（現労働政策研究・研修機構）において職業指導研究、労働研修所（現労働大学校）において行政職員研修などに30年余携わる。職業指導研究部長、労働研修所主幹などを歴任
その後、筑波大学教授（心理学系）として、大学、大学院（教育研究科修士課程）において職業心理学、職業カウンセリング、産業心理学を担当
主な著書：『キャリア・カウンセリング』㈳雇用問題研究会、『新版老年心理学』（編著）朝倉書店、『キャリアの再チャレンジ』（編著）ブレーン出版、『産業カウンセリング事典』（編著）など多数

下村英雄（しもむら　ひでお）

独立行政法人 労働政策研究・研修機構　副統括研究員
筑波大学大学院博士課程心理学研究科修了。博士（心理学）。キャリア心理学、キャリア支援論専攻。日本キャリア教育学会会長、前日本産業カウンセリング学会監事、厚生労働省職業能力開発専門調査員、東京成徳大学大学院講師など
国家資格キャリアコンサルタント、１級キャリアコンサルティング技能士
主な著書：『社会正義のキャリア支援－個人の支援から個を取り巻く社会に広がる支援へ』図書文化社、『成人キャリア発達とキャリアガイダンス－成人キャリア・コンサルティングの理論的・実践的・政策的基盤』（平成26年度労働関係図書優秀賞受賞）労働政策研究・研修機構、『キャリア・コンストラクション ワークブック』金子書房、『D・E・スーパーの生涯と理論』図書文化社、『人を育てる中小企業－現場力の源泉は産業カウンセリングにある』雇用開発センターなど

編集協力

奥　博史（おく　ひろし）

独立行政法人 高齢・障害・求職者雇用支援機構　京都支部
産業カウンセラー、国家資格キャリアコンサルタント
２級キャリアコンサルティング技能士

キャリアコンサルティング　理論と実際

――専門家としてのアイデンティティを求めて――

初版1刷――平成22年 3 月
2訂版1刷――平成23年 8 月
3訂版1刷――平成25年 5 月
4訂版1刷――平成28年 5 月
5訂版1刷――平成30年10月
6訂版1刷――令和 4 年 5 月
6訂版3刷――令和 6 年 3 月

著者――――木村　周・下村英雄

発行――――一般社団法人 雇用問題研究会
〒103-0002 東京都中央区日本橋馬喰町1-14-5 日本橋Kビル2階
電話 03-5651-7071　FAX 03-5651-7077
URL https://www.koyoerc.or.jp/

印刷――――株式会社 ワイズ

210176

ISBN978-4-87563-271-9 C2037